DER KUNST BROCKHAUS

Band 1

# DER KUNST-BROCKHAUS

Aktualisierte Taschenbuchausgabe
in zehn Bänden

Band 1
A–Bij

**B.I.-Taschenbuchverlag**
Mannheim/Leipzig/Wien/Zürich

Redaktion der Taschenbuchausgabe:
Eberhard Anger M. A.

Layout: Gerd Schäfer

CIP-Kurztitelaufnahme der Deutschen Bibliothek
**Der Kunst-Brockhaus:** Aktualisierte Taschenbuchausg. in 10 Bd. – Mannheim; Wien, Zürich: BI-Taschenbuchverlag
ISBN 3-411-02930-7
Bd. 1. A–Bij. – 1987
ISBN 3-411-02931-5



Lizenzausgabe mit Genehmigung des Verlages F. A. Brockhaus GmbH, Mannheim


Druck: Druckhaus Kaufmann, Lahr
Einband: Augsburger Industriebuchbinderei GmbH
Printed in Germany
Gesamtwerk: ISBN 3-411-02930-7
Band 1: ISBN 3-411-02931-5

**Aachen,** ehem. Reichsstadt in NRW, 242200 Ew. Unter KARL D. GR. wurde A., das röm. **Aquae Grani,** Mittelpunkt des Fränk. Reichs. Die Kapelle der 769 bezeugten Pfalz gilt als bedeutendstes Denkmal karoling. Baukunst. Sie wurde nach Plänen von ODO VON METZ erbaut (um 800 gew.) und bildet den Kern des Münsters: achteckiger Zentralbau mit sechzehneckigem, zweigeschossigem Umgang. Das Obergeschoß mit Thron (wohl von OTTO I.) war für den Kaiser und sein Gefolge bestimmt. Im O got. Hochchorhalle (1355 beg.), im W karoling. Vorhalle (Westwerk) und got. Turm (im 19. Jh. erneuert). Als Antependium des Hauptaltars dient die einzige in Dtl. aus otton. Zeit erh. →Pala d'Oro. Bed. Schatz (Karlsschrein 1215); Münster mit Schatzkammer wurde 1978 als erstes Objekt der Bundesrep. Dtl. von der UNESCO zum Weltkulturerbe erklärt. Das Rathaus (1333–76) ist aus der ehem. Pfalz hervorgegangen (unter Verwendung karoling. Bausubstanz), im Reichssaal Fresken (Karlszyklus) von A. RETHEL (1847–51), Glasfenster (1956) von E. MATARÉ. Seit 1739 prägte Baumeister J. J. COUVEN (*1701, †1763) das Bild der Stadt. Elisenbrunnen (1825–27, von K. F. SCHINKEL überarbeitet). Im Alten Kurhaus (1782 bis 1786) die Neue Gal. (Niederländer) und Samml. Ludwig (Peter → Ludwig). Couven-Mus. (Wohnkultur zw. 1720–1840, A.-Lütticher Rokokomöbel); Suermondt-Mus. (Gemälde 14.–20. Jh., ma. Plastik, moderne Glasfenster sowie Goldschmiedekunst); Mus. Burg Frankenberg (Antike, Stadtgeschichte, Kunstgewerbe). Im Stadtteil **Burtscheid** barocke Kuppelkirche der ehem. Zisterzienserinnenabtei (997 gegr.) von Couven (1730 bis 1754) mit reichem Kirchenschatz. – Über die am Aachener Hof entstandenen **Buchmalereien** →Hofschule Karls des Großen und →Palastschule Karls des Großen.

# A

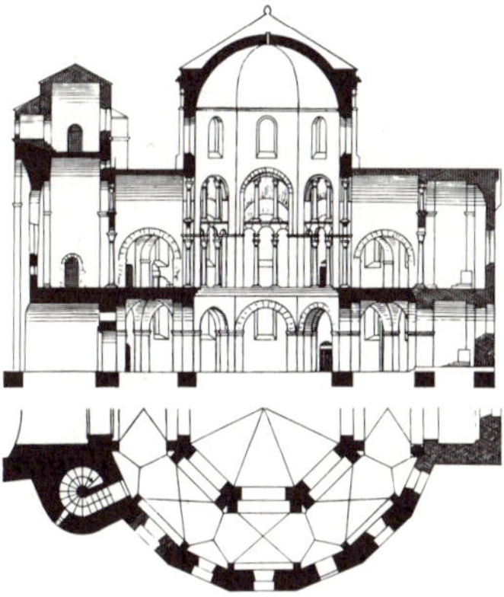

**Aachen:** Schnitt (Ost-West) und halbierter Grundriß des karolingischen Baues des Aachener Münsters

**Aachen, Achen,** Hans von, Maler, *Köln 1552, †Prag 4. 3. 1615, arbeitete nach Studien in Florenz und Rom (1574–88) seit 1590 für den Hof in München (bis 1596) und Kaiser RUDOLF II. (seit 1601 an dessen Hof in

**Hans von Aachen:** Bacchus, Ceres und Amor (Wien, Kunsthistor. Museum)

Prag als ›Kammermaler‹). Seine relig., mytholog. und allegor. Szenen im Stil des Manierismus zeigen auf den geistreichen Effekt abgestimmte Bewegung und Beleuchtung. Wie seine Porträts wurden sie von den besten Stechern seiner Zeit verbreitet.

**Aachener Möbel,** →Lütticher Möbel.

**Aalst,** frz. **Alost**, Stadt in der belg. Prov. Ostflandern, 45 200 Ew. St. Martinuskerk (1480–1566) im Stil der Brabanter Gotik mit Umgangschor und Kapellenkranz; Sakramentshäuschen von JÉRÔME DUQUESNOY (1604). Ehem. Rathaus (13.–15. Jh.) mit reich gegliederten Fassaden; am Belfried (1466 voll.) 2 Statuen (Ritter und Bürger).

**Aalto,** Hugo Henrik Alvar, finn. Architekt, *Kuortane 3. 2. 1898, † Helsinki 11. 5. 1976, seit 1923 selbständig in Finnland tätig, wurde 1940 Prof. am Massachusetts Institute of Technology in Cambridge (Massachusetts). A.s Entwürfe zeichnen sich durch die Virtuosität aus, mit der er Einflüsse der →Organischen Architektur, des →Internationalen Stils 2), regionsbezogene Architekturformen und eigene plast. Vorstellungen verbindet. Die Vielfalt der Entwürfe verhindert übertriebene Formalismen und entzieht das Werk einer eindeutigen theoret. Zuordnung.

**HW:** Bibliothek in Wiborg (1927–35); Sanatorium in Paimio (1929–33); Möbelserie ›Artek‹, mit seiner 1. Frau AINO MARSIO (1932); Fabrik und Wohnanlagen in Sunila (1936–39; 1951–54); Studentenheim in Cambridge, Massachusetts (1947–49); Wohnhaus im Hansaviertel, Berlin-West (1957); Kulturzentrum in Wolfsburg (1958–62); Konzert- und Kongreßhaus Finlandia, Helsinki (1962 bis

1971); Kirche in Riola di Vergato bei Bologna (1966–78); A. A. Mus., Jyväskylä (1971–73).
A. A., Gesamtwerk in 3 Bdn., 1 ($^3$1970), 2 (1971), 3 (1978).
K. FLEIG: A. A., erw. Auflage ($^2$1979).

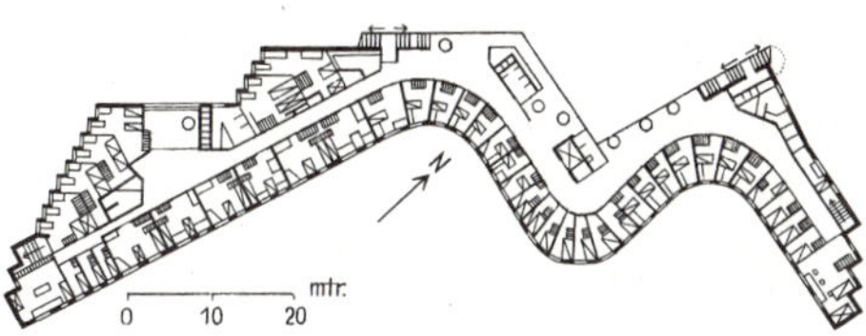


**Alvar Aalto:** OBEN Studentenheim in Cambridge (Massachusetts); 1947–49 UNTEN Grundriß, obere Stockwerke

**Aaltonen,** Väinö, finn. Bildhauer, *Karinainen 8. 3. 1894, †Helsinki 30. 5. 1966, bedeutendster Bildhauer Finnlands, schuf v. a. Denkmäler und Porträtbüsten.

HW: Heldengrab (1921; Savonlinna); Bronzestandbild Nurmi (1924; Helsinki, Athenäum); Bronzebüste Sibelius (Göteborg, Mus.); Denkmal Aleksis Kivi (Helsinki); Bronzebüste Gutenberg (Mainz).

**Aarau,** Hauptstadt des schweizer. Kt. Aargau, 16 100 Ew., Altstadtkern rechts der Aare mit ma. Gepräge; spätgot. Stadtkirche (1471–78); Rathaus (vor 1520 aus ma. Dienstmannenburg umgebaut, 1762 barockisiert); Schlößli (Turm 11. Jh., Palas 13./14. Jh., Stadtmus.); zahlreiche spätgot. (16./17. Jh.) und barokke Bürgerhäuser (18. Jh.). Aargauer Kunsthaus (schweizer. Malerei und Plastik 18.–20. Jh.).

**Aardenburg** [-byrx], Städtchen in der niederländ. Prov. Seeland; im 12. Jh. bed. Hafen, später versandet. St. Bavo (14. Jh., auf roman. Fundamenten) ist das einzige Beispiel der ›Scheldegotik‹ in den Niederlanden; Wandmalereien wurden im Querschiff aufgedeckt. Waisenhaus mit doppeltem Treppengiebel (1631). Stadtbefestigung z. T. erh. (westl. Torhaus, 1650).

**Aarschot** ['a:rsxɔt], Stadt in der belg. Prov. Brabant; got. Liebfrauenkirche (Chor 13.–14. Jh., Schiff 15. Jh.) mit Lettner im Flamboyant-Stil und reich geschnitztem Chorgestühl (um 1500). Der Beginenhof (1259 gegr., Gebäude 17.–18. Jh.) wurde im 2. Weltkrieg zerstört und z. T. wiederaufgebaut.

**Abadie,** Paul d. J., frz. Architekt, *Paris 9. 11. 1812, †Chatou (bei Paris) 3. 8. 1884, Diözesanbaumeister

**Magdalena Abakanowicz:** Aus dem Zyklus ›Veränderungen‹ – ›Die 40 Rücken‹ (1976–78; Detail)

von Paris als Nachfolger von E. E. VIOLLET-LE-DUC. Mit romanisch-byzantin. Formen prägte er den frz. Historismus.

**HW:** Rathaus in Angoulême (1858–65); Sacré-Cœur in Paris (1874ff.).

**Abaj Takalik** [aβ'ax-], archäolog. Fundort an der Pazifikabdachung Guatemalas. Hier sind (250 v. Chr. bis zu Christi Geburt) sowohl olmek. Traditionen fortgeführt als auch neue Formen entwickelt worden, die z. T. in der klass. Maya-Kultur wiederzufinden sind. Dazu gehören die räuml. Zuordnung von Stele zu Altar sowie die Hieroglyphenschrift.

**Abakanowicz** [-tʃ], Magdalena, poln. Künstlerin, *Warschau 20. 6. 1930, begann mit großen gewebten Wandteppichen, die sie in den 60er Jahren zu monumentalen Plastiken aus Sisal, Hanf und Kokosfasern weiterentwickelte; auch höhlenartige Environments; seit den 70er Jahren v. a. fragmentar. Abformungen des nackten Menschen.

**Abakus** [grch.-lat.], die das Kapitell oben abschließende Deckplatte (im dorischen Stil mit geradlinigen, im ionischen und korinth. Stil mit geschweiften Kanten).

**Abarku, Abarquh,** Dorf in Iran, zw. Schiras und Jesd. Durch die Lage an einer wichtigen Karawanenstraße war A. seit dem 10. Jh. eine blühende Stadt, heute verfallen. Ältestes Bauwerk ist der achteckige Grabturm Gumbad-i Ali (1056, aus Bruchsteinen). Die Freitagsmoschee, ein klass. Moscheebau mit 4 Iwanen, wurde 1318 erbaut.

**Abate,** Nic(c)olò dell'A., ital. Maler, →Abbate.

**Abaton** [grch. ›das Unbetretbare‹] *das,* →Adyton.

**Abbasiden,** Dynastie der Kalifen von Bagdad (750 bis 1258). Nach der Eroberung Bagdads durch die Mongolen (1258) lebte eine Zweiglinie der A. am Hof der Mamelucken von Kairo bis 1517 als Kalifen, wurden aber meist nur in Ägypten anerkannt. Über die künstler. Leistungen unter den A. →islamische Kunst.

**Abbate, Abate,** Nic(c)olò dell'A., ital. Maler,

*Modena um 1509/12, † Fontainebleau (?) 1571, stilistisch beeinflußt von D. DOSSI und PARMIGIANINO war er zunächst in Modena und Bologna tätig, seit 1552 mit F. PRIMATICCIO an der Ausmalung des Schlosses von Fontainebleau beteiligt (u.a. Galerie d'Ulysse, Ballsaal); ein Meister des Manierismus (dekorative Fresken, Landschaftsmalerei, Bildnisse); schuf auch Entwürfe für Wandteppiche und Emailarbeiten.

**Abbati,** Giuseppe, ital. Maler, *Neapel 13. 1. 1836, † Florenz 21. 2. 1868, wandte sich als ein Vertreter der Künstlergruppe der →Macchiaioli in seinen Landschaften und Genrebildern dem Realismus und der Freilichtmalerei zu.

**Abbinden,** Maltechnik: Festwerden des →Bindemittels durch Trocknen oder durch chem. Reaktion.

**Abbozzo** [ital.] *der,* frz. **Croquis** [krɔk'i], erste, nur skizzenhaft angedeutete Form eines zu schaffenden Werkes.

**Abel,** bibl. Person: Adams zweiter Sohn, Hirt, von seinem Bruder Kain aus Neid erschlagen. – Über seine Darstellung in der bildenden Kunst →Kain.

**Abelam,** die Bewohner des Maprik-Hügellands, eines bed. Kunstzentrums im Sepik-Gebiet, Papua-Neuguinea. Die Kunst der A. steht in engem Zusammenhang mit kult. Geschehen. Sie ist gekennzeichnet durch großen Formenreichtum der Malerei (auf Palmblattscheiden), die sich u. a. an ihren großen →Kulthäusern finden, und der Schnitzerei. Die Skulpturen sind meist bemalt; oft werden dabei Gesichtsbemalung und Schmuck der A. bei Kultfeiern wiedergegeben. In engem Zusammenhang mit dem Kult, der u. a. den Anbau von Yams umgibt, stehen die geschnitzten und bemalten, in Kulthäusern aufbewahrten Geisterfiguren. Neben geflochtenen Masken gibt es großartige, riesige Federaufsätze als Kopfschmuck.

**Abelam:** Darstellung eines Yamsgeistes aus bemaltem Holz, Höhe 180 cm, Neuguinea (Stuttgart, Linden-Museum)

**Abenberg,** Stadt (seit 1299) im Kr. Roth, Bayern, (1985) 4700 Ew.; Stammburg (1. Hälfte des 13. Jh.) der Grafen von A., die Burg und Ort um 1040 gründeten, seit Anfang des 13. Jh. im Besitz der Burggrafen von Nürnberg, seit 1296 des Hochstifts Eichstätt; Kloster Marienburg (1482 gegr.) mit Gebäuden des Eichstädter Baumeisters G. GABRIELI (1720).

**Abendmahl, letztes A.,** das von Jesus unmittelbar vor seiner Gefangennahme mit den 12 Aposteln gefeierte Abschiedsmahl. – Bildende Kunst: Die bildl. Wiedergabe des A. (seit dem 5. Jh., etwa in S. Apollinare Nuovo, Ravenna) blieb bis um 1000 n. Chr. selten und war in den ältesten Beispielen von antiken Gastmahl-Darstellungen bestimmt. Erst durch Einführung des meist rechteckigen Tisches, an dem alle Teilnehmenden sitzen, und die Mittelstellung Christi (10. Jh.) entstand eine geschlossene Szene. Die Situation war meist der Augenblick der Ankündigung des Verrats: Judas, meist isoliert dargestellt, nimmt den Bissen von Jesus; Johannes' Kopf ruht an Jesu Seite. Oft wurde die Szene in Refektorien abgebildet, so auch im Refektorium von S. Maria delle Grazie in Mailand von LEONARDO DA VINCI. Er führte die dramat. Spannung zw. Einset-

**Abendmahl:** Holzschnitzrelief von Tilman Riemenschneider. Mittelstück des Heiligblutaltars; 1501–05 (Rothenburg ob der Tauber, Sankt Jakob)

zung des Sakraments und Ansage des Verrats zum Höhepunkt. – Die Darstellungen des Ostens betonen eher das Sakramentale, die Apostelkommunion.

**Abensberg,** Stadt im Kr. Kelheim, Niederbayern, 371 m ü. M., (1985) 9 100 Ew.; Textilindustrie und Brauereien. Die Burg (12. Jh.) der Grafen von A. wurde im Dreißigjährigen Krieg zerstört; spätgot. Rathaus, Pfarrkirche (15. Jh.), got. Karmeliterkirche (Klostergründung 1389/91); im Kreuzgang Aventinus-Museum.

**Aberdeen** [æbəd'i:n], Stadt in der schott. Grampian Region, 208 000 Ew. In Old A., der alten Bischofsstadt am Don, liegen die einbogige Steinbrücke Brig o'Don (1320), die granitene St. Machar's Cathedral (beg. 1424, 2 befestigte Türme) und King's College (gegr. 1494). Um den einstigen Mittelpunkt von New A. – die Castle Street mit ihren Wahrzeichen Mercat Cross (1688) und Tolbooth Tower (14. Jh.) – gruppieren sich der neugot. Granitbau des Marischal College (als evang. Univ. 1593 gegr.), die Bürgerhäuser Provost Ross's House (1594) und Provost Skene's House (ab 1545; heute Mus.); einheitl. Charakter durch Granitbauten des 18. Jh. u. a. in der Union Street; Doppelkirche (East und West Churches) St. Nicholas, der Westbau (1751–55) von J. GIBBS. In der Art Gal. schott. und engl. Kunst des 18.–20. Jh.

**Aberli,** Johann Ludwig, schweizer. Maler und Radierer, *Winterthur 14. 11. 1723, †Bern 17. 10. 1786, bekannt durch seine in Umrissen radierten, getuschten oder kolorierten Schweizerlandschaften, deren ›Aberlischer Manier‹ seine Schüler folgten.

**Abfasen,** das Brechen der Kanten an Hölzern und Steinen, damit schräge Flächen (→Fase) entstehen.

**abgeschnürte Vierung,** →Vierung.

**abgetreppt,** Bez. für 1) die Rahmung eines Portals, bei dem sich die schräg in die Mauer geschnittenen Wände stufenförmig nach innen verengen, 2) einen stufenförmig aufgebauten Giebel.

**Abguß,** Abformung einer Vollplastik, eines Reliefs oder einer Naturform in einer weichen bis flüssigen, später erhärtenden Masse (Ton, Wachs, v. a. Gips). Die so gewonnene Hohlform **(Negativform)** wird bei einfachen Modellen in 2, bei komplizierteren in mehreren Teilstücken vom Bildwerk abgenommen, zusammengefügt und mit Gips, Zement, Kunststeinmasse u. a. ausgegossen und so der eigtl. A. **(positive Form)** gewonnen. Mehr als zweiteilige Negativformen bedingen zusätzl. Umfassen mit starkem Gipsmantel. Man unterscheidet: 1) Guß in ›verlorener Form‹ (frz. à cire perdue, Blindform) mit nur einem A. Beim Freilegen des A. wird die Negativform abgeschlagen. 2) A. mit ›erhaltener Form‹; hierbei sind mehrere A. möglich. Die Form besteht aus mehreren zusammensetzbaren Teilstücken. 3) Guß in Gelatineformen mit zahlreichen A. – Das A.-Verfahren wurde schon in den Bildhauerwerkstätten von Amarna, in der grch. und röm. Antike, in der chines. T'ang-Zeit und im Abendland bes. seit der Renaissance angewendet (Totenmaske).

**Abgußsammlungen.** Die ältesten Gipssamml. sind in der Frührenaissance entstanden (z. B. A. des Paduaner Malers F. SQUARCIONE). Seit dem Ende des 17. Jh. beginnen die Kunstakad. A. anzulegen, zuerst Antwerpen (1680), dann Amsterdam (1700) mit vorbildl. Modellen für Zeichenübungen der Studierenden. In Dtl. finden sich die ältesten A. in Dresden (Albertinum), Düsseldorf und Mannheim. Um die Mitte des 19. Jh. beginnen die dt. Univ. für den archäolog. Unterricht systematische Sammlungen anzulegen. Das ›Mus. des Monuments Français‹ in Paris, hervorgegangen aus dem ›Mus. de Sculpture comparée du Trocadéro‹, gegr. anläßlich der Weltausstellung von 1878, ist das Vorbild für neuere Abgußmuseen.

**Abhaṇga** [Skt.], die leichte Körperneigung frontal stehender ind. Bildwerke (→Sthanakamurti).

**Abhängling,** herabhängender Schlußstein an spätgot. und Renaissancegewölben; auch Knauf an Überkreuzungen von Balkendecken und Hängesäulen bei offenen Dachstühlen.

Abhängling

**Abhayamudrạ** [Skt.], schutzverheißende Geste ind. Götterfiguren. (→Mudra)

**Abhishẹka** [Skt.], Akt der Einweihung ind. Götterbilder durch Übergießen mit hl. Wasser sowie die Darstellung bes. →Gajalakshmis und →Skandas beim Empfang der Weihe.

**Abidjạn** [-dʒ-], Hauptstadt der Rep. Elfenbeinküste, Westafrika, an einer Lagune im Küstenbereich des Atlant. Ozeans, 1,3 Mio. Ew. Im Nat.-Mus. reiche Samml. traditioneller afrikan. Kunst.

**Abildgaard** ['abilgɔ:r], Nicolai, dän. Maler, getauft Kopenhagen 11. 9. 1743, † Frederiksdal 4. 6. 1809, lernte in Rom die ital. Renaissance und die Antike kennen, löste sich aus der Rokoko-Tradition und wurde der führende dän. Klassizist; er malte Historienbilder und Allegorien aus der nord. Sagenwelt. A. wurde 1801 Direktor der Kopenhagener Akad. und war Lehrer von P. O. RUNGE und B. THORVALDSEN.

**Abklatsch-Verfahren,** Vervielfältigungstechnik, bei der der Abdruck nicht mit der Presse, sondern mit der Hand gewonnen wird. Die in China übl. Steinabreibung ist ein A.-V. – Die Surrealisten entwickelten diese Technik für den →Automatismus (O. →Dominguez).

**Ablaßbilder,** seit dem 15. Jh. von →Briefmalern angefertigte Holzschnitte oder Kupferstiche mit christl. Darstellungen und beigefügten Gebeten. Für den Kauf versprach die Kirche Ablaß.

**Abomey** [abɔm'ɛ], Stadt im Küstengebiet der Rep. Benin, Westafrika, etwa 30000 Ew.; 1658 gegr., dann Hauptstadt des Königreichs Abomey (später Dahomey); 2 der alten Königspaläste dienen heute als Museen (bed. Schnitzereien).

**Abondio,** Antonio, italien. Medailleur, * Riva (?) 1538, † Wien 22. 5. 1591, war am Hof MAXIMILIANS II. und RUDOLFS II. in Wien und Prag als Bildnismedailleur tätig; bevorzugte die bis dahin wenig gebräuchl. Technik der Wachsmedaille. Sein Sohn ALESSANDRO (* um 1570, † 1648), tätig in Prag und München, führte die Kunst seines Vaters fort.

**Abraham,** nach israel. Überlieferung Stammvater der Israeliten. Die A.-Sagen schildern ihn als Glaubenshelden, der bereit war, seinen Sohn Isaak zu opfern. Diese Szene wird bereits in der jüd. Synagoge von Dura Europos dargestellt (245 n. Chr.), ebenso in der Priscilla-Katakombe (2. Jh.) in Rom. Um 400 erscheint A. auf den Mosaiken von S. Maria Maggiore in Rom und wird später mit seinem Opfer zum typolog. Vorbild Christi.

**Abrahams Schoß** (13. Jh.; Bamberg, Dom)

**Abrahams Schoß,** nach dem Gleichnis vom armen Lazarus (Lukas 16, 22) ein Bild für himml. Seligkeit, im MA. oft im Zusammenhang mit dem Weltgericht dargestellt (Bamberger Dom, Kathedrale von Reims), manchmal zw. Isaak und Jakob (Mosaik im Dom von Torcello, um 1100; St.-Trophime in Arles, 12. Jh.). In A. S. werden häufig eine oder mehrere kleine Seelenfiguren gezeigt.

**Abramzewo,** russ. Künstlerkolonie des 19. Jh., benannt nach einem Gut in der Nähe von Moskau; seit den 70er Jahren Treffpunkt liberal gesinnter Maler, Architekten, Schriftsteller, Schauspieler, Komponisten, Sänger, Kunstwissenschaftler und Archäologen, die gegen die St. Petersburger Kunstakad. opponierten und eine Reform von Gesellschaft und Kunst forderten. Hier arbeiteten Künstler der →Peredwischniki, des Impressionismus (K. KOROWIN, W. SEROW) und eines expressiven Symbolismus (M. WRUBEL). W. WASNEZOW schuf die Entwürfe für die 1880–82 erbaute Kirche in A.

**Abreibung**, graph. Verfahren, → Frottage.

**Abri** [frz. ›Obdach‹] *der* oder *das*, Abk. für ›abri sous roche‹ (geschützte Stelle unter einem Fels), ein Felsüberhang, auch Halbhöhle, schweizer. **Balm**, begünstigte in vielen Gebieten die Erhaltung von Felsbildern, enthält auch Kulturschichten mit vorgeschichtl. Kleinkunstfunden.

**Abseite**, das Seitenschiff einer Kirche.

**Absetzen**, Maltechnik: 1. A. des schwereren Pigments in noch nicht getrockneter Farbe; führt zu Bindemittelanreicherung an der Oberfläche (Transparenz); 2. Kontrastieren; 3. Abheben des Pinsels vom Bild. Bes. bei pastoser Malweise erzeugt das A. reizvolle Strukturen im →Impasto.

**Abside** *die*, Teil des Kirchenbaus, svw. →Apsis.

**Absolon**, Kurt, österr. Maler und Graphiker, *Wien 28. 2. 1925, †Wulkaprodersdorf (Burgenland) 26. 4. 1958, zeichnete bes. die Wiener Stadt- und Vorstadtlandschaft sowie figurale Szenen in der Tradition W. THÖNYS und H. BOECKLS.

**Absolute Kunst**, i. w. S. gleichbedeutend mit →abstrakter Kunst; i. e. S. eine Kunstform, die ausschließlich auf dem Zusammenklang der autonomen Farben und Formen beruht und, anders als die abstrakte Kunst, auch auf deren Assoziationskraft und psych. Ausdruckswerte verzichtet. Ein früher Theoretiker der A. K. ist A. HÖLZEL. Der A. K. nahe kommt die →Konkrete Kunst.

**Absperren, Löschen**, Maltechnik: oberflächl. Abdichtung zu stark saugender Grundierungen oder Farben, damit der folgenden Farbschicht das Bindemittel nicht entzogen wird.

**Abstieg Christi in die Vorhölle**, grch. **Anastasis**, →Höllenfahrt Christi.

**Abstraction-Création** [abstraksj'ɔ̃ kreasj'ɔ̃], 1931 in Paris gegr. Künstlervereinigung, die bis 1936 das organisator. und geistige Zentrum der verschiedensten abstrakten Richtungen mit Akzent auf der konkreten, konstruktiv orientierten Malerei und ihren geometr. Farbkompositionen war. Die Mitgl. (zeitweise fast 400) kamen aus dem russ. Konstruktivismus (N. GABO, A. PEVSNER, EL LISSITZKY) und der holländ. Stijl-Bewegung P. MONDRIAN, T. v. DOESBURG, G. VANTONGERLOO, F. VORDEMBERGE-GILDEWART), aber auch aus Prag (F. KUPKA), Dtl. (W. KANDINSKY, W. BAUMEISTER), Italien (A. MAGNELLI), Frankreich (A. HERBIN, J. HÉLION). Die Gruppe veranstaltete regelmäßig Ausstellungen, zu denen die Gründer Herbin und Vantongerloo (1931–37) 5 Hefte eines Almanachs »A.-C., art non-figuratif« herausgaben.

**abstrakte Kunst, gegenstandslose Kunst, gegenstandsfreie Kunst**, Bez. für die von der gegenständl. Darstellung losgelöste Malerei und Plastik, die sich seit etwa 1910 in immer neuen Stilvarianten über die ganze westl. und Teile der östl. Welt verbreiteten. Da diese Kunst keine Vorstellungen von äußeren Wirklichkeiten

**abstrakte Kunst:** Wassily Kandinsky, ›Träumerische Improvisation‹; 1913 (München, Staatsgalerie moderner Kunst)

vermittelt, sondern selbst als unmittelbare Wirklichkeit der sinnl. Wahrnehmung auftritt, wurde vorgeschlagen (zuerst von T. VAN DOESBURG 1930, auch von M. BILL u. a.), sie in ihrer konsequenten Gestalt ›konkrete Kunst‹ zu nennen. A. K. i. w. S. erlaubt dagegen noch eine sekundäre Gegenständlichkeit, Anklänge, Spuren, Rückerinnerungen an Dingformen. Die stilist. Vielfalt der a. K. läßt sich auf die beiden Linien ihrer Entstehung zurückführen: die aus dem Expressionismus kommende frei maler. Richtung, die W. KANDINSKY begründet hat (in der Folge E. W. NAY, H. HARTUNG, J. POLLOCK u. a.), vorbereitet schon von Jugendstilkünstlern wie M. K. ČIURLIONIS , A. ENDELL und H. OBRIST, und die fast gleichzeitig (um 1910–13) vom Kubismus ausgehende geometrisierende Richtung (M. F. LARIONOW, F. KUPKA, K. MALEWITSCH, P. MONDRIAN).

Die erste gelangte (seit 1945) in der Informellen Kunst zu ihren ungebundensten Ausdrucksformen, die andere erfuhr ihre strengste Bindung im technoiden Konstruktivismus, der sich zur Konkreten Kunst weiterentwickelte. Dazu kam seit den 40er Jahren, vorbereitet von P. KLEE, eine abstrakte Malerei, die eine eigene Bildsprache magisch wirkender oder dekorativer Bildzeichen und Formrhythmen ausbildete (W. BAUMEISTER, École de Paris). Die Monochrome Malerei geht entweder auf die Beruhigung und Reduktion des Abstrakten Expressionismus zurück (B. NEWMAN) oder tendiert zur Konkreten Kunst.

Eine abstrakte Plastik gibt es, nach Vorstufen im Jugendstil (H. Obrists Wachstumsspiralen) seit etwa 1912/13, als A. ARCHIPENKO, wenig später R. BELLING, konkave und konvexe Formen, positive und negative Volumina als selbständige Ausdruckskräfte ineinanderfügten. Kurz darauf wurde im russ. Konstruktivismus (W. TATLIN, N. GABO, A. PEVSNER) die wechselseitige Durchdringung von Flächen und Linien mit dem

Raum zu einem der wichtigsten Themen der abstrakten Plastik im 20. Jh. ausgebildet, woran sich die Entwicklung nach dem 2. Weltkrieg (H. UHLMANN, N. KRICKE) orientierte. Neben dieser konstruktiven Linie begründete H. ARP 1916 eine Richtung, die auf vegetabilisch wirkenden Wachstumsformen beruht (I. NOGUCHI). In den 50er Jahren wurden v. a. in den USA abstrakte Plastiken geschaffen (D. SMITH). Seit 1960 folgten allseitig offene, horizontal orientierte Metallplastiken (schulbildend: der Engländer A. CARO). Daneben öffnete sich die Plastik seit den 60er Jahren neuen Materialien, Medien und Morphologien, die, ungeachtet des Verzichts auf abbildl. Gegenstandsbezüge, mit dem Begriff der Abstraktion nicht mehr zu fassen sind.

⇒Absolute Kunst · Abstrakter Expressionismus · Informelle Kunst · Konkrete Kunst · moderne Kunst · Tachismus.

O. DOMNICK: Die schöpfer. Kräfte der abstrakten Malerei (1947); O. STELZER: Die Vorgeschichte der a. K. (1964); W. KANDINSKY: Punkt u. Linie zur Fläche ([6]1969); ders.: Über das Geistige in der Kunst ([10]1973); E. V. RÜDEN: Van de Velde – Kandinsky-Hoelzel: Typolog. Studien zur Entstehung der gegenstandslosen Malerei (1971) K. MALEWITSCH: Die gegenstandslose Welt, Neuausg., hg. v. H. M. WINGLER (1980).

**abstrakte Kunst:** František Kupka, ›Ordonnances sur verticales‹; 1911–12 (Paris, Centre Pompidou)

**Abstrakter Expressionismus,** erstmals in den 20er Jahren des 20. Jh. verwendete Bez. für die Bilder von W. KANDINSKY. A. H. BARR, Direktor des Museum of Modern Art in New York, übertrug den Begriff auf die automat. Umsetzung (→Automatismus) von Gestaltungs- und Erlebnisimpulsen ohne rationale Kontrolle in der amerikan. Malerei der 40er und 50er Jahre, wie sie W. DE KOONING, R. MOTHERWELL, F. KLINE u. a. vertraten. Sie steigerte sich im →Action-Painting von J. POLLOCK. Während der 1950er Jahre war der A. E. die führende Richtung in den USA und Europa, wobei die →Informelle Kunst und der →Tachismus Ausprägungen mit eigenem Akzent darstellen. (BILD S. 16)

**Abtei,** **1)** Kloster, das von einem Abt oder einer Äbtissin geleitet wird. **2)** das Haus des Abtes mit Kapelle und Nebengebäuden in der Klosteranlage.

**Abstrakter Expressionismus:** Willem de Kooning, ›Vorort in Havanna‹; 1958 (Brüssel, Sammlung P. Dotremont)

**Abtsbessingen,** Ort in Thüringen; 1739 vom Prinzen AUGUST I. VON SCHWARZBURG-SONDERSHAUSEN gegr. Fayencemanufaktur. In A. war 1744–47 der aus Bayreuth kommende Maler J. P. DANNHOFFER (*1712, †1790) tätig. Ende des 18. Jh. wurde die Produktion eingestellt.

**Abu, Mount A.** [maunt-], Berg in Indien, nahe Dilwara im südwestl. Rajasthan, mit 4 jinist. Marmortempeln aus der Zeit der Solanki-Dynastie, darunter der Vimala-Shah-Tempel (11. Jh.) und der Tejahpala-Tempel (13. Jh.). Das Innere bes. der überkuppelten Haupthallen (Sabhamandapa) ist fast völlig von filigranartigen Figuren- und Schmuckreliefs überzogen.

**Abu Habba,** Ruinenstätte der altbabylon. Stadt →Sippar.

**Abu Mena** [arab.], **Menasstadt,** rd. 40 km südwestlich von Alexandria gelegener frühchristl. Wallfahrtsort am Grab des Hl. MENAS (Märtyrer um 300 unter DIOKLETIAN, der volkstümliche Nationalheilige Ägyptens in frühchristl. Zeit), oft als Orans zw. kauernden Kamelen dargestellt (Menas-Ampullen, Elfenbeinschnitzereien). – Über seinem Grab (in älterer Katakombe) wurden – nach einfacheren Memorialbauten des 4. Jh. – im 5. und bes. im 6. Jh. prächtige Kirchenanlagen errichtet (Große Basilika, Gruftkirche, Baptisterium); in ihrer Umgebung entstanden Pilgerherbergen, Bäder, Klöster und weitere Kirchen (u. a. Nord-Kirche mit Bischofsresidenz). Die Architektur und die Bauskulpturen erlauben Rückschlüsse auf die verlorene frühchristl. Kunst der Metropole Alexandria. – Die Ruinenstätte A. M. wurde von C. M. KAUFMANN wiederentdeckt und z. T. freigelegt (1905–07); seit 1961 Ausgrabungsarbeiten des Dt. Archäolog. Instituts.

**Abu Simbel,** 2 Felsentempel am westl. Nilufer zw.

**Abu Simbel:** LINKS Fassade des Großen Tempels Ramses' II. am urspr. Standort; OBEN neue Lage der Tempel

der 1. und 2. Stromschnelle (KARTE ägyptische Kunst), von RAMSES II. (1290–1224 v. Chr.) angelegt. Vor der Fassade des größeren Tempels erheben sich 4 aus dem Felsen gehauene, 20 m hohe Sitzbilder des Königs; der Tempel erstreckt sich 63 m in den Felsen hinein und ist dem Amun von Theben, dem Re von Heliopolis und dem Ptah von Memphis sowie dem vergotteten König selbst geweiht. Vor dem kleineren, der Hathor und der Gemahlin des Königs geweihten Tempel lehnen sechs 10 m hohe Standbilder des Königs und der Königin. Die Tempel, durch steigendes Wasser nach Bau des neuen Assuan-Dammes bedroht, wurden 1964–68 mit Hilfe der UNESCO 65 m höher versetzt. Sie wurden aus dem Felsen herausgesägt, in numerierte Einzelteile zerschnitten und am neuen Platz unter einem künstl. Felsdach originalgetreu wieder zusammengesetzt.

CHRISTIANE DESROCHES-NOBLECOURT u. a.: Die Welt rettet A. S. (Neuausg. 1974).

**Abusir,** Dorf am westl. Nilufer, Prov. Giseh (Karte ägyptische Kunst); in der Nähe liegen die Ruinen der Grabdenkmäler dreier Könige der 5. Dynastie (2470 bis 2320 v. Chr.) sowie die Mastaba des Ptahschepses, eines Beamten aus der Zeit der 5. Dynastie; in ihren Räumen sind Reliefs sowie Säulen mit Lotosblütenkapitellen erhalten.

**Abwalmen,** Brechung des Giebels am →Dach.

**Abydos,** ägypt. **Abodu,** alte oberägypt. Stadt am westl. Nilufer (Karte ägyptische Kunst) mit Königsgräbern seit der 1. Dynastie (2850 v. Chr.). Eines der Gräber kam in den Ruf, die Leiche des Osiris zu enthalten, so daß A. zum Mittelpunkt des Osiriskultes wurde. Bei den jährlich stattfindenden Mysterienspielen wurden Tod und Auferstehung des Osiris aufgeführt. Viele Ägypter wallfahrteten hierher, errichteten Stelen (zu Hunderten gefunden) oder ließen sich hier beerdigen. Könige bauten Gedächtniskapellen, in denen sie neben Osiris eine Kultstätte hatten. Am besten ist der Tempel Sethos' I. (um 1290 v. Chr.) erhalten, der außer dem Totenkult dieses Königs den 3 führenden Göttern Amun, Re und Ptah sowie den Gottheiten des Osiris-Kreises geweiht ist. Die farbig bemalten Reliefs zählen zu den besten des Neuen Reiches und sind ungewöhnlich gut erhalten. Neben mytholog. und histor. Szenen zeigen sie immer wieder den König vor den Göttern und die Abfolge des Götterkultes, der täglich in den Tempeln vollzogen wurde. Hinter dem Tempel liegt das Osireion als Kenotaph des Königs, in seinem Zentrum eine künstl. Insel mit Pfeilerumgang und Wassergraben, das myth. Osirisgrab nachbildend; die Dekoration orientiert sich an den Gräbern im Tal der Könige. Ein weiter nördlich gelegener Tempel Ramses' II. ist stark zerstört.

**Abydos:** Die Göttin Isis; bemaltes Flachrelief im Tempel Sethos I.

**Abziehen,** 1) das Glätten von Holz oder eines Malgrundes mit einem Schaber; 2) das Feinschärfen von Messern und Schnitzwerkzeugen.

**Académie des Beaux-Arts** [akadem'i de boz'a:r], Akad. der Schönen Künste, Paris, 1795 als Abteilung des Institut de France durch Zusammenschluß der Académie Royale de Peinture et de Sculpture (gegr. 1648) und der Académie d'Architecture (gegr. 1671) entstanden; heutige Bez. nach Reorganisation (1816). Die Sektionen der A. d. B.-A. umfassen: Malerei, Bildhauerei, Architektur, Graphik, musikal. Kompositionen und Freie Mitgl. (Kritiker, Kunstfreunde und -schriftsteller), außerdem 50 ordentl. Mitgl.

**Académie Royale de Peinture et de Sculpture** [akadem'i rwaj'al də pɛ̃t'yr e də skylt'yr], →Akademie.

**Acanceh** [akans'e], archäolog. Fundort der frühklass. Maya-Kultur im nördl. Yucatán, Mexiko, in dem sich weitreichende künstler. Einflüsse der Teotihuacán-Kultur aus dem Hochtal von Mexiko in der frühen Zeit um 500/600 nachweisen lassen, z. B. die in Stuck modellierte Fassadendekoration eines im Talud-Tablero-Stil errichteten, später überbauten Gebäudes.

**Acatepec,** Stadt im Staat Puebla, Mexiko, 1500 Ew. Die Kirche San Francisco ist einer der bedeutendsten indianisch beeinflußten Barockbauten Lateinamerikas.

Die Fassade (um 1750) ist mit bunten Azulejos und roten Ziegeln bedeckt, das Innere mit Gipsstukkaturen überreich dekoriert (1939 ausgebrannt, heute originalgetreu wiederhergestellt). In der Nähe →Tonantzintla.

**Accademia, Gallerie dell' A.,** reichste Kunstsamml. in Venedig mit Werken venezian. Maler (V. CARPACCIO, GENTILE und GIOVANNI BELLINI, TIZIAN, PAOLO VERONESE, TINTORETTO, G. B. TIEPOLO u. a.) in den Gebäuden der ehem. Bruderschaft S. Maria della Carità, urspr. der 1750 gegr. Akademie für Malerei und Skulptur zugehörig, seit 1882 selbständiges Mus.

**Acconci** [-tʃi], Vito, amerikan. Künstler, *Bronx (New York) 24. 1. 1940, kam 1968 von eigenen Dichtungen zur visuellen Kunst. Bis etwa 1973 befaßte A. sich in Aktionen, Filmen, Videobändern mit der phys. und psych. Belastbarkeit des Menschen (als Modell diente ihm sein eigener Körper), seit 1974 mit Kommunikationsproblemen und den spezif. kulturellen Bedingungen des Ausstellungsorts (›Cultural Space Pieces‹). A. schrieb ›Catalogue of headlines and images, Stedelijk Museum Amsterdam‹ (1978).

V. A., Ausst.-Kat. Kölnischer Kunstverein (1981).

**Accoudoir** [akudw'a:r, frz.], Armlehne zw. den Sitzen des Chorgestühls.

**Accra** [engl. əkr'ɑ:], **Akkra,** Hauptstadt von Ghana, Westafrika, am Golf von Guinea, etwa 800000 Ew.; Nat.-Mus. (traditionelle und moderne westafrikan. Kunst). Am (heute bedeutungslosen) Hafen zwei Festungen (engl. und niederländ.) aus dem 17. Jh. (heute Gefängnisse). Schloß Christiansborg (1623 von den Portugiesen errichtet, 1659–61 von den Dänen umgebaut) ist heute, erheblich erweitert, Regierungssitz (›Osu Castle‹). Westlich von A. mehrere Küstenfestungen, von verschiedenen europ. Nationen erbaut, darunter →Elmina.

**Accrochage** [akrɔʃ'a:ʒ, frz. von accrocher ›auf-, anhängen‹] *die,* in Frankreich spätestens seit den 60er Jahren des 20. Jh. für die Hängung von Bildern in Mus. gebräuchl. Ausdruck, der in die internat. Galeristensprache eingegangen ist i. S. von Ausstellung eigener Bestände von Privatgal., meist Werken versch. Künstler, wobei die Bilder z. T. in Anwesenheit des Publikums aufgehängt werden.

**Achaier, Achäer,** altgrch. Volksstamm in der thessal. Landschaft Phthiotis und in der Peloponnes um Mykene und Argos, wurde durch die dorische Einwanderung seit etwa 1000 v. Chr. in die nach ihm benannte Landschaft Achaia gedrängt. Archäologisch werden die A. als Träger der myken. Kultur angesehen.

**achaimenidische Kunst,** die Epoche der →iranischen Kunst z. Z. der altpers. Dynastie der Achaimeniden mit künstler. Schöpfungen v. a. vom 6.–4. Jh. v. Chr. unter den Königen KYROS II., DAREIOS I. und XERXES I. Nach Jahrtausenden in Ziegelbauweise errichteter Bauten entstanden jetzt in Iran mit den Palästen von →Pasargadai, →Persepolis und →Susa erstmalig monumentale Steinbauten. Bes. unter Dareios I.

**achaimenidische Kunst:** Treppe zur großen Empfangshalle (Apadana) in der Palastruine von Persepolis

und Xerxes I. wurden mit Hilfe vieler auswärtiger Künstler versch. Stilmerkmale fremder Völker mit rein persischen zu einer Sonderform verschmolzen. In Persepolis ist die Planung iranisch, die Ausführung im einzelnen teils assyrisch, teils ägyptisch, teils kleinasiatisch-griechisch. – Die Säle der Paläste mit bis zu 100 Säulen wurden durch offene Säulenhallen betreten. Die eng kannelierten, hohen Säulen mit glockenförmigen Basen und Kompositkapitellen scheinen Vorbilder im syrisch-anatol. Raum (Urartu) zu haben; charakteristisch sind Tierkapitelle aus adossierten Stieren (→Protome). Die hohen Sockel der Gebäude und die Türgewände sind mit Reliefs verziert; in Persepolis werden in den Friesen mit langen Reihen gleich großer, wenig bewegter Figuren zwar assyr. Vorbilder deutlich, aber nicht krieger. Ereignisse, Jagd- und Beutezüge der Assyrer sind Themen der Darstellung, sondern die Verherrlichung des Großkönigs und sein Verhältnis zu den von ihm unterworfenen Völkerschaften. In Susa gehen die Reliefs, die in versch. Farben mit glasierten Ziegeln ausgeführt sind und die Leibgarde des Königs, geflügelte Stiere, schreitende Löwen u. ä. zum Thema haben, auf babylon. Tradition zurück. Auch in den achaimenid. Felsreliefs werden Inhalt und Form altoriental. Vorbilder aufgegriffen, aber in pers. Sinne verändert (→Naksch-e Rustam, →Bisutun). – Herausragend sind die Werke achaimenid. Gold- und Silberschmiede, die auf eine lange Tradition zurückgreifen konnten: Schmuck, reliefierte Edelmetallgefäße (Schalen, Amphoren mit kunstvollen Henkeln, Rhytone), Waffen u. a.; häufig ist die Verzierung im →Tierstil (Schwerter). Filigran, Gra-

**achaimenidische Kunst**

**achaimenidische Kunst:** Säule mit Doppelprotomen – Kapitell vom Palast Dareios' I. in Persepolis, um 510 v. Chr. (Teheran, Museum)

nulation und Einlagen mit Edelsteinen und Email erreichten große Feinheit. Im Motivschatz überwiegen altvorderasiat. Vorbilder (Löwenkampf, Stier- und Greifendarstellungen, Lebensbaum u.ä.). Das gleiche gilt auch von der Glyptik, bes. von den Rollsiegeln.

Insgesamt diente die Kunst der achaimenid. Zeit als reine Hofkunst der Herausstellung des Großkönigs und seiner Umgebung.

R. GHIRSHMAN: Iran – Protoiranier, Meder, Achämeniden (a.d. Frz., 1964).

**Achalamurti** [Skt.], ind. Kultbild, das nicht als Prozessionsfigur verwendet wird, sondern einen festen Standort im Tempel einnimmt.

**Achat** [grch., n. dem Fluß Achates auf Sizilien], Form des →Chalcedons, besteht aus dünnen Schichten wechselnder Struktur und Färbung, auch zu Schmucksteinen künstlich gefärbt (schwarzer Onyx, Carneol). Im Altertum genoß der A. hohe Wertschätzung, er war einer der ersten Steine, die in der Kunst verwendet wurden, z.B. zu Siegelsteinen, ägypt. Pharaonenschmuck; in Griechenland und Rom wurde A. zu Gemmen verarbeitet. Im MA. findet er sich v.a. an kirchl. Gerät. Als im 15.Jh. im Bereich des heutigen Idar-Oberstein A. entdeckt wurden, hat man aus ihnen Schalen, Kelche u.a. geschliffen. A. wurde auch zu Intarsien bei Möbeln und Wandtäfelungen verwendet (Katharinenpalais in →Puschkin). →Polierstein

**Achatglas,** →Onyxglas.

**Acheiropoieta** [grch. ›nicht von Händen gemacht‹], **Acheropita** *Mz.*, Christus-, Marien- oder Heiligenbilder, die auf übernatürl. Weise (durch Berührung mit dem Dargestellten u.a.) entstanden sein sollen (Christusbild von Memphis; Schweißtuch der Hl. Veronika, eigtl. vera ikon, ›wahres Bild‹).

**Achen,** Hans von, Maler, →Aachen, Hans von.

**Achenbach, 1)** Andreas, Maler, Bruder von 2), *Kassel 29. 9. 1815, †Düsseldorf 1. 4. 1910, erhielt auf Studienreisen Anregungen von der niederländ. Landschaftsmalerei des 17.Jh., ebenso von seinem Lehrer J. W. SCHIRMER an der Düsseldorfer Akad. Seine Landschaften (v.a. Seestücke und Küstenbilder) zeigen eine genaue Beobachtung der Natur, deren Stimmung im Bild durch gezielte Lichtführung kunstvoll gesteigert wird.

Lit.: →Düsseldorfer Schule.

**2)** Oswald, Maler, Bruder und Schüler von 1), *Düsseldorf 2. 2. 1827, †ebd. 1. 2. 1905, war 1863–72 Lehrer an der Düsseldorfer Akad. Nach Motiven aus den bayer. Bergen, der Schweiz und v.a. aus Italien malte A. idealisierte Stadtansichten und Landschaften mit effektvoller Beleuchtung und maler. Szenen als Staffage.

**Achill,** grch. **Achilleus,** grch. Mythos: tapferster und schönster grch. Held vor Troja, dessen Kindheit, Kämpfe um Troja, Tod und Fortleben in versch. Versionen überliefert sind; Sohn des Königs Peleus (daher der **Pelide**) und der Meernymphe Thetis. Aus Groll gegen

Agamemnon zog er sich vom Kampf zurück, bis sein Freund Patroklos von Hektor getötet wurde. Er erschlug Hektor und fiel selbst durch einen Pfeil des Paris oder des Apoll (oder durch das Zusammenwirken beider), der seine Ferse durchbohrte. Ein Bad im Styx hatte ihn bis auf die Ferse unverwundbar gemacht. A. wurde als Heros und wohl auch als Gott verehrt.

Darstellungen des A. gehörten in der Antike zu den beliebtesten, v.a. auf grch. Reliefs und Vasen seit dem 7. Jh. v. Chr.: Amphora des EXEKIAS, A. und Aias selbstvergessen beim Brettspiel im grch. Lager vor Troja (550–525 v. Chr., Vatikan), eine Bauchamphora des ACHILLEUSMALERS: A. und seine Sklavin und Geliebte Briseis als statuarisch bedeutsame Einzelfiguren (um 450 v. Chr., Vatikan) und eine attische Schale, A. ersticht die um Schonung flehende Amazonenkönigin Penthesilea (um 450 v. Chr., Vatikan). In röm. Zeit wurde A. oft auf pompejan. Wandbildern und Sarkophagen dargestellt. Selten bildete das MA. A.-Themen, denen sich dann wieder neuzeitl. Künstler mit Vorliebe zuwandten (A. CARRACCI, A. VAN DYCK, N. POUSSIN, P. P. RUBENS, G. B. TIEPOLO, H. TISCHBEIN D. Ä., E. DELACROIX, H. VON MARÉES).

**Achilleusmaler,** attischer Vasenmaler des mittleren 5. Jh. v. Chr., benannt nach einer Amphora im Vatikan mit Darstellung von Achill und Briseis, Schüler des BERLINER MALERS; malte sowohl in rotfiguriger wie weißgrundiger Technik (v.a. Lekythen). Typisch für ihn sind große, oft freistehende Figuren und sorgfältige Zeichnung, in der Charakterisierung ausdruckstark, etwas schwermütig.

**Achse,** Mittellinie in horizontaler oder vertikaler Richtung, auf die Bauten und Bauteile bezogen sind. Auf die Längsachse sind Querachsen beziehbar.

**Achsib,** arab. **es-Sib,** Ort 14 km nördlich von Akko mit bed. Funden aus phönik. Zeit (v.a. 4 phönik. Gräber aus dem 10./9. Jh. v. Chr. mit Beigaben: Keramik, Elfenbeinarbeiten, Schmuck u.a.).

**Achtamar,** Insel im Vansee (Türkei), →Ahtamar.

**Achtermann,** Wilhelm, Bildhauer, *Münster i. W. 15. 8. 1799, † Rom 26. 5. 1884, schloß sich nach Studien in Berlin (C. F. TIECK, C. D. RAUCH) in Rom den →Nazarenern an (seit 1840 ebd.) und schuf Kruzifixe, Madonnen, Altäre. Sein Hauptwerk – eine Pietà im Dom zu Münster (1840) – ist verloren.

Lit.: →Berliner Bildhauerschule.

**Acier** [asj'e], Michel Victor, frz. Porzellanmodelleur, *Versailles 20. 1. 1736, † Dresden 16. 2. 1795, war 1764–81 an der Porzellanmanufaktur in Meißen tätig; schuf hier u.a. die Gruppe ›Die glücklichen Eltern‹ (1775).

**Acireale** [-tʃ-], ital. Stadt und Bischofssitz an der O-Küste Siziliens (Prov. Catania), 48 600 Ew.; mehrere Barockkirchen, u.a. Dom (1597–1618, Umbau im 18. Jh.; Portal mit Heiligenskulpturen; im Inneren Fresken, 1736/37); Palazzo Comunale (1659); Pinakothek.

**à cire perdue** [as'i:r pɛrd'y, frz. ›in verlorener Wachs-(Form)‹], Bildhauerkunst: →Abguß, →Bildguß.

**Ackermann, 1)** Max, Maler, *Berlin 5.10.1887, †Bad Liebenzell 14.11.1975, studierte bei H. VAN DE VELDE in Weimar und F. v. STUCK in München und wurde seit 1912 entscheidend durch A. HOELZEL in Stuttgart angeregt. A. wandte sich schon früh der abstrakten Malerei zu, die er als Umsetzung lyr. Empfindungen in bewußter Entsprechung zur Musik verstand.

D. HOFFMANN: M. A. (1965); M. A., Aspekte seines Gesamtwerkes, hg. v. L. LANGENFELD (1972; Bibliogr. u. Lit.).

**2)** Peter, Maler und Graphiker, *Jena 31. 1. 1934, lebt in Berlin (West). Themen seiner Arbeit sind bes. Architekturdarstellungen, Fassaden mit versch. histor. Stilgepräge, die Vanitasvorstellungen enthalten.

P.-A.-Ausst.-Kat., Düsseldorf (1970, mit Lit.).

**Acọlman,** Ort in der Nähe der Stadt Mexiko, 2800 Ew. Das Augustinerkloster (um 1560) mit festungsartiger Kirche ist der früheste mexikan. Sakralbau im Platereskenstil; das Portal zeigt Heiligenfiguren, skulptierte Säulenpaare und durchgestalteten Gesimsfries; im Inneren (Renaissancegewölbe) sowie im Kreuzgang (got. Gewölbe) Wandmalereien des 16. Jh.

**Acquarọssa,** etrusk. Siedlung des 7./6. Jh. v. Chr., nordöstlich von Viterbo (Italien), um 500 v. Chr. zerstört; Stadtanlage und Hausgrundrisse blieben bewahrt. Von Wohnhäusern und einem monumentalen Gebäudekomplex sind zahlreiche bemalte oder reliefgeschmückte Architekturterrakotten (Ziegel, Friese u. ä.) erhalten.

**Acrylfarben,** wäßrige Dispersionen von Polyacrylharzen. Im Aussehen den Ölfarben ähnlich, sind A. aber mit Wasser vermalbar und schnell trocknend.

**Action-Painting** ['ækʃn p'eɪntɪŋ, engl. ›Aktionsmalerei‹], 1950 von dem amerikan. Kunstkritiker H. ROSENBERG geprägte Bez. für die bis dahin →Abstrakter Expressionismus genannte Richtung der amerikan. Malerei. Der Begriff verweist auf den Handlungscharakter des Malens, in dem das Bild zum Protokoll eines dynam. Ablaufs wird. Hauptvertreter: J. →Pollock. (BILD S. 24)

**Actọpan,** Stadt im Staat Hidalgo, Mexiko, 2050 m ü. M., 43000 Ew. Das ehem. Augustinerkloster (beg. um 1548) mit Offener Kapelle ist festungsartig angelegt mit ma. Wartturm, got. Gewölbe, plateresker Fassade (1562) mit Renaissanceportal; über dem Portal großer kassettierter Bogen, der ein Tympanon (für Wandbild gedacht) freiläßt. Die Fresken im Refektorium und am Treppenabsatz gehören zu den besterhaltenen und schönsten des 16. Jh. in Mexiko.

**Adahandschrift,** Prachtevangeliar der →Hofschule Karls des Großen, um 800 (Trier, Stadtbibl.). Einem nachträglich eingefügten Gedicht zufolge auf Bestellung einer ›Ada Ancilla Dei‹ (Ada Magd Gottes) geschrieben, die als Schwester KARLS D. GR. gilt, eher aber mit der um 1200 in einem auf ältere Nachrichten zurückgehenden Nekrolog von St. Maximin in Trier erwähnten Ada iden-

**Action-Painting:** Jackson Pollock ›Kathedrale‹; 1947 (Dallas, Museum of Fine Arts; Stiftung Mr. und Mrs. Bernard J. Reis)

tisch sein dürfte. Der Cod. ist in Goldschrift abgefaßt und mit prunkvollen Kanontafeln und Evangelistenbildern ausgestattet (BILD karolingische Kunst).

**Adam** [ad'ã], frz. Bildhauerfamilie. Jacob-Sigisbert, *Nancy 28. 10. 1670, †ebd. 7. 5. 1747, Bildhauer des Herzogs LEOPOLD VON LOTHRINGEN, arbeitete v.a. Terrakotta- und Holzfiguren. Von seinen 3 Söhnen war am bedeutendsten Lambert-Sigisbert (*Nancy 10. 10. 1700, † Paris 13. 5. 1759), zunächst in Metz, ab 1719 in Paris, 1722–23 in Rom. Seine Skulpturengruppen in Marmor, aber auch in Blei (›Neptun und Amphitrite‹ im Park von Versailles, 1740), zeigen schon klassizist. Tendenzen; arbeitete auch als Antiken-Restaurator. Sein Bruder Nicolas-Sébastien (*Nancy 22. 3. 1705, † Paris 27. 3. 1778) schuf Marmorgruppen (›Der gefesselte Prometheus‹, 1762; Paris, Louvre). Der jüngste Bruder François-Gaspard (*Nancy 23. 5. 1710, † Paris 1761) war nach Ausbildung in Paris und Rom von 1747–60 für FRIEDRICH D. GR. in Potsdam tätig, für den er zahlreiche Marmorbildwerke im Park von Sanssouci anfertigte (u. a. Poesie, Diana, Juno, Minerva).

**Adam,** Künstlerfamilie, begründet von Albrecht A. (*Nördlingen 16. 4. 1786, † München 28. 8. 1862), war 1809–12 Maler am Hof des Herzogs von Leuchtenberg und Vizekönigs von Italien EUGÈNE BEAUHARNAIS und schuf nach Skizzen aus den Napoleon. Feldzügen und dem ital. Krieg (1848–49) Gemälde und Lithographien der Schlachten; er war auch ein vorzügl. Pferdemaler. Sein Bruder Heinrich (*Nördlingen 27. 3. 1787, † München 15. 2. 1862) malte biedermeierl. Alpen- und Städtebilder. – Sein Sohn Benno (*München 15. 7. 1812, † Kelheim/Donau 8. 3. 1892) war Jagd- und Tiermaler – ebenso dessen Sohn Emil (*München 20. 5. 1843, † ebd. 19. 11. 1924). – Sein Sohn Eugen (*München 22. 1. 1817, † ebd. 4. 6. 1880) malte Schlachten-, Volks- und Jagdszenen. Sein Sohn Franz, zugleich sein Schüler (*Mailand 4. 5. 1815, † München 30. 9. 1886), war Pferde- und Schlachtenmaler, sein Sohn Julius schließlich (*München 1821, † ebd. 24. 3. 1874) Lithograph, später Photograph. Dessen Sohn Julius (*München 18. 5. 1852, † ebd. 23. 9. 1913) wurde durch seine Katzenbilder bekannt (›Katzen-Adam‹).

A. A. und seine Familie, Ausst.-Kat., Stadtmus. München (1981).

**Adam** ['ædəm], Robert, schott. Baumeister, *Kirkcaldy 3. 7. 1728, † London 3. 3. 1792, Sohn des Baumeisters William (*1689, † 1748), war 1754–58 zu Studien in Italien. A. schuf unter Mitarbeit seines Bruders James (*1732, † 1794) Adelspaläste, Plätze und ganze Straßenzüge in London (u. a. Adelphi und Portland Square), die Univ. in Edinburgh und zahlreiche Landhäuser in klassizist. Stil (**Adam Style** [-staɪl]). Er veröffentlichte auch Entwürfe für Möbel und Inneneinrichtungen sowie 1764 ein Kupferstichwerk über den Diokletianspalast in Split.

EILEEN HARRIS: The furniture of R. A. (London 1963); DOREEN YARWOOD: R. A. (ebd. 1970).

**Adamclisi, Adamklissi,** rumän. Dorf in der südl. Dobrudscha mit den Resten eines 109 n. Chr. von TRAJAN nach den Kriegen gegen die Daker errichteten Siegesdenkmals (Tropaeum Traiani), ein zylinderförmiger Bau von 30 m Durchmesser; die Reliefreste mit Darstellungen besiegter Völker sind im Mus. in Bukarest.

**Adam und Eva,** nach Gen. 1–4 das erste Menschenpaar und Stammeltern aller Menschen. Urspr. im Paradies, aßen sie vom Baum der Erkenntnis und wurden vertrieben. Als Urheber von Sünde und Tod tritt **Adam** bei Paulus in Ggs. zu Christus, dem zweiten Adam und Urheber des Lebens. – A. u. E. wurden schon in der frühchristl. Kunst dargestellt, bes. die Schöpfung Adams und der Sündenfall mit **Eva** beim Baum der Erkenntnis. Diese Szene wurde im MA. eine Gelegenheit zum →Akt. Einzelfiguren von A. u. E. begegnen oft zu beiden Seiten von Kirchenportalen, so am Bamberger Dom (Adamspforte) und an der Würzburger Marienkapelle (T. RIEMENSCHNEIDER). Auch die typolog. Beziehung alter – neuer Adam (Christus) wird verbildlicht: Adam erscheint dann oft als Gestalt oder Skelett (zuweilen nur sein Schädel) unter dem Kreuz, häufig als

Auferstehender. Zyklen von den ersten Menschen finden sich schon in karoling. Zeit (Erschaffung Evas, Gott führt Eva dem Mann zu, Adam benennt die Tiere, Vertreibung aus dem Paradies, die Arbeit im Schweiß des Angesichts u. a.). Bedeutend ist die Darstellung MICHELANGELOS in der Sixtin. Kapelle. Seit dem 16. Jh. bleibt aus dem Zyklus allein noch die Darstellung des Sündenfalls lebendig.

**Adana**, Hauptstadt der türk. Provinz Seyhan, 568 500 Ew. – A. ist vermutlich eine hethit. Gründung. Das bedeutendste Baudenkmal ist die Taş Köprü (dt. Steinbrücke) mit urspr. 21 Brückenbögen (davon 14 erhalten), erbaut von Kaiser HADRIAN und später vielfach erneuert. Die beiden Moscheen (Ulu Camii, Ramazanoğlu Camii) stammen aus dem 15. Jh., letztere zeigt Einflüsse syr. Architektur.

**Adare Manor** [əd'eə m'ænə], Landsitz in der Cty. Limerick in Irland, 1832–60 für die Earls of DUNRAVEN erbaut, ein Haus aus dem 18. Jh. ersetzend. Vorbild des Bauentwurfs ist das ›Old English Tudor House‹. Ehem. Wohnräume, die zweischiffige Hall und die Gemälde-Gal. mit fläm. Barockeinbauten, Möbeln, Gemälden (u. a. S. v. RUISDAEL, A. CANALETTO, J. REYNOLDS).

**Addams,** ['ædəmz], Chas, eigtl. Charles Samuel, amerikan. Cartoonist, * Westfield (New York) 7. 1. 1912. Seine Arbeiten für die Ztschr. ›The New Yorker‹ (seit 1935) sind charakteristisch für den angelsächs. ›schwarzen Humor‹.

**Adelaide** ['ædəleɪd], die Hauptstadt Südaustraliens, am St. Vincent-Golf, 933 300 Ew. In der Art Gallery of South Australia neben Werken austral. und überseeischer Künstler eine bed. Münzsammlung. Der Bildhauer O. H. HAJEK gestaltete in der Innenstadt von A. eine mehr als 1 ha große Fläche zu einer ›Kunstlandschaft‹ mit Skulpturen, künstl. Gärten, Wasser- und Lichtspielen u. a.

**Adelsgräber,** →Fürstengräber.

**Adi-Buddha,** der ›Ur-Buddha‹ in versch. Sekten des späteren Mahayana-Buddhismus, aus dem die 5 Tathagatas emanieren.

**Ädikula,** →Aedicula.

**Adılcevaz** [adəldʒev'az], Ort am NW-Ufer des Vansees, O-Türkei (KARTE Alter Orient); in einer ma. Burg sind Blöcke mit monumentalen urartäischen Reliefs (niedere Gottheiten) verbaut; assyr. Einflüsse in der Komposition, aber einheim. Details.

**Aditya,** eine Gruppe vedischer Sonnengötter, im Hinduismus bes. Beiname →Suryas.

**Adler.** Als König der Vögel galt der A. seit dem Altertum auch als Vogel der Könige und Götter. In der Kunst des Alten Orients ist er ein vielfach abgewandeltes (Symbol-)Tier: Als Mischwesen stellt der löwenköpfige A. (Imdugud, Anzu) eine drohende oder auch Gefahr abwehrende Dämonengestalt dar; im Mythos des legendären Königs Etana von Kisch ist ein A. das Vehikel für den Flug zum Himmel; die Bedeutung des doppelköpfigen A., v. a. auf Rollensiegeln und auf Reliefs im hethit. Bereich (Alaca Hüyük, A. schlägt Hasen), bleibt unklar. In der Antike sind A. auf unzähligen Marmorreliefs, Vasenbildern, Gebrauchsgegenständen, Münzen und Gemmen, als Akroterion und auf Giebelfeldern der Tempel (Aetoma, ›Adlerfeld‹) abgebildet. Aus der Bauplastik des MA. sind die roman. Adlerkapitelle, aus der kirchl. Gebrauchskunst die →Adlerpulte hervorzuheben. Der A. war das Symbol des Evangelisten Johannes.

**Adler,** Dankmar, amerikan. Architekt dt. Herkunft, *Lengsfeld (Sachsen) 3. 7. 1844, †Chicago (Illinois) 16. 4. 1900, kam 1854 in die USA und wurde 1869 selbständiger Architekt in Chicago. Das Büro A. und →Sullivan (seit 1881) schufen eine Reihe der wichtigsten Bauten der Schule von →Chicago.

**Adlerpult,** liturg. Pult für die Vorlesung von Epistel und Evangelium. Urspr. ein Aufsatz auf Ambo, Lettner, Kanzel, Chorschranke, schon früh auch freistehend mit eigenem Sockel und in dieser Form bes. im 14. und 15. Jh. verbreitet. Der Adler ist als Symbol des Evangelisten Johannes zu deuten. – Steinerne Beispiele früher A. ohne Sockel gibt es v. a. in roman. und got. Kirchen in Italien, ein Bronze-A. (11. Jh.) blieb in Mailand (S. Ambrogio) erhalten.

**Admiralitätsinseln**, Inselgruppe in Melanesien. Künstler. Gegenstände des tägl. Gebrauchs (Schalen, Kalebassen, Türpfosten, aber auch Kämme, Dolche, Löffel u. a.) zeigen Anklänge an ostindones. Formen. Vorherrschende Motive sind der menschl. Körper mit langgezogenem Gesicht, Krokodilsköpfe sowie geometrisch-abstrakte Formen wie Spiralen u. a. (→Manus).

H. Nevermann: Admiralitäts-Inseln (1934).

**Admont,** Marktgem. in der Steiermark, Österreich, 3300 Ew. Die Klosterkirche (1094 gew.) ist nach Brand (1865) neugotisch aufgebaut (1869 gew.); vom alten Bau erh. ist die barocke Bibliothek (Ausstattung von J. T. Stammel und B. Altomonte). In der Nähe Schloß **Röthelstein** (1655, ehem. Sommersitz der Äbte), Wallfahrtskirche **Frauenberg** (1683–87).

**Adobe** [span. aus arab.] *der,* luftgetrockneter Lehmziegel, seit Jahrtausenden in vielen Trockengebieten der Erde als Baustoff verwendet.

**Adonis,** urspr. wohl einer der oriental. sterbenden und auferstehenden Vegetationsgötter. Im grch. Mythos Verkörperung der bald nach dem Aufblühen von der heißen Sommersonne versengten Frühlingsvegetation. In den versch. Variationen des Mythos stets jugendl., schöner Geliebter der Aphrodite, der von einem Eber (Tier der Unterwelt) getötet wurde. Es gab wahrscheinlich keinen offiziellen Kult, aber bed. Jahresfeste im Zusammenhang mit rituell angelegten A.-Gärten zur Verehrung des toten Gottes, v. a. durch Frauen.

Darstellungen seit dem 5. Jh. v. Chr. finden sich, meist zus. mit Aphrodite, auf grch. Vasen, etrusk. Spiegeln, röm. Wandbildern und Sarkophagen der Kaiserzeit, dann wieder in der Neuzeit auf Gemälden (Tizian,

Tintoretto, Paolo Veronese, P. P. Rubens) und als Plastiken (A. Canova, B. Thorvaldsen, A. Rodin).

**Adorant** [lat. ›Anbetender‹], Mensch mit erhobenen Händen; in schemat. oder stilisierter Darstellung häufig auf vorgeschichtl. Felsbildern. Im Alten Orient wurden A. auf Reliefs, in der Malerei und als Plastiken in versch. Stellungen (stehend mit erhobener rechter Hand oder kniend) vor der Gottheit oder ihrem Symbol dargestellt; auch als ›einführende Gottheit‹ auf Siegeln mit gleicher Geste (→Beterstatuetten). A. in Bildgruppen ermöglichen oft Rückschlüsse auf kult. Szenen (Kivik, Mont Bego, Val Camonica).

**Adresse,** auf Drucken älterer Graphiken (Kupferstichen u. a.) unter der Darstellung zu findende Angabe des Erfinders der Zeichnung, des Stechers, häufig auch des Druckers oder Verlegers, der das Blatt in den Handel brachte. Die A. diente v. a. zur Sicherung vor Nachdruck oder Plagiat; steht oft mit dem Zusatz →exc.

**Adrianopel,** türk. Stadt, →Edirne.

**Adschanta,** Höhlenanlage in Indien, →Ajanta.

**Adschina-Tepe, Adzhina-Tepe** [-ʒ-], buddhist. Kloster aus dem 7./8. Jh. im Waksch-Tal, S-Usbekistan. Auf einer Grundfläche von 100 × 50 m erstrecken sich 2 nahezu gleichgroße quadrat. Anlagen um je einen Hof, in dem ein Stupa und ein buddhist. Tempel stehen. Wandgemälde und Tonplastiken in Korridoren und Kulträumen des Klosters sind hervorragende Beispiele der →sogdischen Kunst. Größte vollständige Tonfigur ist ein liegender Buddha von 12 m Länge.

**Adschmir,** Stadt in Indien, →Ajmer.

**Adyton** [grch. ›das Unzugängliche‹], **Abaton** *das,* abgeschlossener Teil eines Heiligtums, bes. das Allerheiligste des vorderasiat., ägypt. und grch. Tempels mit dem Kultbild, nur Priestern oder Eingeweihten zugänglich. Das A. lebt in den abgesonderten Chören der christl. Kirchen fort.

**Aedes** [lat. ›Haus‹], bes. das Wohnhaus, aber auch Haus der Gottheit (Tempel) sowie Ort des Toten (Grabbau) in der röm. Antike.

**Aedicula** [lat. ›Zimmerchen‹], **Ädikula** *die,* kleiner Tempel, auch Nische, meist mit Säulen und Giebel, z. B. für Götter- und Ahnenbilder in der röm. Antike; auch ein sakraler Schrein.

**Aelst** [a:lst], Willem van, holländ. Maler, *Delft um 1625, †Amsterdam nach 1683; schuf Jagd-, Früchte-, Blumenstilleben in matten, feinen Farben.

**Aemilius-Paullus-Denkmal,** pfeilerförmiges Reiterdenkmal in Delphi, mit Reiterstandbild und Relieffries (Darstellung vom Sieg der Römer unter Aemilius Paullus über die Makedonen bei Pydna 168 v. Chr.).

**Aertsen** ['a:rtsə], Pieter, holländ. Maler, *Amsterdam um 1508/09, begraben ebd. 3. 6. 1575, war 1535 bis 1555 in Antwerpen tätig, malte relig. Bilder mit christlich-allegor. Inhalt und bes. Bauernszenen und Küchenstilleben; Vorläufer der niederländ. Stillebenmalerei des 17. Jh. (Bild Küchenstück).

**HW:** Fleischerbude (1551; Uppsala, Samml. der Univ.); Eiertanz (1557; Amsterdam, Rijksmus.); Christus und die Ehebrecherin (1559; Frankfurt a. M., Städelsches Kunstinstitut); Die Köchin (1559; Brüssel, Mus. Royaux des Beaux-Arts).

K. P. F. Moxey: P. A., Joachim Beuckelaer and the rise of secular painting in the context of the reformation (New York 1977).

**Aeschbacher,** Hans, schweizer. Bildhauer, *Zürich 18. 1. 1906, †Zürich 27. 1. 1980, schuf figürl. Bildwerk von stark abstrahierender Formgebung, seit 1953 Stelen oder ›Menhire‹.

H. A. Werkverzeichnis der Skulpturen, 1959–67, hg. v. W. F. Arntz (1974).

**Hans Aeschbacher:** Figur I; Lava-Stein; 1953 (Zürich, Kunsthaus)

**Aetion,** grch. Maler des 4. Jh. v. Chr. Lukians ausführl. Beschreibung seines nicht erhaltenen HW, der Hochzeit Alexanders d. Gr. mit Roxane (327 v. Chr.), regte Sodoma zu Fresken in der Farnesina an.

**Afinger,** Bernhard, Bildhauer, *Nürnberg 6. 5. 1813, † Berlin 25. 12. 1882, arbeitete 1840–46 im Atelier von C. D. Rauch, dann in eigener Werkstatt.

**HW.** Statuette der Schauspielerin Elisa Rachel für die Pfaueninsel (1851; Berlin-West); Standbild E. M. Arndt (1865; Bonn).
Lit.: →Berliner Bildhauerschule.

**Affonso,** Jorge, portug. Maler des 16. Jh., † vor 1552, seit 1508 Hofmaler in Lissabon, wo er ein bed. Atelier unterhielt (G. Lopes, C. de Figueiredo, V. Fernandes). – HW ebd. im Mus. Nacional de Arte Antiga.

**Afo,** kleine Volksgruppe in Zentral-Nigeria, etwa 8000 Menschen. Wenige, doch bedeutende Holzskulpturen (vor allem Mutter-und-Kind-Figuren), abstrakt gestaltete Tanzaufsätze mit Tierhorn-, Chamäleon- u. a. Motiven sowie weitere Masken.

**Afrasiab,** russ. **Afrosiab,** Name von Samarkand im Altertum. A. war neben →Pendschikent und Warachscha eines der 3 Zentren des Serawschantales mit monumentalen Wandmalereien und Holzschnitzereien (→sogdische Kunst).

**afrikanische Kunst,** die Kunstschöpfungen der Völker und Stämme, die südlich der Sahara, in ›Schwarzafrika‹, leben. Die frühesten Zeugnisse sind →Felsbilder in weiten Teilen Afrikas, die bis in die jüngste Zeit von Hirten- und Jägervölkern hergestellt wurden.

TRADITIONELLE KUNST

Die bildende Kunst Schwarzafrikas ist im wesentlichen relig. Ursprungs. Hauptträger sind die Pflanzervölker, die urspr. in den Savannenregionen beheimatet waren und erst später – etwa nach der Zeitenwende – begannen, sich in den trop. Regenwald vorzuarbeiten. Ahnen- und Zauberfiguren (→Nagelfetische, →Spiegelfetische) sowie →Masken sind die wichtigsten Ausdrucksformen; hinzu kommen Wächterfiguren, Seelengefäße, Grabfiguren, sakrale Gefäße in zoomorpher oder anthropomorpher Gestalt, Rang- und Würdeabzeichen (z. B. Fliegenwedel, Zepter, Stäbe, Pfeifen u. a.). Auch die höf. Kunst ist größtenteils relig. Ursprungs, da sie meist dem sakralen Königtum diente. Bedeutendste Repräsentanten der a. K. sind →Ife,

**afrikanische Kunst:** Helmmaske der Mmwo-Gesellschaft, Ibo, Nigeria (Privatsammlung)

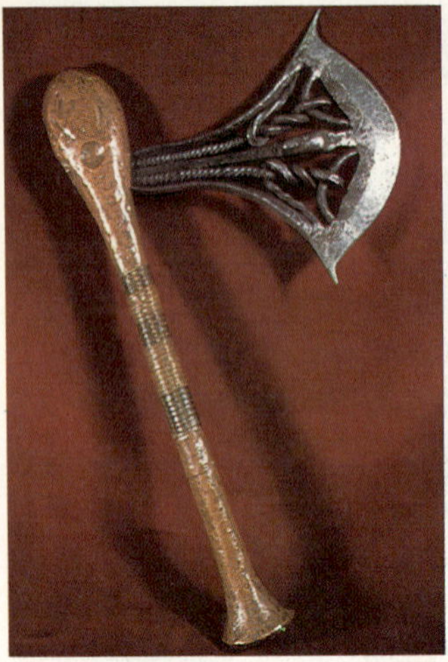

**afrikanische Kunst:** LINKS Zeremonialbeil der Songe, Zaire
RECHTS Holzskulptur der Hemba, Zaire (beide Stuttgart, Linden-Museum)

→Benin und die Stadtstaaten der Yoruba im Gebiet des heutigen Nigeria, die Reiche Dahomey (heute Benin), →Ashanti (heute Ghana), →Kongo, →Kuba, →Lunda (heute Rep. Kongo, Zaire und Angola).

Hauptmaterial des afrikan. Künstlers ist das im afrikan. Klima leicht vergängl. Holz, das mit Dechseln (Querbeilen) und Messern aus Eisen bearbeitet wird. Plast. Kunstwerke aus anderen, seltener verwendeten Materialien sind dagegen besser erhalten.

Stile sind in Afrika stammesgebunden und haben fast immer einen stat. hieroglyphenartigen Charakter, der durch Frontalität und Symmetrie ausgezeichnet ist. Ausnahmen sind in der höf. Kunst, bei den →Yoruba, den Kongo und im →Kameruner Grasland festzustellen. Die frühesten bis jetzt bekannten Belege der afrikan. plast. Gestaltung sind die bed. Terrakotten aus der Kultur von →Nok (O-Nigeria), die in die Zeit zw. 500 v. Chr. und 200 n. Chr. datiert wird. In →Lydenburg (O-Transvaal) wurden ebenfalls Terrakotta-Skulpturen (Köpfe) gefunden, die bisher frühesten (etwa 500 n. Chr.) südlich des Äquators. Auch von einer der ältesten eisenführenden Kulturen Westafrikas, →Sao, sind Kunstgegenstände zutage gefördert worden: Terrakotta-Figuren in menschl. und tier. Gestalt, daneben Schmuckstücke aus Eisen, Kupfer, Bronze, Elfenbein und Glas (10.–16. Jh.). Etwa aus derselben Zeit (10. bis 13. Jh.) stammen die Terrakotta- und Bronzeplastiken, die in Ife von dem Ethnologen LEO FROBENIUS gefunden wurden und die, neben Werken aus Nok und Benin, zu den bedeutendsten Kunstwerken Afrikas zählen. Eine kulturelle Verbindung zw. Nok und Ife wird vermutet, ebenso wie zw. Ife/Benin und →Igbo-Ukwu, das ebenfalls im künstlerisch wichtigen Gebiet des unteren Ni-

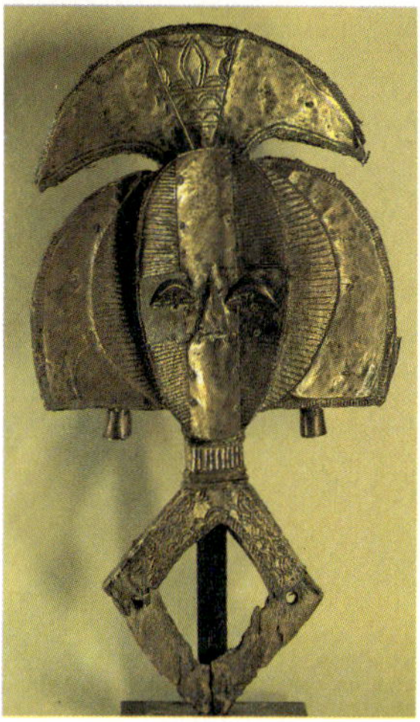

**afrikanische Kunst:** Reliquiarfigur der Kota, Gabun; Holz mit Messing und Kupferblech beschlagen (Privatsammlung)

ger liegt; diese Zusammenhänge konnten jedoch bisher nicht nachgewiesen werden. Auch die Funde von →Esie, ebenfalls im südl. Nigeria, eine große Anzahl Steinbildwerke, die sowohl mit Werken aus Nok als mit solchen aus Ife und Igbo-Ukwu gewisse Ähnlichkeiten aufweisen, konnten die alten kulturellen Zusammenhänge nicht erhellen. Dagegen bestehen eindeutige Verbindungen zw. Ife, Benin und der Kunst der Yoruba sowie zu den Tsoede-Bronzen (→Tsoede).

Archäolog. Grabungen haben in jüngster Zeit eine Reihe bed. Kunstwerke, v. a. aus Terrakotta, aber auch aus Bronze, im Gebiet des Niger-Binnendeltas (bei →Djenné, Mali) hervorgebracht, die – nach vorläufigen Datierungen – zw. 1000 und 1300 entstanden sind. Da die Skulpturen eine große Ähnlichkeit mit den Kunstwerken der in der Nähe wohnenden →Dogon aufweisen, einem altnigrit. Volk, dessen Ursprünge noch im Dunkeln liegen, vermutet man einen direkten Zusammenhang. Die Ikonographie der Terrakotten läßt auf die vorherrschenden Themen dieser Kultur des Niger-Binnendeltas schließen: Häuptlinge, Krieger, Jäger, schwangere Frauen, Mutter-und-Kind, Reiter, Gefangene, mißgebildete Geschöpfe u. a.

Auch in Ghana, im Gebiet der Ashanti, wurden bed. Terrakotten ausgegraben; dabei handelt es sich v. a. um Gedenkköpfe von Persönlichkeiten hohen Ranges mit kunstvollen Frisuren und edel geformten Köpfen. Genaue Datierungen sind bislang nicht möglich; man vermutet als Entstehungszeit das 18. und 19. Jh.

Neben Kunstgegenständen aus dem sakralen und höf. Bereich existiert bei vielen ethn. Gruppen auch eine profane Kunst, die sich an Gebrauchsgegenständen des tägl. Lebens zeigt; ihre Produkte gehören jedoch meist in den Bereich des Kunstgewerbes. Bekannteste Beispiele sind die →Goldgewichte der →Akan,

Gewichte aus Messing in figürl. Gestalt zum Wiegen von Goldstaub (bis 1912 Währung) sowie die ›Abbia‹ – Spielsteine (aus Nußschalen) der Beti in Kamerun. Zu diesem Bereich zählen auch Töpferei, Weberei, Korbflechten sowie Leder- und Schmiedearbeiten und Glasbläserei (→Nupe). Auch die (vielfach religiös bedingte) Dekoration des Körpers (→Körperschmuck) und die Gestaltung der Frisur, die künstler. Gestaltung der Kleidung (Stickerei, Färben, Applizieren, Durchbrechen), die Herstellung von Schmuck sowie die Bau-

kunst (v. a. in islam. Gebieten) erreichten eine hohe Stufe.

Eine Gliederung der plastischen Kunst Afrikas läßt sich nur sehr willkürlich und auch dann nur in groben Umrissen vornehmen:

1) Westsudan, mit z. T. stark abstrahierten, architektonisch straff wirkenden Formen (Bambara, Dogon, Mosi, Kurumba, Lobi u. a.).

2) Westafrikan. Küstenregion, mit eher naturalist. Formen (Bidjogo, Mende, Gola, Vai, Baga, Dan, Toma, Baule, Guro, Yaure, Bete, Ashanti, Agni, Yoru-

**afrikanische Kunst:** Terrakotta-Kopf aus Lydenburg, Transvaal; 38 cm, um 500 (Kapstadt, Südafrikan. Museum)

ba – mit den Frühkulturen Nok, Ife, Esie, Igbo-Ukwu, Benin u. a.).

3) Ostnigerian. Region, mit wiederum mehr abstrakt gestalteten Formen (Ibo, Ibibio, Igala, Mama, Camba, Ijo, Ekoi, Keaka, Jukun, Waja u. a.).

4) Kamerun, Tschad (Sao) und Gabun, mit höf. Kunst (Bamum, Bamileke) sowie den Douala, Bafo, Fang, Kota u. a. Gabun-Stämmen.

5) Zentralafrikan. Raum (Rep. Kongo, Zaire, Angola) mit den Sundi, Teke, Bembe, Yaka, Suku und Holo im W, den Chokwe, Salampasu und Pende im S, den Kuba, Kete, Lulua und Tetela im Zentrum, den Luba, Buye, Bemba, Rega und Bembe im O, den Mbole, Mangbetu, Zande und Bwaka im N.

6) Ost- und Südostafrika, mit der alten Kultur →Simbabwe und den Rotse.

7) →Madagaskar mit den Mahafaly, Tsimihety und Antandroy.

Islam und Christentum ließen viele Kunstwerke als ›Machwerk des Teufels‹ vernichten. Erst zu Beginn des 20. Jh. wurde afrikan. Plastik von den Künstlern der Avantgarde (P. Picasso, H. Matisse, A. Derain, ›Die Brücke‹) als Kunstwerk ›entdeckt‹ und in das eigene Schaffen integriert, ja sie stellte gewissermaßen die Basis dar, auf der sich die moderne Kunst weiterentwickelte.

MODERNE ENTWICKLUNG

Bei den meisten afrikan. Stämmen ist mit den veränderten relig. Voraussetzungen (Christentum, Islam, synkretist. Religionen) auch die Grundlage für ihre alte Kunst verlorengegangen. In jüngster Zeit führte die Kommerzialisierung afrikan. Kunst zur Herausbildung einer Touristenkunst (→Airport Art). In großen Werk-

**afrikanische Kunst:** Holzskulptur, Shambala, Tansania (Stuttgart, Linden-Museum)

**afrikanische Kunst:** Stammestafel der Bamum-Könige, Kamerun (Privatsammlung)

stätten (z. B. Bronzegießereien in Benin City, Schnitzer-Kooperativen in Zaire, Kenia, Tansania) werden traditionelle Formen kopiert; es entsteht nur wenig Eigenständiges. Gleichzeitig entwickeln sich jedoch moderne Plastik und Malerei, die sich am afrikan. Erbe und an europ. Kunstrichtungen orientieren (Akkulturationskunst). Bes. die Malerei, die es in Schwarzafrika bis dahin kaum gab, ist in der nachkolonialen Epoche als Kunstform hervorgetreten, meist angeregt durch von Europäern begründete Werkstätten (Oshogbo, Brazzaville, Dakar) und Kunstabteilungen von Universitäten (Kampala, Zaria, Khartum). Als bed. Künstler mit anregendem Einfluß gelten: Twins Seven-Seven, Nigeria (Tafel- und Stoffbilder: Mensch und Geisterwelt, oft versponnen-witzig); Jimoh Buraimah, Nigeria (Ölfarbe/Glasperlen-Mischtechnik auf Hartfaser: Mensch, Tier, afrikan. Alltag, Geister); Demas Nwoko, Nigeria (drast., symbolträchtige, expressionist. Malerei); Sam Ntiro, Tansania (große Ölbilder: afrikan. Volkstum expressionistisch verdichtet); Tall Papa Ibra, Senegal (Malerei und Wandteppiche, eleganter, stark dekorativer Stil, vom Zirkeldesign geprägt); Valente Malangatana, Moçambique (starkfarbige, expressionist. Tafelbilder: Mensch und Leidenschaft, sozialkritisch); Ibrahim el-Salahi, Sudan (verbindet freie Motive mit traditionellen islam. Elementen).

Auch auf dem Gebiet der modernen afrikan. Plastik haben Anregungen von Nichtafrikanern zu höchst aktiven Kunstbewegungen geführt; z. B. Werkstätten in Oshogbo (Künstler: Susanne Wenger, Adebisi Akanji

**afrikanische Kunst:** Rhythmus-Stampfer (›Deble‹) der Senufo, Elfenbeinküste; helles Holz 134,5 cm (Privatsammlung)

**afrikanische Kunst:** Grabdenkmal der Sundi, Holz, Rep. Kongo, Zaire (Zürich, Museum Rietberg)

u.a.; v.a. Zementplastiken); in Salisbury (Henry Munyaradzi, Nicholas Mukomberanwa, Sylvester Mubayi, Thomas Mukarobgwa, John Takawira, Joseph Ndandarika; Skulpturen aus lokalem Gestein); in Daressalaam (Makonde-Ebenholz-Schnitzer: Samaki, Atesi, Alimosi Luvuma, Clemente); südafrikan. Werkstatt-Schulen in Johannesburg und Durban (Plastik und Malerei) der Township Art (Lucas Sithole, Sidney Kumalo, Lucky Sibiya, John Muafangejo, Mslaba Dumile, Ezrom Legae).

**afrikanische Kunst:** Leopard, Elfenbein mit Kupferblättchen; Länge 81 cm, Benin (London, Brit. Museum)

**afrikanische Kunst:** LINKS Twins Seven Seven, ›Ice-Scapede‹; Nigeria 1972. OBEN Ancent Soi, ›Nairobi‹; Kenia, etwa 1974 (beide Hamburg, Privatsammlung)

Als Künstler, die keiner Schule zuzuordnen sind, wurden bekannt: die Bildhauer Samwel Wanjau (Holzskulpturen, Kenia), Francis Nnaggenda (überlebensgroße Holzskulpturen, Uganda), Ben Enwonwu (Skulpturen, auch Malerei, Nigeria), Asiru Olatunde (getriebenes Metall, Flachreliefs, Nigeria), Erhabor Emokpae (Holzskulptur, auch Malerei, Nigeria), Felix Idubor (Holzschniterei, Nigeria), Vincent Kofi (Metall und Holz, Ghana) sowie die Maler Ancent Soi (naiv, Kenia), Afewerk Tekle, Gebre Kristos Desta, Skunder Boghossian (Äthiopien), Jak Katarikawe (Tierfabeln, Uganda), Middle Art (naiv, ehem. Schildermaler, Nigeria), Pili Pili Mulongoya (dekorative Tiermotive, Zaire), Ibanehe Djilatendo (zartfarbige Aquarelle, Zaire).

Naive Volkskunst und Kunstgewerbe vermengen sich bei den Makonde-, Kamba- und Kisii-Schnitzern, den Ibibio-Zementplastikern, den Quadratmalern der Tingatinga-Schule von Daressalaam, den Messing- und Bronzegießern und den Hinterglasmalern Westafrikas. Eine Sonderstellung behaupten die äthiop. Legenden- und Folklore-Maler mit ihrem unveränderten kopt. Stil.

Insgesamt haben die nicht akademisch ausgebildeten Kunstschaffenden Afrikas bisher Werke von starkem originalem Ausdruck hervorgebracht, gegen die i. a. das Œuvre der Akademie-Künstler abfällt. Eine neue Entwicklung deutet sich an, seit die europ. Dozenten an den Kunstschulen allmählich durch afrikan. Künstler ersetzt werden; sie bringen (wie z. B. Uche Okeke an der Univ. Nsukka, Nigeria) die afrikan. kulturelle Tradition in die Lehrpläne der modernen Kunsterziehung ein. So entstehen heute mittels europ. Techniken (Öl-Tafelbild, versch. Graphik-Methoden, Kunststoff als Material für Plastiken) dennoch afrikanisch geprägte Werke, die im Formalen zwar häufig auf die traditionelle, jedoch nicht mehr kultisch gebundene Ikonographie zurückgreifen, aber durchaus zeitbezogen und gesellschaftskritisch Motive der Gegenwart zum Thema erheben. Die zeitgenöss. Künstler arbeiten i. d. R. nicht mehr für die Bedürfnisse der schwindenden Kulte und

**afrikanische Kunst:** Yakobo, ›Schule‹; Makonde, Tansania 1976 (Hamburg, Privatsammlung)

Stammeszeremonien (auf die wie früher Kunsthandwerker spezialisiert sind), sondern für einen internat. Markt. Die Aufnahmebereitschaft des einheim. Marktes für solche neo-afrikanische Kunst ist gemäß der wirtschaftl. Lage und dem Bildungsstand der Bevölkerung noch gering; zunehmend werden jedoch öffentl. Institutionen und Firmen als Auftraggeber bedeutsam.

E. Elisofon und W. Fagg: Die afrikan. Plastik (a. d. Engl., 1958); E. Leuzinger: Afrika. Kunst der Negervölker (1959); H. Himmelheber: Negerkunst und Negerkünstler (1960); W. Hirschberg: Die Künstlerstraße (1962); U. Beier: Contemporary art in Africa (London 1968); M. Leiris und Jacqueline Delange: Afrika. Die Kunst des schwarzen Erdteils (a. d. Frz., 1968); F. Willett: African Art (London 1971); E. J. de Jager: Contemporary African Art in South Africa (Kapstadt 1973); M. W. Mount: African Art, the years since 1920 (Bloomington, Indiana, 1973); Hb. der a. K., hg. v. U. Klever (1975); K. F. Schädler: A. K. (1975); R. S. Wassing: Die Kunst des schwarzen Afrika (1977); Moderne Kunst aus Afrika, Ausst.-Kat., Berlin (1979); M. Mc Leod: Afrika (a. d. Engl. 1981).

**Afro,** eigtl. **A. Basaldella,** ital. Maler, Bruder von Mirko, *Udine 4. 3. 1912, †Zürich 23. 7. 1976, schuf

Wandmalereien und Bilder zw. Abstraktem Expressionismus und lyr. Abstraktion, aus dem Erbe venezian. Farbkultur.

**Afro-portugiesische Elfenbeinkunst,** westafrikan. Elfenbeinarbeiten aus dem 16. Jh. Die Mehrzahl dieser Werke sind von Sherbro-Schnitzern hergestellt worden. Etwa ein Viertel der ungefähr hundert z. Z. bekannten Stücke stammt von dem Stamm der Bini, die wohl im Stil der Igbesamwan (Zunft der Elfenbeinschnitzer von Benin) ausgebildet waren. Möglicherweise holten die Portugiesen gegen Ende des 16. Jh. die Künstler aus diesen beiden Stämmen, ließen sie an einem Ort an der Westküste, vielleicht sogar in Portugal selbst, arbeiten, und erteilten ihnen Aufträge für die Salzgefäße, Löffel u. a. Tafelgerät, das dann an die europ. Höfe ging. Die von den Sherbro gefertigten Stücke zeigen einen ähnl. Stil wie die →Nomoli der alten Königreiche Bullom und Temne, während die Bini-Stücke an den alles überziehenden Verzierungen und an den einfachen dekorativen Motiven erkennbar sind, die auch noch im 20. Jh. von den Igbesamwan auf den großen Elfenbeinzähnen für die Ahnenaltäre im Palast von Benin verwendet wurden. →Elfenbeinschnitzerei

**Aftabẹh,** im pers. und türk. Kulturbereich des MA. und der Neuzeit Metallkanne für Erfrischungsgetränke mit tief ansetzender, geschwungener Tülle und reich verziert; einige A. sind Prunkstücke aus Edelmetall und mit gefaßten Steinen.

**Afụle, Afụla** [arab. Umbildung von hebr. ofel ›Turm‹], 35 km südöstlich von Haifa gelegener Ort nahe der antiken Stadt Arbel (röm. **Faba** oder **Castrum Fabae**); Reste eines arab. Turmes (8./9. Jh.) mit eingemauerten Sarkophagen des 2./3. Jh.

**Afyon,** früher **A. Karahisạr**, Hauptstadt der türk. Provinz A. im westl. Inner-Anatolien, 73 800 Ew. Die Haupt-Moschee (Ulu Camii, 1272 erb., 1341 erneuert) ist auf trapezförmigem Grundriß in seldschuk. Stil errichtet; als Dachstützen dienen 40 Holzsäulen mit geschnitzten Mukarnas (dt. Stalaktit)-Kapitellen. Neben weiteren Moscheen (Kuyulu Camii mit bed. Minarett u. a.) finden sich auch Medresen (in der Gedik Ahmet Pascha Medrese – mit Moschee und Türbe – das Archäolog. Mus.). Die Stadt überragt ein steiler Felsen mit der (in heutigem Bestand) seldschuk. Festung Karahisar mit Resten der Kale Medrese.

**ägạische Kultur,** nach dem Ägäischen Meer benannte bronzezeitl. Kultur, die im 3. und 2. Jahrtsd. v. Chr. außer den Ägäischen Inseln mit den Kykladen (→kykladische Kunst) →Thera, Kreta und das grch. Festland (→kretisch-mykenische Kunst, →helladische Kunst) sowie das sowohl mit der ägäischen als auch mit der kleinasiat. Kultur verbundene →Troja umfaßte.

**Agạm,** Yaacov, urspr. Jacob **Gipstein,** israel. Künstler, *Rischon Le Zion 11. 5. 1928, übersiedelte 1951 nach Paris. A. gehört, beeinflußt von Bauhaus und Konstruktivismus, zu den Hauptvertretern der →kinetischen Kunst in der Nähe zur →Op Art (seit 1951 Reliefbilder, seit 1961 auch Tast- und Tonbilder, die auf Berührung und Stimmklang reagieren); seit 1963 auch Großplastiken und kinet. Environments.

G. METKEN: Y. A. (1976); F. POPPER: A. (New York 1980).

**Agapia, A. din Vale,** Kloster im Kr. Neamţ, Rumänien, an der A., einem rechten Nebenfluß der Moldau; 1642–44 anstelle eines hölzernen Vorgängerbaus errichtet. Die Kirche wurde 1858–62 erweitert und von N. GRIGORESCU ausgemalt; heute Mus. mit Ikonen des 17.–18. Jh., Hss., moldauischen Stickereien u. a.

**Agasias, 1)** grch. Bildhauer aus Ephesos, um 100 v. Chr. tätig, arbeitete v. a. Porträtstatuen, von denen signierte Basen auf Delos gefunden wurden.

**2)** grch. Bildhauer aus Ephesos (1. Jh. v. Chr.). Die von ihm signierte Marmorstatue des ›Borghesischen Fechters‹ (Louvre) ist ein HW der späthellenist. Plastik.

**Agasse** [ag'as], Jacques-Laurent, schweizer. Maler, *Genf 24. 3. 1767, †London 27. 12. 1849, malte in Genf (in Gemeinschaft mit W.-A. TÖPFFER), in Paris (als Schüler von J.-L. DAVID und H. VERNET 1786–89) und seit 1800 in London Porträts und Genrebilder. Bekannt wurde er v. a. durch Tierbilder.

**Agastya,** vedischer Heiliger, der den Hinduismus nach Südindien gebracht haben soll und dort verehrt wird. Im Ramayana ist er Waldeinsiedler. Auf Java gilt er als Shiva-Inkarnation und Guru. Er wird dickbäuchig dargestellt mit Weihwassergefäß und Trishula.

**Agatharchos** grch. Maler aus Samos, tätig gegen Ende des 5. Jh. v. Chr.; Zeitgenosse des athen. Staatsmanns und Feldherrn ALKIBIADES, dessen Haus er angeblich ausmalte. Er soll auch die Bühnendekoration für eine Tragödie des AISCHYLOS gemalt haben.

**Ageladas,** →Hageladas.

**Agesandros,** →Hagesandros.

**agglutinierende Bauweise,** →Haus.

**Aggriperlen** [von Haussa gori ›Schneckenhaus‹], Sammelbegriff für eine Vielzahl unterschiedl. gläserner Schmuckperlen versch. Herkunft; die meisten dürften aus Venedig (Murano) stammen (›millefiori‹), die übrigen aus den Niederlanden und dem Orient. Sie wurden v. a. im 18. und 19. Jh. gefertigt und dienten in großen Teilen Westafrikas als Zahlungsmittel für Gold, Elfenbein, Sklaven u. a. (bes. an der damaligen Goldküste, heute Ghana).

**Ägina,** grch. Insel im Saronischen Golf mit gleichnamigem Hauptort. Ä. war in der Antike durch Handel, Schiffahrt und Industrie ein bed. Machtzentrum (Blütezeit im 6. Jh. v. Chr.), das mit Athen konkurrierte, bis es 456 v. Chr. von Athen unterworfen wurde. Zu den Resten der Antike gehört im NO der Insel der gut erhaltene Aphaiatempel, ein dorischer Peripteros mit bed. Giebelskulpturen, den **Ägineten.** Sie wurden 1811 gefunden, 1812 von J. M. von →Wagner für den Kronprinzen LUDWIG VON BAYERN erworben, von B. THORVALDSEN 1816/17 in Rom ergänzt und in der Münchner Glyptothek aufgestellt. Die Ergänzungen wurden 1964 wieder abgenommen. Die Skulpturen sind etwa 510–480 v. Chr. entstanden. Ob sie von einer einheimisch-äginet. oder einer auf den grch. Inseln beheimateten Bildhauerschule gefertigt wurden, ist ungewiß. Im frühen 19. Jh. wurden durch die Ägineten erstmals grch. Bild-

**Ägina:** Ägineten, bogenschießender Herakles vom Ostgiebel des Tempels; 490 v. Chr. (München, Staatl. Antikensammlung)

werke des archaischen Stils weiteren Kreisen bekannt. Die beiden Giebel stellen die Heerfahrten des Telamon und Herakles, des Aias und des Achill nach Troja dar. Die Kämpfergruppen, in ihrer Mitte beherrschend Athena, sind charakterist. Werke der ausgehenden archaischen Kunst. Der West- und der urspr. Ostgiebel, von dem Reste in Ägina und Athen erhalten sind, wurden 510–500 v. Chr. geschaffen, um 480 v. Chr. wurde der Ostgiebel erneuert. Die späteren Ostgiebelfiguren zeigen durch spürbare Überwindung archaischer Bewegungsschemata und die einheitlichere Zusammenfassung des Ganzen erste Anzeichen des neuen ›Strengen Stils‹ der frühen Klassik.

**Ägis,** grch. Mythos: →Aigis.

**Agni,** ind. Gott des Feuers und des vedischen Opfers, dargestellt als untersetzter brahman. Asket, sein Symboltier ist der Widder; zählt als Hüter der Südost-Region zu den 8 →Dikpalas.

**Agni, Anyi,** Volksstamm in Westafrika, gehört zur Gruppe der →Akan.

**Agnolo** ['aɲolo], Baccio d'A., ital. Baumeister, →Baglioni.

**Agnus Dẹi** [lat. ›Lamm Gottes‹], christl. Kunst: symbol. Darstellung Christi als Lamm (→Lamm Gottes), dem Nimbus, Kreuz, Kreuzfahne, Kelch beigegeben werden können; im MA. häufig ein Andachtsbild, das in eigenen A. D.-Kapseln (oft silbern) aufbewahrt wurde.

**Agorạ** [grch. ›Versammlung‹], im grch. Altertum die Versammlung des Heeres oder des Volkes, auch der Platz, auf dem diese Versammlungen tagten, das öffentl. Leben sich abspielte und Markt abgehalten wur-

**Agnus Dei**
(Schlußstein aus Cluny)

de. Der in der Frühzeit unregelmäßig angelegte Platz mit Tempeln, Heiligtümern, Hallen wurde später meist rechteckig gestaltet, von Säulenhallen umgeben.

**Agorakritos,** grch. Bildhauer von Paros, Ende des 5. Jh. v. Chr., Schüler des PHIDIAS. Sein HW ist die Statue der Nemesis zu Rhamnus (dort Bruchstücke gefunden). Seine Mitarbeit an den Parthenonskulpturen und an der Balustrade des Niketempels wird angenommen.

**Agostino di Duccio:** Vier Putten im Wasser; Relief in S. Francesco, Rimini; 1449–57

**Agostino di Duccio** [-d'uttʃo], ital. Bildhauer und Baumeister, *Florenz 1418, †nach 1481, Schüler von LUCA DELLA ROBBIA und DONATELLO, dessen ›rilievo schiacciato‹ (Flachrelief) er unter Betonung ornamentaler Wirkungen weiterentwickelte.

**HW:** Reliefs aus dem Leben des Hl. Geminianus an der Domfassade zu Modena (1442); Reliefs in S. Francesco zu Rimini (1449–57); Fassade des Oratorio di S. Bernardino in Perugia (1457–62); zahlreiche Madonnenreliefs.

**Agostino Veneziano,** eigtl. **A. dei Musi,** ital. Kupferstecher, *Venedig um 1490 (datierte Arbeiten 1509 bis 1536), Schüler von M. RAIMONDI, stach nach antiken Skulpturen und Bildern von Zeitgenossen (RAFFAEL, GIULIO ROMANO u. a.); bes. Ornamentstiche und Grotesken.

**Agra,** Stadt in N-Indien, am Fluß Yamuna, 723 700 Ew.; bereits zu Anf. des 16. Jh. Hauptstadt der Lodi-Dynastie und anschließend zeitweilige Residenz der Mogul-Dynastie. Die Festung aus rotem Sikri-Sandstein wurde seit 1566 von Kaiser AKBAR und seinen Nachfolgern ausgebaut. Sie enthält als ältesten Bau Akbars Palast (1566), fälschlich Jahangiri Mahal gen., und v. a. die Bauten Shah JAHANS: den Palast Khas Mahal (1636) mit Gartenterrasse und Pavillons; den säulengetragenen Diwan-i-Am (Halle der öffentl. Audienzen) als zentrale Anlage und den Diwan-i-Khas (Halle der Privataudienzen; 1637) sowie die marmorne, dreikuppelige Perlmoschee (1646–53). Seit der Mitte des 17. Jh. verlor A. gegenüber Delhi als Residenz an Bedeutung.

In Gartenanlagen außerhalb der Feste liegen das marmorne Mausoleum des Itimad-ud-Daula (1626–28) und der →Taj Mahal. Nördlich von A. in →Sikandra steht das Mausoleum Akbars.

**Agraffe** [frz. agrafe ›Spange‹], Schmuckspange aus Metall, z. Z. der Frühgotik aufgekommen mit der Mode, den Mantel über der Brust zu schließen; in der Renaissance rund oder oval, im 17./18. Jh. mit Edelsteinen und Perlen besetzt.

**Agram,** Stadt in Jugoslawien, →Zagreb.

**Ágreda,** span. Städtchen (rd. 4000 Ew.) in Altkastilien, nordöstlich von Soria, mit der Kirche Nuestra Señora de la Peña, eine der seltenen erhaltenen zweischiffigen roman. Kirchen (1193) Spaniens. Die Ruinen des Palacio de los Castejones (15. Jh.) waren in der Romantik ein beliebtes Malermotiv.

**Agricola, 1)** Christoph Ludwig, Maler, *Regensburg 5. 11. 1667, † ebd. 1719, lebte fast ständig auf Reisen und malte heroische Landschaften, die sich an CLAUDE LORRAIN und N. POUSSIN anschließen, gelegentlich jedoch stärker barocke Züge aufweisen.

**2)** Rudolf Alexander, Bildhauer, *Moskau 3. 4. 1912, Schüler von G. MARCKS und R. SCHEIBE, stilistisch von G. KOLBE und A. MAILLOL beeinflußt, sucht das Leitbild der Antike modernen Vorstellungen anzupassen.

**Agrigent,** ital. **Agrigento** [agridʒ'ɛnto], Hauptstadt der ital. Prov. A., unweit der Südküste Siziliens, 49 800 Ew.; Bischofssitz. A., eine grch. Gründung des 6. Jh. v. Chr. **(Akragas),** wurde im 5. Jh. v. Chr. mit Syrakus zur stärksten Macht Siziliens. Unter dem Tyrannen THERON (472/71 v. Chr.) erlebte die Stadt ihre Blütezeit. 406 v. Chr. wurde sie von den Karthagern erobert. Im MA. ging A. von Byzanz 828 an die Sarazenen, 1086 an die Normannen über. Noch heute ist das alte Stadtgebiet von A. bedeutend an Umfang und an Denkmälern. Große Teile der Stadtmauer sind erhalten, bes. an der SW-Seite, wo sich hinter der Mauer die dorischen Tempel aus dem 6. und 5. Jh. v. Chr. aufreihen: Tempel A

**Agrigent:** Tempel F (Concordia)

(Herakles), der riesige Tempel B (Olympieion, 113,5 × 56 m), D (Juno Lacinia) und der gut erhaltene Tempel F (Concordia); diese Benennungen sind unsicher oder falsch, aber seit dem 18. Jh. eingebürgert. Ausgegraben wurden ferner ein Heiligtum der Demeter und ein weiteres chthonischer Götter; von antiken Wohnvierteln wurden große Teile freigelegt. Die ma. Bauten von A. sind z. T. auf Fundamenten grch. Tempel errichtet, so im 12. Jh. der Dom (häufige spätere Umbauten; Diözesanmus.) und die Kirche S. Maria dei Greci; Archäolog. Mus.

**Aguada,** präkolumb. Kultur in Argentinien, →La Aguada.

**Aguascalientes,** Hauptstadt des Staates A., Mexiko, 1889 m ü. M., 230000 Ew. Die Kathedrale (1704 bis 1738) ist eine dreischiffige Basilika mit erhöhtem Mittelschiff, Kuppel und Kreuzgang; schmale Fassade zw. Ecktürmen; Barockportal mit Ziergiebel (indianisch beeinflußt).

**Aguilar de Campóo** [aɣil'ar-], span. Städtchen (rd. 4600 Ew.) in Altkastilien (Prov. Palencia), reizvolles ma. Stadtbild; außerhalb das Kloster S. María la Real (12./13. Jh.) mit qualitätvollen Kapitellen in der dreischiffigen Kirche; roman. Kreuzgang.

**Ägyptischblau,** kobaltblaue Farbe, Glasfritte (Calcium-Kupfersilikat), von Ägyptern schon in antiker Zeit hergestellt, den Griechen als ›kyanos‹, den Römern als ›caeruleum‹ bekannt, nach Ende des 4. Jh. n. Chr. nicht mehr anzutreffen, erst im 20. Jh. im Labor rekonstruiert. Ä. wurde in antiken Fresken und Leimfarbenmalereien verwendet.

**ägyptische Kunst.** Die Anfänge der altägypt. K. entstanden aus der Auseinandersetzung des Menschen mit dem Tode. Bereits im Neolithikum des 4. Jahrtsd. v. Chr. wurden Bildwerke (Menschen- und Tierfiguren) als Beigaben den Verstorbenen mitgegeben, und die erste figürl. Gefäßdekoration bezog sich auf das Fortle-

**ägyptische Kunst:** Totentempel der Königin Hatschepsut in Deir el-Bahari; um 1470 v. Chr.

**ägyptische Kunst:** LINKS Sphinx und Chephrenpyramide bei Giseh; um 2500 v. Chr. UNTEN Kolossalstatue Ramses' II. (1290–1224 v. Chr.) im Amuntempel von Karnak

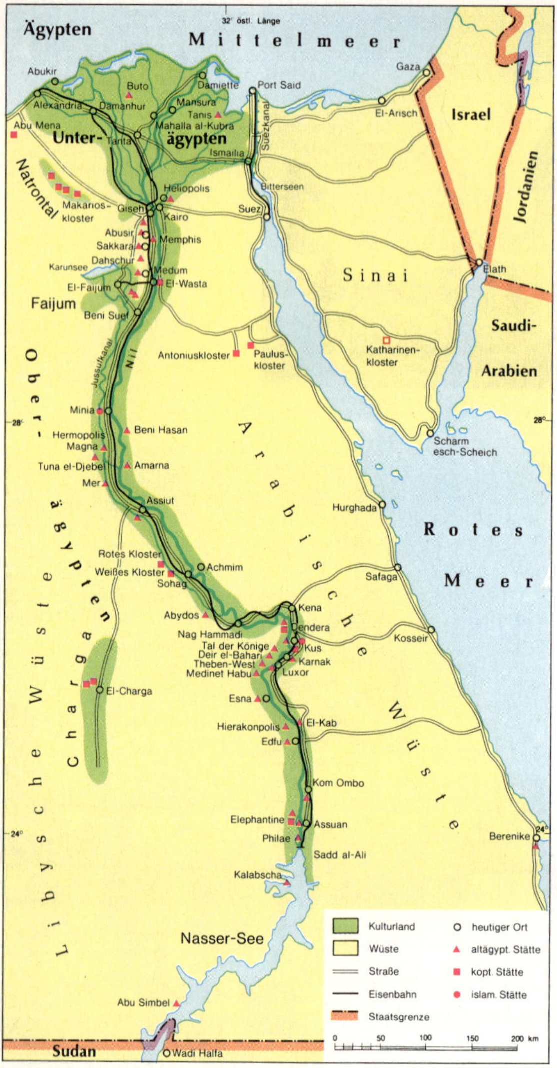


**ägyptische Kunst:** Ortskarte

ben im Jenseits; die →Schminkpaletten, Träger der ältesten Reliefkunst, sollten die Lebensfrische über den Tod hinaus bewahren, und am Beginn des Bauens mit Ziegeln und Stein standen Grabbauten aus der spätesten Vorgeschichte.

Frühzeit und Altes Reich (3000–2160 v. Chr.)

Schon in der Frühzeit der ägypt. Geschichte um 3000 v. Chr. fand die ä. K. ihren eigenen, unverwechselbaren Stil. Regeln wurden festgelegt, die 3000 Jahre Gültigkeit behielten; die Darstellungen wurden mit Hilfe von Standlinie, Register, Proportionskanon und Bedeutungsmaßstab der Figuren gegliedert. Schrift und Bild formten eine Einheit; zu der Darstellung gehörten meist Beischriften, die oft Elemente der Darstellung in die ›Lesung‹ miteinbezogen. In der Abbildung von Menschen, Tieren und Gegenständen versuchte der Ägypter, alle wesentl. Teile und Ansichten unverkürzt (ohne Perspektive) und in ihrer typ. Form zu geben, so daß Gebilde entstanden, die das Auge in der Natur so nicht wahrnimmt, die aber doch eine überzeugende Einheit bilden; so gelang es, komplizierte Sachverhalte in einfachen Bildern zu gestalten, und der Sinn für lebendige Ausgewogenheit ließ keine schemat. Wiederholung und strenge Symmetrie aufkommen.

In der Architektur der Frühzeit wurde Stein kaum verwendet, bevorzugtes Material waren Lehmziegel. Auf den königl. Friedhöfen von Abydos und Sakkara entstanden repräsentative Grabbauten, in Sakkara mit reicher Nischengliederung (›Palastfassade‹) und beträchtl. Ausmaßen. Die Kultstelle am Grab kennzeichneten 2 Stelen aus Stein, die den Namen des Königs trugen. Die mit Reliefs geschmückten Schminkpaletten und die bemalte Keramik verschwanden mit dem Beginn der 1. Dynastie, während sich die Blüte formschöner Steingefäße noch fortsetzte. Die Plastik brachte erste Statuetten von Göttern, Königen, Beamten und Tieren aus Stein hervor, daneben wurde auch Holz, Elfenbein und Metall (Kupfer) verarbeitet.

**ägyptische Kunst:** Schminkpalette des Königs Narmer; Schiefer, um 3000 v. Chr. (Kairo, Ägypt. Museum)

Den Beginn des Alten Reiches kennzeichnet um 2600 v. Chr. das erste Königsgrab in Pyramidenform (Stufenpyramide des Djoser in Sakkara), Zentrum einer 545 × 280 m großen, ganz aus Stein errichteten Anlage. Zugleich ging man zur lebensgroßen Steinplastik über (Grabstatue des Djoser) und zur Ausschmückung von Grab- oder Kulträumen mit Reliefs. Seit König Snofru (um 2560 v. Chr.) wurden dann Pyramiden in ihrer klass. Form gebaut, zu der als Kultbauten ein Talbau, der Aufweg und der Totentempel gehörten. Ihren Höhepunkt erreichte die monumentale Baukunst mit den gewaltigen Pyramiden der Könige Cheops (fast 147 m hoch), Chephren und Mykerinos in Giseh; bei den dazugehörigen Kultbauten wurden ebenfalls große, völlig glatte und ungegliederte Flächen bevorzugt. Um diese königl. Bauten entstand ein Beamtenfriedhof, dessen Gräber nun auch massive Oberbauten aus Stein besaßen (→Mastaba).

Plastik, Relief und Malerei fanden sich fast ausschließlich im Bereich der Gräber und ihrer Kultanlagen. Die Statue diente dem Fortleben des Menschen im Jenseits und bildete ihn daher so ab, wie er seinem zeitlosen Wesen und seiner sozialen Funktion nach gesehen wurde, unabhängig von Lebensalter, Bewegung, Tätigkeit und allen Zufälligkeiten des Augenblicks. Mann und Frau wurden durch ihre Tracht sowie durch unterschiedl. Grundstellungen und Bemalung (Männer

**ägyptische Kunst:** ›Dorfschulze‹; Holz, urspr. mit Stuck überzogen, 5. Dynastie, um 2450 v. Chr. (Kairo, Ägypt. Museum)

rotbraun, Frauen gelb) unterschieden. Da man von einem zeitlosen Idealalter ausging, fehlen Kinder- und Altersbildnisse fast völlig, ebenso porträthafte Wiedergabe, obgleich z. B. die ›Ersatzköpfe‹ (Darstellung nur des Kopfes eines Toten anstelle einer Statue) der 4. Dynastie sehr realistisch gearbeitet sind. Sehr beliebt war der Statuentyp des hockenden Schreibers, seine stilisierte Fettleibigkeit deutet auf Wohlstand und Muße.

Die während der 5. und 6. Dynastie entstandenen Grabanlagen wirken weniger monumental, der Schwerpunkt verlagerte sich auf die immer reicher gestaltete Dekoration, die wuchtigen Pfeiler der 4. Dynastie wurden von freistehenden, tragenden Säulen abgelöst; Säulen und Kapitelle (Pflanzenkapitelle) sind bunt bemalt. Heitere Farbigkeit beherrschte das Bild und trug diesseitige Lebensfülle in die Welt des Grabes hinüber; die Beamtengräber waren z. T. mit Opfer- und anderen Ritualszenen ausgeschmückt, z. T. mit Szenen des tägl. Lebens, die mit einer Fülle von Details den ganzen Funktionsbereich des Grabherrn beschreiben, bes. das Leben auf den großen Gutsbetrieben. Mit der Tendenz zum Familiengrab wuchs die Zahl der Kulträume, in der 6. Dynastie entstanden wahre Grabpaläste, so der des Wesirs MERERUKA in Sakkara mit 32 Räumen. In der Plastik wurden Familiengruppen immer beliebter, dazu →Dienerfiguren in den verschiedensten Tätigkeiten, die die Versorgung des Toten in der jenseitigen Welt sicherstellen sollten. Plastik, Relief und Malerei des späten Alten Reiches bevorzugten übertrieben schlanke Proportionen; die Malerei trat gegenüber dem Relief wieder stärker hervor. Die Kleinkunst fertigte Rollsiegel aus z. T. kostbaren Materialien, doch beschränkte sich die Dekoration auf Titel und Namen des Königs oder seines Beamten.

Nach Auseinanderbrechen des Reiches sank in der ›Ersten Zwischenzeit‹ (2160–2040 v. Chr.) die ä. K. auf einen provinziellen Zuschnitt herab. Nur die Gaufürsten konnten sich größere, in den Fels getriebene Grabanlagen leisten, ihre Beamten begnügten sich mit primitiv gearbeiteten Grabstelen, bei Plastiken wurde Holz bevorzugt. Als positive Entwicklung ist in dieser Zeit die Tendenz zu freieren, auch ungewöhnl. Formen anzusehen, v. a. in der Siegelkunst trat eine Fülle von neuen, figürl. Motiven hervor; das Rollsiegel wurde weitgehend vom Stempelsiegel verdrängt.

### Mittleres Reich (2040–1650 v. Chr.)

Durch die Wiedervereinigung des Landes unter MENTUHOTEP I. um 2040 v. Chr. entstand eine neue höf. Kunst, die in kurzer Zeit an die Höhepunkte der Kunst im Alten Reich anknüpfte. An ihrem Anfang steht das Grabdenkmal MENTUHOTEPS im Talkessel von Deir el-Bahari, eine kühne architekton. Lösung, die Elemente des Pyramiden- und des Felsgrabes vereinigt. Die Könige der 12. Dynastie kehrten zur Grabform der Pyramide zurück, die jetzt aus Lehmziegeln über einem Steinkern errichtet wurde. Die Dekoration ihrer Totentempel, von der wenig erhalten blieb, orientierte sich offenbar am Bildprogramm des Alten Reiches. Stärker traten jetzt die Göttertempel hervor, so der älteste Amuntem-

**ägyptische Kunst:** OBEN Durchgang durch die Furt; Sakkara, Mastaba des Ti, um 2400 v. Chr. LINKS Rückenlehne vom Thronsessel Tut-ench-Amuns, 1347–1339 v. Chr. (Kairo, Ägypt. Mus.).

pel von Karnak, und in der Plastik kamen neben den Grabstatuen Tempelstatuen auf, die den Dargestellten am tägl. Kult und an den Opfern für die Götter teilnehmen ließ.

Ihren Höhepunkt erreichte die Kunst dieser Zeit mit den Königsbildnissen der späten 12. Dynastie (SESOSTRIS III., AMENEMHET III.), die bei aller Lebensnähe und Ausdruckskraft doch nicht als Porträts in unserem Sinne anzusprechen sind, sondern eine andere, menschlichere Auffassung vom Königtum widerspiegeln. Die private Plastik zeigte eine Vorliebe für geschlossene, blockhafte Formen, wie Mantelstatuen und

**ägyptische Kunst:** Die Königin beim Schachspiel; Theben, Grab der Nefertari im Tal der Königinnen, um 1250 v. Chr.

→Würfelhocker. Aus den einzelnen Dienerfiguren entwickelten sich in der 11. Dynastie ganze Modelle von Wirtschaftsbetrieben, die für den Grabherrn arbeitend dargestellt wurden; ihre Funktion übernahmen dann die neuen, mumiengestaltigen Figuren (→Uschebti).

Die Reliefkunst entfaltete sich, neben der Dekoration der Göttertempel, auf unzähligen Stelen, die v. a. an der Prozessionsstraße des Osiris in Abydos aufgestellt wurden, damit die höheren Beamten und ihre Familienangehörigen wenigstens im Bild an den jährl. Festspielen zu Ehren des Gottes teilnehmen konnten.

Das Kunstgewerbe ist durch mehrere Funde von Schätzen von Prinzessinnen der 12. Dynastie gut vertreten, v. a. durch reich gestaltete Pektorale. Nilpferde u. a. Tierfiguren aus glasiertem Ton verkörperten die Hoffnung auf Regeneration im Jenseits, und dem gleichen Zweck diente der →Skarabäus, der jetzt zum bevorzugten Siegelamulett wurde; die Abbilder des Käfers wurden aus den verschiedensten Materialien hergestellt und mit Königsnamen, Götterfiguren, Tieren, Pflanzen und Ornamentsmustern verziert.

Während der 13. Dynastie und der folgenden Hyksoszeit (1650–1550 v. Chr.) ging die monumentale Kunst zurück; bevorzugte Grabbeigabe wurde der Skarabäus, vielfach mit dem Namen des Beamten verziert, dessen Weiterleben er sichern sollte; als Rahmenverzierung entfaltete sich eine kunstvolle Ornamentik mit den verschiedensten Spiralmustern. Im übrigen besitzen wir von den Hyksos kaum Werke der bildenden Kunst, doch brachte ihre Herrschaft eine Öffnung Ägyptens gegen Vorderasien, woraus für die folgende Blütezeit neue Impulse ausgingen.

Neues Reich (1550–1070 v. Chr.)

Auf die Vertreibung der Hyksos folgte eine allg. Erneuerung des geistigen Lebens und ein neues Aufblühen der bildenden Kunst. Im Zentrum standen jetzt die großen Göttertempel, v. a. der des Amun in Karnak. Sie wurden als Prozessionstempel gebaut, die die Massen der Festteilnehmer durch Sphinxalleen, Pylone und Säulenreihen zum Allerheiligsten leiteten. Die Tempel waren so angelegt, daß sie durch Hinzufügen neuer Bauteile erweitert werden konnten. Die Gräber und Kultstätten der Könige wiesen zunächst sehr bescheidene Ausmaße auf; die Pyramidenform wurde aufgegeben und durch das königl. Felsgrab im Tal der Könige ersetzt. Mit dem Terrassentempel der HATSCHEPSUT in Deir el-Bahari, der sich vollendet in die Felslandschaft einfügt, begann dann die Reihe der großen königl. Totentempel auf dem Westufer von Theben, zu denen v. a. noch das Rameseum und Medinet Habu gehören. Auf den großen Wandflächen der Tempel fand die Reliefkunst ein neues Aufgabenfeld und schuf, neben immer neuen Kultszenen, ganze Relief-Zyklen wie in der Punt-Halle und der Geburts-Halle von Deir el-Bahari. In den Gräbern der Könige und ihrer Beamten herrschte die Malerei vor; mit Gräbern wie denen des NACHT (Beamter und Astronom) oder MENENA (Katasterschreiber und Feldmesser) bildete v. a. die Regierung THUTMOSIS' IV. den Höhepunkt ägypt. Grabmalerei, und aus der unmittelbar folgenden Zeit sind hervorragende Beispiele der Wand- und Fußbodenmalerei aus den königl. Palästen erhalten (Molgata, Amarna). Die allg. Bildfreudigkeit des Neuen Reiches führte zur Entstehung einer Buchmalerei mit einer Fülle von illustrierten Texten, v. a. in der relig. Literatur (→Jenseitsführer, →Totenbuch). Die vermehrte Bedeutung des Götterkultes läßt sich nicht nur an den großen Tempelanlagen, sondern auch an der wachsenden Zahl von Götterstatuen ablesen. Die Königsplastik bevorzugte unter Hatschepsut und THUTMOSIS III. elegante, feingliedrige Formen, seit THUTMOSIS IV. wird eine Tendenz zum Kolossalen spürbar (Memnonskolosse AMENOPHIS' III., Kolossalstatuen der Ramessidenzeit).

Dieser Tendenz wirkte die Amarnazeit entgegen, die allg. einen tiefen Einschnitt bedeutete. ECHNATON (Amenophis IV.) kehrte zu weniger kolossalen, menschlicheren Maßen zurück und bevorzugte eine eigenwillige, höchst expressive Gestaltung des menschl. Körpers. Der König wurde nicht mehr in erhabener Göttlichkeit, sondern in der Intimität seines Familienlebens, im Umgang mit Gattin und Töchtern dargestellt, die Fülle der Götterdarstellungen verschwand zugunsten des einen, im Symbol der Strahlensonne verkörperten Gottes Aton. Die Befreiung von bisher geltenden Konventionen bewirkte eine Lockerung der Formen und des Ausdrucks, die über die Amarnazeit hinaus fortwirkte. Zeugnis für eine gemilderte, weniger expressive Phase der Amarnakunst ist v. a. der Grabschatz des →Tut-ench-Amun. Der Durchbruch zum versenkten Relief, mit seinem Spiel von Licht und Schatten, prägte auch die Ramessidenzeit. Nur in den Königs- und Beamtengräbern, die unmittelbar nach der Amarnazeit in Theben und Sakkara entstanden, erlebte das flach erhabene Relief der 18. Dynastie eine letzte große Blüte.

Seit SETHOS I. wurden histor. Szenen in das Bildprogramm der Tempel aufgenommen, so unter RAMSES II. Darstellungen der Schlacht von Kadesch (gegen die Hethiter), unter RAMSES III. der Kämpfe gegen Libyer und Seevölker. Dagegen wurden die Szenen des tägl. Lebens in den Gräbern jetzt durch eine rein relig. Thematik verdrängt, doch bewahren dafür die Bildostraka dieser Zeit eine Fülle von weltl. Szenen, reizvolle Skizzen, die entgegen aller Konventionen auch den flüchtigen Augenblick festhalten und die Grenze zu Satire und Karikatur überschreiten; hier dominiert das graph. Element, die Kunst der Linie, die auch in der Buchmalerei fortwirkte.

Die kolossale Bautätigkeit Ramses' II. (Großer Säulensaal von Karnak, Ramesseum, Felstempel von Abu Simbel) und die massenhafte Herstellung von Königs- und Götterstatuen lassen eine weitere Steigerung nicht zu. Die spätere Ramessidenzeit geht immer mehr zur Nachahmung älterer Bauwerke und Plastiken über, statt neue Werke zu schaffen.

In der 21. Dynastie (1070–945 v. Chr.) zwangen die bescheideneren wirtschaftl. und polit. Möglichkeiten zu einer Neubesinnung. Man gab die Anlage dekorierter Gräber auf, als Ersatz wurden jetzt aber die Särge vollständig bemalt, wobei man die Fülle relig. Motive aus der bisherigen Grabmalerei weiterverwendete. Zugleich setzten die mytholog. Papyri dieser Zeit die Tradition der ramessid. Buchmalerei weiter fort. In der Plastik wurde der Stein durch Metall ersetzt; die Werke aus der Blütezeit der Großbronzen (22. Dynastie) leitete zur Fülle der Götter- und Tierbronzen der Spätzeit über.

Wirtschaftl. Schwächung während dieser ›Dritten Zwischenzeit‹ (1070–712 v. Chr.) hatte u. a. den Ausfall der Steinbruchexpeditionen zur Folge, wodurch der Bau mit Lehmziegeln wieder stärker bevorzugt wurde; nur bei den Königsgräbern in Tanis und wenigen Tempelanlagen wurde in bescheidenem Umfang Stein verwendet. Erst die 25. Dynastie der Kuschiten baute wieder in größerem Ausmaß aus Stein und verwendete ihn für eine neue, ausdrucksstarke Plastik, die den Menschen vom Charakteristisch-Physiognomischen her zu begreifen suchte und ihn stärker als Individuum sah.

### Spätzeit (712–332 v. Chr.)

Hatte die ä. K. schon bisher immer wieder versucht, sich in ihrer Formgebung an früheren Blütezeiten zu orientieren, so steigerte sich diese Tendenz in der Spätzeit, v. a. in der 26. und 30. Dynastie bis zur vollendeten Nachahmung älterer Werke, so daß es immer noch schwerfällt, zw. einem Original z. B. des Mittleren Reiches und einer späten, nachempfundenen Kopie zu un-

**ägyptische Kunst:** Eingangsraum zum Grab der Königin Nefertari im Tal der Königinnen, Theben; um 1250 v. Chr.

terscheiden. Entsprechend wurden auch uralte Textvorlagen mit großer Treue kopiert; man huldigte einem ausgeprägten Archaismus und suchte den Weg zurück zu den Ursprüngen. V. a. in den vielräumigen Grabpalästen, die während der 26. Dynastie erneut in Theben entstanden, wurden noch einmal alle großen relig. Bücher der Vergangenheit überliefert.

Von der Bautätigkeit aus anderen Teilen des Reiches ist wenig bekannt, da sich aus dem Delta, dem polit. Schwerpunkt der 26. bis 30. Dynastie, infolge des hohen Grundwasserspiegels nur wenige Denkmäler erhalten haben. Dagegen zeigen die in großer Zahl überlieferten Werke der Bildhauerkunst, wie sich die neuen Impulse der Kuschitenherrscher in den Priesterköpfen und Herrscherbildnissen fortsetzen und fast bruchlos in die Porträtköpfe der hellenist. und röm. Zeit übergehen. Aber auch traditionelle Formen wie Würfelhocker, Götter- und Tierbronzen (unter denen die Katzen als Bild der befriedeten Gottheit dominieren) wurden weiterhin bevorzugt.

Die Zeit der pers. Herrschaft (525–404 v. Chr.) hinterließ in der ä. K. fast keine Spuren. Aber nachdem die Perser mit Hilfe grch. Söldner vertrieben wurden, kam es im 4. Jh. v. Chr. zu Versuchen, ägypt. und grch. Formempfinden zu verschmelzen; dieser Mischstil begegnet in den hellenist. Grabbauten u. a. von Tuna el-Djebel (Petosirisgrab) und später in der neuen Metropole Alexandria, die zum Schmelztiegel verschiedenster geistiger Strömungen und künstler. Stile wurde. Das blieb jedoch eine Randerscheinung; in der ptolemäischen und röm. Zeit Ägyptens wurden Bau- und Bildwerke je nach Bedarf in rein hellenist. oder rein ägypt. Stil angefertigt. Die Priesterschaft als Hüter der Traditionen versetzte die neuen Fremdherrscher in die religiös notwendige Rolle Pharaos und baute in ihrem Namen weiter an den Tempeln des Landes, bis der Sieg des Christentums die heidn. Tempel und ihren Kult überflüssig machte; die röm. Kaiser ließen sich auf Tempelwänden und z. T. auch in Statuen im uralten Ornat der Pharaonen abbilden.

**ägyptische Kunst:** Amun und Mut; Relief, Tempel in Luxor

Die späteren Tempelanlagen von Edfu, Dendera, Kom Ombo, Philae, Esna usw. wirken nicht nur durch ihre bes. gute Erhaltung, sondern immer noch durch die Harmonie ihrer Proportionen, die Buntheit ihrer Reliefs, die reizvollen Pflanzensäulen, in deren Kompositkapitell sich die verschiedensten Elemente mischen. Diese Tendenz zur Mischung des bisher Getrennten, um die Möglichkeiten des Ausdrucks zu steigern, setzte schon am Ende des Neuen Reiches ein und prägte die Ikonographie der Spätzeit.

Die Bedeutung der Spätzeit für die ä. K. liegt nicht zuletzt darin, daß sie ihre Weitergabe an das Abendland vorbereitete. Ägypt. Formen und Motive wirkten, wie vorher schon auf die phönik. Kunst, jetzt auf Griechen und Römer und schließlich auf die frühchristl. Kunst. Pyramide, Obelisk und Sphinx sind als Schöpfungen Ägyptens aus der allg. Kunstgeschichte nicht mehr fortzudenken, und Prägnanz der Form wie Abkehr vom reinen Sehbild gaben noch der modernen Kunst neue Impulse.

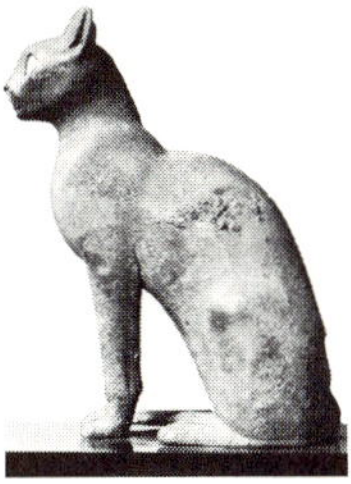

**ägyptische Kunst:** Katze; Bronze, um 600 v. Chr. (Berlin-West, Staatl. Museen)

W. WOLF: Die Kunst Ägyptens (1957); H. SCHÄFER: Von ä. K. ([4]1963); K. MICHAŁOWSKI: Ägypten, Kunst u. Kultur (1969); K. LANGE u. M. HIRMER: Ägypten. Architektur, Plastik, Malerei ([5]1975); C. VANDERSLEYEN: Das alte Ägypten, in: Propyläen Kunstgeschichte, 15 (1975); H. W. MÜLLER u. a.: Architektur der Frühen Hochkulturen in: Weltgesch. der Architektur, hg. v. P. NERVI (1975); Ägypten, hg. v. J. LECLANT, 3 Bde. (1979–81); EMMA BRUNNER-TRAUT: Kleine Ägyptenkunde (1982); dies.: Ägypten, Kunst- und Reiseführer mit Landeskunde (4. erw. u. verb. Aufl. 1982).

**Ahaus,** Stadt im westl. Münsterland, NRW, 28 500 Ew. Die Herrschaft A. kam 1406 an die Bischöfe von Münster, die 1689–97 ein Residenzschloß im fläm. Barockstil (Hufeisenform mit 4 Eckpavillons) auf einer hochgemauerten Insel errichten ließen.

**Ahicchatra** [-tʃ-], archäolog. Grabungsplatz in N-Indien, mit kontinuierl. Besiedlungsschichten von der vedischen Zeit (Painted grey ware) bis in die Guptazeit und jünger. Reiche Funde von Terrakottafiguren; Ziegeltempel Shivas aus der Guptazeit.

**Ahlat,** Ort am NW-Ufer des Vansees (Türkei), neben ihm die Ruinen der alten arab. Stadt. Bed. sind mehrere Gruppen von Türben inmitten der Friedhöfe, die Ruinen einer 1554–68 erbauten osman. Festung mit innerem und äußerem Mauerring und 2 Moscheen (erbaut 1564–70 – die ›Iskender Pascha Camii‹ – und 1584).

**Ahlborn,** August Wilhelm Julius, Maler, *Hannover 11. 10. 1796, †Rom 24. 8. 1857, schuf klassisch-romant. Landschaften, Madonnen- und Heiligenbilder in Anlehnung an Vorbilder der ital. Renaissance sowie Porträts.

**Ahlers-Hestermann,** Friedrich, Maler, *Hamburg 17. 7. 1883, †Berlin (West) 11. 12. 1973, seit 1909 im Kreis der Maler des →Café du Dôme, später Lehrer in Köln, Hamburg und Berlin; unmittelbarer Vermittler frz. Malkultur in Deutschland (Landschaften, Figurenbilder, Stilleben).

**Schriften:** T. Herbst, Ein Malerleben (1939); Pause vor dem dritten Akt (1949); Stilwende ([2]1956); Bilder und Schriften (1968).

F. A.-H., Ausst.-Kat., Flensburg (1970).

**Ahmedabad, Ahmadabad,** Stadt in Gujarat, Indien, 2 Mio. Ew.; 1411 n. Chr. von Sultan Ahmed Schah bei der Errichtung seines islam. Provinzreiches gegr. Die umwallte Stadt aus dem 15./16. Jh. umfaßt den Palast mit der Ahmed-Schah-Moschee (1411), die zentrale Freitagsmoschee (Jama Masjid) mit dem Mausoleum Ahmed Schahs (1423–40) und östlich davon die Gräber der Königinnen (1440), das Rani-Sipari-Grab (1505) und die Sidi-Sayyid-Moschee (1515). Der Einsatz einheim. Handwerker bewirkte das Fortleben hinduistisch-jinist. Kunstfertigkeit aus der Zeit der Solanki-Dynastie; der gelbl. Sandstein wurde ebenso fein bearbeitet wie früher der Marmor.

**Ahnenbild**, Abbild von Vorfahren; findet sich als Gegenstand des Ahnenkults bes. ausgeprägt bei Bauernvölkern Afrikas und Ozeaniens. In Afrika werden Ahnenfiguren von einer Vielzahl von Stämmen aus Holz geschnitzt, um die im Jenseits lebenden Ahnen bei kult. Handlungen greifbar um sich zu haben. I. Ggs. zu den Seelengefäßen residiert der Ahne in den A. nicht; diese sind nur Abbild. (BILD Dogon)

In Ozeanien, v. a. in →Melanesien, werden Ahnen mit Masken und Figuren dargestellt, neben Verstorbenen für Totengedenkfeiern häufig auch nicht wirkliche Vorfahren, sondern Figuren der myth. Schöpfungszeit, mit denen die Menschen durch die lange Kette der Ahnen verbunden sind. Die Darstellungen sind fast immer stilisiert, Porträtähnlichkeit wird i. d. R. nicht angestrebt. Die Figuren werden mit allg. Symbolen relig. Kräfte, daneben oft mit den persönl. Attributen der Verstorbenen oder mit den Emblemen (Tieren oder Pflanzen) ihrer Verwandtschaftsgruppen versehen. Schädel bed. Ahnen werden zuweilen mit Ton überzogen und erhalten die im Leben benutzte Gesichtsbemalung. (→Iatmül, →Malanggane, →Neue Hebriden)

**Ahrensburg,** Stadt in Schlesw.-Holst., nördlich von Hamburg, 25000 Ew., planmäßige Stadtanlage erst 1759–64. Das Schloß (1595) ist ein HW der norddt. Spätrenaissance (Mus.); Schloßkirche (1594–96), flankiert von den gleichzeitigen ›Gottesbuden‹ (Armenwohnungen), mit farbenprächtiger Barockausstattung von 1716.

**Ahrweiler,** Stadtteil von Bad Neuenahr-Ahrweiler, Rheinl.-Pf., mit röm. Ursprung, im MA. eine der 4 Hauptstädte Kurkölns (neben Neuss, Bonn, Andernach). Laurentiuskirche (1269 beg.) mit einzigartiger Verbindung von Hallenkirche (der frühesten auf der linken Rheinseite) und diagonal gestellten Chorseitenapsiden. Im ›Weißen Turm‹, einem got. Turmhaus (14./15. Jh.), das Ahrgau-Mus. Sehr gut erh. Stadtbefestigung.

**Ahtamar, Achtamar,** Insel im Vansee (Türkei), im 10. Jh. eine der Residenzen des armen. Teilkönigreiches von Vaspurakan. Der Palast ist nur aus Quellen bekannt. Erhalten ist die durch den Mönch MANUEL 915 bis 921 erbaute Kreuzkirche, die einen aus der älteren armen. Architektur allg. bekannten Typ des von einem Kreuz durchdrungenen Zentralraumes darstellt. Bemerkenswert sind die auf dem Kämpfer-Gesims stehenden Szenen aus dem A. T. und Heiligenfiguren in Flachrelief, die in ihrer Darstellung auf grch. oder syr.

Hss. wie auf sassanid. (oder arab.) Vorbilder zurückgehen.

**Ahura Masda,** der von Zarathustra verkündete einzige Gott; A. M. konnte in seiner Abstraktheit nicht dargestellt werden, daher ist die Deutung der auf achaimenid. Reliefs erscheinenden Darstellung eines geflügelten Ringes, aus dem sich der Oberkörper eines bärtigen Mannes mit einem Arm- oder Schwurring in der Hand erhebt, als A. M. umstritten; wahrscheinlich ist – wegen des Vorkommens einer Sonnenscheibe – eine Himmelsgottheit dargestellt. Seit hellenist. Zeit sind anthropomorphe Bilder des A. M. (thronend oder reitend) mit Inschriften bekannt.

**Ajas,** lat. **Aiax,** grch. Mythos: zwei grch. Heerführer vor Troja, urspr. vielleicht identisch. **1) A. d. Gr.,** Riese von Statur, Sohn des Telamon, des Königs von Salamis (daher der **Telamonier** gen.), stärkster, aber auch wildester Held nach Achill, rettete die Leichen des Patroklos und Achill, kämpfte vergeblich mit Odysseus um dessen Waffen und stürzte sich deshalb in sein Schwert. A. wurde als Heros auf Salamis verehrt.

Darstellungen sind auf grch. Vasen und Reliefs seit dem 7. Jh. v. Chr. nachweisbar. Zwei bed. Amphoren des EXEKIAS zeigen A. und Achill selbstvergessen beim Brettspiel im grch. Lager vor Troja (um 530 v. Chr., Vatikan) und seinen Tod (um 530 v. Chr., Boulogne, Mus.). Der A.-Mythos ist Gegenstand auch auf etrusk. Spiegeln, röm. Wandbildern und dann wieder in der Neuzeit (N. POUSSIN, B. THORVALDSEN).

**2) A. d. Kleine,** da von kleiner Gestalt, Sohn des Oileus, des Königs von Lokris (daher der **Lokrer** gen.), nach Achill schnellster Held vor Troja, riß bei der Eroberung Trojas Kassandra vom Altar der Athene und schändete sie. Athene vernichtete sein Schiff, er rettete sich auf einen Felsen, lästerte die Götter, so daß Poseidon den Felsen spaltete und A. ertrank. In Opus (Lokrien) wurde er als Heros verehrt. – Darstellungen finden sich auf grch. Vasen seit dem 6. Jh. v. Chr., auf etrusk. Urnen und Spiegeln, auf röm. Wandbildern und auch wieder in der Neuzeit (P. P. RUBENS).

**Ai Chanum,** ehem. Residenzstadt des hellenobaktr. Reiches (hellenist. Reich mit dem Kernland Baktrien, 260–130 v. Chr., an der heutigen afghanisch-sowjet. Grenze). Aufgedeckt wurde v. a. eine Agora, von breiten Säulenhallen umgeben, mit der für die Kunst der Seleukidenzeit charakterist. Kombination korinth. Kapitelle mit ionisch-attischen oder glockenförmigen achaimenid. Basen. In einem Heroon fanden sich hellenist. Statuenfragmente. A. C. ist auch bed. für die hinduist. Kunst (früheste Darstellung der Götter Samkarshana und Vasudeva auf Münzen des 2. Jh. v. Chr.).

**Aichel,** Johann Santin, Baumeister und Maler, →Santini, Giovanni.

**Aigai,** Residenz der makedon. Könige, die nach Ausgrabungsfunden an der Stelle des heutigen →Vergina vermutet wird.

**Aigeira,** Ruinenstätte auf einem Hügel am N-Rand der Peloponnes; die archäolog. Funde reichen bis in das 12. Jh. v. Chr. zurück. Österr. Ausgrabungen legten auf der Akropolis einen Tempel (megaronartiger Bau mit quadrat. Cella) aus frühgeometr. Zeit (10./9. Jh. v. Chr.), unterhalb der Burg einen Langhaustempel des 7. Jh. v. Chr. und ein hellenistisch-röm. Theater frei.

**Aigis,** lat. **Aegis,** dt. **Ägis** *die,* die von Hephaistos geschmiedete, lähmend wirkende schildartige Schutzwaffe des Zeus, die dieser Athene leiht. Mit goldenen Quasten umsäumt, trägt sie in der Mitte das Haupt der Gorgo. Die A. ist typ. Attribut der Athene.

**Aigues-Mortes** [ɛgm'ɔrt], frz. Stadt am W-Rand der Camargue, durch einen 6 km langen Kanal mit dem Meer verbunden, 4500 Ew.; befestigte Lagerstadt mit regelmäßiger Straßenführung, von LUDWIG IX. im 13. Jh. als Ausgangshafen für seine Kreuzzüge (1248, 1270) angelegt. Gut erhaltene Stadtmauer der ma. Seefestung (1272 beg.); 14 Türme flankieren die Tore (u. a. ›Tour de Constance‹, 13. Jh., ehem. Staatsgefängnis).

**Aiguière** [ɛgj'ɛ: r, frz.], Wasserkanne mit Becken aus Zinn oder Edelmetall zu Handwaschungen bei Tisch. In der Renaissance als Prunkgefäß ausgebildet.

**Aihole,** ehem. Hauptstadt der südind. Chalukya-Dynastie, im Deccan etwa 100 km südlich von Bijapur, mit Resten vieler hinduist. Steintempel des 6.–8. Jh.; die bedeutendsten geben Einblick in die Versuche und Frühformen der ind. Tempelarchitektur. Am Ladh-Khan-Tempel (etwa 500 n. Chr., abweichend ins 7. Jh. datiert) wird in der säulengetragenen Halle die Form des Vihara von Felsenklöstern in den Freibau übernommen. In Dachformen zeigen sich Elemente der Holzbauweise (Gauda-Tempel, 7. Jh.). Der mit Reliefs hinduist. Götter ausgestattete Durga-Tempel (um 600; BILD indische Kunst) folgt in der Apsis den Chaityahallen oder den frühen Apsidentempeln aus Ziegelwerk. Deutlich gegliedert im Nagara-Stil ist der Huchchappayya-Tempel des 8. Jh. Die Reliefs des Shiva-Höhlentempels Ravana-ka-Phadi weisen stilistisch in die Pallava-Kunst.

**Aijubiden, Ajjubiden,** ägyptisch-syr. Dynastie, gegr. von SALADIN, herrschte in Ägypten von 1171 bis 1250; in Syrien hielten sich die A. bis 1342.

**Ain Dara,** Ruinenstätte nordwestlich von Aleppo, Syrien (KARTE Alter Orient); in der ältesten (6.) Schicht der Grabung wurden Reste eines Tempels aufgedeckt, dessen Außenwände mit Tierskulpturen und Orthostatenreliefs im späthethit. Stil (10. Jh. v. Chr.) geschmückt waren.

**Ain Mdeker,** Ort in Tunesien, 35 km südöstlich von Zaghouan. Ausgedehntes Ruinenfeld des antiken **Mediccera;** u. a. Quellfassungsbecken mit Leitung und Zisterne, Brücke, Mausoleum, byzantin. Stadtmauer.

**Ainmiller,** Max Emanuel, Maler, *München 14. 2. 1807, ebd. †8. 12. 1870, studierte bei F. GÄRTNER in München Architektur und trat in die 1844 neu gegr. Königl. Anstalt für Glasmalerei ein; durch seine Kunst gewann sie in vielen europ. Ländern an Ansehen. Als erstem gelang ihm, farbiges Glas farbig zu überfangen (→ Überfangglas). – A. schuf Glasfenster u.a. für die Dome in Regensburg und Köln, die Universitätskirche in Cambridge und St. Paul's Cathedral in London.

**Ain Tounga** [-tuŋg'a], Dorf in Tunesien, 10 km südwestlich von Testour am Fuß des Djebel Laouej (466 m ü. M.); hangaufwärts die Ruinen der röm. Stadt **Thịgnica:** Triumphbogen (in die spätere byzantin. Festung einbezogen), Mosaikfußböden; Tempel der Juno Caelestis mit Patio, von 6 Säulen umgeben; Thermen. Reste eines Tempels mit gewaltigen Monolithsäulen.

**Airbrushtechnik** ['eəbrʌʃ-], Spritzpistolentechnik, die v.a. in der Werbegraphik, aber auch in der Kunst angewendet wird, um besondere opt. Wirkungen (z.B. metall. Effekte) zu erzielen.

**Airport Art** ['eəpɔ:t ɑ:t, engl.], **Hotel Art** [həut'el-], **Touristenkunst,** auch **Souvenirkunst,** für den Verkauf an Touristen hergestellte, kunsthandwerkl. Produkte, v.a. in Afrika und Ozeanien. Beispiele: Makonde- und Kamba-Schnitzereien in Tansania und Kenia, Nachahmungen der Benin-Bronzegüsse und der Messingguß-Goldgewichte Ghanas, künstlich ›alt‹ gemachte Schnitzereien aller Stilrichtungen aus Zaire, Speckstein-Schnitzereien aus Kenia und Simbabwe sowie solche aus den Dornen des Baumwoll-Baums aus Nigeria.

**Ait Benhaddou** [-bɛnad'u], Ort in S-Marokko, 52 km nordwestlich von Ouarzazate. Typ. Beispiel der berber. Hochhausarchitektur: zahlreiche quadrat. Wohnburgen (Kasbas) aus Stampflehm und Mauerstein mit 4 kon. Ecktürmen und Patio, meist 4–7 Etagen (versch. Funktionen), Oberteile mit Blendarkaden, geometr. Lehmziegelornamentik und Zinnen. Alte Moschee. Auf einem Hügel Ruine eines großen Agadir (Speicherburg).

**Aix-en-Provence** [ɛksãprɔv'ãs], südfrz. Stadt und Hauptort der Provence, 109200 Ew., Erzbischofssitz; auf röm. Gründung zurückgehend (122 v.Chr.). Die Kathedrale St. Sauveur (12.–15. Jh., Baptisterium des 6. Jh., Kreuzgang des 11. Jh. mit reichem Kapitell- und Skulpturenschmuck) birgt 2 Triptychen aus dem 15. Jh. (u.a. von N. Froment) und fläm. Wandteppiche (Anf. 16. Jh.). Mittelpunkt von A.-en-P. ist die Place de l'Hôtel de Ville mit Rathaus (17. Jh., im Inneren die Bibliothek Méjanes) und Uhrturm (16. Jh.); im ehem. erzbischöfl. Palast das Musée des Tapisseries; got. Kirche St. Jean-de-Malte (13. Jh.). Am Cours Mirabeau, einer Platanenallee, Brunnen und Häuser des 17. und 18. Jh. Weitere Mus.: Musée Granet (Altertümer, Gemälde), Atelier Paul Cézanne u.a.

**Aizạnoi, Äsạni,** bed. Ruinenstätte röm. Zeit in Phrygien (heute Çavdarhisar, etwa 50 km südwestlich von Kütahya, Türkei), Blütezeit im 2. Jh. n. Chr.; zahlreiche Baureste haben sich erhalten, v.a. ein Zeustempel aus hadrian. Zeit, große Agora, Theater und Stadion; westlich von A. ein Kybele-Heiligtum.

**Aizu-Wakamatsu,** Burgstadt in Japan, etwa 250 km nördlich von Tokio, in strategisch bed. Lage, wurde im

17. Jh. die wichtigste Festung der Militärregierung für die nördl. Provinzen. Die Burg Tsuruga-jo war bei der Restauration 1868 hart umkämpft und wurde mit Teilen der Stadt zerstört; der Hauptturmbau wurde 1965 rekonstruiert.

**Ajanta** [-dʒ-], **Adschanta,** buddhist. Höhlenanlage im nördl. Deccan, Indien, aus dem 1. Jh. v. Chr. und dem 5.–7. Jh. n. Chr. Die 30 Höhlentempel und -klöster liegen im Halbkreis am Abhang eines Flußtals. Aus der ersten Phase stammen die Chaityahallen 9 und 10 mit Resten der ältesten Wandmalerei. Von den Höhlen der späteren (Vakataka-)Phase sind die Chaityahalle 19 mit

**Ajanta:** Fassade und Portikus der Chaityahalle 19; 6. Jh.

reich gegliederter und reliefierter Fassade und die Höhlen 17, 16, 2 und 1 mit meisterl. Wandmalereien die bedeutendsten. Dargestellt sind Jataka-Legenden in an- und ineinandergefügten Szenen (BILD indische Kunst), Bildnisse des Buddha und der Bodhisattvas sowie an den Decken Tier- und Pflanzenmotive.

G. YAZDANI: A., 4 Bde. (London 1930–55); M. SINGH: A., A painting of the sacred and the secular (Lausanne 1965).

**Ajimez** [axim'ɛθ, span. aus arab.], in der maurischen Architektur Bez. für ein Doppel- oder Zwillingsfenster mit Mittelsäule, in 2 hufeisenförmigen Bögen endend; wohl zuerst von den Omajjaden als Dekorationselement in Córdoba eingeführt.

**Ajmer** [engl. ædʒm'ɪə], **Adschmir,** Stadt in N-Indien, östlich der Wüste Thar in Rajasthan, 374 000 Ew.; seit dem 12. Jh. als erste Stadt nach Delhi unter muslim. Herrschaft. Auf den Resten jinist. Bauten ließ QUTB-UD-DIN AIBAK 1200–35 die Hofmoschee Arhai-din-ka-jhonpra mit 7teiliger Blendfassade errichten. Rajputana-Mus. mit bed. Samml. hinduist. und jinist. Kunst.

**Ajwasowskij,** Iwan Konstantinowitsch, russ. Marine- und Landschaftsmaler, *Feodossija 29. 7. 1817,

† ebd. 2. 5. 1900, ausgebildet in Feodossija, Simferopol und an der Akad. in St. Petersburg (1833–1839); lebte nach Auslandsreisen in St. Petersburg und Feodossija. Seine virtuos, mitunter etwas effektvoll gemalten Studien und Bilder der Urgewalten des Meeres und von Kämpfen zur See fanden auch außerhalb Rußlands Beachtung. W. TURNER zollte ihm hohe Anerkennung. Als 2. russ. Künstler durfte er sein Selbstporträt für die Uffiziengalerie in Florenz stiften.

N. S. BARSAMOV: I. K. A. (Moskau 1967).

**Akademie** [grch.], Gelehrten- oder Kunstschule. Die Bez. geht auf einen dem Heros AKADEMOS geweihten Hain bei Athen zurück. Hier gründete PLATON 387 v. Chr. seine A. genannte Philosophenschule.

Auf die Gründung der Platon. A. in Florenz durch COSIMO DE' MEDICI (1459) und im Anschluß an die durch LORENZO IL MAGNIFICO DE' MEDICI um 1480 gegr. Bildhauerschule gehen die ersten A. der Frührenaissance zurück, in denen Bildhauerei und Malerei (Entwicklung der Zentralperspektive) den Wissenschaften gleichgestellt wurden. In Florenz entstand die 1563 von G. VASARI angeregte ›Accademia del Disegno‹. Auch LEONARDO DA VINCI hatte mit der ›Accademia Vinciana‹ eine vom ma. Zunftbetrieb losgelöste Ausbildungsstätte gegr. (Mailand, 1494). In Rom wurde auf Anregung des Kardinals F. BORROMEO 1588 die ›Accademia di S. Luca‹ gegr., die aus den Lukasgilden hervorging und 1599 von F. ZUCCARI in eine Kunstschule umgewandelt wurde mit den Fächern Perspektive, Anatomie, Historie u. a. Diese A. wurde in ihrer Verbindung von Ausbildungsstätte mit Kunstsamml. und Vereinigung der führenden Maler mit dem Recht der Preisverteilung vorbildlich für viele Gründungen in Italien, Frankreich und dem übrigen Europa. Die wichtigste wurde die 1648 in Paris gegr. ›Académie Royale de Peinture et de Sculpture‹. Zw. ihren beiden ersten Rektoren C. LEBRUN (seit 1668) und P. MIGNARD (seit 1690) fand die Auseinandersetzung über den Vorrang der Zeichnung gegenüber der Farbe statt, die die Kunstwelt in zwei Parteien spaltete (Poussinisten und Rubenisten). Doktrinäre Lehrmeinungen führten in den folgenden Jh. noch häufig zu heftigen Diskussionen; im 19. Jh. fanden die Künstler meist im Protest gegen die A. ihren Weg und schlossen sich in →Sezessionen zusammen.

**Akademiestück,** urspr. das für die Aufnahme in eine Kunstakad. geforderte Probestück (franz. morceau de réception), dann mehr und mehr abschätzige Bez. für die Malerei, die an den Akad. nach festen Regeln der Anatomie, Geometrie und Perspektive, durch Kopieren von Meisterwerken und antiken Gipsabgüssen sowie durch Zeichnen nach lebenden Modellen gelehrt wurde. Bedeuteten diese Lehrmethoden in der Renaissance und im Barock einen künstler. Aufschwung gegenüber dem erstarrten Zwang der Malerzünfte und wurden sie in der 1. H. des 18. Jh. durch die Kunstanschauung der Aufklärung (Vereinigung von Kunst und Gelehrsamkeit) nochmals außerordentlich gefördert, so löste der ›Sturm und Drang‹ seit Mitte des 18. Jh. mit der Verkündigung von Freiheit und Genie des Künstlers eine Ablehnung des schemat. Lehrzwangs aus. Die

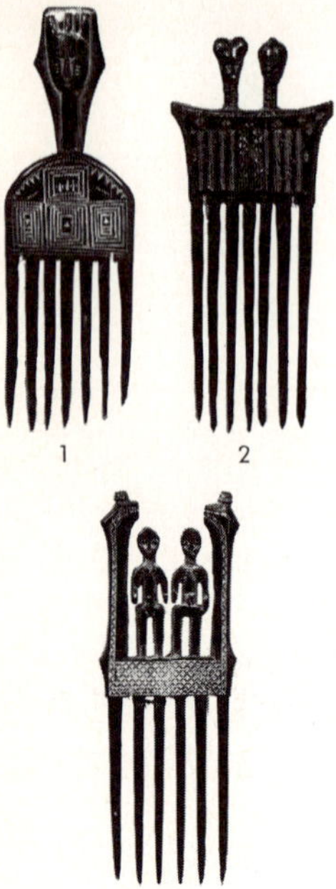

1 2 3

**Akan:** Kämme aus schwarz-braun patiniertem Holz; **1** Atié, 20,5 cm; **2** Agni, 19,5 cm, **3** Ashanti, 19,5 cm hoch (verschiedene Privatsammlungen)

**Akanthus**

Übungen nach feststehenden Vorbildern hatten mehr und mehr zu leblosen, eklekt. Kompositionen und trokkener Malweise geführt, wogegen sich Schüler der Wiener Akad. 1809 mit der Gründung des Lukasbundes wandten.

**Akan,** Gruppe von sprachlich verwandten Völkern und Stämmen in Westafrika; zu ihnen zählen die →Ashanti und Fante in Ghana sowie die Agni, Atié, Alangoa, Ebrié und Aburé (Abouré) in der Rep. Elfenbeinküste; auch die →Baule (um 1730 mit einer Ashanti-Prinzessin ins Zentrum der heutigen Elfenbeinküste ausgewandert) werden zu den A. gezählt. Alle Gruppen zeichnen sich durch bed. Holzschnitzkunst, Elfenbeinarbeiten (bes. Kämme) und Metallgüsse nach der ›verlorenen Form‹ (→Bildguß) aus, bes. die →Goldgewichte. Während bei den Baule die Skulpturen meist volle runde Formen mit naturalist. Zügen aufweisen, tendieren die anderen Stämme – mit zunehmender Intensität nach Osten – zu einer flacheren und abstrakteren Konzeption, bes. in den Fruchtbarkeitspuppen der Ashanti und Fante. Masken sind, außer bei den Baule und den Atié, nur als Miniatur-Attribute in Gelbguß oder Gold gebräuchlich.

**Akanthus** [grch.] *der,* eine im Mittelmeergebiet häufig vorkommende Staudenpflanze; ihre stark gezackte Blattform wurde seit dem 5. Jh. v. Chr. in der grch. Kunst Vorbild für ein häufig verwendetes dekoratives Element, v. a. in der Architekturornamentik; als Blätterkelch am korinth. Kapitell nahm es seine klass. Form an, die in fast allen späteren Epochen der europ. Kunstgeschichte lebendig blieb.

**Akbar,** Kaiser der Mogul-Dynastie, regierte 1556 bis 1605, war im Streben nach polit. und kultureller Synthese von Moslems und Hindus Förderer der Künste. Seine pers. und ind. Hofkünstler prägten die →Mogul-Malerei und Architektur (Palastbauten von →Agra, →Fatehpur Sikri). Sein Mausoleum befindet sich in →Sikandra bei Agra.

**Akkad(e),** noch nicht identifizierte Hauptstadt des 1. semit. Großreichs (etwa 2350–2200 v. Chr.) in Mesopotamien, nach der die Dynastie und ihre Kunst benannt sind (→akkadische Kunst).

**akkadische Kunst,** die Kunst des Reiches Akkad, des 1. semit. Großreiches auf mesopotam. Boden (etwa 2350–2200 v. Chr.). Die Kunst der Akkad-Zeit, v. a. in Werken der Bildkunst überliefert, zerfällt in 3 Abschnitte: die Zeit des Dynastiebegründers SARGON, die seiner beiden Nachfolger RIMUSCH und MANISCHTUSCHU und die der Könige NARAMSIN und SCHARKALISCHARRI. Im 1. Abschnitt kann noch eine Anlehnung an sumer. Vorbilder festgestellt werden, im 2. Abschnitt wurde die Loslösung davon vollzogen, und der 3. zeigt die vollentfalteten Charakteristika der a. K.

Die Entwicklung führt von einer statischen (sumer.) zu einer dynam. (akkad.) Bildgestaltung sowie von einer starren zu einer gelockerten Aufteilung des Raumes. Die meisten Werke zeichnen sich durch hohe plast. und realist. Wiedergabe auch der Einzelheiten aus. Bevorzugt wurden harte Steinmaterialien (z. B. Diorit), aber auch die Toreutik hatte eine große Bedeutung (Bronzekopf eines Fürsten der Akkadedynastie, Irak-Mus., Bagdad, sowie mehrfach bezeugte Reste von überlebensgroßen Bronzestatuen). Als seltene Denkmalsformen (alle reliefiert) sind die obeliskenförmige Sargon-Stele (Louvre), eine runde Scheibe (Diskus der Encheduanna, Tochter Sargons, Philadelphia, Univ. Mus.) und die spitzbogige Naramsin-Stele (Louvre) überliefert. Die in der sumer. Kunst so verbreitete Beterstatuette trat zu Gunsten des Herrscherbildes vollständig zurück. Erstmalig wurde der König vergöttlicht und als Triumphator dargestellt (Naramsin-Stele). Neben bewegten Götter-, aber auch Tierkämpfen nehmen in der Glyptik (Rollsiegel) v. a. mytholog. Themen einen breiten Raum ein (manche unmittelbar deutbar: Mythos des Etana, legendärer König von Kisch). Erstmalig wurde auch die Landschaft mit in die Darstellung einbezogen (Geländewellen, Baum, Gebirge). In der Kleidung ist zum ersten Mal das Falbelgewand belegt; anstelle des Zottenrockes tritt der kurze, befranste Rock. HW der a. K. und eine bed. Schöpfung des gesamten vorderasiat. Kunstschaffens ist die Naramsin-Stele (Höhe 2 m, Sandstein), deren spitzbogige Form die Bildkomposition, die jetzt in der Betonung der Diagonalen liegt, hervorhebt. Im Vergleich dazu haftet die Sargon-Stele noch stärker in der sumer. Tradition.

R. M. Boehmer: Die Entwicklung der Glyptik während der Akkad-Zeit (1965); W. Orthmann u. a.: Der Alte Orient, Propyläen Kunstgeschichte Bd. 14 (1975); P. Amiet: L'art d'Agadé au Musée du Louvre (Paris 1976); A. Moortgat: Sumer u. Akkad (1982).

**Akko, Acco, Akkon, Accon,** Stadt in Israel, am Mittelmeer nördlich von Haifa, 38 000 Ew., in hellenist. Zeit als **Ptolemaịs** Stützpunkt der ägypt. Herrschaft über Palästina, seit 638 n. Chr. arabisch, 1104–87 und 1191–1291 im Besitz der christl. Kreuzfahrer, seit 1517 unter osman. Herrschaft. – In die türk. Karawanserei Chan el-Umdam (arab. ›Säulengasthof‹) sind Säulen aus den röm. Ruinen von Caesarea eingebaut. Aus der Kreuzfahrer-Zeit stammen die Johannes-Krypta (13. Jh.), am Hafen Reste eines Wellenbrechers und eines Leuchtturms. In der orientalisch anmutenden Altstadt steht die 1781 erbaute Djassar-Moschee, die größte und bedeutendste Moschee in Israel.

**Akkumulation** [lat. ›Anhäufung‹], aus dem Nouveau Réalisme stammende Bez. für die Anhäufung unverändert belassener Gegenstände (Kannen, Kämme, Geigenfragmente), die in durchsichtige Kästen gefüllt (Arman) oder auf eine Grundplatte montiert werden (César, D. Spoerri). Bild S. 64

**Ạkleybecher, Ạgleybecher,** Pokal, dessen Kuppa der Blüte der Akelei nachgebildet ist; seit Ende des 16. Jh. von der Nürnberger Goldschmiedezunft als Grundplatte montiert werden (César, D. Spoerri). (Bild S. 64)

**Akrolịthe** [grch. akros ›zuoberst‹ und lithos ›Stein‹], antike Statuen, deren bekleidete Teile aus bemaltem oder vergoldetem Holz, deren nackte Teile (Kopf, Hände, Füße) aus Stein (Marmor) bestehen.

**akkadische Kunst:** Bronzekopf eines Fürsten der Akkade-Dynastie, gefunden in Ninive; um 2250/2200 v. Chr., Höhe 36,6 cm (Bagdad, Irak. Museum)

**akkadische Kunst:** Gefesselter Gefangener; Ausschnitt aus einem Stelenfragment, gefunden in der Gegend von Naserija, um 2350/2250 v. Chr., Höhe 21,2 cm (Bagdad, Irak. Museum)

**akkadische Kunst:** Naramsin-Stele; gefunden in Susa, um 2250 v. Chr., Höhe 2 m (Paris, Louvre)

**Akkumulation:** Arman, ›Akkumulation von Kannen‹; 1961 (Köln, Museum Ludwig)

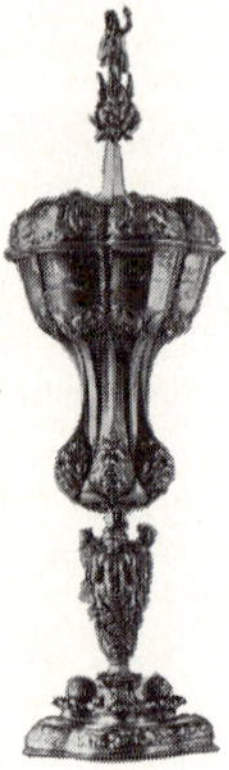

**Akleybecher**

**Akropolis** [grch. ›Oberstadt‹] *die,* **1)** altgrch. Bez. für die Burg der Stadt (Polis). Antike Siedlungen suchten den natürl. Schutz isoliert liegender Berge, die i.d.R. befestigt wurden. Eine Hang-, dann Flachstadt schloß sich erst als Ergebnis histor. Entwicklung an.

**2) A. von Athen.** Die günstige Lage des Burgberges, ein steil abfallender Kalksteinfelsen zw. 2 Bachtälern, lockte schon in der Jungsteinzeit zur Ansiedlung. In der Blütezeit der myken. Kultur war die A. Sitz des Königs von Athen. Gegen 1250 v. Chr. wurde der Hügel durch eine kyklop. Mauer befestigt, von der noch ein Stück hinter dem Nike-Tempel steht. Bis ins 6. Jh. v. Chr. waren Burg und Stadt Athen identisch, die A. daher Polis genannt. Um 680 wurde der Palast durch einen Tempel ersetzt. Aus zahlreichen Heiligtümern hob sich seit 580 der ›Alte Athena-Tempel‹ heraus (im Giebel: Herakles mit Triton ringend und der dreileibige Proteus). Um 520 erhielt dieses Hekatompedos eine Marmor-Ringhalle (im Giebel: Athena im Kampf mit Giganten), 566 entstand ein Heiligtum der Nike. 480 wurde die A. von den Persern zerstört. Ihre Trümmer (›Perserschutt‹), Weihgeschenke (bemalte Mädchenfiguren, Koren)

**Akropolis** von Athen: im Vordergrund Odeion des Herodes Atticus und Stoa des Eumenes, in der Mitte Parthenon, rechts der Lykabettos

u.a. wurden verwendet, um die Burgfläche bes. nach S zu erweitern, und blieben so erhalten. Die Errichtung der Stadtmauer von Athen durch THEMISTOKLES erübrigte eine Neubefestigung der Burg. Die A. wurde zur Feststätte des Athena-Kultes und seit 454 auch relig. Mittelpunkt des attischen Reiches, aus dessen Mitteln die Bauten der klass. Zeit finanziert wurden: der →Parthenon (447–432), die →Propyläen (437–432), das →Erechtheion (421–406), der neue →Nike-Tempel (425 bis 421). Die Stelle des 406 nach Brand beseitigten Alten Tempels wurde zum Festplatz vor dem am alten Platz belassenen Athena-Altar. Zu ihm führte die Prozession des Panathenäenfestes (dargestellt auf dem Parthenonfries). Die 9 m hohe Statue der Athena Promachos des PHIDIAS beherrschte ihn; großplast. Weihgeschenke standen bei den meist von Mauern und Terrassen umschlossenen Tempeln (Athena Lemnia des Phidias, Perikles des KRESILAS).

Im MA. war die A. die Burg des Erzbischofs von Athen (Kirchen im Parthenon und Erechtheion), 1204 bis 1458 Sitz der ›fränkischen‹ Herzöge (Palas in den Propyläen), dann Wohnstätte der türk. Garnison (Moschee im Parthenon, Harem des Kommandanten im Erechtheion). Im grch. Freiheitskrieg kam sie 1821 in die Hand der Griechen, 1827 wieder der Türken; beide verstärkten die Befestigung (Nike-Tempel erst damals abgetragen). 1833 räumten die Türken die Burg. K. F. SCHINKELS Vorschlag, sie zum Königssitz umzugestalten, wurde verworfen. Die türk. Bauten wurden beseitigt, der Nike-Tempel 1835 wieder aufgerichtet. Seither ist die A. Ausgrabungsstätte und gilt als nat. Symbol Griechenlands. – An der Stelle des Heroons von Pandion liegt heute das A.-Mus.

Am Ende der 70er Jahre des 20. Jh. begannen sich zahlreiche Fragmente von den Bauten der A. zu lösen, eine Folge der Ausdehnung verrosteter eiserner Bindeglieder, die bei früheren Restaurationen verwendet worden waren. Außerdem verursachte die zunehmende Luftverschmutzung (Abgase) eine Umwandlung der

Marmoroberfläche durch Schwefelsäure in Gips, der vom Regenwasser abgespült wurde. Die Karyatiden vom Erechtheion und die 3 Originalfiguren am W-Giebel des Parthenon wurden durch Kopien ersetzt. Alle eisernen Bindeglieder werden durch nichtrostende Titaniumglieder ausgetauscht. Die Stabilisierung der gefährdeten Felsenblöcke der N-Seite der A. ist im Gang. Eine von der UNESCO geplante Aktion zur Rettung der A. scheiterte 1981, da die grch. Behörden sich in ihren Kompetenzen beeinträchtigt sahen.

Literatur: →Athen.

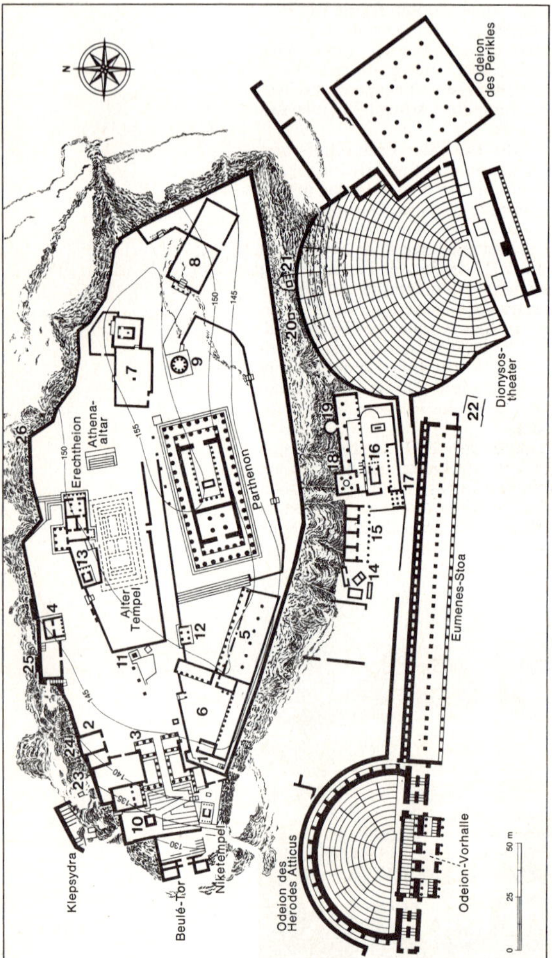


**Akropolis** von Athen und ihr Südabhang: 1 Mykenische Mauer, 2 Haus der Athena-Priesterin, 3 Propyläen, 4 Haus der Arrephoren, 5 Chalkothek, 6 Bezirk der Artemis Brauronia, 7 Bezirk des Zeus Polieus, 8 Heroon des Pandion, 9 Roma-Tempel, 10 Agrippa-Monument, 11 Athena Promachos, 12 Propylon zum Vorhof der Athena, 13 Pandroseion, 14 Alter Asklepios-Tempel?, 15 Halle, 16 Asklepios-Tempel, 17 Röm. Halle, 18 Inkubations-Halle, 19 Grottenkapelle, 20 Choregen-Säulen, 21 Thrasyllos-Grotte, 22 Nikias-Monument, 23 Apollon Pythios-Bezirk, 24 Pan-Grotte, 25 Aglauros-Grotte, 26 Eros-Heiligtum

**Akroter, Akroterion** [grch.] *das*, in der antiken Baukunst die Bekrönung der Mitte und der Ecken eines Giebels oder von Relieftafeln, bestehend aus Palmetten mit Rankenwerk, größere auch mit Figurenschmuck (Sphinx, Gorgo, Nike), meist polychrom bemalt.

**Akrotiri,** Ort auf →Thera mit bed. Ausgrabungsstätte einer bronzezeitl. Siedlung.

**Akshamala** [Skt.], Perlenkette ind. Asketen, Symbol der Meditation (Shiva, Brahma).

**Aksum, Axum,** hl. Stadt der Äthiopier und ehem. Krönungsort der äthiop. Kaiser, in der äthiop. Provinz Tigre, rd. 5000 Ew. – Das antike **Aksume** war im 1. bis 5. Jh. n. Chr. die Hauptstadt des äthiop. Reiches. Aus jener Zeit stammen Reste von Palästen und Grabanlagen, steinerne Throne, Sarkophage u. a., v. a. aber die etwa 130 großen künstlerisch und architektonisch bed. Stelen: turmhausartige, in Stockwerke gegliederte Monolithe aus Trachyt. Der größte (33,3 m lang) liegt zerbrochen in A., ein 23 m hoher wurde nach dem Abessinienkrieg in Rom aufgestellt (Piazza Porta Capena); v. a. an den Thronen Inschriften in grch., sabäischer und altäthiop. Sprache über die Kriegstaten der Könige.

**Akt** [lat. actus ›Bewegung‹, ›Tätigkeit‹], die Darstellung des nackten menschl. Körpers. Urspr. Bez. für die vom unbekleideten Modell eingenommene Stellung zu Studienzwecken, später für die Studie selbst. Erste

**Akroter**

**Aksum:** Stockwerkstele

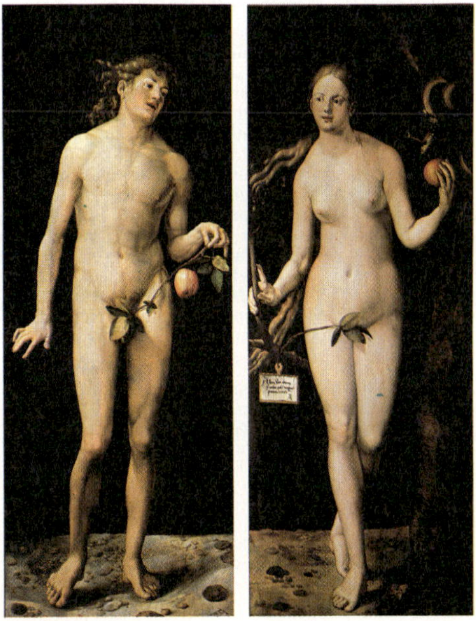

**Akt:** Adam und Eva, Gemälde von Albrecht Dürer, 1507 (Madrid, Prado)

Zeugnisse der A.-Darstellung sind Kult-Symbole (Venusstatuetten u. a.). Bei den frühen Hochkulturen (Sumer, Ägypten, Kreta) erreichte die A.-Darstellung bereits hohen künstler. Rang. In der grch. Kunst erreichte die Darstellung des menschl. Körpers durch eingehendes Naturstudium einen Höhepunkt: Der durch Sport und Spiele geübte Körper wurde in die ›ideale Wirklichkeit‹ (Kunst) erhoben. In der folgenden europ. Entwicklung wurden bis ins 19. Jh. die Geschlechtsteile meist verhüllt gezeigt (Halbakt). Das MA. unterwarf den A. wieder relig. Bindungen und ließ ihn nur bei bibl. Themen (z. B. Adam und Eva, Christus am Kreuz, Weltgericht u. a.) zu. Bed. frühe Aktgestalten sind die ›Stammeltern‹ des JAN VAN EYCK am Genter Altar. In der Renaissance spielte das systemat. Studium des menschl. Körpers, bedingt durch die Anatomie und die neuartige Sehweise der Antike in der Ausbildung der Künstler, eine entscheidende Rolle, das sich in der Plastik, Malerei und Graphik bes. bei der Darstellung des David (BILD Donatello) und antiker Themen zeigt (A. DEL POLLAIUOLO ›Kampf der nackten Männer‹, BILD Kupferstich, und ›Herakles den Antaios erwürgend‹, BILD Pollaiuolo). Hilfsmittel waren geometr. Proportionszeichnungen, antike Skulpturen, tote Modelle u. a. Während urspr. nur nach männl. Aktmodellen, auch für Frauendarstellungen, gearbeitet wurde, setzte sich im Barock auch das weibl. Aktmodell (meist bekleidet) durch.

J. L. VAUDOYER: Der weibl. A. in der europ. Malerei (a. d. Frz., 1963); F. BAYL: Der nackte Mensch in der Kunst (1964).

**Aktaion,** lat. **Actaeon,** grch. Mythos: böot. Held und Jäger, Sohn des Aristaios; er überraschte Artemis beim Bad, nach älterer Version schmähte er sie oder erweckte ihre Eifersucht, wurde von ihr in einen Hirsch verwandelt und von seinen eigenen Hunden zerrissen. A. wurde als Heros in Plataä und Orchomenos (Böotien) verehrt.

Zahlreich sind Darstellungen mit A. seit dem 6. Jh. v. Chr. auf grch. Vasen und Reliefs. Den Tod des A. zeigt ein Metopenrelief vom Heratempel in Selinunt, Artemis steht neben A., den die Hunde zu zerreißen beginnen (460–450 v. Chr., Palermo, Mus.). Seine Begegnung mit Artemis als Diana beim Bad und sein Tod sind auf röm. Wandgemälden, Mosaiken und Sarkophagen bis in die Kaiserzeit und dann wieder in der Neuzeit (TIZIAN, REMBRANDT, G. B. TIEPOLO, T. GAINSBOROUGH) beliebte Motive.

**Aktionskunst,** die Ersetzung eines Kunstobjekts durch eine künstler. Aktion, erstmalig um 1918 im Dadaismus, seit 1958 durch A. KAPROW und W. VOSTELL als →Happening neu begründet; parallel dazu die musikal. Fluxusaktionen von J. CAGE und die rituellen Aktionen von J. BEUYS. (BILD S. 69)

J. SCHILLING: A. (1978).

**Akure,** Stadt in SW-Nigeria, Hauptstadt des Staates Ondo, 85 900 Ew.; Palast des ehem. Ondo-Königs in Lehmbauweise.

**Alabanda,** antike Stadt in W-Kleinasien, südöstlich

**Aktionskunst:** Joseph Beuys, ›Boxkampf für Direkte Demokratie‹; Kassel, documenta 5, 8. 10. 1972

von Aydın (Türkei), die ihre Blüte in röm. Zeit erlebte; ausgedehntes Ruinenfeld mit Mauerring, Buleuterion, Agora, Apollo-Tempel, Thermen und Theater; außerhalb der Stadt eine Nekropole mit zahlreichen, kastenförmigen Sarkophagen mit flachem Deckel.

**Alabaster** [grch., n. der ägypt. Stadt Alabastron], durchscheinende Gipsart, kommt in versch. Farben vor. Im Alten Orient fand der weiße A. bes. für Gefäße, Statuetten und Siegelsteine Verwendung, der grünliche grobkristalline A. Assyriens v. a. für große Orthostatenreliefs, aber auch für Schwellen, Stufen, Becken u. ä. In Ägypten wurde A. zu Gefäßen, Porträtköpfen (Chephren, Mykerinos) und Kanopen verarbeitet, im grch. Raum für Vasen, Urnen, Reliefs u. a. Lebensgroße Figuren auf Gräbern und Altären wurden aus A. gearbeitet; seit dem 16. Jh. auch in England. Kreuzigungsgruppe aus Rimini, um 1425 (Frankfurt, Liebieghaus); St.-Michael-Relief (Erfurt, Severinkirche); Altäre von J. G. Dirr u. a. in der Klosterkirche zu Salem.

**Alabasterfassung,** →Polierweißfassung.

**Alabastergips,** aus Alabaster gebrannter →Gips.

**Alabastron** [grch.] das, kleines grch. Salbgefäß mit engem Hals, ohne Henkel und Standfläche (→Vasen), urspr. aus Alabaster, dann auch aus Ton oder Bronze.

**Alaca Hüyük** [aladʒ'a-], Ruinenhügel in Zentralanatolien, etwa 25 km nordöstlich von Hattuscha (Karte Alter Orient). Aus der Zeit um 2200–2000 v. Chr. wurden 13 Fürstengräber mit reichen Beigaben aufgedeckt: Goldgefäße, Diademe, vollplast. Bronzetiere, Standarten (metallene Scheiben mit Tierfiguren, wahrscheinlich der Schmuck kultisch gebrauchter Wagen). – In hethit. Großreichszeit (14. Jh. v. Chr.) lag hier eine Stadt (Tawinija?) mit einem großen Palast, der mit Orthostatenreliefs und monumentalem Sphinx-Tor ausgestattet war; charakterist. Zeugnisse hethit. Bauplastik.

**Aladscha-Kloster, Aladža,** Felsenkloster in der Nähe von Warna an der bulgar. Schwarzmeerküste. Die in geringen Resten erhaltenen Wandmalereien in der ehem. Kirche der Hl. Dreifaltigkeit lassen die Gründung zw. dem 12. und 14. Jh. vermuten.

**Alae** [lat. ›Flügel‹], *Ez. die* **Ala,** im altröm. Wohnhaus die seitlich vom →Atrium liegenden, in ganzer Breite auf dieses geöffneten Räume.

**Alalach,** heute **Tell Açana** [-adʒ'ana], östlich von Antakya, SO-Türkei (KARTE Alter Orient), im 17. und 15. Jh. v. Chr. als Hauptstadt eines nordsyr. Fürstentums wichtiges Verbindungsglied zw. babylon., syr., hethit. und kretischer Kultur. Ausgedehnte Palastanlagen wurden gefunden, darin die Statue des Königs IDRIMI (um 1480 v. Chr.) mit autobiograph. Inschrift.

**Alamagna** [-m'aɲa], ital. Maler, →Giovanni d'Alemagna.

**Alampur,** hinduist. Tempelgruppe in Indien, im westl. Andhra Pradesh im Deccan, im 7.–8. Jh. unter der Chalukya-Dynastie erbaut. Die 9 Tempel des Sandhara-Typs im Nagara- und Dravida-Stil zeigen eine Weiterentwicklung der Architektur von →Aihole und →Pattadakal. Reliefs in Wandnischen der Vimanas und in Kudus an der Vorderseite der Türme stellen Shiva als Nataraja u. a. dar.

**Alanya,** Stadt an der türk. S-Küste, südöstlich von Antalya, 22 200 Ew. – Wahrzeichen der auf einer Halbinsel liegenden Stadt ist der 250 m hohe Burgfelsen mit Bauten bes. aus seldschuk. Zeit (seit 1221), in der A. stark befestigt wurde (Burgmauer, Bastion, Zitadelle, am Kai der ›Rote Turm‹, erbaut 1226 zur Verteidigung der einzigen aus dem 13. Jh. erhaltenen Werft).

**Álava** ['alaβa], Juan de, span. Baumeister aus Vitoria, † 1537, um 1500 Oberbaumeister der Neuen Kathedrale von Plasencia (1498 Entwurf zur Hauptchorkapelle); 1512 nach Salamanca berufen, erbaute er dort seit 1524 Kirche und Kloster S. Esteban; ein Wegbereiter des →Platereskenstils.

**Albacete** [-θ-], span. Provinzhauptstadt und Bischofssitz auf der Hochfläche Neukastiliens, 93 200 Ew.; in der Altstadt zahlreiche Häuser aus dem 16. und 17. Jh., Kirche S. Juan Bautista (16. Jh., von D. DE SILOÉ; churrigueresker Hochaltar, 1726). Archäolog. Nat.-Mus. mit prähistor. Funden, Gemäldegal., got. Plastik.

**Alba de Tormes** ['alβa-], span. Städtchen, rd. 4000 Ew., südöstlich von Salamanca, im MA. bed. Wallfahrtsort; das Karmeliterinnenkloster (1571 gegr.), mit reichem Portalschmuck, ist Grabstätte der Hl. Theresa von Ávila; in der Apsis der Kirche S. Juan (12. Jh., nur z. T. erh.) ein ›Apostolado‹ (13 bemalte Skulpturen, Jesus und die Apostel darstellend, 12. Jh.).

**Alba Iulia,** Stadt in Rumänien, →Karlsburg.

**Albani,** Francesco, ital. Maler, *Bologna 17. 8. 1578, † ebd. 4. 10. 1660, Schüler des in Bologna ansässigen Niederländers D. CALVAERT, schloß sich später den Brüdern CARRACCI an und folgte um 1601 Annibale Carracci nach Rom, wo er bis 1616 blieb. Außer Fresken und Altarwerken in Bologna und Rom schuf er klass. Landschaftsbilder mit reich bewegten Darstellungen aus der bibl. Geschichte oder der Mythologie.

**HW:** Merkur und Apoll (1623–25; Rom, Gal. Nazionale, Palazzo Barberini); Galatea im Muschelwagen (1630; Dresden, Gemäldegal.). – Zyklen: Geschichten der Venus (4 Rundbilder, um 1625; Rom, Gal. Borghese); Vier Elemente (1635; Turin, Gal. Sabauda).

**Albarello, Alberello** [ital.], Apothekergefäß aus Majolika, von zylindr., in der Mitte leicht eingezogener Form; in Italien seit dem 16. Jh. hergestellt.

**Albarello** (Venedig, Anfang des 17. Jh.)

**Albarracín** [alβarraθ'in], maler. Ort in Zentralspanien (Prov. Teruel); teilweise erhaltene Stadtmauer (13. Jh.), enge Gassen und Häuser im arab. Stil; Kathedrale (im 16. Jh. umgebaut) mit kostbaren Brüsseler Wandteppichen (Mitte 16. Jh.) im Kapitelsaal. – Südlich von A. in den Höhlen von Callejón und Navazo prähistor. Felsmalereien.

**Albenga,** Städtchen an der ital. Riviera, Prov. Savona, mit Bauwerken des MA., u. a. Kathedrale S. Michele (beg. 11. Jh.), Glockenturm, 14. Jh.; in der Sakristei Miniaturensamml.; achteckiges Baptisterium (5. Jh., auf antikem Vorgängerbau; Taufbecken und Mosaik aus dem 5./6. Jh.). Röm. Schiffahrtsmuseum.

**Albermann,** Wilhelm, Bildhauer, *Werden/Ruhr (heute Stadtteil von Essen) 28. 5. 1835, † Köln 9. 8. 1913, übersiedelte nach Lehre als Holzbildhauer in Elberfeld und Berlin (u. a. A. FISCHER) 1865 nach Köln und war hier 1871–96 Lehrer der Modellierklasse der gewerbl. Zeichenschule. Seine Denkmäler und Brunnen machten ihn v. a. in Köln zu einem bekannten und angesehenen Künstler.

**HW:** Jan van Werth-Denkmal (1883; Köln); Herrmann Joseph-Brunnen (1894; Köln).

**Alberobello,** ital. Landstädtchen in Apulien (Prov. Bari), rd. 10 000 Ew.; über 1000 unter Denkmalschutz stehende weißgekalkte Trulli (→Trullo).

**Albers,** Josef, Maler, *Bottrop 19. 3. 1888, † New Haven (Connecticut) 25. 3. 1976, war 1922–33 Meister am Bauhaus, emigrierte nach den USA, wo er Prof. am Black Mountain College in Ashville (North Carolina) war und seit 1950 an der Yale University lehrte. Zuerst nur durch Graphik und Glasbilder bekannt, übte er auf die Entwicklung der abstrakten Malerei nachhaltigen Einfluß, bes. durch seine 1950–65 weiterentwickelte Serie farbiger Variationen ›Homage to the Square‹ (Huldigung an das Quadrat), die bei stets gleichbleibendem linearem Aufbau die Kraft der Farbe in wechselnden Raumwirkungen und Ausdrucksgehalten erscheinen läßt.

**Schriften:** Interaction of color (1963, dt.); Homage to the Square (1967); Search versus research (1969).
W. SPIES: J. A. (1970); J. WISSMANN: J. A. ($^2$1977).

**Alberti,** Leon Battista, ital. Humanist, Künstler und Gelehrter, *Genua 14. 2. 1404, † Rom 25. 4. 1472, eine führende Gestalt des ital. Frühhumanismus, beeinflußte entscheidend die Entwicklung der ital. Prosa. Als Kunsttheoretiker gab er, ausgehend vom idealen Wert von Maß und Zahl, der florentin. Frührenaissance die begrifflich klare Norm. Die bahnbrechende Klassizität der Form- und Raumgestalt seiner Bauentwürfe beruht auf planmäßigem Studium der antiken Architektur. A. hatte Anteil an den Planungen NIKOLAUS' V., die den

Neubau von St. Peter einleiteten und städtebaulich neue Wege wiesen. Für PIUS II. konzipierte er den Ausbau von →Pienza. Die Ausführung seiner Entwürfe überließ er anderen.

**HW** (Entwürfe): Umbau für S. Francesco in Rimini (1446); Palazzo Rucellai, Florenz (1446–51); S. Sebastiano, Mantua (seit 1460); Fassade von S. Maria Novella, Florenz (voll. 1470); Kuppelraum an S. Maria Annunziata, ebd. (um 1470); S. Andrea, Mantua (seit 1470). – Bautheoret. Schriften: ›De re aedificatoria‹, 10 Bücher (Florenz 1485).

**Leon Battista Alberti:** Fassade von S. Maria Novella, Florenz; voll. 1470

**Albertina,** 1769 gegr. graph. Samml. in Wien mit großen Beständen altdt. und ital. Zeichnungen und Druckgraphik, benannt nach ihrem Gründer, Herzog ALBERT (Albrecht) KASIMIR V. SACHSEN-TESCHEN (*1738, †1822), dessen Kunstsamml. den Grundstock der Samml. bildete.

O. BENESCH: Meisterzeichnungen der A. (1964).

**Albertinelli,** Mariotto, ital. Maler, *Florenz 13. 10. 1474, †ebd. 5. 11. 1515, Schüler von C. ROSSELLI, hatte 1509–12 eine Werkgemeinschaft mit FRA BARTOLOMEO. Seine Eigenständigkeit vermochte A. v.a. durch ein ausgeprägtes Interesse an kolorist. Problemen zu behaupten.

**HW:** Heimsuchung (1503; Florenz, Uffizien); Verkündigung (1510; ebd., Gal. dell'Accademia).

**Albertinum,** Dresden, urspr. Zeughaus, 1559 beg., mehrfach umgebaut, seit 1887 Skulpturenmus., im 2. Weltkrieg zerstört. Nach der Wiederherstellung wurden im A. die noch erh. Skulpturen, Teile des →Grünen Gewölbes und die **Gemäldegal. ›Neue Meister‹** untergebracht, die einen Überblick über die dt. Malerei von der Romantik bis zur sozialist. Gegenwartskunst bietet.

**Albertus Pictor,** schwed. Maler, *um 1440, †um 1509, schuf umfangreiche Gemäldezyklen in zahlreichen Kirchen Mittelschwedens, so in Härkeberga und Täby. Seine Motive sind oft der ›Biblia pauperum‹ entnommen und phantasie- und humorvoll bearbeitet.

**Albi,** südfrz. Stadt am Tarn, 45 300 Ew., Erzbischofssitz mit bed. Kunstdenkmälern. Überragendes Monument der südfrz. Gotik ist die Kathedrale Ste. Cécile (1282–1390, Turm im 15. Jh. erhöht, südl. Vorhalle des 16. Jh.), ein einschiffiger Backsteinbau mit Festungscharakter (›südfrz. Kirchenburg‹). Reiche Innenausstattung, v.a. der Lettner (um 1500, kunstvoll skulptiert), Chorschranken mit Propheten und Engeln, Chorgestühl, Glasfenster des 14.–16. Jh. Im N der Kathedrale das ehem. Erzbischöfl. Palais de la Berbie (Festung aus dem 13.–15. Jh.) mit dem Musée Toulouse-Lautrec.

**Albiker,** Karl, Bildhauer, *Ühlingen (Baden) 16. 9. 1878, †Ettlingen 26. 2. 1961, Schüler von A. Rodin, angeregt von A. Maillol und got. Plastik; seine HW umfassen rhythmisch bewegte weibl. Akte, Porträtbüsten, Ehrenmäler und monumentale Figuren für Bauten des Dritten Reiches.

K. A., Ausst.-Kat., Mannheim (1939); C. Albiker: K. A. (1978).

**Albocácer** [alβok'aθɛr], Ort in der ostspan. Prov. Castellón; in dessen Nähe mehrere Höhlen (Barranco de la Gazulla, Cueva Remigia, Barranco de la Valltorta) mit prähistor. Felsmalereien (Wildschweinjagd, Tierminiatur, Figurengruppe; 3. oder 2. Jahrtsd. v. Chr.).

**Ålborg** ['ɔlbɔr], Stadt in Nordjütland, Dänemark, 154900 Ew.; von der früheren Blüte der Stadt zeugen viele Bürgerhäuser des 16. und 17. Jh., darunter Jens Bangs Stenhus im holländ. Renaissancestil (1623/24) und Jørgen Olufsens Gård (Fachwerk, Backstein-Giebelfassade, 1610); von der Schloßanlage (1547–57) ist der O-Flügel erh.; got. Domkirche St. Budolfi (um 1430, mehrfach umgebaut, bes. 1941–43), Liebfrauenkirche (als Klosterkirche 1. H. 12. Jh. errichtet, 1877 umgebaut), Heiliggeistkloster (1431 beg.). Unter den modernen Bauten ragen die Pädagog. Hochschule von N. Andersen und S. Besiakov (1961–65) und das Nordjütländ. Kunstmus. von Elissa und A. Aalto sowie J.-J. Baruel (1968–72) heraus (v. a. zeitgenöss. Kunst).

**Albright** ['ɔ:lbraɪt], Ivan (Le Lorraine), amerikan. Maler, *North Harvey (Illinois) 20. 2. 1897, †Woodstock (Vermont) 18. 11. 1983, schildert in minutiöser Technik Themen der Vergänglichkeit und des Verfalls auf Porträts und Innenraumdarstellungen in magisch-realist. Stil (HW im Art Institute Chicago).

I. A., Ausst.-Kat., Whitney Mus., New York (1965).

**Albuquerque** ['ælbəkə:kɪ], Stadt in New Mexico, USA, 274000 Ew., hat alten span. Stadtkern (›Old Town‹, 1706 gegr.) mit der Missionskirche San Felipe de Neri (1706 erb.); indian. Museumsgruppe (›Indian Pueblo Cultural Center‹). Außerhalb der Stadt der ›Indian Petroglyph State Park‹ mit Felszeichnungen (1100–1600 n. Chr.).

**Alcalá de Guadaira** [-ðe ɣuað'ajra], südspan. Stadt

in der Prov. Sevilla, 34000 Ew., überragt von den Ruinen eines gewaltigen maur. Kastells mit 7 Türmen und dreifacher Ummauerung (12.–13. Jh., im 14. Jh. erneuert). Kirche des Klosters S. Clara mit Basreliefs von J. Martínez Montañés.

**Alcalá de Henares** [-ðe en'ares], span. Stadt in der Prov. Madrid, 57400 Ew. Erh. sind zahlreiche Fassaden des 16. und 17. Jh. und das Gebäude der ehem. Univ. (Colegio de San Ildefonso) von Pedro Gumiel im Auftrag des Kardinals J. de Cisneros (→Cisneros-Stil) 1508 beg., von R. Gil de Hontañón 1541–1553 neu erbaut (platereske Fassade mit Arkadengal.; Innenhöfe, 1557 und 1662; got. Kollegiatkirche; backsteinerner Zeremoniensaal ›Paraninfó‹, mit Yeserías ausgeschmückt). Vom erzbischöfl. Palast steht noch die Renaissancefassade, die A. de Covarrubias für den Kardinal Tavera (†1545) gestaltete, ebenso wie den prachtvollen Innenhof (beschädigt). Die Klosterkirche de las Bernardas (1617, nach Plänen von J. Gómez de Mora) hat einen ovalen Grundriß mit herumgeführten rechteckigen und ovalen Kapellen, der Kirche Virgen del Puerto (Madrid) ähnelnd.

**Alcañiz** [alkaɲ'iθ], span. Stadt (rd. 10000 Ew.) in der Prov. Teruel; am Hauptplatz spätgot. Lonja (Börse, 15. Jh.) mit Arkaden und Rathaus mit dreistöckiger Renaissancefassade; barocke Stiftskirche (1736; symmetrisch gestaltete Fassade). A. wird überragt von einer Templerfestung (1117 gegr., Fassade 18. Jh.) mit qualitätvollen got. Fresken (14. Jh.) im Hauptsaal.

**Alcántara,** span. Grenzstadt in der Prov. Cáceres, 4600 Ew.; röm. Granitbogenbrücke über den Tajo (106 n. Chr.; ohne Mörtel gefügt, 194 m lang, 48 m hoch) mit Triumphbogen auf dem Mittelpfeiler und Tempelchen am Brückenzugang. Die Kirche S. María de Almocóvar (13. Jh.) ziert, über einer Freitreppe, ein roman. Archivoltenportal (im Inneren Gemälde von L. de Morales); Kloster S. Benito (1499–1577, stark zerfallen) im Übergangsstil zw. Gotik und Renaissance.

**Alcaraz** [-r'aθ], span. Stadt (rd. 5000 Ew.) in der Prov. Albacete, überragt von den Ruinen einer maur. Burg; am Hauptplatz die Kirche La Trinidad (1486, mit spätgot. ›Kreuzabnahme‹, 15. Jh., u. a. Skulpturen im Inneren), Rathaus (prächtige Fassade, 1530), Kornspeicher (1592), Lonja del Corregidor (1518), Uhrturm (1568) u. a. Renaissancehäuser.

**Alcarraza** [-θa, span. aus arab. al-karras ›Krug‹], in Spanien ein Tongefäß, schwach gebrannt und unglasiert, so daß durch die poröse Wandung Flüssigkeit verdunsten kann; zur Trinkwasserkühlung gebraucht.

**Alcazaba** [-θ'aβa, arab. ›Festung‹], in Spanien Bez. für eine maur. Festungsanlage (z. B. in →Málaga), in Andalusien auch für die gesamte Oberstadt eines Ortes.

**Alcázar** [alk'aθar, arab. ›Burg‹]. Als A. werden in Spanien zahlreiche Schlösser, Burgen und Festen bezeichnet (z. B. →Segovia, →Sevilla, →Toledo), die nach der Eroberung weiter Teile des Landes durch die Araber (711) mit der Verbreitung des maur. Baustils entstanden. Der aus Backstein errichtete A. hatte meist rechteckigen Grundriß, innerhalb der Außenmauern lagen mehrere Höfe.

**Alchi,** einziger alter Klosterkomplex in Ladakh, 65 km westlich von Leh, 10./11. Jh., der im wesentlichen in seinem urspr. Zustand überdauert hat. Die Tempel Sumtsek, Lhakhang Soma, die Versammlungshalle und 2 kleinere Tempel sowie die 3 Chöten (Stupas) sind mit Wandmalereien des 12./13. Jh. geschmückt, als in der tibet. Kunst noch deutlich indische Stilelemente überwogen.

**Alcobaça** [alkuβ'asa], portug. Stadt in Estremadura, 4800 Ew. Die ehem. Zisterzienser-Abtei (1147 von König ALFONS I. nach dessen Sieg über die Mauren gestiftet) ist ein bed. frühgot. Baudenkmal (seit 1930 portug. Nat.-Monument). Die Abteikirche (1178–1253), eine mächtige dreischiffige Halle (Mittelschiff 106 m lang) mit Querhaus, Chorumgang und Kapellenkranz enthält im südl. Querschiff die Prachtsarkophage von König PEDRO I. und seiner ermordeten Frau INÊS DE CASTRO mit reichem Figurenschmuck (vollplast. Liegefiguren der Toten und Darstellungen aus ihrem Leben an den Seitenflächen, um 1370). Von den gut erhaltenen Klosterbauten sind hervorzuheben: doppelstöckiger Kreuzgang (Claustro do Silencio, 1311; Obergeschoß im Emanuelstil, nach 1518), Refektorium mit got. Kanzeltreppe, spätgot. ›Sala dos Reis‹ (Königssaal, mit Azulejos ausgestattet), got. Brunnenhaus.

**Alcora,** span. Ort nördlich von Valencia; hier wurde 1727 durch den Grafen VON ARANDA eine Fayencemanufaktur gegr., die bis zum Ende des 18. Jh. produzierte und dann Porzellan und Steingut herstellte.

**Aldegrever,** eigtl. **Trippenmecker,** Heinrich, Maler, Kupferstecher und Goldschmied, *Paderborn 1502, † Soest nach 1555, ebd. seit etwa 1525 nachweisbar. Seine etwa 300 Kupferstiche meist kleinen Formats (→Kleinmeister) zeigen den Einfluß von A. DÜRER, L. VAN LEYDEN und M. RAIMONDI. Seine phantasievollen Ornamentstiche waren als Vorlagen für das Kunsthandwerk geschätzt.

**Heinrich Aldegrever:** Selbstporträt; Kupferstich, 1537

**Aldersbach,** Gem. bei Vilshofen (Niederbayern), 3300 Ew., mit ehem. Zisterzienserkloster (1146 gegr.). Die Stuck- und Freskoausstattung der Kirche ist ein HW der Brüder ASAM (1720); bed. Barockeinrichtung. Klostergebäude mit Bibliothek, Fürstensaal, Kapelle am Torhaus.

**Aldobrandinische Hochzeit,** röm. Wandgemälde aus augusteischer Zeit, 1605 in Rom gefunden, nach dem ersten Besitzer, Kardinal C. ALDOBRANDINI, benannt, seit 1818 im Vatikan. Dargestellt ist eine Götterhochzeit. Die Hauptszene in der Mitte gibt wohl ein grch. Tafelgemälde des 4. Jh. v. Chr. wieder, während die Frauengruppen beiderseits aus späthellenist. Zeit stammen.

**Alechinsky,** Pierre, belg. Maler und Graphiker, *Brüssel 19. 10. 1927, lebt seit 1951 in Bougival bei Paris. A. war 1949–51 Mitgl. der Gruppe →Cobra. Bei Reisen in den fernen Osten studierte er japan. Kalligraphie. Seit 1965 verwendet A. ausschließlich Acrylfarben, die dem spontanen Duktus seiner Malerei am besten entsprechen. In seinen großformatigen Kompositionen wird häufig ein Hauptmotiv von kleineren Bildfeldern begleitet, die es mit vielschichtigen Bedeutungskomponenten ausstatten.

P. A., Ausst.-Kat., Hannover (1980).

**Pierre Alechinsky:** Die Ahnen; 1976 (Perpignan, Musée Hyacinthe Rigaud)

**Aleijadinho** [aleɪʒad'iɲu], eigtl. Antônio Francisco **Lisboa** [lɪʒβ'oa], * 1730 oder 1738, † 1814, brasilian. Bildhauer, Architekt, Hauptmeister des Barock im Bundesstaat Minas Gerais. In Ouro Preto leitete er die Fertigstellung der Kirche São Francisco de Assis (1766–94; BILD Ouro Preto), für die er die feine Portalornamentik (vor 1774) mit Medaillon (Relief) und im Innern Altäre, Skulpturen und Kanzeln schuf; für die Kirche Nossa Senhora do Carmo gestaltete er das Portal, Altäre und Kanzeln. Krönung seiner Arbeit als Bildhauer sind die 12 Speckstein-Statuen der Propheten (1800–1806) und die aus Zedernholz geschnitzten lebensgroßen ausdrucksstarken Kreuzweg-Figuren (1796–1800) in →Congonhas. Weitere HW in →Sabará und →São João del Rei. (BILD lateinamerikanische Kunst)

**Aleksandrow,** Stadt im Gebiet Wladimir, Russ. SFSR, 61 000 Ew. seit dem frühen 16. Jh. kirchl. Zentrum und Residenz, die unter IWAN IV. einen bed. Aufschwung nahm; Maria-Schutz-Kathedrale (beg. 1513) mit berühmten Bronzetüren (aus Nowgorod und Twer, Mitte 14. Jh.); Reste des Palastes Iwans IV. mit Kirche der Hl. Dreieinigkeit (ab 1565), seit 1651 Frauenkloster; Kirche zum Tode Mariae und Glockenturm (letztes Viertel des 16. Jh.).

**Aleksejew,** Fjodor Jakowlewitsch, russ. Maler und Aquarellist, *St. Petersburg zw. 1753 und 1755, †ebd. 23. 11. 1824, studierte 1766–73 an der Akad. St. Petersburg, 1773–77 in Venedig, befaßte sich mit Bühnendekorationen und nahm Anregungen von A. CANALETTO, B. BELLOTTO und F. GUARDI auf. Begründer der russ. Vedutenmalerei.

**Alemagna** [-m'aɲa], →Giovanni d'Alemagna.

**Alenquer** [-k'ɛr], portug. Stadt etwa 50 km nordöstlich von Lissabon, rd. 8000 Ew.; Kloster São Francisco, ältestes Franziskaner-Kloster Portugals (1222), mit doppelstöckigem Kreuzgang und Refektoriumsportal im Emanuelstil. Mus. de Hipólito Cabaco (u.a. prähistor. Funde).

**Alenza y Nieto** [al'enθa-], Leonardo, span. Maler, *Madrid 6. 11. 1807, †ebd. 30. 6. 1845, wurde v.a. durch das Werk F. GOYAS beeinflußt, dem später viele seiner Arbeiten zugeschrieben wurden. Er schuf histor. sowie Genrebilder, Porträts und ein graph. Œuvre.

**Aleppo,** arab. **Halab,** Hauptstadt der syr. Prov. A., 842 600 Ew., eine der ältesten und bedeutendsten Städte des Orients am Schnittpunkt wichtiger Handelsstraßen. Im Altertum (18./17. Jh. v. Chr.) war A. unter dem Namen **Halab** Hauptstadt des einflußreichen Staates Jamchad und Sitz eines Großkönigtums; Halab kam im 14./13. Jh. v. Chr. unter hethit. Oberherrschaft und verlor seit dem 10. Jh. v. Chr. an Bedeutung. Die archäolog. Erforschung von A. ist wegen der späteren Überbauung (Zitadelle) kaum möglich. Bei Grabungen wurden aus einem Heiligtum des Wettergottes von Halab Reliefs dieses Gottes gefunden. – Nach röm., pers. und byzantin. Herrschaft wurde A. 638 n. Chr. von den Arabern erobert. Auf hohem Schuttkegel liegt die imposante mittelalterl. Zitadelle (ein Oval von 375 × 275 m), umgeben von Wallgräben. Die unter dem Omajjaden-Kalifen AL-WALID 715 n. Chr. gegr. Große Moschee ist nach einem Brand des Jahres 1169 im 12. Jh. wieder errichtet worden. Die Medrese Halawija wurde 1124 unter Verwendung von Resten einer byzantin. Kirche erbaut; bed. Hane, Krankenhäuser und Medresen des 12.–17. Jh. Das Nat.-Mus. von A. besitzt eine der größten existierenden altoriental. Sammlungen.

**Aleš** ['alɛʃ], Mikolás, tschech. Maler und Zeichner, *Mirotice 18. 11. 1852, †Prag 10. 7. 1913, schuf v.a. Gemälde zu Themen aus den Hussitenkriegen – zunächst noch in akadem. Manier, dann v.a. im Pastellton, so bes. das ›Mai-Triptychon‹ (1878; Prag, Nat.-Gal.). Später zeichnete A. bes. Motive aus dem Volksleben (8000 Blatt) und lieferte Entwürfe zu Dekorationen an Prager Hausfassaden.

**Alessi,** Galeazzo, ital. Baumeister, *Perugia 1512, †ebd. 30. 12. 1572, in Rom ausgebildet, tätig in Perugia, Mailand, nach 1548 in Genua: S. Maria di Carignano (1552), Befestigungen, Hafenbauten und die Prachtstraße Strada Nuova (heute Via Garibaldi); zahlreiche Paläste (Cambiaso in Genua, Marino in Mailand), die wegweisend für den frühbarocken Palastbau wurden.

**Ålesund** ['o:ləsyn], Hafenstadt in W-Norwegen, 40 900 Ew.; nach einem das ganze Zentrum vernichtenden Brand 1904 unter starkem Jugendstil-Einfluß wieder aufgebaut. Im Stadtteil Borgund seit 1954 Ausgrabungen einer ma. Handelsstadt; Kirche (11. Jh.).

**Alexander d. Gr.,** grch. **Alexandros,** makedon. König (356–323 v. Chr.), von ARISTOTELES erzogen; bed. Heerführer, schon von den Zeitgenossen zum legendären Helden verklärt. Mit seinem Weltreich, das sich vom Kaukasus bis zum Sudan, von der Donau bis nach Indien erstreckte, legte er den Grundstein auch für die hellenist. Kunst.

Zahlreich sind die Darstellungen des A. in der grch. und röm. Antike, dann auch im MA. und wieder in der Neuzeit: sein Porträt, mit Widderhörnern am Haupt als Zeus-A. vergöttlicht, auf einer Münze des Diadochen LYSIMACHOS; sein Sieg über den Perserkönig DAREIOS III. auf dem Alexandermosaik (→Alexanderschlacht) aus dem Haus des Fauns in Pompeji; im Kampf mit den Persern auf dem →Alexandersarkophag; im MA. seit dem 9./10. Jh. v. a. Darstellungen seiner ›Luftfahrt‹ in einem meist von Greifen gezogenen Gefährt oder auf einem Sessel thronend, wohl positiv gedeutet in der byzantin. Kunst (Außenwand von S. Marco, Venedig), als Verkörperung der Hoffart in der westl. Kunst (Pfarrhoftor Remagen, 12. Jh., Chorumgang Baseler Münster, 13. Jh., Chorgestühl Kölner Dom, 14. Jh.), oft auch als einer der →Neun Helden. In der neuzeitl. Kunst wurde 1529 die Alexanderschlacht von A. ALTDORFER (München, Alte Pinakothek) geschaffen.

**Alexandermosaik,** →Alexanderschlacht.

**Alexandersarkophag,** ein reichverzierter attischer Marmorsarkophag mit bemalten Reliefs an den 4 Seiten und in den Giebeln: Kampf- und Jagdszenen, darunter die siegreiche Schlacht ALEXANDERS D. GR. über den Perserkönig DAREIOS III. bei Issos (333 v. Chr.); daher bekam der Sarkophag seinen Namen (Alexander ist hier nicht bestattet). Der A., um 330–20 v. Chr. entstanden, wurde 1887 in der Begräbnisstätte der Könige von Sidon entdeckt und später im Archäolog. Mus. in Istanbul aufgestellt.

**Alexanderschlacht,** antikes Mosaikbild aus dem Ende des 2. Jh. v. Chr. (5,12 × 2,77 m), 1831 in Pompeji (Haus des Faun) aufgedeckt (heute im Archäolog. Nat.-Mus. Neapel), leicht veränderte Kopie eines grch. Tafelgemäldes vom Ende des 4. Jh. v. Chr. Die dargestellte siegreiche Schlacht ALEXANDERS D. GR. über den Perserkönig DAREIOS III. bei Issos (333 v. Chr.) ist nach

**Alexanderschlacht;** Ende des 2. Jh. v. Chr. (Neapel, Archäolog. Nationalmuseum)

Größe, Figurenreichtum und Komposition der eindrucksvollste Beleg grch. Malerei, von der so gut wie keine Originale erhalten sind. – Vgl. auch A. →Altdorfer.

B. ANDREAE: Das Alexandermosaik (1959).

**Alexandria,** arab. **El-Iskandarija,** Stadt in Ägypten, an der W-Spitze des Nildeltas auf einer Nehrung zw. Mittelmeer und Mariut-See, 2,03 Mio. Ew.

A. war seit seiner Gründung durch ALEXANDER D. GR.

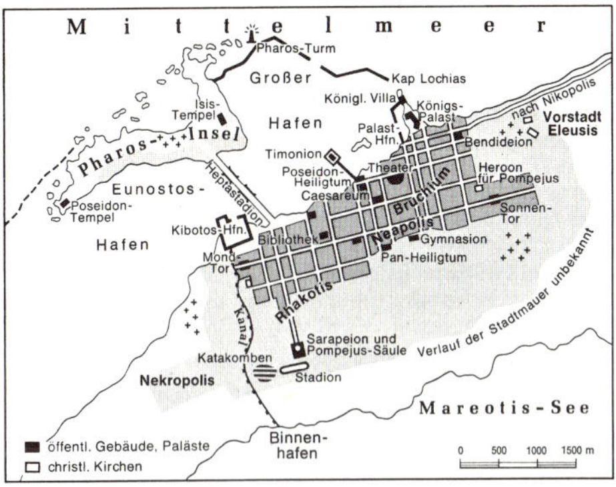


**Alexandria:** Plan der antiken Stadt

331 v. Chr. die grch. Hauptstadt Ägyptens. Die Bevölkerung (in der Blütezeit weit über 600 000 Ew.) bestand v. a. aus grch. Kolonisten, Ägyptern und Juden. Unter den Ptolemäern, die A. zum Königssitz und Mittelpunkt grch. Geistesbildung (›alexandrin. Kultur‹) machten, wuchs die Stadt durch Handel und hatte ihre Blütezeit erreicht, als sie 30 v. Chr. an die Römer fiel. Im 1. Jh. n. Chr. war A. die zweitgrößte Stadt des Röm. Reiches, doch begann nun ihr Verfall. Auch in frühchristl. Zeit spielte A. eine bed. Rolle und wurde Zentrum theolog. Bildung. In byzantin. Zeit noch immer wichtige Handelsstadt, verlor A. seine Bedeutung völlig, als nach der arab. Eroberung 642 Kairo neue Hauptstadt wurde. – Erst im 19. Jh. begann der Wiederaufstieg der Stadt.

Von der einstigen Weltstadt des Altertums sind nur geringe Reste erhalten, und da die neue Stadt auf dem Boden der alten steht, sind Ausgrabungen schwierig. Eine Vorstellung vom Aussehen der bedeutendsten Stadt hellenist. Zeit ist durch die Schriften des antiken Geographen STRABO möglich. A. war nach dem Plan von Alexanders Baumeister DEINOKRATES in einem rechtwinklig angelegten Straßensystem erbaut, bestand aus 5 Stadtteilen und war von einer Ringmauer umschlossen. Gegenüber der Stadt lag im Meer die Insel →Pharos, die durch einen künstl. Steindamm (Heptastadion) mit A. verbunden war. – Im Altertum drängte sich der Hauptverkehr im O zusammen, hier lag das Königsviertel (Bruchium), das fast ein Drittel der ganzen Stadt einnahm und außer den Palastanlagen und Gärten fast alle wichtigen Bauwerke umfaßte: Verwaltungsgebäude, Kasernen der Leibgarden, das Museion (die bedeutendste Forschungs- und Lehrstätte der antiken Wissenschaft), die große Bibliothek, das Dionysostheater sowie die Begräbnisstätten Alexanders d. Gr. (Sema) und der Ptolemäerkönige. Im Stadtteil Neapolis lagen das Gymnasion mit seinen großen Hallen und das Gerichtsgebäude (Dikasterion). Den äußersten W nahm der älteste, noch aus vormakedon. Zeit stammende Stadtteil Rhakotis ein. Hier lag der bedeutendste Tempel der Stadt, das Serapeion, aus dessen Vorhof die noch aufrecht stehende Pompejussäule stammt; in unmittelbarer Nähe die gut erhaltenen röm. Katakomben (Kom esch-Schukafa), deren verästelter Grundriß an altägypt. Grab- und Tempelanlagen erinnert; auch in der Ausgestaltung wurden sowohl rein ägypt. (Pflanzensäule, Sonnenscheibe u. ä.) als auch griechisch-röm. Stilelemente (Girlande, Mäander) verarbeitet, oder beides wurde vermischt (Schlange mit ägypt. Doppelkrone, dazu Hermes- und Thyrsosstab).

Aus islam. Zeit stammen die 1684 erbaute Terbana-Moschee und die 1767 gegr. Grabmoschee des ABUL-ABBAS EL MURSI.

A. hat ein Griechisch-Röm. Mus. mit umfangreicher Samml. von Funden überwiegend aus alexandrin. Nekropolen, v. a. aus der Zeit von 300 v. Chr.–300 n. Chr.

**Alfaro Siqueiros** [sik'ɛrɔs], José David, mexikan. Maler, Graphiker, * Chihuahua (Mexiko) 29. 12. 1896, † Cuernavaca 5. 1. 1974, bereiste 1919–22 Europa, gehörte 1922 zu den Begründern des →Muralismo, war 1924–30 in der Leitung der KP Mexikos tätig. Er hatte als polit. Rebell stets neue Aufenthaltsorte, 1932 in Los Angeles (1. Wandgestaltung mit einer Spritzpistole), 1934 ein Experimentieratelier in New York; seit 1944 erhielt er viele Aufträge in Mexiko. Er schuf v. a. riesige Wandgemälde, die v. a. Leiden und Heroismus des mexikan. Volkes darstellen; arbeitete (1965–72) mit einem Künstlerkollektiv an den mehrere tausend Quadratmeter umfassenden Wandgestaltungen des ›Polyforum‹ in Mexiko-Stadt.

**Alfeld (Leine),** Stadt südlich von Hildesheim, Ndsachs., 24300 Ew., mit unzerstörtem histor. Ortsbild. Das Stadtbild beherrschen die doppeltürmige Nikolaikirche (15./16. Jh.) und das Rathaus (1584–86, in reichen Renaissanceformen). In der ehem. Lateinschule, einem mit Schnitzereien verzierten Fachwerkbau (1610), das Heimatmus.; zahlreiche Bürgerhäuser (16. bis 19. Jh.) aus Fachwerk. Das Fagus-Werk (1911–18 von W. GROPIUS; BILD Gropius) stellt mit der wohl ersten Verwendung eines →Curtain Wall aus Stein und Glas eine Pionierleistung der modernen Industriearchitektur dar.

**Alfieri,** Benedetto Innocente, ital. Baumeister, * Rom 1700, † Turin 9. 12. 1767, wichtiger Vertreter des piemontes. Spätbarock, baute den Palazzo Ghilini in Alessandria (um 1732) und das Teatro Regio in Turin (1740 voll., 1936 durch Brand zerstört, 1963–72 wiedererrichtet), das als das schönste in Europa galt. Er entwarf den Säulenportikus vor der W-Fassade von St. Pierre, Genf.

**Alfiz** [alf'iθ, span. aus arab.], rechteckiges Rahmenwerk, das versch. Bogenformen westislam. Bauten

(→maurischer Stil) umgibt. Eine Variante dieser Schmuckform, meist reich ornamentiert, kommt v. a. in der vom Mudéjar-Stil beeinflußten mexikan. Kolonialarchitektur vor, u. a. an den Portalen der Pr( zessionskapellen in Huejotzingo.

**al fresco** [ital. ›aufs Frische‹], →Fresko.

**Algardi,** Alessandro, ital. Bildhauer und Baumeister, *Bologna 27. 11. 1595, † Rom 10. 6. 1654, Gegenspieler G. L. BERNINIS, von kühlerem Temperament, aber ähnlich vielseitig tätig wie jener; seit 1644 v. a. für Papst INNOZENZ X. als Hofbildhauer (anstelle des entlassenen Bernini) tätig.

HW: Marmor: Grabmal von Leo XI. (Peterskirche, 1650), das große Attila-Relief (ebd., 1646–50). – Bronze: Ehrenstatue von Innozenz X. (Rom, Konservatorenpalast). – Porträtbüsten: Laudivio Zacchia (Berlin-West, Staatl. Museen). – Entwurf der Villa Doria Pamphili, Rom; Brunnen im Damsushof des Vatikans (1646–49).

**Algier** ['alʒir], frz. **Alger** [alʒ'e], arab. **El-Djeza'ir** [-dʒ-], Hauptstadt Algeriens, 1,75 Mio. Ew.; Fatimidengründung von 935. Malerische stufenförmige Medina (›Kasbah‹ gen.) mit türk. Zitadelle (16. Jh., heute Kaserne); große Moschee El-Kebir (frühes 11. Jh.) im nüchternen Almoravidenstil, T-Konzeption, 11 Schiffe und 5 Joche mit polyloben Zackenbogen (→maurischer Stil) und spitzgekrümmten Hufeisenbogen auf 72 Vierecksäulen, reichgeschnitzter Minbar (1017), quadrat. Minarett (1323); türk. Moschee Djedid (1660) im byzantin. Stil, Zentralkuppel (24 m hoch) über lat. Vierungskreuz, marmorskulptierter Minbar, feinplattierter Michrab; Moschee Ali Bechine (1622), Zentralkuppelbau mit Oktogonalkalotte und prachtvollem Innenraum; Grabmoschee Sidi Abderrahmane (17. Jh.) mit reich dekoriertem Kenotaph; in der Ketchaoua-Moschee (1209; 1839–60 umgebaut zur St.-Philippe-Kathedrale, heute wieder Moschee) Minbar aus polychromem Marmor; Moschee Safir (941; später mehrfach umgebaut) mit zentraler Oktogonalkuppel, Kibla-Wand mit blauen Lüsterfliesen im pers. Dekor und Sechseckminarett; maur. Paläste (17.–19. Jh.) mit schönen Patios, u. a. Dar Aziza im Granadiner Stil. 4 km nordwestlich die ehem. Basilika Notre-Dame d'Afrique im neobyzantin. Stil; auf einer Külsteninsel die Ruine der span. Festung El-Penon (1511). Mus. Le Bardo (in maur. Villa des 18. Jh.; Vorgeschichte, Ethnographie); Mus. für klass. Altertum und islam. Kunst; Nat.-Mus. der Schönen Künste (moderne frz. Malerei); Volkskundemus.

**Algraphie,** →Aluminiumdruck.

**Alhambra** [arab. al-hamra ›die Rote‹], die Burg der Nasridenherrscher in Granada (Spanien), eines der bedeutendsten Denkmäler islam. Schloßbaues, auf einem Bergrücken in Gärten gelegen, im 13. und 14. Jh. erbaut. Die A. ist eine Ansammlung von mehreren Palästen, deren öffentl. und private Räume um Höfe mit Wasserbecken und -kanälen angeordnet sind. Die wichtigsten noch erh. Teile, aus dem 14. Jh., der Blütezeit des **Alhambrastils,** sind der Myrtenhof (Diwan-Repräsentationstrakt) mit anschließender Audienzhalle (Ge-

**Alhambra:** Myrtenhof; 14. Jh.

sandtensaal) im Komares-Turm, der den festungsartigen Außenbau beherrscht, und der Löwenhof mit den ihn umgebenden Räumen des Harem-Wohntraktes, Pavillons, prächtigen Sälen, Bädern und Brunnen. Alle Wände sind verschwenderisch mit farbigem Dekor überzogen (geometr. und vegetabiles Stuckornament, v. a. Arabesken, Schriftkompositionen, Gitternetze), die Wandsockel mit buntem Fayencemosaik verkleidet; Zellen- und Stalaktitgewölbe (BILD) wurde in verschiedensten Ausführungen über vieleckigen und sternförmigen Grundrissen gestaltet. 1492 fiel die A. an die Kath. Könige, 1526 baute KARL V. im nordöstl. Teil der A. einen nie vollendeten Palast (zweistöckiger, zu einem Innenhof geöffneter Rundbau).

Nordöstlich der A. liegt der Sommerpalast der Nasridenherrscher →Generalife.

**Alhambravasen,** großformatige Lüsterfayencegefäße für Wasser mit flügelförmigen Griffplatten. Im 14. Jh. in Málaga fabriziert, nach 2 aus der Alhambra stammenden Stücken benannt.

**Alicante,** Hafenstadt und Seebad an der O-Küste Spaniens, 213 000 Ew. Östlich der modernen Stadt lehnt sich die winklige Altstadt an einen hohen Burgfelsen (Castillo de Santa Barbara). Die Kirche S. Nicolás de Bari wurde 1616–62 im Stil von Il Gesù in Rom erbaut (Kreuzgang mit churriguereskem Dekor); Kirche S. María (1721–24) mit reich gestalteter Fassade (v. a.

Rokokoportal) und skulptierten und vergoldeten Altären im Inneren; Rathaus (1696–1760, von 2 mächtigen Türmen flankiert); archäolog. Mus.

**Alicatạdos** *Mz.*, aus farbig glasierten, meist quadrat. Mosaikfliesen gebildeter Wand- und Bodenschmuck mit geometr. Mustern; seit dem 13. Jh. im maur. Spanien verbreitet. Bes. prächtige A. finden sich in Andalusien (Wanddekor im Alcázar in Sevilla, in der Alhambra in Granada). In Valencia und in Katalonien stellte man die quadrat. **Losẹtas** her, um die die sechseckigen **Alfardọnes** gelegt wurden, so daß Achtecke entstanden. (→Azulejos)

**Alice Springs** ['ælɪs sprɪŋz], Stadt in Zentralaustralien, 15 000 Ew.; Tmara-Mara-Kunstgalerie mit Samml. der Kunst der Australier (Aborigines).

**Alịnganahasta** [Skt.], ind. Darstellung von nebeneinanderstehenden Götter- und Liebespaaren (→Mithuna), bei der ein Arm des Mannes um die Schultern der Partnerin gelegt ist.

**Alişar Hüyük** [aliʃ'ar-], Ruinenhügel in Zentralanatolien, rd. 130 km nördlich von Kayseri (KARTE Alter Orient). Grabungen erbrachten eine Schichtenfolge vom Chalkolithikum bis in byzantin. Zeit, u. a. Reste einer Festung aus phryg. Zeit (8. Jh. v. Chr.).

**Alizarịn** [span.-arab.], natürl. roter Pflanzenfarbstoff der Krappwurzel (rubia tinctoria), heute synthetisch als Teerfarbstoff hergestellt. A. ist wichtiges, zu künstler. Zwecken benütztes Textilfärbemittel; verlackt gibt A. Krapplack.

**Alkạmenes,** attischer Bildhauer der 2. H. des 5. Jh. v. Chr. Von seinen Werken scheint im Original die Marmorgruppe ›Prokne und Itys‹ von der Athener Akropolis (Akropolis-Mus.) erhalten zu sein; in Kopien sind der ›Hermes Propylaios‹ und die ›Aphrodite in den Gärten‹ (umstritten) überliefert.

**Alkmaar,** Stadt in der niederländ. Prov. Nordholland, 64 400 Ew. Spätgot. St.-Laurens-Kirche (Grote Kerk, 1470 beg., 1512 gew.), Mittel- und Querschiff sowie Hochchor mit Holzgewölbe, Seitenschiffe, Kapellen und Chorumgang mit steinernen Netzgewölben, im Chor Gewölbemalereien; große Orgel (1641–43) mit Malereien von C. B. VAN EVERDINGEN; Kapel-Kirche (1450 beg., 1536–40 erweitert), nach Brand (1760) mit klassizist. Innern wiederhergestellt. St. Dominicus und St. Laurentius sind neugot. Basiliken von P. CUYPERS. Spätgot. Rathaus (1509–20); Waage (urspr. Kapelle, 1582 umgebaut, Turm 1597–99); Akzisenhaus (1622); zahlreiche Bürgerhäuser des 16. und 17. Jh. Im ›Nieuwe Doelen‹ (Schützenhaus, 1561) Städt. Mus.

**Alkmaar, Meister von A.,** holländ. Maler, tätig um 1500 in A., wahrscheinlich ausgebildet in Haarlem; möglicherweise identisch mit PIETER GERRITSZ (†1540). Sein HW ›Die sieben Werke der Barmherzigkeit‹ (1504) für die St.-Laurens-Kirche in A. (Amsterdam, Rijksmus.) zeigt realist. Beobachtung zeitgenöss. Alltagsszenen.

**Alkọven** [frz.], Bettnische, auch fensterloser Schlafraum, der oft ganz vom Bett eingenommen wird und durch eine große Wandöffnung mit dem Wohnraum verbunden ist. Urspr. ist A. eine arab. Raumform, die von den Spaniern übernommen wurde und seit der Mitte des 17. Jh. in allen europ. Ländern anzutreffen ist.

**Allahabad,** Stadt in N-Indien, am Zusammenfluß von Ganges und Yamuna, ein traditionsreicher brahmanischer Wallfahrtsort, 609 000 Ew. Unter AKBAR wurde der Stadtteil Prayaga zur Zitadelle ausgebaut; hier fand sich eine aus →Kaushambi stammende Ediktsäule ASHOKAS, die im 4. Jh. n. Chr. von SAMUDRAGUPTA neuerlich beschriftet wurde. Im Mus. Skulpturen von →Bharhut und umfangreiche Samml. von Terrakotten aus Kaushambi.

**alla prima** [ital. ›auf eins‹, ›in einem‹], Malweise z. B. der frz. Impressionisten; →Primamalerei.

**Allee** [frz. ›Gang‹], 2 oder mehr parallel laufende Baumreihen an Straßen und Wegen, urspr. zum Schutz vor Sonne und Wind. Seit der ital. Renaissance diente die A. als Kunstmittel, um topograph. Beziehungen zw. Orten und Bauwerken zu verdeutlichen und Achsen zu akzentuieren. In der Gartenkunst des Absolutismus ist die A. in Form von Hecken und Bäumen ein Hauptgestaltungsmittel. In der Stadt des 19. und 20. Jh. werden Haupt- und Verbindungsstraßen bes. bei Stadterweiterungen alleenartig gestaltet.

**Allegri,** Antonio, ital. Maler, →Correggio.

**Allenstein,** poln. **Olsztyn** ['ɔlʃtin], Stadt in Ostpreußen, Wwschaftshauptstadt in Polen, 126 700 Ew.; Burg (Schloß) des Ermländ. Domkapitels (1348 ff., mit reichen Zellen- und Fächergewölben), heute Masur. Mus., Pfarrkirche St. Jakob (seit 1945 Kathedrale), eine spätgot. Hallenkirche (vor 1445) mit spätgot. Malereien und Domschatz. Die Stadtumwallung (um 1400) ist z. T. erhalten oder rekonstruiert. Getreidespeicher des 17. und 18. Jh.

**Allentown** ['ælәntaʊn], Stadt in Pennsylvania, USA, 103 800 Ew. Das A. Art Museum enthält Werke von REMBRANDT, F. HALS, L. CRANACH und CANALETTO.

**Allerheiligen,** festl. Gedächtnistag aller Heiligen (Lat. Kirche am 1. 11.). – Die künstler. Darstellung der Gemeinschaft aller Heiligen nimmt neben dem Bild des Himml. Jerusalem v. a. die Schilderung der Geheimen Offenbarung auf (die Heiligen in weißen Gewändern mit Palmen in den Händen, in Anbetung des apokalypt. Lammes), so etwa in einer Pariser Hs. von 1250 (Wien, Nationalbibl.), im Mittelbild des Genter Altars des JAN VAN EYCK (1432) und v. a. im A.-Altar von A. DÜRER von 1511 (Wien, Kunsthistor. Mus.).

**Allerseelen,** Gedächtnistag aller verstorbenen Gläubigen (Lat. Kirche am 2. 11.), in der bildenden Kunst am sinnfälligsten in der Darstellung des Fegefeuers in der Predella von Altären (Genter Altar des JAN VAN EYCK; Hochaltar der Stadtkirche in Wimpfen am Berg, 1519).

**Allianz,** von L. LEUPPI und M. BILL 1937 in Zürich

gegr. schweizer. Künstlergruppe, die wesentlich zur Verbreitung der Konkreten Kunst in der Schweiz beitrug. Weitere Mitgl. waren W. BODMER, H. FISCHLI, C. GRAESER, R. P. LOHSE, J. SPILLER.

**Allio,** Donato Felice d'A., ital. Baumeister, *Mailand um 1677, †Wien 6. 5. 1761, Schüler J. B. FISCHERS VON ERLACH, baute die Salesianerinnenkirche in Wien (1717–30), begann 1730 nach großartigem Plan den Neubau des Stifts Klosterneuburg (unvollendet).

**Allori, 1)** Alessandro, ital. Maler, Vater von 2), Florenz 3. 5. 1535, † ebd. 22. 9. 1607, Schüler des BRONZINO, angeregt von Werken des MICHELANGELO, malte Altarbilder, Fresken und Bildnisse im manierist. Stil (HW in Florenz, Uffizien); war seit dem Tod G. VASARIS (1574) bes. mit der Neuausstattung aller bed. Kirchen in Florenz betraut.

**2)** Cristofano, ital. Maler, Sohn und Schüler von 1), *Florenz 17. 10. 1577, † ebd. 2. 4. 1621, schuf Porträts, bibl. Szenen (›Judith mit dem Haupt des Holofernes‹, um 1610; Florenz, Gal. Palatina, Palazzo Pitti) sowie Altarwerke und Andachtsbilder von starkem kolorist. Reiz. Während eines Romaufenthaltes (1610) wurde er von der Kunst CARAVAGGIOS beeinflußt; schuf auch Landschaftszeichnungen.

**Alloway** ['æləwei], Lawrence, engl. Kunstkritiker, *Wimbledon 17. 9. 1926, gehörte seit etwa 1952 dem Kreis engl. Künstler im ›Institute of Contemporary Art‹ in London an, die die ›Independent Group‹ bildeten; hieraus ging die →Pop Art hervor.

**Allston** ['ɔ:lstən], Washington, amerikan. Maler, *Waccamaw (South Carolina) 5. 11. 1779, †Cambridge (Massachusetts) 9. 7. 1843, lebte 1801–13 u. a. in London und Rom, wo er mit B. THORVALDSEN, S. T. COLERIDGE und W. IRVING befreundet war; malte Landschaften (›Elias in der Wüste‹, 1818; Boston, Mus. of Fine Arts) und Porträts (›S. T. Coleridge‹, 1814; London, Nat. Portrait Gal.).

**Almandin** [n. der kleinasiat. Stadt Alabanda], roter Schmuckstein, Art des →Granat. – A.-Einlagen finden sich schon früh an kirchl. und profanem Gerät, u. a. bei Fibeln und Taschenreliquiaren der Merowinger- und Karolingerzeit.

**Alma-Tadema,** Sir (1899) Lawrence, niederländ.-engl. Maler, * Dronrijp 8. 1. 1836, † Wiesbaden 25. 6. 1912, studierte u. a. bei H. LEYS in Antwerpen (1858) und lebte seit 1870 in London. A.-T. malte Historienbilder und genrehafte Szenen v. a. aus der Antike, die ihm zu Lebzeiten größten Ruhm einbrachten.

**Almazán** [-θ'an], span. Stadt in Altkastilien, am Duero, 4800 Ew.; Stadtmauer (13. Jh.) mit drei got. Toren zw. mächtigen quadrat. Türmen; Kirche S. Miguel (12. Jh.), maurisch beeinflußt, mit zweistöckigem Portikus (18. Jh.); Herrenhäuser (u. a. Palacio Hurtado de Mendoza, 16. Jh.).

**Almeida** [alm'ɛjða], José d'A., portug. Bildhauer aus Lissabon, *um 1700, †1769, schuf u. a. Marmorbildwerke mit schlanken, gut proportionierten Gestalten, hölzerne Passionsfiguren für Prozessionen u. a.

**Almería,** andalus. Hafenstadt und Bischofssitz in SO-Spanien, 125 700 Ew. Die Altstadt in maur. Bauweise mit weißgekalkten Häusern lehnt sich an einen Felsenhügel mit der Alcazaba (im 8. Jh. gegr., mehrfach erweitert; z. T. erh.). Spätgot. Kathedrale (1524 ff. von D. DE SILOÉ erbaut) in got. und plateresken Formen; Kirche Santiago mit Renaissancefassade (1553) von JUAN DE OREA, der auch 2 prunkvolle Portale für die Kathedrale schuf. Die Plaza Vieja bildet ein Ensemble aus streng einheitl. Bauten (u. a. Rathaus) des 18. Jh.; Archäolog. Mus. mit prähistor. Funden.

**Almohaden** [arab. ›Bekenner der Einheit Gottes‹], 1121 von ABU MOHAMMED IBN TUMART gegr. Glaubenspartei und das von ihr getragene maurisch-span. Herrschergeschlecht (1147–1269). Die A. stürzten das Reich der →Almoraviden in Afrika und eroberten Spanien; nach 1212 wurden sie zunehmend aus Spanien vertrieben und 1269 in Marokko von den Meriniden vernichtet. – Die A. errichteten Zitadellen in N-Afrika und Spanien (Alcalá de Guadeira), legten Stadtbefestigungen mit großartig gestalteten Toren (Tlemcen, Marrakesch, Rabat) und Türmen (Sevilla, Goldener Turm) an, bauten Moscheen mit den charakterist. almohad. Minaretts (Kutubija-Turm, Marrakesch; Hasan-Turm, Rabat; Minarett der Großen Moschee Tlemcen, Giralda in Sevilla); der hier geschaffene Typ (kubischer Schaft mit kleinerem Aufbau und kuppelartigem Abschluß, durch schmale Fenster und Gitterfelder gegliederte Mauerfläche) wurde für alle später gebauten Türme der westislam. Kunst vorbildlich.

**Almoraviden** [arab. ›Grenzkämpfer‹], islam. Glaubenspartei, gegr. von ABDALLAH IBN JASIN (1058), und die von ihr getragene maurisch-span. Dynastie (†1036 bis 1147). Die A. herrschten über das marokkan. Gebiet und unterwarfen zw. 1086 und 1090 das arab. Spanien. Sie wurden von den →Almohaden gestürzt.

Bauten aus der almoravid. Hauptstadt Marrakesch wurden bei der Eroberung durch die Almohaden bis auf geringe Reste zerstört. Für die unter ihnen entstandenen Moscheen war die Kalifenmoschee von Córdoba Vorbild (v. a. Tlemcen, Große Moschee); charakterist. Elemente in ihren Bauten sind von Hufeisenbögen getragene Stützwände, Michrab-Kuppeln auf Stalaktittrompen mit Rippengewölbe und Laterne.

**Almourol,** Templerkastell auf einer Flußinsel des Tejo südlich von Tomar, Portugal. Der Ordensmeister GUALDIM PAES ließ die Feste auf röm. und maur. Fundamenten 1171 errichten (Burg und Wehrtürme gut erhalten, Restaurierungen im 19. Jh.).

**Almqvist,** Osvald, schwed. Architekt, *Trankil (Värmland) 2. 10. 1884, †Stockholm 6. 4. 1950, studierte in Karlstad und Stockholm, wo er 1910 zu den Mitbegründern einer Architekturschule gehörte, die trotz ihres kurzen Bestehens großen Einfluß auf die Verbindung von akadem. →Nationalromantik und →Internationalem Stil 2) in Skandinavien hatte. A. gilt mit G. ASPLUND als einer der ersten schwed. Funktionalisten.

**HW:** Bergslagsbyn, Modellsiedlung für Arbeiter der Domnarvet Eisenwerke, Dalarna, Schweden (1916–20); Chenderoh Kraftwerk (O. A. u. a.), Malaya (1929).
B. LINN: O. A. (Stockholm 1967).

**Alnwick-Castle** ['ænɪk kɑ:sl], Northumberland, England, nördlich von Newcastle-upon-Tyne; ausgedehnte Grenzfestung aus normann. Zeit mit Mauern, flankierenden Türmen, Keep und Barbakanen, seit 1309 im Besitz der Familie PERCY, Grafen und Herzöge von Northumberland; mehrfach umgebaut, reiche Gemälde-Samml. (CANALETTO, A. VAN DYCK, TIZIAN), Porzellan, Möbel, brit. und röm. Altertümer. Im Landschaftspark von L. BROWN (1765) Ruinen der Hulne Priory, früheste brit. Karmelitergründung (1240).

**Alo|e** [grch.], gelbes Harz, in Öl verkocht bis ins 19. Jh. zu Farbfirnissen und →Lüstern 3) gebraucht.

**Alost,** franz. Name von →Aalst.

**Alpirsbach,** Stadt im Kinzigtal, Bad.-Württ., 6900 Ew.; ehem. Benediktinerkloster (gegr. 1095), Kirche 1125 voll., eine dreischiffige, flachgedeckte Säulenbasilika, eines der wenigen unversehrt erh. Beispiele der →Hirsauer Bauschule. Aus roman. Zeit u.a. die Löwenkopfbeschläge der Westtür und eine hölzerne Sitzbank des alten Chorgestühls; Klostergebäude (u. a. Kapitelsaal, um 1230, Kreuzgang, Ende 15. Jh.); ›Burg‹ (Wohnturm des Klostervogts); Rathaus (1566); ›Altes Schloß‹ (17. Jh., umgebaut 1708). **Alpirsbacher Lesepult,** heute Freudenstadt (BILD Romanik).

**al secco** [ital. ›aufs Trockene‹], →Secco-Malerei.

**Alsfeld,** Stadt am Vogelsberg, Hessen, mit ma. Stadtkern, 17900 Ew., im europ. Denkmalschutzjahr 1975 zur Modellstadt ausgewählt. Die schönsten Profanbau-

**Rudolf von Alt:** Der Rathausplatz in Gmunden; 1860 (Wien, Österreichische Galerie)

ten entstanden im 16. und 17. Jh. (Fachwerkrathaus, Weinhaus, Hochzeitshaus, Haus Minnigerode). Walpurgiskirche (13.–15. Jh.) mit reicher Ausstattung; Dreifaltigkeitskirche (14./15. Jh.). Im Regional-Mus. Trachten- und Gemäldesamml., sakrale Kunst und Wohnkultur des 15.–19. Jh.

**Alstadhaug** [-hœjg], Kirchdorf bei Trondheim, Norwegen; Steinkirche (um 1200), bemerkenswert die achteckige Apsis mit Rippengewölbe und die in den 1950er Jahren aufgedeckten ma. Kalkmalereien.

**Alt, 1)** Rudolf von (1892), österr. Architektur- und Landschaftsmaler, *Wien 28. 8. 1812, †ebd. 12. 3. 1905, Schüler seines Vaters Jakob A. (*1789, †1872). Seine Stadtansichten und Landschaften nach Motiven seiner Heimat und bes. Italiens entfalten die eingehende topograph. Wiedergabe in der genauen Art seines Vaters zu einer lockeren Lichtmalerei, die A. zum bedeutendsten Vertreter der österreich. Vedutenmalerei des 19. Jh. werden ließ (›Canaletto Wiens‹). BILD S. 87

**2)** Theodor, Maler, *Döhlau (Oberfranken) 23. 1. 1846, Ansbach † 8. 10. 1937, fand nach Studien in Nürnberg und München Anschluß an den Künstlerkreis um W. LEIBL und malte nach seinem Vorbild ausdrucksvolle Porträts und Genrebilder.

**Altamerikanische Kulturen,** die →Vorkolumbischen Kulturen Amerikas.

**Altamira,** Höhle bei Santillana del Mar, in der span. Prov. Santander. Hier wurden 1879 bei Ausgrabungen die ersten Höhlenbilder der Altsteinzeit entdeckt. Die mehrfarbigen Deckenbilder mit liegenden Bisonkühen und sie umgebenden Stieren, dazu Darstellungen von Hirsch, Wildpferd und Wildschwein, bilden einen Höhepunkt der eiszeitl. Kunst.

**Altamira:** Wisentstier; Höhlenmalerei

**Altamura,** ital. Stadt in Apulien, Prov. Bari, 46300 Ew.; roman. Kathedrale (1231/32 beg.; Glockentürme 16. Jh., Fensterrose 14. Jh.) mit skulpturengeschmücktem got. Portal (14. Jh.); Gemälde im Inneren und in der Sakristei. Kirche S. Nicolò dei Greci (14. Jh.; Flachreliefs mit bibl. Darstellungen am Portal); Stadtmus. mit archäolog. Funden.

**Altạn** [ital.], **Söller,** in den Obergeschossen ins Freie führende Plattform, die, offen oder überdeckt, von Mauern, Pfeilern oder Säulen gestützt wird und nicht wie der Balkon frei ausgekragt ist.

**Altạr** [lat. alta ara, spätlat. altare], in nahezu allen Religionen die erhöhte Opferstätte, die als Ort der Nähe Gottes gilt, nach örtl. Gegebenheit und kult. Bedürfnissen unterschiedlich gestaltet (Tempel-, Grab-, Straßen-A.).

Opfersteine finden sich bereits seit der Jungsteinzeit an Kultstätten: Steinplatten und Steinblöcke mit schalenartigen Vertiefungen und Rinnen (Näpfchensteine). Aus der Bronzezeit sind A. v. a. von Sippenheiligtümern der sibir. Andronowo-Kultur (um 1000 v. Chr.) bekannt. Transportable A. aus Ton und Metall kennt man aus der Bronze- und Eisenzeit. – Im Alten Orient sind versch. A.-Formen zu unterscheiden: Der **Brandopfer-A.** war meist eine einfache Feuerstelle im Tempelhof, der aber auch aus kubischen Blöcken zusammengesetzt sein konnte; der **Schlacht-A.** hatte eine Platte zur Zurichtung des Opfertiers (oft mit Blutrinne); der **Räucher-A.** war häufig ein schlanker Ständer aus Ton oder Metall mit Öffnungen zur Frischluftzufuhr; der **Libations-A.,** jeweils vor einer Gottheit aufgestellt, hatte eine sanduhrartige Form; der A. konnte auch Podest oder Steinsockel zur Aufstellung des Götterbildes oder eines Symbols der Gottheit sein (z. B. Kultsockel des Tukulti-Ninurta I. aus Assur).

Im alten Ägypten wurden die Opfer urspr. auf Matten, später meist auf flache Steinplatten oder bewegl. Tische gelegt. Daneben begegnen gemauerte, blockartige A. in Tempelhöfen. An größere A. ist eine Treppe angebaut; auf ihr stehend weihte der Opfernde seine Gabe.

Im alten China war der **Himmels-A.** rund und mit Terrassen versehen, der A. der viereckig gedachten Erde in viereckiger Form.

In der altvedischen Opferreligion Indiens finden sich schon relativ früh A.; ihr Bau wird hinsichtlich der Zahl der zu verwendenden Steine genau beschrieben. Ihre am Sonnenlauf orientierte kosmograph. Symbolik übertrug sich auf die späteren Mandalas und Kultbauten (Stupas, Tempel) der buddhist. und hinduist. Bilderverehrung.

In den vorkolumb. Kulturen Amerikas sind A. freistehende Steinformen, häufig skulptiert oder plastisch ausgearbeitet (z. B. als Zoomorph in →Quirigua). Sie kommen in keiner verbindl. Form vor, stehen in Innenhöfen von Gebäuden oder auf Tempelplattformen. Im Maya-Gebiet sind sie häufig den Stelen zugeordnet und dienten möglicherweise als Herrscherpodeste.

Die Griechen und Römer der Antike kannten an den Stätten der Götter- und Heroenkulte schon in früher Zeit neben natürl. Opferablagen auf Felsblöcken künstlich errichtete A. und Opfertische. Seit der Errichtung von Tempeln im beginnenden 1. Jahrtsd. v. Chr. stand der Haupt-A. (für blutige Opfer) stets vor oder neben dem Tempel. Neben dem zum Tempel gehörenden A. errichtete man häufig weitere für den Hauptgott und andere Gottheiten. Aus einfachen Aufschüttungen von

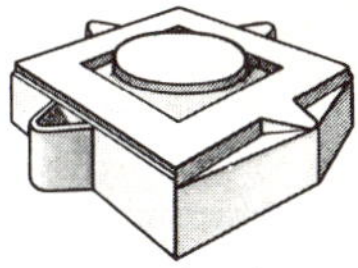

Ägyptischer Altar
(Altes Reich, um 2400 v. Chr.)

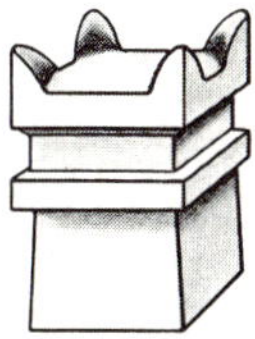

Hörneraltar aus Megiddo
(9. Jh. v. Chr.)

Griechischer Volutenaltar
(Ende des 3. Jh. v. Chr.)

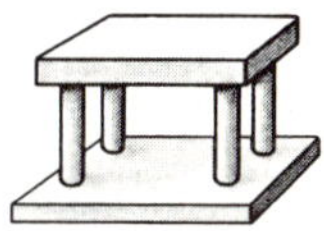

Tischaltar

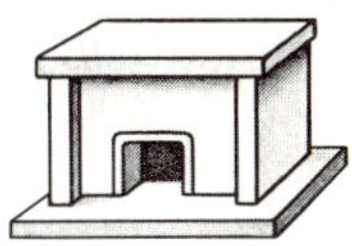

Kastenaltar

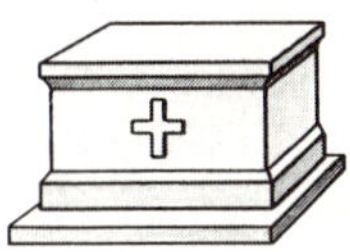

Blockaltar

**Altar I**

Sarkophagaltar

Ciboriumaltar

Retabelaltar

Kanzelaltar

**Altar II**

Asche, Erde und Steinen entwickelten sich allmählich reich geschmückte Monumentalbauten, so der Zeus-A. in Pergamon und die Ara Pacis Agustae in Rom. – Das alte Israel kannte (nach den transportablen A. der Wüstenwanderung) in Jerusalem den sich in 3 Absätzen verjüngenden **Brandopfer-A.** und **Räucher-A.** in Form von Tonständern, Tonkästen oder in Stein gehauen. Bei den Block-A. **(Hörner-A.)** waren die Eckhörner Symbole der göttl. Gegenwart. – Zum christl. A. entwickelte sich der Tisch des Herrn in der Urgemeinde. Er besteht aus der meist rechteckigen Platte (Mensa) und dem Träger (Stipes). Die Entwicklung brachte 4 Typen hervor: den noch auf vorkonstantin. Zeit zurückgehenden **Tisch-A.,** den bes. in Italien gebräuchl. **Kasten-A.** (sein Inneres ist hohl und bietet damit Zugang zu dem darunter befindl. Reliquiengrab oder Reliquiar), den seit der karoling. Zeit v.a. übl. **Block-A.** mit massivem Stipes und den seit dem Barock häufigen **Sarkophag-A.** Eine Sonderform bilden die kleinen **Trag-A. (Portatile)** seit dem 12. Jh. (reich mit Goldschmiede-Arbeiten oder Elfenbeinschnitzereien geschmückt). – Die Ausstattung des A. betraf zunächst die Umkleidung des Stipes (→ Pala d'Oro) oder den Schmuck der Vorderseite mit dem Antependium (reicher figürl. und symbol. Schmuck). Die Mensa selbst wurde in Italien seit dem 6. Jh., in Dtl. und anderen nordeurop. Ländern etwa seit dem 11. Jh. (Regensburger Dom) mit einem Baldachin auf Säulen überdacht (Ciborium, Tabernakel). Diese Form **(Ciborium-A.)** trat zuweilen auch in Verbindung mit dem Lettner auf. – Seit dem 11. Jh. wurde die Mensa mit einer ›Rückwand‹, dem Retabel, besetzt **(Retabel-A.),** das urspr. unmittelbar auf dem Altar-Aufsatz (Predella) stand und seit der Renaissance auf einen eigenen Unterbau hinter die Mensa gestellt wurde. Vollständig mit Antependium, Retabel und einem überfangenden Bogen ausgestattete A. des 12. und 13. Jh. haben sich in den ›Gyldne-Altre‹ Skandinaviens erhalten. Seit der Gotik entwickelten sich aus dem Retabel die aufwendigen, seit dem 14. Jh. durch 2 bewegl., beidseitig bemalte Flügel erweiterten A.-Aufsätze. Diese **Flügel-A.** (dreiteilig: Triptychon, mehrteilig: Polyptychon) waren verschließbar und nur an Festtagen geöffnet (Werktagsseite, Feiertagsseite). Im 15. Jh. wurden sie durch weitere Flügelpaare zum **Wandel-A.** erweitert. Kleine A. für private Andachtsräume, die **Haus-A.** (auch **Klapp-A.**), bewahren die dreiteilige Form. Der Wandel-A. ist bes. von der Kunst der dt. Spätgotik (→Schnitzaltar) mit zierl. Architekturaufbauten zu großen Formen (Höhen von 16 m) entwickelt worden. In einem **Schreinaltar** mit schrankartigem Mittelteil befinden sich meist Schnitzfiguren; die A. ruhen auf einem Untersatz, der Staffel oder Predella, in der häufig Reliquien bewahrt werden. Die Bekrönung des A. bildete in der Spätgotik das Gesprenge. Im späteren 16. Jh. setzte sich der in Italien übl. A. ohne bewegl. Flügel allg. durch. Erst im Barock gewannen die A. durch überreiche architekton. Umbauten, Säuleneinfassungen und Giebelüberdachungen wieder an Ausdehnung. Zum Hauptschmuck des A. und zu seinem Mittelpunkt wird im Barock das →Altarbild oder die plast. Gruppe. – Evang. Kirchen kennen seit der Reformation grundsätzlich nur den A.-Tisch als

Abendmahlstisch. I. Ggs. zu den reformierten Kirchen behielt die luther. Kirche die schon bestehenden A. meist bei. Der Schmuck neuerer A. war meist spärlich und auf einfache Symbolik beschränkt. Die Sonderform der Verbindung von Kanzel und A. **(Kanzelaltar)** blieb selten. – Während sich das 19. Jh. in der Konzeption von A. an frühere Stile anlehnte, sucht die Gegenwart im modernen Kirchenbau auch nach einer Erneuerung von Form und Stellung des A. im Kirchenraum.

J. BRAUN: Der christl. A., 2 Bde. (1924); K. GALLING: Der A. in den Kulturen des Alten Orients (1925); K. SCHULTZ: Der dt. A. im späteren MA. (1939); H. HAGER: Die Anfänge des ital. Altarbildes (1961); A. PREISER: Das Entstehen und die Entwicklung der Predella in der ital. Malerei (1973); H. SCHINDLER: Der Schnitzaltar (1978); C. BEUTLER: Die Entstehung des Altaraufsatzes (1979).

Flügelaltar

**Altar III**

**alt|arabische Kunst.** Die Kultur der arab. Halbinsel, die in ihren am Arab. Golf gelegenen Küstenzonen seit dem 3. Jahrtsd. v. Chr. durch den Handel zw. Mesopotamien und dem Industal fremden Einflüssen ausgesetzt war (→Golf-Kultur), erlebte ihre Blüte im 1. Jahrtsd. v. Chr. in den Reichen von Saba (mit den Metropolen Sirwah und Marib), Ma'in, Kataban (mit der Hauptstadt Timna), Ausan, Hadramaut und Himyar, die die im SW der innerarab. Sandwüste gelegenen Oasen und die Häfen am Ind. Ozean zu mächtigen Städten ausbauten; mit ihren Kolonien stießen sie bis in das Hinterland des Golfs und das lihjanisch-nabatäische Grenzgebiet des Hidjas im NW Arabiens vor. Südarabien, wegen seines Reichtums in der antiken Welt berühmt, wurde Arabia Felix (›glückliches Arabien‹) genannt.

Durch die archäologisch nur z. T. erschlossenen Ruinenfelder ist eine blühende Stadtkultur zu belegen, de-

**altarabische Kunst:** Adorantenrelief aus Al-Djuba; 1. Jh. n. Chr., (San'a, Museum)

**altarabische Kunst:** Grabbildnis aus Marib; 3. Jh. v. Chr., (San'a, Museum)

ren Grundlage ausgedehnte Gartenlandschaften bildeten, die aufwendige Bewässerungstechniken mit Dämmen und Schleusen zur Verteilung des Wassers über weite Flächen voraussetzten. Bedeutendere Siedlungen besaßen in glatt behauenen Kalksteinquadern aufgeführte öffentl. Bauten (Bauherrn inschriftlich genannt), Befestigungen und Stadttore, Straßen und Märkte sowie königl. Residenzen, von deren Glanz bislang nur mittelalterl. Quellen eine Vorstellung vermitteln. Ein großer Teil der öffentl. Ausgaben galt den Heiligtümern. Timna und Schabwa, die Hauptstädte von Kataban und Hadramaut, hatten nach den Berichten des röm. Schriftstellers Plinius 65 bzw. 60 Tempel. Das älteste Heiligtum von überregionaler Bedeutung besaß die sabäische Metropole Marib in dem Awwamtempel, in dem sich ein mehr als 100 m langer ovaler Quaderbau mit einer rechteckigen Vorhalle verband, die ein Peristyl aus 32 Monolithpfeilern von 5 m Höhe umgab. Die Mauern wurden durch Nischenreihen mit bekrönendem Zahnschnitt gegliedert, der neben Treppenmotiven auch zur Gestaltung von Kapitellen und Friesen verwendet wurde, während später unter palmyren. Einfluß Weinrankenmotive und Figurenszenen üblich wurden. Ein weiteres traditionelles Motiv bildeten friesartig aufeinanderfolgende Steinböcke, die als Symboltiere des Mondgottes aufzufassen sind (Almakahtempel von Sirwah).

Während an Bauten und Altären sowie auf Schrifttafeln versch. Göttersymbole vorkommen, sind Bilder der Götter bisher nicht gesichert. Die dem Awwamheiligtum von Marib geweihten Männerstatuetten, die einen hochentwickelten Bronzeguß schon für die Mitte des 1. Jahrtsd. belegen, repräsentieren den inschriftlich gen. Stifter. Votivstatuetten aus Bronze und Edelmetall sind durch die Inschriften, die auf den zugehörigen Steinpostamenten erh. blieben und den Grund für die Weihung angeben, bis in die Spätzeit des Reiches Himyar vielfach bezeugt. Die erhaltenen Alabasterstatuetten haben Körper von kubischer Form; sie sind in glatte knielange Hemden gehüllt, halten die Arme wie zum Opfer vorgestreckt und bieten zeitlose Gesichter mit starren unpersönl. Zügen. Die formelhafte Gestaltung gilt auch für die Grabplastik. Seit dem 4. Jh. v. Chr. entwickelte sich das Grabbildnis unter ägypt. Einfluß: kubische Grundform, polierte geschlossene Oberfläche. Die vielfach überlieferten Bildnisse dieser Art waren in Grabpfeiler oder Felswände eingelassen und wurden von Namensinschriften begleitet. Um die Zeitenwende datieren Reliefbilder aus der Nekropole von Timna und aus der Oase al-Djuba (Adoranten mit Opfergaben), andere aus der himyar. Spätzeit folgen dem mediterranen Schema (Situationen des tägl. Lebens). Der über die Handelspartner vordringende hellenist. Einfluß wird an einer der ausanischen Herrscherstatuetten im Mus. von Aden ebenso deutlich wie an der Kolossalstatue eines Himyarenkönigs im Mus. von San'a, die neben der sabäischen Weihinschrift eine grch. Künstlersignatur überliefert. Andere auf der arab. Halbinsel zutage gekommene Bronzen von späthellenist. Typus wurden teils nach alexandrin., syr. und mesopotam. Vorbildern gearbeitet, teils wurden sie importiert.



Wörter, die man unter Al vermißt, suche man unter El

A. GROHMANN: Arabien (1963); B. DOE: Südarabien (a.d. Engl., 1970); ders.: The monuments of South Arabia (London 1980).

**Altarbild, Altarblatt,** die Mitte eines Altarretabels einnehmendes Gemälde. Während in der 1.H. des 16.Jh. noch das aus Stein oder Holz gefertigte, mit plast. Bildwerk ausgestattete Altarretabel die Regel war, gewinnt in der Spätrenaissance das A. immer mehr an Bedeutung (frühestes Beispiel in Dtl.: Hochaltar von St. Michael in München von C. SCHWARZ, 1587–89). Im Barock beherrscht das A. bald die gesamte Mitte des Altarretabels, z.T. gerahmt von Säulen u.a. oder plast. Schmuck (Engel, Strahlenglorie). Zuweilen wurde das A. auch losgelöst hinter dem Altar an der Chorwand angebracht und war durch eine Öffnung im Retabelaufbau sichtbar (z.B. Hochaltar der Klosterkirche Banz von B. ESTERBAUER, 1721).

**Altarschranken,** →Cancelli.

**Altbunzlau,** tschech. **Stará Boleslav,** Teil der Doppelstadt Brandýs nad Labem-Stará Boleslav, 15600 Ew., im Mittelböhm. Kreis, ČSSR, an der Elbe; ehem. Kollegiatkirche St. Wenzel (dreischiffige roman. Anlage, die später entscheidend verändert wurde), einschiffige Kirche St. Clemens (12.Jh.), Marienkirche (bed. Frühbarockbau, 1617–23). Von Prag nach A. führt der Hl. Weg, 1674 angelegt (44 Kapellen).

**altchristliche Kunst,** →frühchristliche Kunst.

**altdeutsch,** Bez. für Malerei und Plastik der Spätgotik und Dürerzeit; auch für Möbel (bes. 2.H. 19.Jh.), die diesen Stil nachahmen.

**Altdöbern,** Gem. südöstlich von Cottbus, Dt. Dem. Rep.; Barockschloß (1717; 1749 und 1880–83 umgebaut), Räume z.T. im alten Zustand, im Teesalon Wandgemälde, eines der wenigen Gemälde des Radierers J.-M. MOREAU.

**Altdorf,** frz. **Altorf,** Gem. im Unterelsaß, südwestlich von Straßburg; die Kirche der ehem. Benediktinerabtei (974 gegr.) ist eine dreischiffige gewölbte Pfeilerbasilika (1.H. 11.Jh., Oberbau der Westseite nach 1200) mit guter Innenausstattung (u.a. Büstenreliquiar des Hl. Cyriakus aus Holz, 12./13.Jh.).

**Altdorfer, 1)** Albrecht, Maler, Zeichner, Kupferstecher, Radierer, Baumeister, Bruder von 2), *Regensburg(?) um 1480, † ebd. 12. 2. 1538, erwarb hier 1505 das Bürgerrecht und kam rasch zu Wohlstand. Für Kaiser MAXIMILIAN I. führte er (etwa 1512–15) zahlreiche Arbeiten aus, wurde 1519 Mitgl. des Äußeren, 1526 des Inneren Rates und Stadtbaumeister, war 1520–25 Beisitzer des Hansgrafenamtes und reiste 1535 in diplomat. Mission zum Kaiser nach Wien. – Ausgebildet wurde A. vermutlich in einer Miniatorenwerkstatt (frühe Werke in kleinem Format). Richtungweisend für sein mächtigstes Hauptwerk, den Sebastiansaltar (1509–18, wesentl. Teile bereits vor 1515; St. Florian bei Linz, Chorherrenstift, und Wien, Kunsthistor. Mus.), war seine Begegnung mit den Altären M. PACHERS in Salzburg und St. Wolfgang. Neu gegenüber ihrem spätgot. Stil ist eine ursprüngl. Natursinnlichkeit, die sich dann v.a. in seinen Landschaften äußert. So stammt von ihm auch das erste Gemälde der europ. Kunst, das die Landschaft ohne Figuren darstellt (Donaulandschaft bei Regensburg, 1520/25; München, Alte Pinakothek; BILD Landschaftsmalerei). In seinem reifen Werk verbinden sich dann volkstümlich erzählende Phantasie, miniaturhafte Wiedergabe der Einzelheiten und ein der Romantik verwandtes Naturgefühl zu maler. Einheit. Sein bedeutendstes Werk, zugleich Höhepunkt der →Historienmalerei, ist die ›Alexanderschlacht‹, die er 1529 im Auftrag des Bayernherzogs WILHELM IV. malte (München, Alte Pinakothek). Fast gleichbedeutend neben seinem maler. Werk stehen etwa 120 erhaltene Zeichnungen und über 200 Holzschnitte, Kupferstiche und Radierungen, in denen sich die unerschöpfl. Formphantasie A.s zeigt. Zum kostbarsten Bestand der altdt. Zeichenkunst gehören seine bildmäßigen Hell-Dunkel-Zeichnungen auf farbig

**Albrecht Altdorfer:** Susanna im Bade; 1526 (München, Alte Pinakothek)

grundiertem Papier sowie etwa 2 Dutzend Randzeichnungen zum ›Gebetbuch Kaiser Maximilians I.‹ (Besançon, Bibliothèque Municipale). Mit oft winzigen Kupferstichen, gelegentlich von ital. Vorbildern inspiriert, schuf A. den Kupferstichtypus der →Kleinmeister. Einen besonderen Rang nehmen Holzschnitte für Kaiser Maximilian I. ein (›Ehrenpforte‹, 1513–15; Wien, Albertina, und ›Triumphzug‹, um 1515; Besançon, Bibliothèque Municipale) sowie ein mit 7 Platten gedruckter großer Farbholzschnitt der ›Schönen Maria‹ (1518/19; Regensburg, St. Johann) – auch drucktechnisch eine außergewöhnl. Leistung. – Von A.s Tätigkeit als Wandmaler zeugen Bruchstücke eines Wandbildes aus dem ehem. Bischofshof in Regensburg (ebd., Städt. Mus.) und der dazu gehörende Entwurf in Florenz. – Die Bauphantasie A.s findet einen fast schwelger. Ausdruck in dem Palast des Bildes ›Susanna im Bade‹ (1526; München, Alte Pinakothek), doch hat er als Stadtbaumeister in Regensburg nur schlichte Profanbauten (1527 Schlachthaus u. a.) ausgeführt und angesichts der vorrückenden Türken 1529 die Stadtbefestigung verstärkt.

A. war neben WOLF HUBER der Hauptmeister der →Donauschule. Seine kolorist. Begabung wird in der dt. Kunst nur von GRÜNEWALD übertroffen.

**WW:** Maria mit Kind im Walde (1506; Braunschweig, Herzog-Anton-Ulrich-Mus.); Laubwald mit dem Drachenkampf des Hl. Georg (1510; München, Alte Pinakothek); Johannes der Evangelist und Johannes der Täufer (1510; Regensburg, Stadtmus.); Kreuzigung Christi (1510; Kassel, Staatl. Kunstsammlungen); Ruhe auf der Flucht (1510; Berlin-West, Staatl. Museen); Geburt Mariä (1520/25; München, Alte Pinakothek); Anbetung der Könige (um 1528; Frankfurt a. M., Städelsches Kunstinstitut); Lot und seine Töchter (1537; Wien, Kunsthistor. Mus.).

A. A... Gesamtausgabe, hg. v. F. WINZINGER, 3 Bde. (1963–75).

K. OETTINGER: A.-Studien (1960); J. KRICHBAUM: A. A. Meister der Alexanderschlacht (1978). – Weitere Lit.: →Donauschule.

**2)** Erhard, Maler und Zeichner, Bruder von 1), *Regensburg(?) um 1480, † Schwerin um 1562, stand zu Beginn seiner Tätigkeit in enger Verbindung mit seinem Bruder und schuf bed. Altarwerke: Schleierauffindung (Klosterneuburg), Johannesaltar für Lambach (Regensburg und Kansas City), Altar in Gutenstetten. 1512 wurde A. Hofmaler des Herzogs von Mecklenburg in Schwerin. – Bekannt sind etwa 20 Zeichnungen A.s. In seinen Bibelholzschnitten (1533; Lübeck) verbinden sich Elemente der Donauschule und der Cranach-Werkstatt zu einem erregten Manierismus.

**Alten|ahr,** Gem. im Kr. Ahrweiler, Rheinl.-Pf.; Burg Are (12.–15. Jh.), seit 1714 Ruine (bis dahin Sitz eines kurköln. Amtes). Die Pfarrkirche (um 1200) ist eine roman. Pfeilerbasilika mit got. Chor (1322).

**Altenberg,** Ortsteil von Odenthal im Bergischen Land (NRW) mit ehem. Zisterzienserabtei (1133 gegr.); Kirche nach frz. Vorbildern 1255–1379 als turmlose Querschiffbasilika mit Chorumgang und Kapellenkranz erbaut (›Bergischer Dom‹); nach Brand 1815 Wiederaufbau 1835–47. Eindrucksvolle Westfassade, Glasmalereien des 13.–15. Jh. Markuskapelle (um 1220) mit spätroman. Raumausmalung.

**Altenbourg,** Gerhard, Zeichner und Graphiker,

*Rödichen-Schnepfenthal 22.11.1926, vertrat bereits in den 1960er Jahren, isoliert von der offiziellen Kunst in der Dt. Dem. Rep., einen subjektiv geprägten phantast. Realismus.

**Altenbruch,** Ortsteil von Cuxhaven (Ndsachs.); evang. Nikolaikirche (um 1200, Chorneubau 1727 und 1728); außergewöhnlich reiche Ausstattung (vorwiegend 17./18. Jh.); südlich der Doppelturmfront freistehender Glockenturm (1642).

**Altenburg,** Gem. bei Horn im Waldviertel, NÖ. Das Benediktinerkloster (1144 gegr.) wurde seit Mitte des 17. Jh. umgestaltet. J. MUNGGENAST baute seit 1730 die Kirche (z. T. Verwendung des spätgot. Baues) und das 208 m lange hochbarocke Gebäude mit Kaisertrakt und Bibliothek; in Kirche und Stiftsgebäude Fresken von P. TROGER.

**Altenburg,** Stadt in Sachsen, südlich von Leipzig, Dt. Dem. Rep., 52600 Ew. Das Stadtbild wird vom Schloß beherrscht, einer weiträumigen Anlage auf steilem Bergvorsprung (im wesentl. 18. Jh., Hauptbauzeit 1723–30); spätgot. Schloßkirche (Chor gew. 1413), reiche Ausstattung unter der Leitung von C. RICHTER (1645–49). Die Stadtkirche St. Bartholomäi ist eine spätgot. dreischiffige Halle (Ende 15. Jh.) mit roman. Krypta (2. H. 12. Jh.); von der Marienkirche (1172 gew.) des ehem. Bergerklosters ist nur das Westwerk erh. (›Rote Spitzen‹, heute Mus. für ma. Plastik). Renaissance-Rathaus (1562–64) mit achteckigem Treppenturm an der Hauptfront; Bürgerhäuser 16.–18. Jh.

**Altenhausen,** Ort westlich von Magdeburg, Dt. Dem. Rep.; spätgot. Dorfkirche (1594), hölzernes Tonnengewölbe mit z. T. erh. Bemalung; Schloß (15./16. Jh., mehrfach umgebaut, heute Krankenhaus).

**Altenkrẹmpe,** Ort in Ostholstein. Die Backsteinkirche wurde zw. 1190 und 1240 als spätroman. Gewölbebasilika erb. Das Herrenhaus **Hasselburg** besitzt mit seinem Treppenhaus das beste Beispiel barocker Raumgestaltung in Holstein (1710), mit dem Torhaus den schönsten Spätbarockbau des Landes (1763). Die Orangerie von Gut **Sierhagen** stammt von 1714, die Torhäuser von 1738 und 1857, das klassizist. Herrenhaus von 1825.

**Altenstadt,** Gem. bei Schongau (Oberbayern), Vorläufersiedlung der um 1225 gegr. Stadt Schongau. Michaelskirche (um 1200 voll.), einzige erh. roman. Gewölbebasilika in Oberbayern mit roman. Taufstein und Kruzifix ›Großer Gott von A.‹ (um 1200).

**Altenstetter,** David, Emailleur, Goldschmied, *Colmar um 1547, † Augsburg Aug. 1617, wo er seit etwa 1568 lebte. Seine Silberplatten mit durchscheinendem Tiefschnitt-Email finden sich u. a. am →Pommerschen Kunstschrank, am Kunstschrein des C. ANGERMAIR (München, Bayer. Nat.-Mus.) und an der österr. Hauskrone von 1602 (Wien, Schatzkammer in der Hofburg).

**Altentrẹptow** [-o], Stadt nördlich von Neubrandenburg, Dt. Dem. Rep., 7500 Ew.; Stadtkirche St. Peter, dreischiffige Backsteinhallenkirche (14./15. Jh.) mit spätgot. Schnitzaltar (2. H. 15. Jh.), Chorgestühl (1. H. 15. Jh.), spätroman. Taufstein; Neubrandenburger Tor (um 1450) mit Blendenschmuck und Staffelgiebeln.

**Ältere Palastzeit,** Periode der →kretisch-mykenischen Kunst, etwa 2000–1650 v. Chr.

**Alter Orient,** geograph. Raum Asiens, der durch Mittelmeer, Rotes Meer, Arab. Meer (Ind. Ozean), Indus, Mittelasien, Kaukasus und Schwarzes Meer begrenzt wird und die Regionen der syrisch-arab. Wüste, das Gebiet des ›Fruchtbaren Halbmonds‹ (das Zweistromland, die Regensteppenstreifen Iraks, Syriens, Israels, Jordaniens) sowie die Hochländer Anatoliens, Armeniens und Irans einschließt. Am Ende des Paläolithikums und am Beginn des Neolithikums wurden durch entscheidende Schritte in der Entwicklung des A. O. (Übergang von der Nahrungssammlung zur -erzeugung und Vorratshaltung) die Voraussetzungen zur Entstehung erster Hochkulturen geschaffen. Am Ende des Neolithikums und am Beginn der Bronzezeit folgten Städtegründungen und seit der Dynastie von Akkade (etwa 2350 v. Chr.) Reichsgründungen. Über die künstler. Aussage im Raum des A. O. vgl. die Artikel zur achaimenidischen, akkadischen, altarabischen, aramäischen, assyrischen, babylonischen, elamischen, hethitischen, iranischen, kassitischen, mitannischen, parthischen, phönikischen, phrygischen, sassanidischen, sumerischen, syrischen und urartäischen Kunst sowie über die Harappa-Kultur. (KARTE S. 98/99)

**Alterssprünge,** frz. **Craquelée** [krakl'e], Rißbildungen in Malschichten, verursacht durch das unterschiedl. Verhalten von →Bildträger, →Grundierung, Farbschichten und Firnis. Eine Besonderheit unter den A. sind die **Frühschwundrisse,** die durch maltechn. Fehler entstehen, z. B. beim Übermalen einer langsam oder gar nicht trocknenden Lage mit einer schnelltrocknenden oder durch Anlösen einer unteren durch die obere Schicht. (→Asphaltmalerei)

**Alterung,** natürl. Veränderungsprozeß an Materialien (Stein, Holz, Textilien). A.-Spuren dienen zur Unterscheidung eines Originals von einer →Fälschung.

**Altes Reich,** Bez. für die erste große Blütezeit der altägypt. Geschichte und Kultur während der 3.–6. Dynastie (um 2660–2160 v. Chr.); häufig auch ›Pyramidenzeit‹ genannt. (→ägyptische Kunst)

**Altherr,** Heinrich, schweizer. Maler, *Basel 11. 4. 1878, † Zürich 27. 4. 1947, studierte in München und Rom, lehrte 1906–12 an der Karlsruher Akad., 1913–39 an der Stuttgarter Akad., bis er sich 1939, nachdem seine Bilder als ›entartet‹ verfemt wurden, nach Zürich zurückzog; emotional intensive, malerisch expressive Bilder und Wandmalereien mit existentiellen Themen (Univ. Zürich, Staatsarchiv Basel).

W. ÜBERWASSER/W. BRAUN: Der Maler H. A. (Zürich 1938).

**Althiburos,** röm. Stadt in Tunesien, bei →Medeina.

**Althorp** ['ɔ:lθɔ:p], Landsitz (im Besitz des Earl of SPENCER) in Northamptonshire, nordwestlich von

**ALTER ORIENT · WICHTIGE FUNDORTE**

Northampton, England. Der klassizistisch anmutende Bau (1787–91) von H. HOLLAND ummantelt eine elisabethan. Backsteinstruktur und diese das Stein- und Holzfachwerk eines Tudorhauses (beg. 1508); Gemälde-Samml. (u.a. L. LOTTO, P. LELY, A. VAN DYCK, T. GAINSBOROUGH), frz. Möbel (A. C. BOULLE, A. WEISWEILER u.a.), Skulpturen, Porzellan (Sèvres, Meißen).

**Altichiero** [-ki'ɛːro], ital. Maler, *Zevio bei Verona um 1330, † um 1390, arbeitete am Hof der Scaliger in Verona, später für die Carrara in Padua. Erhalten sind

dort die Fresken der Kapelle S. Felice in der Kirche S. Antonio (1379) und die gemeinsam mit →Avanzo ausgeführte Ausmalung des Oratorio di S. Giorgio (1384). A. knüpfte im Figurenstil an die Tradition GIOTTOS an und wurde durch seine differenzierte Farbigkeit Wegbereiter der venezian. Malerei.

**Altıntepe,** Ruinenhügel östlich von Erzincan, O-Türkei (KARTE Alter Orient), mit Resten einer urartäischen Residenz (8. Jh. v. Chr.), von der Tempel und Palast mit Wandmalereien freigelegt wurden; Gräber mit reichen Beigaben an Waffen, Schmuck und Möbeln (verziert mit Elfenbein, Bronze und Silber).

**Altis,** der hl. Bezirk in →Olympia.

**Altlandsberg,** Stadt in der Dt. Dem. Rep., östlich von Berlin, 33 000 Ew.; altertüml. Stadtbild mit größtenteils erh. Mauerring, frühgot. Pfarrkirche (im Kern 13. Jh.) und frühbarocke Schloßkirche (um 1670).

**Altomonte,** eigtl. **Hohenberg, 1)** Bartholomäus, österr. Maler, Sohn und Schüler von 2), *Warschau 24. 2. 1702, †St. Florian bei Linz 11. 11. 1783, malte nach Ausbildung in Italien (seit 1717) für zahlreiche Kirchen und Klöster in Österreich (1722–32, Stift St. Florian, Prälatenzimmer, nach Entwürfen seines Vaters; 1739 bis 1741, Wilhering, Stiftskirche; 1744–50, Stift St. Florian, Bibl.; 1753–55, Herzogenburg; 1759–62, Engelszell) v. a. Deckenfresken von dekorativer Wirkung und weiträumiger Komposition.

**2)** Martin, österr. Maler, Vater von 1), *Neapel 8. 5. 1657, †Heiligenkreuzerhof in Wien 14. 9. 1745, war nach Ausbildung in Rom (C. MARATTA u. a.) seit 1684 Hofmaler König JOHANNS III. SOBIESKI in Warschau, seit 1703 in Wien, seit 1720 in Linz. A. war einer der führenden zeitgenöss. Kirchenmaler Österreichs; er malte Altarbilder und Fresken. Sein HW ist die ›Apotheose des Prinzen Eugen‹ (Wien, Unteres Belvedere).

**Altomünster,** Gem. nordwestlich von Dachau (Oberbayern); einziges Birgittenkloster in Dtl.; die Kirche (1763–73) nach Plänen von J. M. FISCHER erbaut, Stuck 1773 von J. RAUCH, Altäre von J. B. STRAUB.

**Altorf,** frz. für →Altdorf.

**Alt|ötting,** Wallfahrtsort in Oberbayern, 11 000 Ew. In der Hl. Kapelle (2. H. 8. Jh.), einem der ältesten Zentralbauten Dtl.s, die ›Schwarze Madonna‹ (Anf. 14. Jh.). In der Sakristei der spätgot. Stiftskirche (1499 bis 1511) die Schatzkammer (u. a. ›Goldenes Rössl‹), am Kreuzgang die Tilly-Kapelle (um 1425). Ehem. Franziskanerkloster mit Kirche St. Anna (17./18. Jh.); Jesuitenkirche St. Magdalena (1697) mit reicher Stuckdekoration.

**Altshausen,** Stadt in Südwürttemberg, war 1264 bis 1806 eine Deutschordenskommende (Ballei Elsaß-Burgund); weitläufige Schloßanlage (1729–33); Schloßkirche (1748–53); got. Marienkapelle; Salvatorkapelle (1591); Annakapelle (1748).

**Altsohl,** slowak. **Zvolen** [zvˈɔlɛn], Stadt im Mittelslowak. Kreis, ČSSR, 30 700 Ew. Die 1370–82 durch König Ludwig von Anjou erbaute Burg, 1490–1510 befestigt und im Sinn der Frührenaissance umgestaltet, war später im Besitz der Esterházy; heute Zweigmus. der Slowak. Nat.-Gal.

**Aluminiumdruck, Algraphie,** Bez. für das von SCHOLZ in Mainz 1892 zuerst geübte Flachdruckverfahren, bei dem anstelle des bisher verwendeten Lithographensteins (→Lithographie) eine Aluminiumplatte benutzt wurde (bei Verwendung einer Zinkplatte →Zinkdruck).

**Alunno,** Niccolò, eigtl. N. **di Liberatore,** ital. Maler, *Foligno um 1430, † ebd. 1502, Schüler von B. GOZZOLI, malte in Umbrien und den Marken Altar- und Andachtsbilder in zeichnerisch-sensiblem Stil; später von C. CRIVELLI beeinflußt.

**Alvastra,** Ort im schwed. Län Östergötland mit den Ruinen des ersten Zisterzienserklosters (2. H. 12. Jh.) in Schweden; die Kirche, eine verkleinerte Nachbildung der Klosterkirche von Pontigny (Frankreich), war bedeutend für den schwed. Kirchenbau im MA.

**Álvares** ['alvariʃ], Baltasar, portug. Baumeister, †um 1624; wahrscheinlich Neffe und Schüler von Affonso Á., von dem der urspr. Entwurf für das Kloster S. Bento in Lissabon (heute Parlamentsgebäude) stammt, das von Á. 1598 nach eigenen Plänen beg. wurde. Er schuf zahlreiche an ital. Vorbildern orientierte barocke Jesuitenkirchen, meist Basiliken mit reich kassettierten Tonnengewölben in lebhaftem Farbwechsel von schwarzem und weißem Marmor (Kirche der Grilos in Porto, 1614 voll.; Neue Kathedrale in Coimbra, 1598 ff.).

**Álvarez** ['alβareθ], **1)** Don Manuel, span. Bildhauer, *Salamanca 1727, † Madrid 1794, war seit 1784 Direktor der Madrider Akad. und seit 1794 Hofbildhauer; v. a. von der Kunst der Antike beeinflußt, gehörte er zu den wichtigsten klassizist. Künstlern Spaniens. Von ihm stammen u. a. die Statuen der Könige Witerich und Wallia am Königl. Palast in Madrid und die Allegorien der ›Vier Jahreszeiten‹ am Apollobrunnen im Prado-Park.

**2) Á. y Bougel** [-i βouɣ'ɛl], Anibal, span. Architekt, Sohn von 5), Bruder von 3), *Rom 1810, † Madrid 5. 4. 1870; seit 1839 in Madrid tätig, dort schuf er u. a. die Paläste Sevillano und Gadivia und das Grabmonument Espejo auf dem Friedhof S. Luis.

**3) Á. y Bougel** [-i βouɣ'ɛl], José, span. Bildhauer, Sohn von 5), Bruder von 2), *Paris 2. 2. 1805, † Burgos 22. 8. 1830, schuf, beeinflußt von seinem Vater, mytholog. Statuen in klassizist. Stil (›Cupido‹; Madrid, Mus. für Moderne Kunst); war auch als Maler tätig.

**4) Á. y Catala,** Luis, span. Maler, *Monasterio del Helmo 22. 1. 1836, † Madrid 4. 10. 1901, malte v. a. figürl. Kompositionen mit histor. Themen. Auf der Pariser Weltausstellung 1889 erhielt er eine Goldmedaille für sein Werk ›Philipp II. im Escorial‹ (1869, Berlin-West, Staatl. Museen).

**5) Á. y Cubero** [-i kuβ'ɛro], José, span. Bildhauer, Vater von 2) und 3), *Priego de Córdoba 23. 4. 1768, † Madrid 26. 11. 1827; in Córdoba und Granada ausgebildet, reiste er 1799 nach Rom und Paris, 1804 erneut nach Rom, wo er sich A. CANOVA anschloß. 1816 wurde er Hofbildhauer FERDINANDS VII., 1826 Akademiedirektor in Madrid. Á. war ein klassizist. Bildhauer reinsten Stils, der sich neben mytholog. Figuren (Apollo, Venus, Diana) und Statuen (Karl IV., Maria Luise) v. a. der Porträtkunst (Büsten von Karl IV., Ferdinand VII., G. Rossini) widmete.

**Alwar,** Stadt in N-Indien, zw. Delhi und Jaipur, mit Rajputen-Palästen des 18.–19. Jh. (Palastmus.).

**Alzey,** Stadt in Rheinl.-Pf., 15 200 Ew., an der Stelle des röm. **Vicus Altiaia** (Anlage eines Kastells um 365, Reste z. T. freigelegt); Blütezeit im 14./15. Jh. Nicolaikirche mit stattl. Chor; Rathaus 1586; Burg (1126 beg.) im 15./16. Jh. durch die Pfalzgrafen schloßartig ausgebaut (zweite Residenz nach Heidelberg), 1689 zerstört, 1902 wieder aufgebaut. In jüngster Zeit große Verluste an histor. Bauten durch Abbrüche und Neubebauung.

**Amadeo, Omodeo,** Giovanni Antonio, ital. Bildhauer und Baumeister, *Pavia 1447, † Mailand 27. 8. 1522, hatte an der Übertragung des Reliefstils und der architekton. Schmuckformen der florentin. Frührenaissance nach Oberitalien führenden Anteil. Seine Cappella Colleoni in Bergamo (um 1472–77), mit plast. Ausstattung (Grabmäler), folgt hier als erste dem florentin. Zentralbau. Sein HW ist die prunkvolle Fassade der Certosa von Pavia (1481 ff.; von den Brüdern MANTEGAZZA 1473 beg.). Nach 1480 schuf er die Borromeo-Gräber auf der Isola Bella, ab 1498 den Sarkophag des Hl. Lanfranco in S. Lanfranco, Pavia.

**Amalaka** [Skt.], kissenartiger monolith. Deckstein der Türme (Sikhara) ind. Tempelbauten, symbolisiert die Verbindung mit der Götterwelt.

**Amalfi,** ital. Seebad und Erzbischofssitz am Golf von Salerno, 6400 Ew. Der Dom (dreischiffige Basilika des 11. Jh., mehrfach verändert) mit mehrfarbig verzierter Fassade und Mosaik-Giebelfeld hat ein Atrium mit Bronzetür (byzantinisch, 1066), Glockenturm (roman. Unterbau) und Kreuzgang (›Chiostro del Paradiso‹, 1266–68; arab. Stileinfluß). Auf einer Anhöhe Kreuzgang (13. Jh.) des ehem. Kapuzinerklosters.

**Amalgam** [arab. al-malgam ›erweichende Salbe‹], Lösung von Edelmetallen in Quecksilber. A. werden zur Feuervergoldung, Versilberung und früher zur Verspiegelung gebraucht.

**Aman,** Theodor, rumän. Maler, *Cimpulang (Kr. Argeş) 20. 3. 1831, † Bukarest 19. 8. 1891, gründete 1864 ebd. die Akad. der bildenden Künste. A. malte zunächst Historienbilder in detailgetreuer Wiedergabe patriot. Motive, später Landschaften und Stilleben in aufgehelltem, maler. Kolorit.

**Amanohashidate,** eine der 3 berühmten Landschaften Japans (häufig dargestellt in der japan. Kunst), etwa 100 km nördlich von Kioto an der Japansee. In der mit Pinien bewachsenen schmalen Landzunge, die die Miyasu-Bucht abschließt, sehen die Japaner die ›Himmelsbrücke‹, von der aus nach der Sage die Gottheiten Izanagi und Izanami die japan. Inseln erschufen.

**Amarante,** portug. Stadt am Tâmega, östlich von Porto, rd. 4000 Ew.; überragt vom Kloster São Gonçalo (1540–1600); in der Klosterkirche mit Azulejos verkleidete Vierungskuppel und barocke Grabkapelle des Hl. Gonçalo; in der Sakristei ›Ecce Homo‹-Gemälde von L. DE MORALES. Rundkirche São Pedro mit prachtvoller

Azulejosausstattung; dreibogige Granitbrücke (1790) mit 2 Paaren quadrat. Obelisken. Mus. de Albano Sardoeira (portug. Kunst nach 1900).

**Amarapura,** Ort südwestlich von Mandalay, Birma; war 1783–1857 Königsstadt. Die erh. palastähnl. Holzarchitektur aus riesigen, vergoldeten und lackierten Teakholzsäulen mit Glasmosaik-Dekor läßt die Pracht älterer nicht erh. Holzbauten ahnen.

**Amaravati, Amravati,** Fundstätte buddhist. Stupas der Andhra-Kunst in SO-Indien. Im 1.–3. Jh. n. Chr. war A. neben Mathura und Gandhara wichtigstes Zentrum der frühen Bildhauerkunst. Den älteren Reliefplatten mit Szenen der Buddhalegende in von Sanchi beeinflußtem Linearstil folgen dynamisch komponierte, auf Licht-Schatten-Wirkung zielende Reliefs auf Deckplatten und Zaunpfeilern sowie rundplast. Buddhafiguren des Spätstils, alle aus weißl. Kalkstein (Werke in den Museen von Madras, Kalkutta und im British Mus. London).

D. Barrett: Sculptures from A. in the British Mus. (London 1954).

**Amarna, Tell el-Amarna,** Ruinenstätte in Mittelägypten am östl. Nilufer (Karte ägyptische Kunst) der ehem. Residenz Achet-Aton (›Horizont der Sonnenscheibe‹), von →Amenophis IV. (Echnaton) nach Verlassen der bisherigen Residenz Theben im Zuge seiner Reformbestrebungen gegr. und der Sonnenscheibe (Aton) geweiht. Die Grenzen waren durch Felsinschriften mit der Gründungsurkunde bezeichnet. Da bald nach dem Tode des Königs die Stätte verlassen, nicht wieder besiedelt und überbaut wurde, ist sie trotz ihres Zerfalls eine der wenigen gut erkennbaren Stadtanlagen des alten Ägypten. Stadtzentrum, Villen der Oberschicht, eine Arbeitersiedlung, mehrere Tempel und Paläste wurden durch Ausgrabungen freigelegt. In einer Bildhauerwerkstatt fand man großartige Bildwerke, unter ihnen die bemalte Kalksteinbüste der Königin Nofretete. Die Bildwerke, Wand- und Fußbodenmalereien aus A. zeigen einen von der ägypt. Kunsttradition abweichenden Stil, der, um eine neue Körperlichkeit bemüht, expressive Züge trägt (A.-Stil). Im N und S der Residenz lagen die Nekropolen: 25 Felsengräber, viele unvollendet, mit Malereien, die v. a. Aufschluß über die königl. Familie geben.

**Amasismaler,** attischer Vasenmaler des 6. Jh. v. Chr., Rivale des Exekias, benannt nach vom Töpfer Amasis signierten Gefäßen, vielleicht mit diesem identisch; malte in schwarzfiguriger Technik, detailreich, dekorativ, oft etwas kleinteilig. Lieblingsthemen im dionys. Bereich.

**Amasya, Amasia,** türk. Provinzhauptstadt im nördl. Inneranatolien, 48 000 Ew.; am Burgberg der in Resten erh. Zitadelle aus hellenist. wie osman. Zeit Felsgräber der Könige des Pont. Reiches (3. und 2. Jh. v. Chr.); aus seldschuk. Zeit 2 Moscheen: die Burmali-Camii (erbaut um 1242) und die Gök-Medrese-Camii (erbaut 1276) – längsgerichtete dreischiffige Hallen mit Pfeilerstützen für die Kuppeln; aus frühosman. Zeit

v. a. die Moschee des Sultan BEYAZIT (erbaut 1486) und die Moschee des BEYAZIT PASCHA (erbaut 1410) mit T-förmigem Grundriß. Bed. ist die osman. Kapi Ağa Medresi (erbaut 1488) mit oktogonaler Anlage.

**Amausen** [von frz. émaux, Mz. von émail], ma. Name für Email, künstl. Edelsteine aus Glas, Glaspasten und farbige Metallegierungen.

**Amazonen,** grch. **Amazones,** grch. Mythos: krieger. Frauenvolk in Asien; die A. verkehrten mit Männern benachbarter Völker nur einmal im Jahr und behielten nur die Mädchen, die sie zum Krieg erzogen. Zur Erleichterung des Bogenschießens brannten sie sich die rechte Brust aus. Gegen die A. kämpften siegreich Herakles mit den Dioskuren, Theseus, Bellerophon, Achill, Jason und Dionysos. Als histor. Urbilder dürfen Auseinandersetzungen mit matriarchal. Stämmen (etwa mit nachweislich krieger. Sarmatenfrauen in Südrußland) vermutet werden. In Athen wurden die A. kultisch verehrt. – A. wurden zunächst als behelmte, gerüstete Kriegerinnen, dann in dünnen, hochgegürteten Gewändern, mit Pfeil und Bogen und oft zu Pferde dargestellt. Thematisch bevorzugt waren v. a. Schlachten und Motive mit Achill und Herakles, zunehmend seit 700 v. Chr. auf grch. Vasen, Reliefs und Malereien, auf röm. Wandbildern und auf Sarkophagen. Von den im Wettstreit für Ephesos geschaffenen A.-Statuen des PHIDIAS, POLYKLET, KRESILAS und PHRADMON sind zahlreiche röm. Kopien erhalten, so der A. wohl des Polyklet (Rom, Kapitolin. Museen). Im MA. hat sich das Motiv der A.-Schlachten u. a. auf Elfenbeinreliefs bewahrt. Auch in der Neuzeit wurden A. auf zahlreichen Gemälden (P. P. RUBENS, A. FEUERBACH, O. KOKOSCHKA) und plastisch (F. VON STUCK) dargestellt.

**Amber, Amer,** Palastanlage und Festung in N-Indien, bei Jaipur (beg. 1600). Die reich dekorierten Palastbauten (Marmor und Stuck, Spiegelintarsien) und Gartenanlagen bezeugen den indo-islam. Stil der hinduist. Rajputen zur Mogulzeit.

**Amberg,** Stadt in der Oberpfalz, Bayern, 47 000 Ew.; St. Martin (1421–83) ist die bedeutendste got. Kirche der Oberpfalz; Georgskirche (14. Jh., 1718–23 von J. B. ZIMMERMANN barockisiert); im ehem. Jesuitenkolleg Kongregationssaal mit Kassettendecke (1678). W. DIENTZENHOFER erbaute die Dt. Schulkirche (1699 gew.) und die Wallfahrtskirche Mariahilf (1697–1711, Stuck von G. B. CARLONE, Fresken von C. D. ASAM). Stadtbefestigung mit charakterist. Toren; spätgot. Rathaus (14.–16. Jh.); Kanzleibau (16.–18. Jh.). Heimatmus. (Fayencen der 1759 gegr. Amberger Manufaktur, Möbel, got. Hauskapelle).

**Amberger,** Christoph, Maler, *um 1505, † Augsburg 1561/62, bildete sich an H. BURGKMAIR D. Ä., H. HOLBEIN D. J. und der venezian. Malerei. Bed. sind seine treffend gemalten Porträts: Karl V. (Berlin-West, Staatl. Museen), K. Peutinger (Augsburg, Städt. Kunstsammlungen), Christoph Fugger (1541; München, Alte Pinakothek), Sebastian Münster (1552; Berlin-West, Staatl. Museen).

**WW:** Maria mit dem Kind und den Hll. Ulrich und Afra (1554; Augsburg, Dom); Christus und die klugen und törichten Jungfrauen (1560; Augsburg, St. Annakirche).

**Amberger Gelb,** →Erdfarbe, sehr heller Ocker.

**Ambiente-Kunst,** Raumgestaltungen in der →zeitgenössischen Kunst, →Environment.

**Ambika** [Skt. ›Mutter‹], Göttin des Hinduismus (Erscheinungsform der Devi) und des Jinismus. Ihr Symboltier (Vahana) ist der Löwe.

**Ambitus** [lat.], **1)** Chorumgang, **2)** Kreuzgang bei Klosteranlagen, **3)** freier Raum zw. den Außenwänden einer Kirche und der Ummauerung oder den umstehenden Gebäuden.

**Ambo** [grch.] *der, Mz.* **Ambonen,** in der frühchristl. und roman. Baukunst ein vor den Chorschranken errichteter steinerner, bühnenartiger Aufbau, häufig mit 2 Lesepulten für die Epistel auf der S-Seite (bei geosteten Kirchen) oder des Evangeliums an der N-Seite, dieses häufig reicher dekoriert. Der Aufgang zum A. war i. d. R. von O oder auch über symmetr. Treppenanlagen zu beiden Seiten. Viele Beispiele gibt es in S- und Mittelitalien. In Dtl. hat sich der von Kaiser HEINRICH II. (1002–24) gestiftete A. in Aachen (Münster) erhalten.

**Ambo;** 12. Jh. (Rom, Santa Maria in Cosmedin)

**Amboise** [ãbw'a:z], frz. Stadt, 10700 Ew., mit einem der schönsten Schlösser an der Loire. Nur noch einige Teile des urspr. viermal so großen Bauwerks sind erhalten, u. a. die gewaltigen Rundtürme ›Tour des Minimes‹ und ›Tour Hurtault‹, das ›Logis du Roi‹ mit spätgot. Fassade (Ende des 15. Jh. von KARL VIII. erbaut) und die got. Kapelle St. Hubert (Ruhestätte LEONARDO DA VINCIS).

**Ambras,** Schloß im S von Innsbruck, Tirol, Österreich, 1561 von Kaiser FERDINAND I. für seinen zweiten Sohn FERDINAND erworben, der es seiner Frau PHILIPPINE WELSER gab und zu einem weitläufigen Renaissance-Prunkschloß umbaute; u. a. Spanischer Saal (1570/71) mit gut erh. Kassettendecke und Intarsiatüren. Die von Ferdinand angelegten wertvollen Ambraser Samml. (Bibliothek, Kunst- und Rüstkammer) kamen 1806 großenteils nach Wien. Rüstkammer in neuer Aufstellung 1981 eröffnet.

**Ambrosi,** Gustinus, österr. Bildhauer, * Eisenstadt 24. 2. 1893, † (Selbstmord) Wien 1. 7. 1975, seit seinem 7. Jahr taub; schuf naturalist. Porträtbüsten und Kolossalskulpturen in Anlehnung an MICHELANGELO.

**Ambrosiana, Biblioteca A.** und **Pinacoteca A.,** Mailand, Bibliothek und Gemäldesamml., 1609 von Kardinal F. BORROMEO gegr., benannt nach dem lat. Kirchenlehrer und Bischof von Mailand AMBROSIUS. Die Bibliothek enthält zahlreiche grch. und oriental. Hss., die Pinakothek u.a. den ›Codex Atlanticus‹ mit Hss. und Zeichnungen von LEONARDO DA VINCI.

**Ambrosius,** lat. Kirchenlehrer, *Trier um 340, † Mailand 4. 4. 397, seit 374 Bischof von Mailand. In seiner Mailänder Titelkirche S. Ambrogio (→Mailand) ist seine Lebensgeschichte auf dem Goldaltar des →Wolvinius wiedergegeben. Im späteren MA. wird A. häufig mit den drei anderen lat. Kirchenlehrern als Bischof dargestellt.

**Amelungsborn,** ehem. Zisterzienserabtei (1129 gegr.), bei Stadtoldendorf, Ndsachs.; Mutterkloster von Doberan/Mecklenburg. Kirche mit roman. Langhaus (um 1150 als flachgedeckte Basilika mit Stützenwechsel erbaut) und got. Chor (1. H. 14. Jh.).

**Am Ende,** Hans, Maler, Radierer und Bildhauer, *Trier 31. 12. 1864, † Stettin 9. 7. 1918, seit 1889 im Worpsweder Malerkreis, schuf Landschaften, Studienköpfe und Plastiken.

R. M. RILKE: Worpswede (1903).

**Amenophis III.,** ägypt. König der 18. Dynastie (etwa 1402–1364 v. Chr.), neben RAMSES II. der bedeutendste Bauherr Ägyptens. Von seinen zahlreichen Tempelbauten ist die Anlage in →Luxor am besten erhalten, während von seinem gewaltigen Totentempel auf dem Westufer von Theben nur die beiden Memnonskolosse übrigblieben. Aus seinem Palast in →Molgata stammen Wandmalereien und reich bemalte Gefäße; auch sein Grab im Tal der Könige ist mit Malerei geschmückt, während die Gräber seiner Beamten, ebenfalls in Theben-West, mit einigen der schönsten Reliefs des Neuen Reiches geschmückt sind.

**Amenophis IV.,** ägypt. König der 18. Dynastie (etwa 1364–1347 v. Chr.), nahm den Namen ECHNATON (Verkündigung des alleinigen Gottes Aton) an. Seine Zeit (Amarnazeit, nach der neuen Residenz in →Amarna) bedeutet in der ägypt. Kunstgeschichte einen tiefen Einschnitt: Dem bisherigen strengen Stil wurden jetzt weiche, fließende, z. T. auch expressiv übersteigerte Formen entgegengesetzt, die in der folgenden Ramessidenzeit gemildert weiterwirkten. In seinen Bauten wandte er sich gegen die Tendenz zu kolossalen Ausmaßen und bevorzugte kleinformatige Blöcke (→Talatat).

**Amer,** Palastanlage in Indien, →Amber.

**American Scene** [əm'erıkən si: n], amerikan. Male-

**American Scene:** Edward Hopper, ›Haus am Bahndamm‹; 1925 (New York, Museum of Modern Art)

rei der 1920er und 30er Jahre mit wirklichkeitsgetreuen bis scharf pointierten Darstellungen spezifisch nordamerikan. Motive (T. H. BENTON, *1889, †1975; C. BURCHFIELD, *1893, †1967; E. HOPPER; G. WOOD u.a.). Da diese Maler auch die Charakteristika der jeweiligen Region, in der sie lebten, schilderten, hießen sie auch **Regionalisten.**

**Amẹrighi,** Michelangelo, ital. Maler, →Caravaggio.

**Amerling,** Friedrich von, österr. Maler, *Wien 14. 4. 1803, †ebd. 15. 1. 1887, Schüler von T. LAWRENCE in London und H. VERNET in Paris. 1830–45 malte A. im Stil von Lawrence Porträts der österr. Aristokratie, die ihn bevorzugte. Bedeutender als diese Werke sind seine charaktervollen, sachl. Bürgerporträts.

**Ạmersfoort,** Stadt in der niederländ. Prov. Utrecht, 88 500 Ew., mit 2 ma. Mauerringen, der ältere z. T. überbaut (›Muurhuizen‹), der jüngere u.a. mit ›Koppeltor‹ (um 1400) über der Eem. Im Mittelpunkt der Altstadt die dreischiffige got. St.-Joris-Kirche (14./15. Jh.) mit im Südschiff eingebautem roman. Turm (12. Jh.); reich verzierter spätgot. Lettner aus Sandstein (um 1480). Einer der bedeutendsten Türme der niederländ. Spätgotik ist der Turm (15. Jh.) der nach einer Explosion 1787 abgebrochenen Liebfrauenkirche. Viele Bürgerhäuser des 16./17. Jh., bes. das spätgot. ›Kapelhuis‹ mit Treppengiebel (1500) und das Haus ›Onder de Linden‹ (1530).

**Amethỵst** [grch. ›dem Rausch widerstehend‹], violetter Schmuckstein. Hauptfundorte sind Brasilien, Uruguay, Madagaskar u.a. A. soll in der Brustplatte des bibl. Hohepriesters enthalten gewesen sein; in Ägypten wurde er zu Siegelsteinen, Skarabäen, Schalen und Statuetten verarbeitet, in der Antike vielfach graviert. Im MA. wurde er v.a. als Schmuckstein an kirchl. Gerät und für den Bischofsring verwendet.

**Amiatịnus, Codex A.** (Florenz, Bibl. Laurenziana), frühe Bibel-Hs. mit vorgebundener Miniaturenfolge;

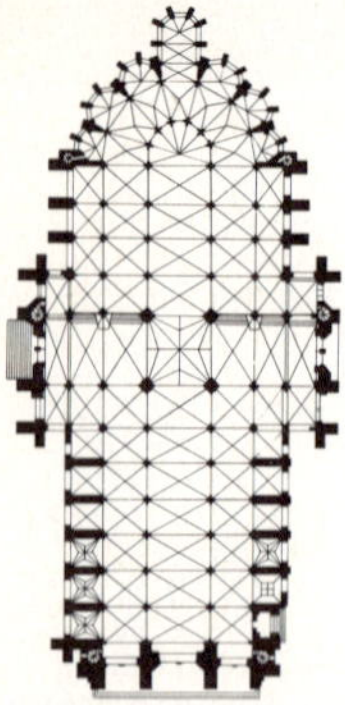

**Amiens:** Grundriß der Kathedrale

benannt nach dem ehem. Aufbewahrungsort, der Abtei S. Salvatore auf dem Monte Amiato bei Siena. Auftraggeber war der northumbrische Abt CEOLFRID (690–715, deshalb um 700 datiert). Die Miniaturen sind die frühest erhaltenen, die spätantike Bildformen in den N weitergeben. Berühmt wegen ihrer maler. Realistik ist die Titelminiatur des vor einem Bücherschrank schreibenden Propheten Ezra.

**Amida** [jap. Bez. des →Amitabha], Zentralfigur der buddhist. Malerei und Skulptur der japan. Heian-Zeit (794–1185), meist als **A.-Raigo** (der Herabkommende); auch als **Yamagoshi-No-A.** (über die Berge kommend) dargestellt; häufig auch als Trinität mit Seishi und Kannon, der den Lotossitz für die Seele des Verstorbenen trägt.

**Amiens** [amj'ɛ̃], frz. Stadt (130400 Ew.) und Bischofssitz in der Picardie. Die Kathedrale Notre-Dame, eine der formvollendetsten und größten Frankreichs (nach dem Brand von 1218 seit 1220 umgebaut als dreischiffige Basilika mit fünfschiffigem Chor und im O herausgeschobener Marienkapelle), zählt mit über 3600 Skulpturen (bes. an der W-Fassade, um 1236 voll.; N-Turm um 1370 und S-Turm um 1410) zu den figurenreichsten got. Bauwerken Frankreichs (u. a. ›Vierge Dorée‹, von Engeln umschwebte Goldene Madonna am Mittelpfeiler des Querhaus-Südportals). Im Inneren u. a. Chorgestühl (16. Jh.), Eisengitter (18. Jh.). Daneben besitzt A. im ›Musée de Picardie‹ eine Gemäldesamml., u. a. mit 15 Bildern (15.–16. Jh.) des PUY NOTRE-DAME D'AMIENS (fromme Bruderschaft, die Dichter- und Malerwettbewerbe veranstaltete). Église St. Germain (15. Jh.), Hôtel de Ville (17. Jh.).

**Amiet** ['amiɛt], Cuno, schweizer. Maler und Graphiker. *Solothurn 28. 3. 1868, † Oschwand bei Riedtwil (Kt. Bern) 6. 7. 1961, lernte bei F. BUCHSER in Feldbrunnen, dann in München und Paris, seit 1906 Mitgl. der

**Cuno Amiet:** Die gelben Mädchen; 1931 (Bern, Kunstmuseum)

Künstlergemeinschaft Brücke. Eindrücke, die er bei den Malern von Pont-Aven empfing, und das Vorbild F. HODLERS wurden bestimmend für den kraftvollen Stil seiner Landschaften, figuralen Kompositionen und Porträts in starken Farben. Auch Wandbilder in den Loggien der Kunsthalle in Zürich u. a.

M. HUGGLER: C. A. (1972); C. A. und die Maler der Brücke, Ausst.-Kat., Zürich (1979).

**Amigoni,** Jacopo, ital. Maler, *Neapel 1682, † Madrid 1752, ausgebildet in Venedig, malte für dt. Schlösser und Kirchen Deckenbilder (Ottobeuren, Nymphenburg, Schleißheim) und Altargemälde (Augsburg, Benediktbeuern u. a.); er war 1729–39 in London tätig, hier bes. auch als Porträtist, danach in Venedig, seit 1747 Hofmaler in Madrid. A. gehört zu den bedeutendsten venezian. Rokokomalern.

**Amir Hamza, Amir Ambyah, Menak,** Ritter aus Mekka und Held des nach ihm benannten muslim. Sagen-Zyklus, eine Figur v. a. im Stabpuppenspiel (Wayang Golek), aber auch in anderen Wayang-Medien, bes. in Mitteljava.

**Amitabha** [Skt.], Meditationsbuddha des Mahayana- und Tantra-Buddhismus, Herr des ›westlichen Paradieses‹ im →Mandala. Seine Symbolfarbe ist Rot, sein Symboltier der Pfau.

**Amlasch,** Ort in Iran südwestlich des Kasp. Meeres (KARTE Alter Orient); in seiner Nähe lag vermutlich das Zentrum einer Kultur, die mit der Produktion von Bronzegeräten und Keramikgefäßen in Tierform (oft Buckelrinder), häufig rot bemalt, verbunden wird und zu der auch die Fürstennekropole von →Marlik Tepe zu rechnen ist. Datierung: etwa Ende 2./Anfang 1. Jahrtsd. v. Chr.

**Amman,** Hauptstadt von Jordanien, 776 000 Ew., im Wadi A. und einem Nebental gelegen; seit vorgeschichtl. Zeit besiedelt, in hellenist. Zeit nach dem Ptolemäer PHILADELPHOS in Philadelphia umbenannt. Baureste aus dem 1.–3. Jh. sind das röm. Amphitheater, eine Nekropole, eine frühchristl. Basilika u. a. Aus früharab. Zeit sind v. a. Reste eines im Inneren reich dekorierten kreuzförm. Torbaus auf der Zitadelle erhalten.

**Amman(n),** Jost, Zeichner für den Holzschnitt und Kupferstecher, getauft Zürich 13. 6. 1539, † Nürnberg 17. 3. 1591, schuf in Nürnberg seit etwa 1560 (in manierist. Stil) zahlreiche, für das Leben seiner Zeit aufschlußreiche Holzschnittillustrationen.

HW: Bibel (1564–79); Beschreibung aller Stände (1568, mit Reimen von H. SACHS); Frauentrachtenbuch (1586); Wappen- und Stammbuch (1589).

A. ANDRESEN: J. A. Graphiker und Buchillustrator der Renaissance (1973).

**Ammanati, Ammannati,** Bartolomeo, ital. Baumeister und Bildhauer, *Settignano bei Florenz 18. 6. 1511, † Florenz 22. 4. 1592, einer der führenden Künstler des florentin. Manierismus, als Bildhauer Schüler B. BANDINELLIS in Florenz und J. SANSOVINOS in Venedig, von MICHELANGELO stark beeinflußt; als Architekt erst seit etwa 1550 tätig.

**Bartolomeo Ammanati:** Nymphe von der Fontana del Nettuno auf der Piazza della Signoria, Florenz; 1571–75

**Bauten:** in Florenz: Gartenfront des Palazzo Pitti (1558–70), Brücke della Trinità (1567, nach Zerstörung im 2. Weltkrieg wiederaufgebaut), Palazzo Grifoni, Palazzo Guigni; ferner in Rom: Palazzo Ruspoli, Villa Giulia (mit G. VIGNOLA); in Lucca: Palazzo Ducale (unvoll.). – **Bildwerke:** Brunnen in Florenz: Fontana del Nettuno, Piazza della Signoria (1571–75), Brunnen für die Sala dei Cinquecento im Palazzo Vecchio (1555–63; einzelne Statuen im Bargello und im Boboli-Garten); Grabdenkmäler; Kleinbronzen.

**Ammedara,** röm. Stadt in Tunesien, bei →Haidra.

**Amnissos,** minoische Stadt an der Nordküste Kretas, östlich von Heraklion (KARTE kretisch-mykenische Kunst), nur zu kleinen Teilen freigelegt. Vollständig ausgegraben wurden die Reste eines vornehmen Hauses, der ›Lilienvilla‹ (nach einem Lilienfresko aus dem 16. Jh. v. Chr.). A. war auch noch in der griechisch-dorischen Epoche Kretas von Bedeutung (Reste eines Heiligtums). – Etwas landeinwärts liegt die von Homer (Odyssee 19, 188) erwähnte Eileithyia-Höhle, eine Tropfsteinhöhle mit natürl. Kultmal. Keramikfunde reichen vom Neolithikum bis in frühchristl. Zeit.

**Amor,** lat. Name des grch. Liebesgottes →Eros.

**Amorbach,** Stadt im Odenwald (Bayern), 4500 Ew., mit ehem. Benediktinerabtei (734 gegr.); Klosterkirche 1742–47 von M. v. WELSCH erbaut, von bed. Künstlern (J. G. ÜBLHÖR, J. M. FEUCHTMAYER, M. GÜNTHER, J. W. V. D. AUWERA) ausgestattet, hervorragende schmiedeeiserne Gitter, bed. Stumm-Orgel; Klostergebäude (1782–99) mit Bibliothek und Grünem Saal. Gangolfskirche (1752–54) nach Vorbild der Mainzer Peterskirche; maler. Marktplatz; Fürstlich Leiningensche Samml. in der Kurmainzischen Amtskellerei.

**Amoretten** [ital.], den antiken Eroten nachgebildete geflügelte Kindergestalten, sinnverwandt mit Putto.

**amorph** [grch.], form-, gestaltlos.

**Ampel** [aus lat. ampulla ›Fläschchen‹] *die,* Hängeleuchte aus Ton oder Bronze zum Brennen von Öl; seit der Spätantike in Gebrauch (viele Exemplare aus den Katakomben erhalten; roman. Bronzeampel im Dom von Erfurt). Im MA. durch mit Kerzen bestückte →Leuchten verdrängt. A. sind bis heute als ›Ewiges Licht‹ vor dem Altar in Gebrauch. Über die A. im islam. Bereich →Moscheeampel.

**Amphiaraos,** grch. Mythos: ein grch. Heros, der als Seher den unglückl. Ausgang des Zuges der →Sieben gegen Theben vorauswußte; er wollte deshalb nicht mitziehen und verbarg sich. Seine mit der Kette der Harmonia bestochene Gemahlin Eriphyle verriet ihn und verursachte dadurch seinen Tod. Nach der Niederlage wurde er von der Erde verschlungen, erhielt jedoch Unsterblichkeit als Gott in der Unterwelt. A. wurde in vielen Kultstätten als Heilgott verehrt, u.a. bei →Oropos **(Amphiareion).** Darstellungen sind bereits im 7. und 6. Jh. v. Chr. auf grch. Vasen und Reliefs (**A.-Krater:** Ausfahrt des zum Kampf gegen Theben gerüsteten A. mit abschiednehmendem Sohn und Frauen, um 560 v. Chr., Berlin, Staatl. Museum, verschollen) und auf etrusk. Denkmälern nachweisbar.

**Amphion** und **Zethos,** grch. Mythos: Zwillingssöhne des Zeus und der Antiope (theban. Dioskuren gen.), als Kinder ausgesetzt, von Hirten erzogen, A. zum Lyraspieler, Z. zum Athleten, Jäger und Hirten. Nach ihrer Rache an Antiopes Oheim Lykos und dessen grausamer Gemahlin Dirke übernahmen sie die Herrschaft von Theben und umgaben die Stadt mit Mauern, Z. mit phys. Kraft, A. mit seinen die Steine bewegenden Lyraklängen. Sie personifizierten in der Antike polare Lebensweisen.

Darstellungen lassen sich in der grch. Vasenmalerei, der hellenist., etrusk. und röm. Kunst und auch wieder in der Neuzeit (G. B. TIEPOLO) nachweisen. Wie A. und Z. Dirke an einen Stier binden, um sie zu Tode schleifen zu lassen, zeigt die Marmorgruppe des ›Farnesischen Stiers‹ (Kopie aus röm. Kaiserzeit nach einem späthellenist. Vorbild, Neapel, Archäolog. Nat.-Mus.).

**Amphiprostylos** [grch.], grch. Tempel mit offener viersäuliger Vor- und Rückhalle.

**Amphitheater** [grch.], Theater der Römer mit ellipt. Arena und rings umlaufenden Sitzbänken, bestimmt für Tierhetzen und Gladiatorenkämpfe. Das älteste erhaltene A. wurde um 70 v. Chr. in Pompeji gebaut und faßte etwa 20000 Menschen. In Rom wurde nach anfängl. Holzbauten das erste steinerne A. 29 v. Chr. errichtet. Das gewaltigste und vollendetste A. ist das →Kolosseum in Rom, das rd. 50000 Zuschauer faßte. Röm. A. sind in Italien, Dtl. (Trier), Frankreich, Spanien, Nordafrika und Kleinasien gut oder z. T. erhalten.

**Amphitrite,** grch. Mythos: Herrin des Meeres, Tochter des Nereus oder Okeanos und Gemahlin des Poseidon, Mutter u.a. des Triton. Als Herrin des Meeres wurde A. stets zus. mit Poseidon kultisch verehrt.

Zahlreiche Darstellungen in der Antike und Neuzeit zeigen A. und Poseidon nebeneinander thronend in einem von Delphinen gezogenen Muschelwagen, oft von Triton begleitet und von Meerwesen umgeben, v. a. auf röm. Reliefs und Wandbildern (Pompeji) und auf neuzeitl. Gemälden (P. P. RUBENS, N. POUSSIN, G. B. TIEPOLO, R. DUFY).

**Amphora, Amphore** [grch.] *die,* in der grch. Antike ein bauchiger Krug aus gebranntem Ton mit engem Hals und 2 Henkeln, die entweder am Hals **(Hals-A.)** oder am Bauch **(Bauch-A.)** befestigt waren. A. wurden als Vorratsgefäß, v.a. für Wein und Öl, verwendet. (BILD Vasen)

**Ampurias,** grch. **Emporion,** lat. **Emporiae,** grch. Kolonie am Golf de Rosas (Katalonien, Spanien), in der 1. H. des 6. Jh. v. Chr. gegr., 209 v. Chr. von den Römern erobert und zu einem bed. Flottenstützpunkt ausgebaut. Ausgrabungen erbrachten Reste der älteren Zeit, v. a. grch. Gefäße des 6.–4. Jh. v. Chr. aus den Nekropolen. Von der am Meer gelegenen hellenist. Stadt wurden Tempel, mosaikgeschmückte Häuser und Villen freigelegt. Etwas landeinwärts war ein röm. Quartier (Mauerreste erhalten). Die Funde befinden sich am Ausgrabungsort A. sowie in den Museen von Barcelona und Gerona.

**Amrit,** die Ruinenstätte des antiken **Marathos,** an der phönik. Küste, 10 km südlich von Tartus (Syrien). Die wichtigsten Reste aus spätphönik. Zeit bestehen aus Felsengräbern, einem großen Stadion und einem Amphitheater. Den Mittelpunkt des Ortes bildete einst der Tempel mit einem auf 3 Seiten von Felswänden umschlossenen Hof (55 × 48 m), in dessen Mitte ein Felswürfel (5,5 m im Geviert) steht, der einen aus 4 Blöcken gefügten Bau trägt. – Vier schlanke, zylinder- oder pyramidenförmige Grabmäler heißen die ›Spindeln‹, ein anderes von 11 m Höhe der ›Schneckenturm‹.

**Amritsar,** Stadt in NW-Indien, im Pandschab, 433 000 Ew.; seit dem 16. Jh. relig. Zentrum und Pilgerort der Sikhs. Der in einem künstl. Teich gelegene ›Goldene Tempel‹ (Darbar Sahib) wurde 1762 zerstört, 1764 wiedererrichtet und Anf. 19. Jh. mit vergoldeten Kupferplatten verkleidet.

**Amsler,** Samuel, schweizer. Kupferstecher, *Schinznach (Kt. Aargau) 17. 12. 1791, † München 18. 5. 1849 als Prof. an der Akad. (seit 1829), schuf Stiche nach B. THORVALDSEN, RAFFAEL, J. F. OVERBECK und zeichnete Porträts von Zeitgenossen (P. v. CORNELIUS, J. A. KOCH, F. RÜCKERT, HENRIETTE HERTZ).

**Amsoldingen,** Gem. im schweizer. Kt. Bern, nahe dem Thuner See; Propsteikirche St. Mauritius, um 1000 nach lombard. Vorbild als flachgedeckte dreischiffige Pfeilerbasilika erbaut, unter dem Chor Hallenkrypta.

**Amstel,** Jan van, niederländ. Maler, 1528 in Antwerpen nachweisbar, † ebd. nach 1536, wird als Vorläufer von P. BRUEGEL D. Ä. genannt, doch sind keine Gemälde sicher als seine Werke überliefert; gelegentlich mit dem →Braunschweiger Monogrammisten identifiziert.

**Amsterdam,** Hauptstadt (aber nicht ständige Residenz) der Niederlande, in der Prov. Nordholland,

758 000 Ew.; entstand an dem Damm, der die Amstel vom Ij abschloß; um 1300 Stadtrecht, im 14./15. Jh. Ausdehnung bis zum Singel im W und Oude Schans im O; im 17. Jh. Blütezeit als Handelsstadt in der Nachfolge Antwerpens. Von der Ummauerung sind u. a. die Türme ›Schreierstoren‹, ›Munttoren‹ (1490), ›Montelbaanstoren‹ (Anf. 16. Jh.) erh.; Tor ›St. Anthonispoort‹ (1488), zur Waage umgebaut (1617). Den Mittelpunkt der Altstadt bildet der ›Dam‹ mit dem monumentalen Königl. Palast, 1648 nach Entwurf von J. VAN KAMPEN als Rathaus beg.(BILD J. van Kampen), das HW des niederländ. Klassizismus, der Einflüsse der ital. Renaissance und des frz. Palastbaus des 17. Jh. verarbeitet; reicher Skulpturenschmuck von A. QUELLINUS und R. VERHULST, Malereien von G. FLINCK, J. JORDAENS, J. LIEVENS, J. OVENS u. a. Dem Palast benachbart die Nieuwe Kerk, eine spätgot. kreuzförmige Basilika mit Chorumgang (Ende 14. Jh. beg., nach Brand 1645 wiederhergestellt); im Chor prächtiges Marmorgrabmal des Admirals M. de Ruyter von Verhulst (1681). Die älteste Kirche ist die Oude Kerk, urspr. Hallenkirche (14. Jh., Turm um 1300), Anf. 16. Jh. mit Hilfe eines imposanten Stützsystems aus Holz zur Basilika umgebaut; zahlreiche Epitaphien, darunter 2 von Verhulst, 2 Gemälde von E. DE WITTE.

Die erste nach der Reformation erbaute Kirche in A. ist die Zuiderkerk (1603–11) von H. DE KEYSER, Beispiel für den Typ der Predigerkirche. Ebenfalls von de Keyser und der Zuiderkerk im Grundriß sehr ähnlich ist die Westerkerk (beg. 1620), die größte Renaissancekirche der Niederlande, mit dem höchsten Turm der Stadt (voll. 1638); Kanzel und Portale mit Schnitzarbeiten, an der Orgel (1682) Malereien von G. DE LAIRESSE. Auch die Noorderkerk (1620–23) stammt vermutlich von de Keyser. Nahe der Oude Kerk ist in einem Wohnhaus eine typ., 1661–63 eingebaute ›Versteckkirche‹ (Kirche, in der die Katholiken geheime Gottesdienste abhielten) erh. Von den Synagogen beeindruckt bes. die Portugies. Synagoge (1671–75 von D. STALPAERT und E. BOUMAN) mit originaler Ausstattung. Unter den Kirchenbauten des 19. Jh. ragen heraus die Moses- und Aaronkirche mit klassizist. Tempelportal (1837–41 von T. F. SUYS) und die originelle neugot. ›Vondelkerk‹ von P. CUYPERS (1870–80).

Die Häuser um den 1346 gegr. Beginenhof stammen aus dem 16. und 17. Jh. Am geschlossensten ist die histor. Bebauung mit zahlreichen schönen Bürgerhäusern an der Herengracht (angelegt 1585), Keizersgracht (1593) und Prinsengracht (1622) erh. Aus der Fülle wertvoller Profanbauten bes. bemerkenswert ›Wijnkopersgildehuis‹ (1611), ›Burgerweeshuis‹ mit reichem Renaissanceportal (1581), das monumentale ›Trippenhuis‹ (1622), ›Rembrandthuis‹ (1606, Mus.). Im 19. Jh. entstand im Neurenaissancestil u. a. das ›Concertgebouw‹ (1888). Am Anfang der modernen Baukunst steht die Börse (1898–1903) von H. P. BERLAGE mit Jugendstilornamentik im Innern. Architekturhistorisch wichtig sind die modernen Wohnviertel im Stil der ›Amsterdamer Schule‹, so Henriette Ronnerplein und J. Vermeerplein von M. DE KLERK, Mercatorplein und

Amun

Transvaalviertel von Berlage u.a. A. hat viele Museen, so das →Rijksmuseum, Stedelijk Museum (moderne Kunst), Rijksmuseum Vincent van Gogh, Allard Pierson Museum (archäolog. Mus.).

**Amun, Ammon, Amon,** ein urspr. von den Flußschiffern verehrter ägypt. Windgott. Von der 11. Dynastie nach Theben verpflanzt, wuchs er hier mit dem Sonnengott zu A.-Re zus. und wurde mit dem Aufstieg der Stadt Götterkönig und Reichsgott. Dargestellt wurde er in Menschengestalt und einer mit 2 Federn geschmückten Krone. Den Griechen und Römern war er als Gott der Oase Siwa und ihrer Orakelstätte vertraut und galt als Zeus-Jupiter-Ammon ihrem höchsten Gott gleich.

**Amyklä,** Heiligtum des Apollon Amyklaios, südl. von Sparta (Griechenland). Bekannt war das Heiligtum durch den **Amykläischen Thron,** ein mit reichem Bildschmuck versehenes, gegen Ende des 6. Jh. v. Chr. von BATHYKLES VON MAGNESIA errichtetes thronähnl. Bauwerk, das der 13–14 m hohen archaischen Statue Apolls als Basis oder Umrahmung diente.

**Anadarko** [ænəd'ɑːkəʊ], Stadt in Oklahoma, USA, 6700 Ew., mit vielen indian. Einrichtungen: Southern Plains Indian Museum and Crafts Center (Ausstellung und Verkauf von Kunstwerken der Plains-Indianer), National Hall of Fame for Famous American Indians (Freilichtmus. mit Bronzebüsten berühmter Indianer); Indian City (Nachbildung einer Indianersiedlung aus der Zeit vor Ankunft der Weißen).

**Anagni** [-ɲi], Stadt und Bischofssitz in Mittelitalien (Prov. Frosinone), 10000 Ew., mit Bauten des MA., v.a. der roman. Dom (1077–1104; Querhaus um 1209; Campanile, 12. Jh.) mit Mosaikfußboden der Cosmaten (1227) im dreischiffigen Inneren und in der Krypta, Freskenzyklus (13. Jh.), roman. Ciborium auf 4 Säulen, Osterleuchter (13. Jh.), Bischofsthron (1263).

**Anahita** [altiran. ›die Makellose‹], Wasser-, Fruchtbarkeits- und Liebesgöttin in der zarathustr. Religion. A. wird als adelige hochgegürtete Jungfrau mit goldglänzendem Bibermantel, Hermelinpelz, Diadem und Juwelen geschildert. Auf sassanid. Felsreliefs (→Taq-e Bostan) wird sie zus. mit →Ahura Masda dargestellt, wie sie dem Sassanidenkönig PEROZ den Ring der Herrschaft überreicht.

**Analytische Malerei,** Kunstrichtung der 1970er Jahre, die Grundlagenforschung der Malerei betreibt und die Malerei selbst als ihr Thema versteht. Format, Malgrund, Farben u.a. werden im Bild kontrollierbar gemacht (L. CANE, G. ZAPPETTINI).

Geplante Malerei, Ausst.-Kat., Münster (1978).

**Anamorphose,** Malerei: verzerrte Darstellung eines Gegenstandes durch perspektiv. Gesetzmäßigkeiten, die den Bildwinkel und damit den Abbildungsmaßstab in nur einer Richtung ändern (zumeist in der Horizontalen). Dadurch erscheint die A. auch nur unter einem best. Sichtwinkel unverzerrt.

J. ELFFERS u.a.: A. (a.d. Niederländ., 1976).

**Anamur,** Stadt in der Türkei, am südl. Ausläufer des Taurusgebirges, unweit der Mittelmeerküste mit zahlreichen Ruinen der in der Antike bed. Stadt **Anamurion;** u. a. Reste der Stadtummauerung, zweier Theater, eines Odeions und von Aquädukten; auf dem ausgedehnten röm. Begräbnisplatz malereigeschmückte Grabhäuser mit Tonnengewölben. Auf einer Landzunge am Meer liegt das gewaltige von Mauern mit Türmen umgebene Schloß A. (13. Jh. n. Chr.).

**Ananda-Pagode,** Pagode in →Pagan, Birma.

**Anastasis** [grch. ›Auferstehung‹], →Höllenfahrt Christi.

**Anastylose** [grch.], Denkmalpflege: Wiederaufrichtung zusammengestürzter Hausteinbauten, v. a. grch. Tempel unter Verwendung vorhandener Bauteile auf urspr. Fundament. Die A. strebt keine Wiedergewinnung des ehemals intakten Baudenkmals an, sondern versucht, die Originalreste in einen erkennbaren Zusammenhang zurückzuführen.

**Anat,** syrische Göttin der Fruchtbarkeit und des Krieges, ›Schwester‹ und Gemahlin des Wettergottes Baal. Darstellung der A., häufig mit Hörnern, betonen ihren krieger. Charakter (Frau mit Keule, Speer und Schild). Mit den Hyksos gelangte ihr Kult auch nach Ägypten.

**Anathem** *das,* grch. **Anathema,** das Gottgeweihte, →Weihgeschenk.

**Anatomie,** [grch. ›Zergliederung‹], Wiss. von Form und Aufbau des menschl. Körpers sowie der Funktionszusammenhänge seiner Teile. In der Antike setzte die künstler. Illustration anatom. Lehrbücher ein, die im MA. wieder auflebte. Die anatom. Studien der Renaissancekünstler intensivierten die Beziehung zw. Me-

**Anatomie** des Dr. Tulp, Gemälde von Rembrandt; 1632 (Den Haag, Mauritshuis)

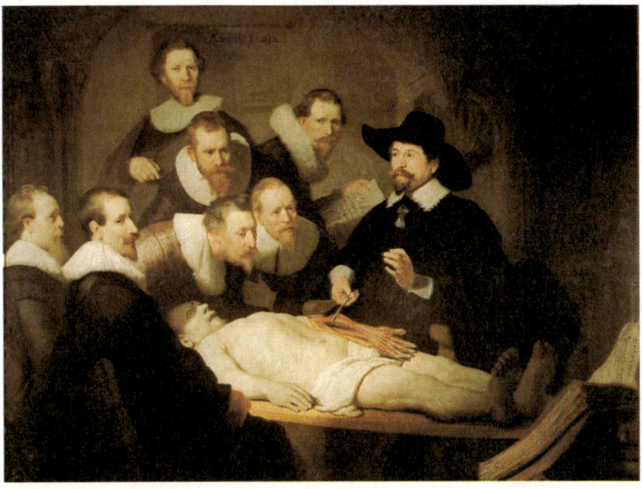

dizin und Kunst (z. B. MICHELANGELO mit dem Arzt COLOMBO). LEONARDO DA VINCI, der selbst Leichen sezierte und erforschte, schuf die ersten exakten Darstellungen der inneren Organe. In der Kunst begann mit A. DÜRER das ernsthafte Studium der menschl. A. Neben der graph. entstand auch die plast. anatom. Darstellung (Muskelmänner, z. B. von J.-A. HOUDON, von G. GRUPELLO ›Hl. Bartholomäus als Muskelmann‹; Skelette). Bis ins 19. Jh. war A. ohne die Hilfe des illustrierenden Künstlers undenkbar, andererseits wirkte die wissenschaftl. A. entscheidend auf Proportionslehre und Schönheitskanon der Kunst ein. Seit der Renaissance entwickelte sich eine spezielle ›A. für Künstler‹, die zu einer zunehmenden Verselbständigung des Aktes führte. – In der Buchmalerei des 14. Jh. entstand das **A.-Bild,** die Darstellung von chirurg. Eingriffen, die in Holland seit dem Bestehen des ›anatom. Theaters‹ (Lehrgebäude für A. in der Form eines Amphitheaters; Leiden 1597) zu einer neuen Gattung des →Gruppenbildes führte und im Barock ihren Höhepunkt erreichte (z. B. REMBRANDT, A. des Dr. Tulp, 1632; Den Haag, Mauritshuis).

**Anch** [ägypt. ›Leben‹], Bez. einer ägypt. Hieroglyphe, die sehr häufig in der Hand von Göttern erscheint; sie reichen das Zeichen an die Nase des Königs und verleihen ihm damit den Lebensatem im Diesseits wie im Jenseits. Wegen seiner Ähnlichkeit mit dem christl. Kreuz war dieses ›Henkelkreuz‹ noch in der christl. (kopt.) Kunst Ägyptens beliebt.

**Ancher** ['aŋkɛr], Michael, dän. Maler, *Rutsker (Bornholm) 9. 6. 1849, †Skagen 19. 9. 1927, studierte in Kopenhagen und Paris, lebte dann in der Künstlerkolonie Skagen, malte Strand- und Fischerbilder. Seine Frau Anna, geb. Brøndum (*1859, †1935) malte bes. Skagener Interieurs.

**Anchieta** [antʃi'eta], Juan de, span. Bildhauer aus Azpeitia (Guipúzcoa), in der 2. H. des 16. Jh. in Valladolid tätig. Sein HW ist das Altarretabel mit der Himmelfahrt und Krönung Marias für die Kathedrale von Burgos (1578).

**Ancón** [aŋk'ɔn], archäolog. Fundort an der mittleren Küste Perus, mit reich ausgestatteten Gräbern, deren Inhalte mehreren Epochen zugeordnet sind. Die Gewebe zeigen fortgeschrittene Techniken (mit Huari-, Paracas- und Chavín-Stilelementen).

**Ancona,** ital. Hafenstadt und Erzbischofssitz an der Adriat. Küste, 107 000 Ew. Auf einer Anhöhe der roman. Dom (zw. 11. und 13. Jh. errichtet, mehrfach verändert; got. und byzantin. Einflüsse), ein Kreuzbau mit zwölfseitiger Kuppel (13. Jh.); angrenzend Diözesanmus. und Kreuzgang. Weitere Kirchen: S. Francesco delle Scale (1323; reich verziertes Portal venezianisch-got. Stils, 1455), Chiesa del Gesù (1665; barocke Fassade von L. VANVITELLI, 1743), S. Domenico (1763–88; im Inneren Gemälde von GUERCINO und TIZIAN), S. Maria della Piazza (spätes 12. Jh.; Fassade mit Wandarkaden; reich verziertes Portal). Trajansbogen (115 n. Chr.) am Hafen; mehrere Mus. (u. a. Nationalmus. der Marken im Palazzo Ferretti, Pinakothek im Palazzo degli Anziani); südlich von A. die am Meer gelegene roman. Kirche S. Maria di Portonovo.

**Anda** [Skt.], das Weltei der ind. Kosmogonie; in der buddhist. Architektur der halbkugelförmige massive Baukörper des →Stupa.

**Andachtsbild, 1)** kleines Christus-, Marien- oder Heiligenbild, das im Gebetbuch aufbewahrt wird; entstanden als Miniatur in Nonnenklöstern, von handwerkl. Formschneidern u. a. hergestellt.

**2)** eine Gruppe von (meist plast.) A. seit dem 13. Jh., die sich nach Gegenstand wie Gestaltung durch besondere Betonung des Gefühls auszeichnen; ihre Entstehung wird in der Zeit der Mystik vermutet. Die **Jesus-Johannes-Gruppe** zeigt den Herrn und den Jünger eng nebeneinander sitzend. Die **Vesperbilder** (Marienklage, ital. Pietà) sind aus der Komposition der Beweinung hervorgegangen; sie zeigen Maria mit dem vom Kreuz herabgenommenen Sohn im Schoß. Das Schmerzensmann-Bild **(Erbärmdebild)** zeigt Christus mit den Zeichen von Marter und Tod, doch zugleich als Auferstandenen, oft umgeben von Engeln mit den Marterwerkzeugen, die auf das Gericht hindeuten.

**Andechs,** Wallfahrtsort auf dem Hl. Berg am Ammersee (Oberbayern) mit Benediktinerpriorat. Die Kirche, urspr. eine spätgot. Halle, wurde 1751–55 von J. B. ZIMMERMANN in prächtigstem Rokokostil umgestaltet. Schatzkammer (u. a. ›Goldene Rose‹); Klostergebäude (2. H. 17. Jh.).

**Anderlecht** [-lɛxt], Vorstadt von Brüssel, 101 200 Ew., mit spätgot. Kirche (1470–1515) über roman. Krypta (11. Jh.), die Reste von Wandmalereien (um 1400) birgt, Beginenhof (1252 gegr.; Gebäude 1632) und Erasmushaus (1515; kleine Gemälde-Samml., u. a. R. VAN DER WEYDEN, H. BOSCH, D. BOUTS, H. VAN DER GOES).

**Andernach,** Stadt am Rhein unterhalb Koblenz, Rheinl.-Pf., 28 900 Ew., das röm. **Antu̯nnacum.** Die viertürmige Liebfrauenkirche (um 1200), ein HW der rhein. Romanik (Westfassade) mit Bauplastik des LAACHER SAMSONMEISTERS; Minoritenkirche (14./15. Jh.). Unter dem spätgot. Rathaus das Judenbad (um 1400). In die eindrucksvolle Stadtbefestigung (Rheintor um 1200, Runder Turm 1448–52) ist die erzbischöfl. Burg (seit 1689 Ruine) einbezogen; Rheinkran (1554–59). Im Leyenschen Hof (um 1620), einem prächtigen Adelshof der Spätrenaissance, das Stadtmuseum.

**Andersen,** Peder, gen. Peder **Nordmand** (›Norweger‹), dän. Maler norweg. Herkunft, †1694, hielt sich mit LAMBERT VAN HAVEN in Italien auf; seit 1683 dän. Hofmaler, arbeitete bes. auf Schloß Frederiksborg.

**Andhakạsuravadha,** der Hindugott Shiva in furchterregender Gestalt, den Dämon Andhaka auf seinen Dreizack (Trishula) spießend.

**Andhra-Kunst,** die Kunst im südöstl. Indien, bes. die Bauten und Skulpturen von Jaggayapeta, →Amaravati und →Nagarjunikonda z.Z. der →Satavahana-Dynastie und →Ikshvaku-Dynastie (1. Jh. v. Chr.–4. Jh. n. Chr.).

**Andine Hochkulturen,** vorkolumb. Kulturen an der Westseite Südamerikas. Ihr Gebiet erstreckt sich von N nach S entlang der pazif. Küste, von der karib. Küste Venezuelas und Kolumbiens bis nach N-Chile. Kerngebiet ist das mittlere Andengebiet mit Teilen der heutigen Staaten Peru und Bolivien, von dem aus sich Kunststile und -techniken süd- und nordwärts ausgebreitet haben.

Anders als bei den Mesoamerikan. Hochkulturen lassen sich im andinen Bereich Kulturen weniger mit archäolog. Hinterlassenschaften einem bekannten Volksstamm zuordnen; vielmehr wird an Hand der Ausbreitung einzelner Kunststile auf regionale, ethnisch nicht unbedingt faßbare ›Kulturen‹ und deren Einflußbereich geschlossen.

Im nördl. Andengebiet (südl. Teil des ›Zwischengebiets‹ zw. Mesoamerika und A. H.) mit einzelnen Brennpunkten hochkultureller Entwicklung in Ecuador und Kolumbien gibt es bei den Regionalkulturen keine innere Geschlossenheit und keine Entwicklung;

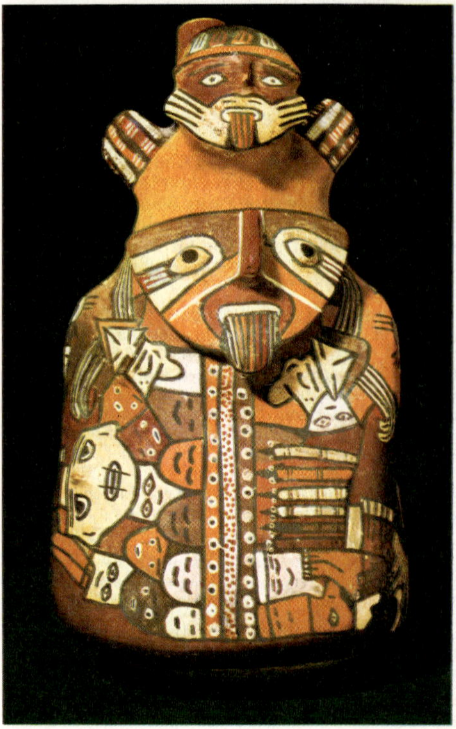

**Andine Hochkulturen:** Tongefäß mit plastischer Wiedergabe zweier übereinanderhockender Wesen, Nazca-Kultur, S-Küste Perus, 22 cm hoch (München, Staatl. Museum für Völkerkunde)

**Andine Hochkulturen:** Stickerei auf Wollstoff, Paracas-Necropolis-Stil, 23 cm hoch, etwa 200 n. Chr., Peru (Lima, Museo Nacional de Antropología e Arqueología)

einzelne Formen sind ihnen aber gemeinsam: Die Errichtung von Zeremonialzentren mit sie umgebenden Siedlungen, vereinzelte größere Bauten und Steinskulpturen, bestimmte Gefäßformen und Dekortechniken sind im gesamten Gebiet verbreitet; das Bild einer Kultur wird von der Massierung des Auftretens und der Betonung bestimmter Formen geprägt. Insgesamt waren hier die Techniken der Metallverarbeitung (Gold, Tumbaga; Guß in verlorener Form, Löten, Vergolden, Treiben) gut entwickelt. Eine (annähernde) Chronologie unterscheidet drei Phasen: etwa 3000 v. Chr. – 500 v. Chr. (Formative Periode), 500 v. Chr. – 500 n. Chr. (Entwicklung der Regionalstile), 500 – 1500 (Späte Periode). Die wichtigsten Stilrichtungen dieses Gebietes sind Tumaco, Nariño, Calima, Quimbaya, San Augustín, Tierradentro, Tairona, Darién, Esmeraldas, Valdivia und Muisca.

Im kulturellen Kerngebiet in den Zentral-Anden bestimmen in der Küstenregion (mit nördl., mittlerer und südl. Küste) und im Hochland die unterschiedlichen geograph., geolog. und klimat. Bedingungen auch die künstler. Ausprägung der dortigen Kulturen; so sind in der Küstenwüste die Bauten aus Lehmziegeln (Adobe) errichtet; es fehlen, anders als im Hochland, Stein-

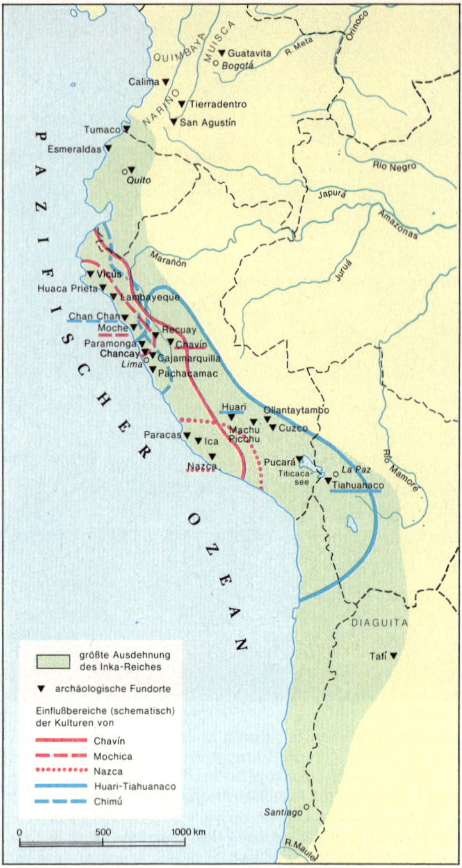


Andine Hochkulturen

skulpturen. Die kulturelle Entwicklung in den Zentral-Anden wird bestimmt von drei ›Horizonten‹, in denen eine Kultur oder ein Stil ihren Einflußbereich jeweils über eine große Fläche ausdehnten. Zw. den ›Horizonten‹ liegen Phasen, in denen sich versch. Regionalstile durchsetzten. Vertreter des ›Frühen Horizonts‹ (1200 bis 400 v. Chr.) ist die Chavín-Kultur, die sich an der N-Küste entwickelte und sich bis zur Paracas-Halbinsel im S ausbreitete. In ihr wurden maßgebl. Grundformen der Kunst geschaffen, die in späteren Kulturen in abgewandelter Form fortlebten. Dazu gehören Gefäße mit Steigbügelhenkel; in dieser Zeit treten als Architekturformen versenkte Höfe und Stufenpyramiden auf. In der nachfolgenden 1. Phase der Regionalkulturen (400 v. Chr. – 700 n. Chr.) spiegeln sich vielfach abgewandelte Chavín-Elemente wider. Beispiele für diese Phase

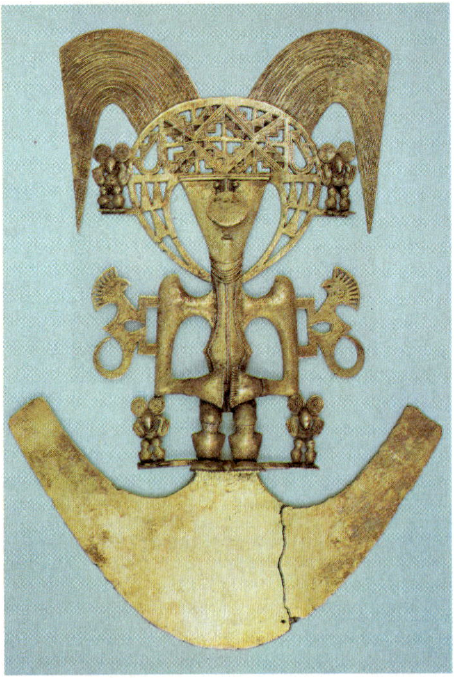

**Andine Hochkulturen:** OBEN Brustschmuck, Tumbaga, Guß in verlorener Form, Quimbaya, Kolumbien, 28,2 cm hoch (London, Brit. Museum). UNTEN Ohrscheiben aus Türkisen, Gold und Muscheln, Mochica-Stil, Peru, 10 cm Ø (Lima, Museo Rafael Larco Herrera)

sind Moche (Mochica) im N mit Großbauwerken aus Adobe, Wandmalereien und bes. schönen figürlich bemalten oder modellierten Keramiken, Nazca im S mit extrem polychromen Gefäßen, Recuay und Vicús mit in Negativ-Technik bemalten Gefäßen, Paracas mit seinen kunstvollen Textilien.

Im ›Mittleren Horizont‹ (700–1100) entwickelte sich unter Tiahuanaco-Einfluß Huari zu einem Machtzentrum, von dem sich in der 2. Phase der Regionalkulturen (1100–1460) Chimú im N, Chancay an der mittleren Küste und Ica im S lösten. Die Inka, Schöpfer eines großen Imperiums, sind Verteter des ›Späten Hori-

**Andine Hochkulturen:** LINKS Mörser aus poliertem Stein mit zwei eingeritzten Figuren, 19 cm hoch, Chavín-Kultur der Küste, Peru (Lambayeque, Peru, Museo Bruning). RECHTS Tongefäß in Form von zwei Eulen, 25 cm, Mochica-Stil, Peru (Trujillo, Peru, Sammlung Cassinelli)

zonts‹ (1460–1532). Über die A. H. gibt es keinerlei schriftl. Quellen (abgesehen von ethnohistor. zur Inka-Herrschaft); Zeugnisse sind nur die Bauwerke der großen Zentren wie Chavín de Huántar, Tiahuanaco und Chan Chan, Steinskulpturen sowie bes. reiche Grabfunde (Keramik, Textilien).

G. H. S. BUSHNELL: Peru (a. d. Engl., 1957); H. NACHTIGALL: Indianerkunst der Nord-Anden (1961); J. A. MASON: Das alte Peru (a. d. Engl., 1965); H. UBBELOHDE-DOERING: Kulturen Alt-Perus (1966); H. D. DISSELHOFF: Das Imperium der Inka und die indian. Frühkulturen ... (1972); ders: Leben im alten Peru ($^2$1981); A. LAPINER: Pre-Columbian Art of South America (New York 1976).

**Andlau,** Städtchen im Unterelsaß mit ehem. Abteikirche (Krypta 1. H. 11. Jh., Umgestaltung der Kirche in eine kreuzförmige Basilika mit Querhaus und rechteckigem Chor um 1130, barocke Neugestaltung 1698 bis 1703).

**Andlau,** Peter von, Glasmaler, →Hemmel, Peter.

**Andokidesmaler,** attischer Vasenmaler des späten 6. Jh. v. Chr., benannt nach den vom Töpfer ANDOKIDES signierten Gefäßen; malte zunächst in schwarzfiguriger, später als einer der ersten auch in rotfiguriger Technik, teilweise in beiden Techniken auf dem gleichen Gefäß; Schüler des EXEKIAS. Der A. bevorzugte mytholog. Themen (bes. Heraklesmythos).

**Andre** [ˈændrɪ], Carl, amerikan. Plastiker, *Quincey (Massachusetts) 16. 9. 1935, schuf seit 1958 von C. BRÂNCUŞI beeinflußte Balkenschichtungen, 1965 erste →Horizontale Plastik (System von flach auf dem Boden liegenden Platten), seinen wichtigsten Beitrag zur →Minimal Art.

C. A., Ausst.-Kat., Bern (1975).

**Andrea da Firenze,** eigtl. A. **di Bonaiuto,** ital. Maler aus Florenz, tätig in der 2. H. des 14. Jh., malte um 1365 in der ›Spanischen Kapelle‹ von S. Maria Novella zu

Florenz einen Freskenzyklus mit Darstellungen der scholast. Gedankenwelt (u.a. ›Triumph des Hl. Thomas von Aquino‹), 1377 im Camposanto von Pisa Szenen aus der Legende des Hl. Raniero.

**Andrea da Salerno,** ital. Maler, →Sabatini.

**Andrea del Castagno** [-ɲo], ital. Maler, *Castagno bei Florenz um 1421, †Florenz 19. 8. 1457, beeinflußt von DONATELLO, MASACCIO und P. UCCELLO; 1442 in Venedig tätig, danach in Florenz. A. d. C. gehört zu den Bahnbrechern der florentin. Frührenaissance. In seiner herben, monumentalen Malerei vereinigen sich perspektiv. und plast. Wirkung mit leidenschaftl. Ausdruck und kühnen Farbwirkungen.

**HW:** Fresken der Cappella di S. Tarasio in S. Zaccaria (1442; Venedig); Fresken in Florenz: Abendmahl und andere Passionsszenen im Refektorium von Sant' Apollonia (heute **A. d. C.-Museum;** nach 1450); Freskobilder von Persönlichkeiten aus der Villa di Legnaia (um 1450; Sant' Apollonia); Fresken in 2 Seitenkapellen der Santissima Annunziata (um 1455); Reiterstandbild des Niccolò Tolentino (1456, Dom). – Altarbild der Himmelfahrt Mariä (1449/50; Berlin-West, Staatl. Museen).

MARITA HORSTER: A. d. C. (London 1980).

**Andrea del Sarto,** eigtl. A. **d'Agnolo** [d'aɲolo], ital. Maler, * Florenz 16. 7. 1486, † ebd. 29. 9. 1530, Schüler des PIERO DI COSIMO, beeinflußt von FRA BARTOLOMEO, LEONARDO DA VINCI und MICHELANGELO, tätig in Florenz, 1518/19 in Paris. In seinen Bildern ist das Bemühen um großangelegte Kompositionen verwirklicht. In der atmosphär. Raumwiedergabe und in der Tonigkeit seiner Farben erweist sich A. d. S. als einer der bedeutendsten Koloristen der Florentiner Renaissance. Seit etwa 1520 machen sich in seinen Werken manierist. Züge bemerkbar. Zu seinen Schülern zählen ROSSO FIORENTINO und J. DA PONTORMO.

**HW:** Fresken: Szenen aus dem Leben des Hl. Filippo Benizzi, 1508–10, und Geburt Mariä (1514; Florenz, SS. Annunziata, Vorhof); Madonna del Sacco (1525; ebd., Kreuzgang); Fresken mit Szenen aus dem leben Johannes' d. T. (1514–26, gemeinsam mit Franciabigio; Florenz, Chiostro dello Scalzo). – Tafelbilder: Verkündigung (1528, Florenz, Palazzo Pitti); Disputa (ebd); ›Harpyien‹-Madonna, (1517, Florenz, Uffizien); Bildnis einer Unbekannten (ebd.); Caritas, 1518 (Paris, Louvre); Madonna mit Heiligen (1524; Florenz, Palazzo Pitti); Beweinung, Himmelfahrt Mariä (1526 und 1531; ebd.).

J. SHEARMAN: A. del S., 2 Bde. (Oxford 1965).

**Andrea di Cione** [-tʃ'o:ne], ital. Bildhauer, Architekt und Maler, →Orcagna.

**Andreas,** Jünger Jesu und Apostel, der nach der Legende in Patras an ein Kreuz mit schrägen Balken geschlagen wurde. Dieses **Andreaskreuz** wurde später (neben Schriftrolle und Buch) zu seinem Attribut und bestimmte v.a. die Form des in der russisch-orthodoxen Kirche üblichen Kreuzes (→Kreuz). – Die Silberbüste mit der Reliquie seines Hauptes wurde 1462 von Patras nach Rom übertragen, 1964 wieder nach Patras zurückgegeben.

**Andreescu,** Ion, rumän. Maler, * Bukarest 15. 2. 1850, † ebd. 22. 10. 1882, bildete sich nach Studien ebd.

v. a. in Paris (1879–81) an den Werken von G. COURBET und A. SISLEY und trat hier mit der Schule von Barbizon in Verbindung. In impressionist. Stil malte A. stimmungsvolle Landschaften.

**Andria,** Stadt und Bischofssitz in Apulien (Prov. Bari), 80800 Ew., mit mehreren Kirchen, u. a. Dom (11./12. Jh.; Neubau im 15. Jh.; Glockenturm 12. bis 14. Jh.), S. Francesco (13./14. Jh.), S. Domenico (1398 beg.; Portal 16. Jh.), S. Agostino (13. Jh.; Portal 14. Jh.), S. Maria dei Miracoli (16. Jh.).

**Andromeda,** grch. Mythos: Tochter des Äthiopiers Kepheus und der Kassiopeia. Da A. sich rühmte, schöner als die Nereiden zu sein, wurde sie, um die zürnenden Götter zu versöhnen, an einen Felsen gefesselt und einem Meerungeheuer preisgegeben, von Perseus gerettet und zur Frau genommen, später in ein Sternbild verwandelt. Wie A. von Perseus befreit wird, ist im 6. Jh. v. Chr. u. a. auf einer korinth. Amphora nachweisbar: Perseus erschlägt das Ungeheuer mit Steinen, unterstützt von der gefesselten A. (um 550 v. Chr.; Berlin-West, Staatl. Museen). Die Befreiung der gefesselten A. wurde erst seit dem 5. Jh. v. Chr. auf Vasen und Reliefs, dann auf röm. Denkmälern gezeigt. Das MA. stellte A. personifiziert als Sternbild, aber auch ihren Sagenkreis und ihre Fesselung dar. In der Neuzeit wurden Fesselung und Befreiung der A. bevorzugtes Thema (L. SIGNORELLI, TIZIAN, P. P. RUBENS, G. B. TIEPOLO, L. CORINTH, M. BECKMANN, S. DALÍ).

**Androuet** [ãdru'ɛ], → Ducerceau.

**Äneas,** grch. **Aineias,** grch. und röm. Mythos, bis in die Kaiserzeit variiert und erweitert: nach Hektor tapferster und stärkster trojan. Held, Sohn des Anchises und der Aphrodite. A. rettete die Bilder der Stadtgötter, seinen Vater und seinen Sohn Askanios aus Troja, erreichte nach langen Irrfahrten Italien, wo er nach schweren Kämpfen Lavinium gründete. Röm. Texte erklären ihn über seinen Sohn, der die Mutterstadt Roms, Alba Longa, gründete, zum Ahnherrn des julischen Geschlechts und vergöttlichen ihn. Darstellungen lassen sich bereits im 6. Jh. v. Chr. nachweisen. A. wird seltener kämpfend, häufig mit seinem Vater auf dem Rükken, meist von seinem Sohn begleitet, auf grch. Vasen und Reliefs dargestellt. Auch etrusk. Denkmäler und röm. Münzen, Gemmen, Reliefs, Plastiken und Wandbilder v. a. der Kaiserzeit, bereichert um Darstellungen zus. mit Dido (Gründerin Karthagos, die Ä. auf seinen Irrfahrten dort festhielt), zeigen das Motiv. Die Neuzeit bevorzugt Ä. mit seinem Vater oder mit Dido plastisch gestaltet (G. L. BERNINI) und auf Gemälden (TINTORETTO, A. CARRACCI, J. BRUEGEL D. Ä., N. POUSSIN, G. B. TIEPOLO, W. TURNER).

**Anemospilia,** minoisches Heiligtum, →Archanes.

**Anet** [an'ɛ], frz. Landstädtchen westlich von Paris mit Renaissance-Jagdschloß, das HEINRICH II. für DIANA VON POITIERS 1548–55 erbauen ließ; HW von P. DELORME, in der Frz. Revolution zerstört (erh. Torbau, linker Flügel mit Kapelle sowie Grabkapelle von 1555 bis 1560).

**Anfänger, Anfangsstein,** Baukunst: der erste Stein eines Bogens oder Gewölbes über dem Kämpfer.

**Angeli,** Heinrich von, Maler, *Ödenburg 8. 7. 1840, †Wien 21. 10. 1925, begann als Hofmaler in München (1859–62) mit virtuosen Historienbildern und malte nach 1870 modisch-dekorative Porträts des europ. Hochadels.

**Angelico** [andʒ'ɛ:liko], **Fra A.**, auch **Beato Angelico,** ital. Maler, eigtl. **Guido di Pietro,** als Mönch **Fra Giovanni da Fiesole** [dʒov'anni-], *Vicchio di Mugello um 1401/02, †Rom 18. 2. 1455. Fra A. trat um 1420/22 in das Dominikanerkloster in Fiesole ein; wirkte in Florenz, Cortona, Orvieto und Rom. Seine ganz im Religiösen aufgehende Kunst wurzelt in der ausklingenden Gotik (LORENZO MONACO) und nahm die Errungenschaften der Frührenaissance nur zurückhaltend auf. Seine zartfarbigen Fresken sind von inniger, weltabgewandter Stimmung wie auch seine zahlreichen Altar- und Andachtsbilder, die mit ihren leuchtenden Farben und reicher Vergoldung von naiver, z. T. archaisierender Formgebung sind.

**HW:** Madonna della Stella, Marienkrönung, Kreuzabnahme (alle Florenz, Mus. di San Marco); Verkündigung (nach 1430; Cortona, Diözesanmus.); Fresken im Kloster San Marco, Florenz (nach 1436); Fresken mit Szenen aus dem Leben des Hl. Laurentius und des Hl. Stephanus in der Cappella Niccolina, Vatikan (1447/49).

**Angelow,** Iwan, bulgar. Maler, *Breniza (Gebiet Wrza) 18. 4. 1864, †Sofia 4. 8. 1924, lehrte seit 1900 (1901 Prof.) nach Studien in München (K. v. PILOTY u. a.) ebd. an der Kunsthochschule, begründete in der bulgar. Malerei mit seinen Gemälden zu Motiven aus dem Bauernleben den krit. Realismus.

**Fra Angelico:** Verkündigung; Fresko, nach 1436 (Florenz, San Marco)

**Angelsächsische Architektur,** Bez. der Baukunst des frühen MA. in England vom 6. bis zur Mitte des 11. Jh. Die erh. Bauten sind vorwiegend zentrale Pfarr- und kleinere Klosterkirchen, meist in Abänderung des Basilikalschemas als Saal mit seitl. Anräumen (›Portikus‹) errichtet, in Technik und Aufbau teils in spätröm. Tradition (Brixworth), in späterer Zeit auch zu einem flächigen Gliederungssystem mit Lisenen und Giebelformen abgewandelt.

**Angermair,** Christof, Bildhauer und Elfenbeinschnitzer, *Weilheim i. Obb., †München 1632 (1633?), arbeitete 1613–31 ebd. für Kurfürst MAXIMILIAN I. (Hochreliefs und Elfenbeinkunstschreine; München, Residenz und Bayer. Nat.-Mus.). Er übertrug den frühbarocken Stil (niederländisch-manierist. Prägung) auf die Elfenbeinplastik. In seinem Fach gehört A. zu den bed. dt. Künstlern seiner Zeit.

HW: Münzschrein (1618–24; München, Bayer. Nat.-Mus.); Altarfiguren (ehem. Dachau, St. Jakob, heute: Hirtelbach/Landkr. Dachau); Bildwerke (Tuntenhausen, Wallfahrtskirche).

M. D. GRÜNWALD: C. A. (1975); Wittelsbach und Bayern, Ausst.-Kat., München, Bd. 2: Um Glauben und Reich. Kurfürst Maximilian I. (1980).

**Angermünde,** Stadt in der Uckermark, Dt. Dem. Rep., 11800 Ew.; got. Pfarrkirche St. Marien (13. und 15. Jh.), Westturm mit Treppengiebel, unter der Ausstattung bemerkenswertes, von 3 Männerfiguren getragenes bronzenes Taufbecken (14. Jh.); ehem. Franziskanerkirche (13./14. Jh.).

**Angers** [ãʒ'e], frz. Stadt und Bischofssitz an der Maine, 136900 Ew., ehem. Hauptstadt der Grafen von Anjou. Die Kathedrale St. Maurice (12.–13. Jh.) mit Drei-Turm-Fassade (mittlerer Turm 1540) gibt anhand der qualitätvollen Fenster einen Überblick über die Entwicklung der Glasmalerei vom 12.–16. Jh. Weitere Kirchen: St. Martin (Saalkirche im Plantagenet-Stil mit karoling. Teilen und got. Kapelle), St. Serge (11.–15. Jh.; Glasfenster des 12. Jh.). Das Schloß, eine von 1228–38 erbaute Feudalburg mit Ringmauer und 17 Rundtürmen, birgt im Inneren einen Zyklus von 70 Teilstücken (urspr. 90) des bed. ma. Bildteppichs mit Darstellungen der Johannesapokalypse (›Apokalypse von A.‹) aus dem Besitz der Kathedrale. Der Zyklus entstand 1375 bis 1379, hergestellt für Herzog LUDWIG V. ANJOU († 1384) in den Werkstätten des N. BATAILLE in Paris nach Entwürfen von J. BONDOL (BILD Bildwirkerei). Am rechten Maine-Ufer das ehem. Hôpital St. Jean (1174 bis 1188) mit archäolog. Mus. Im Logis Barrault (14. Jh.) das Mus. des Beaux-Arts mit Werken von P. J. DAVID D' ANGERS; im Hôtel Pincé (16. Jh.) das Mus. Turpin de Crissée (u. a. Email- und Elfenbeinarbeiten).

**Angkor,** Ruinenstätte in Kambodscha, Zentrum des Khmer-Reiches zw. 9. und 15. Jh., das sich durch seine einzigartige Stadtarchitektur in SO-Asien und hervorragende Architekturdenkmäler auszeichnet (KARTE Khmer-Kunst). Bereits in der ersten Hauptstadt der Dynastie von A., →Roluos, wurde durch die geometr. Anlage von künstl. Seen (Baray), Dämmen und Gräben eine gigant. Bewässerungsanlage (Monsunwasser-

Regulierungssystem) für Reisfelder geschaffen, das die Städte und den zentralen Tempelberg kunstvoll umschloß; zur Vollkommenheit ausgebildet wurden solche Anlagen in →Angkor Vat und später dem →Bayon in →Angkor Thom. Die Tempel mit ihren Grundrissen in der Art eines Mandalas waren von monumentalen Ausmaßen. Hinduist. Göttern und dem Buddha geweiht, symbolisieren sie das Zentrum des Universums, den Berg-Meru, und den damit identifizierten König. Es sind axial ausgerichtete Terrassenanlagen aus Ziegel (bis Anf. 10. Jh.) oder Sandsteinblöcken; sie wurden reich mit Reliefs und Skulpturen geschmückt (bes. an Giebeln und Türstürzen), die letztlich alle Außenflächen ornamental überdecken. Die wichtigsten Tempel sind Phnom Bakheng (um 900), Pre Rup (Weihe 10. Jh.), Ta Keo und Phimeanakas (beide Ende 10./Anf. 11. Jh.). Die Tempel waren von einem Wassergraben umgeben, zw. dessen Deich und einem eventuellen 2. Wassergraben die bewohnbare Stadtfläche angelegt war. – Die Stadt wurde 1177 durch die Cham in Brand gesteckt und durch den Khmer-Herrscher JAYAVARMAN VII. (1181–1219) wiederhergestellt. Die meisten Monumente A.'s sind durch trop. Klima und Pflanzenüberwucherungen zerstört worden, aber durch vollkommenes Abtragen und Wiederaufbau (›Anastylose‹) im 20. Jh. wiedererrichtet worden. Urspr. waren die Bauten sehr farbenreich.

**Angkor Thom,** Hauptstadt des späten Khmer-Reiches, Anf. 13. Jh. gegr., mit einem bed. relig. Bauwerk, dem →Bayon. Das Planquadrat der Stadt mißt 4000 m auf jeder Seite, hat monumentale Torgänge (Gopuram), die von ›Gesichtertürmen‹ bekrönt sind, Symbole für buddhist. und königl. Gestalten, die die 4 Richtungen beherrschen. An den langen Eingangsstraßen werden Nagas von Göttern und Dämonen gehalten; sie symbolisieren die myth. Entstehung der Welt durch die ›Quirlung des Milchmeeres‹.

**Angkor Thom:**
Torgänge mit ›Gesichtertürmen‹

Angkor Vat: Ansicht von Westen

**Angkor Vat,** größter und schönster Tempelkomplex Kambodschas im klass. Khmer-Stil, 12. Jh., im alten Yashodharapura von Angkor; urspr. Vishnu geweiht, Ende des 12. Jh. durch den Herrscher JAYAVARMAN VII. (1181–1219) zum buddhist. Tempel umgewandelt. Der nach W orientierte Tempel, aus grauem Sandstein errichtet, umfaßt mit seinen Begrenzungsmauern, Toren, Gängen und Schreinen eine Fläche von 400 × 300 m, mit dem ihn umgebenden 200 m breiten Wassergraben und Stadtteil 1500 × 1300 m. Es handelt sich um einen Grabtempel des Erbauers, des Herrschers SURYAVARMAN II., aus dessen Leben Teile in Reliefs dargestellt sind. Andere Relieffriese zeigen Szenen aus dem ind. Epos Mahabharata und einige Hindu-Gottheiten sowie eine Fülle versch. Begleitgottheiten (Devatas und Apsaras) – alle in feinster Weise mit ziseliert wirkenden Kopfbedeckungen ausgeführt. Das Zentrum der Anlage wird aus 5 Schreinen mit hohen, steil ansteigenden Gopurams (Tortürme) gebildet, wobei der mittlere der höchste ist. Das Zentrum ist von 2 konzentr. niedrigeren Säulenreihen mit Eckschreinen und Toren umgeben. Der Zugang besteht aus einer großen Plattform und einem von einer Naga-Balustrade gesäumten Weg. Das Ganze symbolisiert den Kosmos mit seinen Kontinenten und Ozeanen, die um den zentralen →Meru gruppiert sind.

**Anglesey Abbey** ['æŋglsı 'æbı], ehem. Augustinerabtei (gegr. 12. Jh.) in Cambridgeshire, England, nordöstlich von Cambridge. Seit 1591 Herrenhaus (erh. Bauteile des 13. Jh.); Kunstsamml. (europ. Malerei, Porzellan, Tapisserien, Silber, Möbel). Gartenanlage im Stil des 17. und 18. Jh.

**Angles-sur-l'Anglin** [ãgləsyrlãgl'ɛ̃], Ort im frz. Dép. Vienne. Am Roc-aux-sorciers im Anglintal wurden Skulpturen und Relieffriese des frühen Magdalénien entdeckt. Die in die Felswand gehauenen Tierfiguren stellen Steinböcke, Wildpferde und Wisente dar. Besondere Bedeutung hat die lebensgroße Wiedergabe eines Männerkopfes im Profil und einer Gruppe von 3 weibl. Figuren in Vorderansicht.

**anglofränkische Buchmalerei,** auch **frankosächsische Buchmalerei,** spätkaroling. Hss.-Schule (2. H. 9. Jh. – Anf. 10. Jh.). Sie wird in mehreren Klöstern NO-Frankreichs und Belgiens lokalisiert (Hauptsitz Arras?). Typisch für die a. B. ist die reich ausgeschmückte Initiale und, damit verbunden, der Rückgriff auf das ornamentale Repertoire der →insularen Buchmalerei. Flechtbandverschlingungen und Tiermotive werden einem straffen Rahmenwerk eingepaßt. Die a. B. wirkte lange nach, so in der niedersächs. Buchkunst (Weser-Schule), in frühotton. Zeit und in der des Rheinlandes.

**HW:** ›Evangeliar Franz II.‹ (Paris, Nat. Bibl.); ›Zweite Bibel Karls des Kahlen‹ (Paris, Nat.-Bibl.); ›Evangeliar von St. Vaast‹ (Arras, Stadtbibl.).

**anglo-normannischer Stil,** der engl. Baustil von 1050 bis 1175. EDUARD DER BEKENNER, der als Flüchtling in der Normandie gelebt hatte, brachte für den Neubau der Westminster Abbey (um 1050–65; zerstört) Gedankengut vom Festland mit. Die normann. Eroberung (1066) bedeutete für England den Anschluß an die auf dem Kontinent hochentwickelte Baukunst (→Romanik). Merkmale sind v. a. der Wandaufbau mit den auf mächtigen Rundpfeilern ruhenden Emporen, die Arkadenlaufgänge in der Fensterzone und die von Frankreich beeinflußten Chor- und Vierungsbildungen (Kathedrale von Canterbury). Das früheste Beispiel für ein Kreuzrippengewölbe ist in der Kathedrale von Durham. Als Schmuckmotive kommen Zickzack-, Zinnen-, Ketten- und Rollenmuster vor; figürl. Bauplastik fehlt fast vollkommen. Gegen 1175 begann mit dem →Early English die engl. Gotik.

**Angoulême** [ãgul'ɛ:m], westfrz. Stadt an der Charente, 47 000 Ew.; Bischofssitz. Die einschiffige roman. Kathedrale (1128 gew.) ist ein typisches Beispiel →Aquitanischer Kuppelkirchen; W-Fassade mit einem Haupt- und 4 Schauportalen sowie reichem Figurenschmuck.

**Angra do Heroísmo** [-ðu iru'iʒmu], Hauptstadt und Bischofssitz der portug. Azoreninsel Terceira, 16 500 Ew.; Kathedrale im Emanuelstil (1568, reich mit Azulejos ausgestattet; 1983 durch Großbrand zerstört), Kirche da Conceição (17. Jh.) mit typisch portug. Talhas Douradas an Wänden und Decken. Im Kloster São Francisco befindet sich das Städt. Mus. (u. a. mit archäolog. Samml.). Über der Stadt erhebt sich die Barockfeste São João Batista.

**Angster,** →Kuttrolf.

**Anguier** [ãgj'e], **1)** François, frz. Bildhauer, *Eu (Normandie) 1604, †Paris 9. 8. 1669, arbeitete in England und 2 Jahre in Rom, schuf etwas schwerfällig wirkende Grabbauten im Stil der ital. Renaissance.

**2)** Michel, Bruder von 1), *Eu 28. 9. 1612, †Paris 11. 7. 1686, lebte 10 Jahre in Italien, war ein gewandter, vielseitig tätiger Bildhauer (plast. Schmuck an der Porte Saint-Denis in Paris, 1674).

**Anguissola** [aŋguis'ɔ:la], auch **Anguisciola** [-ʃ'ɔ:-la], Sofonisba, ital. Malerin, *Cremona um 1527/28,

† Palermo nach 1623, die bedeutendste von sechs malenden Schwestern, beeinflußt durch RAFFAEL und die Hauptmeister der Hochrenaissance in Parma (PARMIGIANINO); war v. a. als Bildnismalerin (zahlreiche Selbstporträts) tätig. 1559 von PHILIPP II. an den Hof nach Madrid berufen, später in Palermo und Genua. A. VAN DYCK porträtierte sie als erblindete Greisin (Federzeichnung).

**Anguß**, →Engobe.

**Ani**, Ruinenstadt östlich von Kars (Armenien, Türkei), 451 n. Chr. als Festung erwähnt, seit ASCHOT III. (953–77) Hauptstadt der armenisch-georg. Bagratiden mit damals rd. 100 000 Ew. An Stelle der alten Burg entstand ein weitläufiger Palast, um ihn eine große Stadt (zahlreiche Wohnhöhlen in den Felsschluchten der Umgebung) mit vielen Kirchen: Kathedrale (989 bis 1001, Kuppel-Basilika), Rundkirche des Hl. Gregorius (1001–10, Statue des Königs Gagik), Apostelkirche (Anf. 11. Jh., mit 5 Kuppeln) u. a. Die Blüte von A. endete mit der Eroberung durch die Byzantiner (1045) und Seldschuken (1072). 1239 wurde die Stadt durch die Mongolen zerstört.

**Anilinfarbstoffe** [arab. an-nila ›Indigo‹], →Teerfarben.

**Anjalimudra** [Skt.], ind. Geste der Verehrung, bei der die Hände vor der Brust mit den Handflächen aneinandergelegt werden.

**Anjar**, Ruinen einer Anlage der Omajjaden-Dynastie (661–750), rd. 40 km südwestlich von Baalbek (Libanon), nach antikem Stadtbauschema mit rechtwinklig sich kreuzenden Säulenstraßen, von turmbewehrten Mauern im Rechteck umzogen. Auch die Einzelbauten (Tetrapylon, Palast, Bäder, Ladenstraßen) lassen eine starke Anlehnung an spätantike Architektur erkennen.

**Ankara**, früher **Angora**, Hauptstadt der Türkei, 2,2 Mio. Ew. Vom antiken **Ankyra** sind der (später in eine Kirche umgewandelte) Augustus-Tempel mit der Inschrift des ›Monumentum Ancyranum‹ (Bericht über die Taten des Kaisers), die 15 m hohe Säule des Kaisers JULIAN APOSTATA (4. Jh.) sowie große Thermen erhalten. Die Hügel-Befestigung mit doppeltem Mauerring stammt aus byzantin. Zeit und wurde in osman. Zeit durch eine kleine Zitadelle verstärkt. Die Moschee in der Altstadt (Arslanhane Camii, 1290) zeigt einen schönen Felsen-Michrab und einen Mimbar aus Holz. Das Archäolog. Mus. (größte Sammlung hethit. Kunst) ist im (restaurierten) Mahmud-Pascha/Kurşunlu Han (1458/59–65 und 1590) – einer ehem. islam. Herberge – untergebracht.

**Anker, 1)** Baukunst: Verbindungen aus Holz, Stahl oder Stahlbeton, die auf Zug beansprucht werden und Bauteile zusammenhalten.

**2)** in der christl. Kunst Symbol der Hoffnung, auch der Auferstehung in Form eines Schiffs-A., oft in Verbindung mit dem Kreuz.

**Anker**, Albert, schweizer. Maler und Illustrator,

*Ins (Kt. Bern) 1.4.1831, †ebd. 16.7.1910, Schüler von C. GLEYRE, malte anekdot. Genrebilder aus dem schweizer. Bauernleben. Er illustrierte v.a. Werke des Dichters J. GOTTHELF.

**Anklam,** Stadt in Vorpommern, Dt. Dem. Rep., 19700 Ew., ehem. Hansestadt an der Peene. Marienkirche, got. dreischiffige Backsteinhalle (2. H. 14. Jh. unter Verwendung frühgot. Bauteile); zur Ausstattung gehören Wandmalereien aus der Entstehungszeit, Marienfigur (Ende 15. Jh.), Schrein mit Marienfigur (Ende 15. Jh.), Chorgestühl (1. H. 15. Jh., z. T. erh.). Die Nikolaikirche, eine dreischiffige Halle (14. Jh.), ist seit 1945 Ruine.

**Ankyra,** antike Stadt in Kleinasien, das heutige →Ankara.

**Anlaufbronzen,** Maltechnik: →Bronzen.

**Anlaufglas,** Glas, das als Farbträger Kristalle enthält, die durch selektive Lichtstreuung die Färbung erzeugen. Die Kristalle erhalten die wirksame Größe durch Wärmebehandlung des urspr. meist farblosen Glases **(Anlaufvorgang).** →Rubinglas

**Anlegen,** Maltechnik: **1)** erste Skizzierung der Bildkonturen; **2)** farbige Untermalung eines Bildes oder einer →Fassung; **3)** →Anschießen.

**Anlege|öl,** Maltechnik: Öle oder Öllacke (Mixtion), die mit Trocknungsbeschleunigern versetzt zum →Anschießen von Blattmetall dienen, z. B. →Ölvergoldung.

**Anlegetechnik,** Sticktechnik, bei der der Faden (meist Gold- oder Silberfäden) durch einen Haftfaden gehalten wird, damit das teure Material nicht unter Stoff gezogen werden muß.

**Anlo,** Gem. in der niederländ. Prov. Drenthe; roman. Kirche (um 1100, W-Turm wenig später) mit Wandmalereien, bemerkenswert einige roman. Sarkophagdeckel aus Sandstein mit Kerbschnittverzierungen (12. Jh.).

**Anna,** die legendäre Mutter Mariens, Gemahlin des Hl. Joachim; in der Kunst oft mit Jesus und Maria gemeinsam dargestellt (→Anna selbdritt).

**Annaberg-Buchholz,** Stadt im oberen Erzgebirge, Dt. Dem. Rep., 26100 Ew.; spätgot. Stadtkirche St. Annen (1499 beg.), dreischiffige Halle mit Sterngewölben; bemerkenswerte Bauplastik: Schöne Pforte (1512) von H. WITTEN, Portal an der Alten Sakristei (1518) und 100 steinerne Reliefs an den Emporenbrüstungen (1520 bis 1522); unter der reichen Ausstattung qualitätvolle Altäre, u. a. Renaissance-Hauptaltar (1522, Wurzel Jesse), spätgot. Bergaltar (1521 aufgestellt), Pflockscher Altar (CRANACH-Schule, nach 1521); Kanzel (1516). Die Bergkirche St. Marien ist im Kern spätgotisch (1502 bis 1511), nach Brand bis 1616 im Renaissancestil wieder-aufgebaut; spätgot. und Renaissance-Bürgerhäuser.

**Annam,** Region im heutigen Vietnam, in der sich die Kunst der Champa entfaltete (3.–15. Jh.), die aber auch immer wieder unter starkem chines. Einfluß stand. Bes.

deutlich ist dies in der Keramik, die zw. 9. und 13. Jh. Einflüsse der T'ang- und Sung-Stile zeigt. Berühmt ist die Blauweiß-Keramik des 14.–17. Jh. mit blumigem Dekor und dichter Füllung der Flächen bei Betonung der Mitte.

**Anna selbdritt,** die gemeinsame Darstellung von →Anna und Maria mit dem Jesusknaben, entstanden aus der Zuordnung der Gruppe Maria mit Jesusknabe (Vorbild: byzantin. Darstellungen des 13./14. Jh.) zur größer erscheinenden Mutter Anna; die Einheit von A. s. kommt damit stärker zum Ausdruck. Für den formalen Aufbau ergaben sich folgende Möglichkeiten: Maria (in kleinerem Maßstab mit dem Jesusknaben) wurde einer wie sie wiedergegebenen Anna auf den Schoß gesetzt oder in die Arme gegeben; im Spät-MA. konnte sie auch (aus tieferem theolog. Verständnis?) mit Kind zu den Füßen von Anna sitzen. Maria sitzt auf dem einen Knie, der Knabe auf dem anderen von Anna (um 1330; Regensburg, Domkreuzgang, Stuckplastik). Zw. Maria und Anna sitzt der Jesusknabe (1513; H. LEINBERGER, Holzrelief; 1513, Ingolstadt, Gnadenthal). LEONARDO DA VINCI nahm anfangs noch das alte Vorbild auf, ordnete aber schließlich Anna, Maria und den Jesusknaben in gleichgroßer Darstellung zueinander. Diesem Typus folgten auch andere Künstler seiner und späterer Zeit (L. CRANACH D. Ä., Holzschnitt um 1510/15 – CARAVAGGIO, Gemälde um 1605).

**Annweiler am Trifels,** Stadt im Pfälzer Wald, Rheinl.-Pf., 7200 Ew.; seit 1219 Reichsstadt, damit nach Speyer die älteste Stadt der Pfalz. A. wird beherrscht von den Burgen →Trifels, Anebos (gegr. 12. Jh.) und Scharfenstein (gegr. 11. Jh.).

**Anreiben,** **1)** Vermengen von →Pigmenten und →Bindemittel zu verwendbarer Farbe mit dem Läufer auf dem Reibstein. **2)** Erzeugen eines dünnen Metallüberzugs auf anderen Metallen mittels Oxidpulvern.

**Anrichte,** schrankartiges Möbel, →Kredenz.

**Ansbach,** Stadt in Mittelfranken, 39100 Ew., seit 1331 im Besitz der Hohenzollern, später markgräfl. Residenz. Gumbertuskirche (11.–18. Jh.) mit einmaliger Dreiturmfassade, der spätgot. Chor jetzt Schwanenritterordenskapelle; unter St. Johannis (15. Jh.) die Fürstengruft. Synagoge (1744–46 von L. RETTI); klassizist. Karlshalle. Residenz (1705 von G. DE GABRIELI beg., 1733 von Retti voll.) mit bemerkenswerter Innenausstattung im ›Ansbacher Rokoko‹ (Spiegelkabinett), Staatsgal. und Samml. Ansbacher Fayencen. Markgräfl. Kanzlei (1594) mit Sgraffitofassade; Prinzenschlößchen (18. Jh.); Markgrafen-Mus.

1710–1860 bestand eine Fayencemanufaktur. Zunächst Herstellung von blauweißer Ware unter dem Einfluß des aus Delft kommenden Malers J. K. RIB, der um 1710 in A. tätig war. Das Service ›Ansbacher grüne Familie‹ (um 1738; BILD Fayence) gehört zu den bedeutendsten Leistungen der Manufaktur. Seit 1758 Herstellung von Hartporzellan. Die künstler. Leitung hatte 1758–91 der Arkanist J. F. KÄNDLER, ein Vetter des Meißener Modellmeisters.

**Anschan,** elamische Hauptstadt, →Tell-i Malyan.

**Anschießen, Anlegen,** Maltechnik: Auftragen der Blattmetalle auf den vorbereiteten saugenden oder klebenden Grund (→Vergoldung) mit einem ›Anschießer‹, einem breiten, sehr flachen langhaarigen Pinsel.

**Antạkya, Antạkije,** Hauptstadt der südöstl. türk. Grenzprov., das antike →Antiochia am Orontes.

**Antạlya,** Hauptstadt der südtürk. Prov. A., 176 400 Ew. Das antike **Attaleia** war eine Gründung des pergamen. Königs ATTALOS II. (159–138 v. Chr.). Aus röm. Zeit (seit 79 v. Chr.) stammt als Rest der Stadtmauer das Hadrianstor (um 130), aus der Zeit nach der Eroberung durch die Seldschuken (1207) das monumentale Ziegel-Minarett Yivli (dt. gefurcht) Minare mit farbig glasiertem Dekor. Das Minarett gehörte zu einem Gebäudekomplex, der einst Moschee, Koranschule, Türbe und Bad umschloß (1219–36); heute Mus. (v. a. Statuen aus Side, Sarkophage und weitere Funde aus Lykien).

**Antananarịvo,** frz. **Tananarive** [-r'i:v], Hauptstadt von Madagaskar, im zentralen Hochland 1200–1400 m ü. M., 600 000 Ew.; malerische Hangbebauung. In der Oberstadt Festung (17. Jh.) mit Palast der Königin (1839 aus Holz erbaut, später mit viertürmigem Steinbau umgeben; Thronsaal, Gemäldegalerie) und weiteren Königspalästen (histor. Mus.) und -grabstätten. Figürl. Stickereiarbeiten; Steinschleifereien. Nördlich von A. liegt **Ambohimanga,** die Anf. des 18. Jh. gegr. Residenz und hl. Stadt der Merina-Könige.

**Antarạla** [Skt.], Teil des Inneren ind. Tempel, als Portikus vor der Cella (Garbhagriha) gelegen.

**Antạ̈us,** grch. **Antạios,** grch. Mythos: ein Riese, urspr. in Libyen, Sohn des Poseidon und der Gaia; im Ringkampf unbesiegbar, solange er seine Mutter, die kraftspendende Erde, berührte. Herakles überwand ihn, indem er ihn vom Boden aufhob und erwürgte oder erdrückte. – Darstellungen zeigen ihn zus. mit Herakles seit dem 6. Jh. v. Chr. u. a. auf grch. Vasen, röm. Reliefs der Kaiserzeit und wieder in der Neuzeit (L. CRANACH D. Ä., G. B. TIEPOLO).

**Ante** [lat.] *die,* in der antiken Baukunst die pfeilerartige Ausbildung einer vorspringenden Mauer mit Antenkapitell und Basis. – Der **Antentempel** hat eine Vorhalle, deren Säulen zw. Wänden mit A. stehen. Beim **Doppelantentempel** befindet sich je eine Vorhalle an der Schmalseite des Tempels.

**Ante:**
OBEN Antentempel,
UNTEN Doppelantentempel

**Ạntefix** [lat.], **Stirnziegel,** Baukunst: scheibenförmiger Abschluß des letzten Deckziegels (Kalypter) am unteren Dachende und am First antiker Bauten, oft reich reliefiert und bemalt.

**Antẹlami,** Benedetto, der bedeutendste ital. Bildhauer roman. Zeit, tätig von 1178 (Kreuzabnahme im Dom zu Parma) bis nach 1200. A. kannte die südfrz. Baukunst und Plastik des 12. Jh. (Arles, St. Gilles) und übertrug die ikonograph. Programme der Statuenzyklen frz. Fassaden als erster nach Italien (Fidenza, Domfassade, 1198; Parma, Baptisterium, seit 1196). In

**Benedetto Antelami:** Kreuzabnahme; Ausschnitt, 1178 (Parma, Dom)

seiner Nachfolge entstanden 2 Bogenfelder an S. Andrea, Vercelli, und die Reliefs mit Monatsdarstellungen im Dommuseum, Ferrara.

W. FORSTER: B. A. (1961).

**Antenor,** attischer Bildhauer, Ende 6. Jh. v. Chr., Schöpfer der ersten →Tyrannenmördergruppe und einer Mädchenstatue (Kore) auf der Akropolis von Athen. Seiner Werkstatt wird der Giebelschmuck des Apollotempels in Delphi (bald nach 510 v. Chr.) zugeschrieben.

**Antependium, Frontale** [lat.], den Altarunterbau schmückende Bekleidung. Als Materialien dienen seit dem 4./5. Jh. Stoffe, die alle 4 Seiten bedecken, oder, wie es seit dem 9. Jh. üblich wurde, eine metallene Vorsatztafel nur an der Frontseite des Altars. Diese ist häufig mit Email- und Goldschmiedearbeiten äußerst kostbar gestaltet. Daneben fand auch Holz mit Malerei Verwendung. Hervorragende Beispiele: der Paliotto des WOLVINIUS (um 840; Mailand, S. Ambrogio), die →Pala d'oro (Ende 10. Jh.; Venedig, Markuskirche), das goldene A. mit Relieffiguren aus dem Baseler Münster (um 1020; Paris, Cluny-Mus.).

**Antes,** Horst, Maler und Graphiker, auch Plastiker und Keramiker, *Heppenheim (Bergstraße) 28. 10. 1936, studierte 1957–59 in Karlsruhe, lehrte 1965–71 ebd. Nach malerisch impulsiven Figurenkompositionen der Anfangszeit führte A. eine von ihm erfundene Kunstfigur, den ›Kopffüßler‹, in sein Schaffen ein, der signethaft wiederkehrt und vielschichtigen Umwelterfahrungen und Proportionsverwandlungen ausgesetzt ist. (BILD S. 135)

H. A., Werkverzeichnis der Lithographien, hg. v. B. LUTZE (1975).

**Anthemion**

**Anthemion** [grch. ›Blume‹] *das,* in der grch. Baukunst und Malerei ein aus Palmetten- und Blütenreihen gebildeter Ornamentfries.

**Anthemios von Tralleis,** byzantin. Mathematiker

und Architekt aus Tralleis (Stadt im kleinasiat. Lydien), † um 534 n. Chr., war seit 532 n. Chr. neben ISIDOROS VON MILET Architekt des Neubaus der Hagia Sophia in Konstantinopel unter JUSTINIAN I. Seine Schrift über Brenn- und Hohlspiegel ist in Fragmenten erhalten.

**Anthonisz** [-s], Cornelis, holländ. Maler, Radierer und Holzschneider, *Amsterdam um 1499, † kurz nach 1556, bed. Kartograph des 16. Jh.

HW: Gruppenporträt der Georgschützen (1533; Amsterdam, Rathaus); Plan von Amsterdam in 12 Blättern (Holzschnitt; 1544).

**Anthropologisches Nationalmuseum,** span. **Museo Nacional de Antropologia** [-nasjon'al-], Mexiko, 1825 gegr., seit 1964 in einem von P. RAMIREZ VASQUEZ geplanten Bau, der um einen großen Innenhof errichtet worden ist. Er enthält im Erdgeschoß eine hervorragende Samml. von Funden aus dem vorspan. Mexiko; im Obergeschoß eine ethnograph. Samml. der mexikan. Indianergruppen.

**anthropomorph** [grch.], menschengestaltig, vermenschlicht.

**Antibes** [ãt'ib], südfrz. Stadt (55 700 Ew.) an der Côte d'Azur, mit ehem. Schloß der Grimaldi (16. Jh.), heute Mus. Grimaldi mit Werken P. PICASSOS.

**Antigonos von Karystos,** grch. Bildhauer und Kunsttheoretiker des 3. Jh. v. Chr., vielleicht identisch mit einem um 200 v. Chr. in Pergamon arbeitenden Bildhauer ANTIGONOS, der an den Gallierskulpturen (→ Attalische Weihgeschenke) mitarbeitete.

**Antigua,** amtlich **A. Guatemala,** die ehem. Hauptstadt Guatemalas (bis 1778), rd. 30 000 Ew.; 1527 (1542 am heutigen Platz) gegr., mehrfach durch schwere Erdbeben, bes. 1773, zuletzt 1976, beschädigt oder zerstört. Die meisten der ehemals prächtigen Bauten der Kolonialzeit sind heute Ruinen: u. a. Kirche San Francisco (2. H. 17. Jh.), Fassade mit gewundenen Säulen und Tympanon; Kathedrale (gew. 1680), fünfschiffig, Fassade (mit Statuennischen und Tympanon) in der für

**Horst Antes:** Figur auf Steinwellen; 1969 (München, Bayer. Staatsgemäldesammlungen)

Guatemala typ. Retabelform (durch Säulenordnungen und gekröpfte Gesimse vertikal und horizontal gegliedert). Die Kirche Nuestra Señora de las Mercedes (mit Kuppel) wurde 1850–55 im Barockstil wiedererrichtet (Fassade reich ornamentiert mit Statuennischen und Säulen). Die Kirchen Nuestra Señora del Carmen (1728) und San Pedro (im 19. Jh. wiederaufgebaut) besitzen bes. schöne Retabelfassaden. Die Univ. San Carlos (um 1763 und später), Innenhof mit Brunnen und herrlichem Kreuzgang (reich verzierte Arkadenbögen), ist heute Museum. Rathaus und Palast des Generalkapitanas von Guatemala (1769) haben klassisch gegliederte zweistöckige Arkadenfassade (Bogengänge).

**Antikensammlung,** Sammlungen von Gegenständen aus der grch. und röm. Antike (v.a. Skulpturen, Vasen, Münzen, Kleinkunst, Inschriften), die bes. in Zeiten starker Zuwendung zur Antike, wie Renaissance und 18. Jh., angelegt wurden. Systemat. Sammeln begann z.Z. der Renaissance; im 15. Jh. wurde die bed. Samml. der Medici in Florenz begründet; die Mehrzahl der großen A. der Renaissance und des Barock entstanden in Rom im Umkreis der Päpste oder fürstl. Familien, so v.a. die Samml. Albani (17. Jh.), Barberini (17. Jh.), Borghese (17. Jh.), Farnese (16. Jh.), Torlonia (19. Jh.), die päpstl. Samml. im Vatikan wurden bes. unter CLEMENS XIV. (1769–74), PIUS VI. (1775–99) und PIUS VII. (1802–23) gefördert. Außerhalb Italiens wurden zunächst in England zahlreiche Samml. angelegt (T. H. →Arundel). Seit J. J. WINCKELMANN, v.a. aber E. Q. VISCONTI (seit 1799 Leiter des Pariser Antikenmus.) setzte eine spürbar systematischere wissenschaftl. Zielrichtung auch bei der Erschließung der Sammlungsbestände durch Kataloge ein. In diese Zeit (um 1800) fiel die Gründung des Mus. in Neapel mit den Beständen der alten Farnese-Samml. und Funden der Vesuvstädte; das Brit. Mus. in London erwarb die Parthenonskulpturen, München die Ägineten; in Paris kamen viele antike Kunstwerke (Kunstraub NAPOLEONS I.) in das Mus. Napoléon, wie der Louvre z.Z. Napoleons hieß. Weitere bed. A. sind in Athen, Berlin, Boston, Istanbul, Kopenhagen, Leningrad, New York.

**Antimenesmaler,** attischer Vasenmaler des späten 6. Jh. v. Chr., benannt nach einem →Lieblingsnamen ›Antimenes‹ auf einer Vase, malte in schwarzfiguriger Technik, vornehmlich Themen aus dem Alltag.

**Antimongelb,** →Neapelgelb.

**Antinoos,** ein schöner Jüngling aus Bithynien (Kleinasien), *110 n. Chr., Liebling des Kaisers HADRIAN, den er auf einer Reise nach Ägypten begleitete, wo er 130 im Nil ertrank. Hadrian erwies ihm nach dem Tod göttl. Ehren, ließ ihm Statuen, Altäre und einen Tempel in Mantinea errichten. – Zahlreiche antike Statuen und Reliefs zeigen A. teils in idealer Nacktheit, teils mit den Attributen von Göttern (Dionysos, Vertumnus); Kennzeichen: schwermütiger Ausdruck des Jünglingskopfes und weiche Körperformen.

**Antiochia am Orontes,** heute **Antakya** (SO-Türkei), im Altertum die Hauptstadt der Seleukiden in Syrien, von König SELEUKOS I. NIKATOR 300 v. Chr. gegr. A. entwickelte sich zu einem bed. Handels- und Kulturzentrum der Antike; die von einer Hauptmauer umschlossene Stadt umfaßte 4 Stadtteile (jedes Viertel war von einer eigenen Mauer umgeben), die reich an prächtigen Bauten waren. Außerhalb lagen die Hafenstadt **Seleukia** und das Kulturzentrum **Daphne** mit vielen Tempeln und einem Stadion für sportl. und musische Wettkämpfe. Daphne wurde beliebter Aufenthaltsort vornehmer Griechen und Römer. Auch in röm. und christl. Zeit spielte A. eine bed. Rolle (drittgrößte Stadt des Röm. Reiches nach Rom und Alexandria, Wirkungsstätte von PAULUS und PETRUS, Patriarchensitz); KONSTANTIN I. ließ hier einen oktogonalen Zentralbau, wahrscheinlich mit Umgang, als erste Bischofs- und Gemeindekirche errichten. Durch Erdbeben im Jahre 526 zerstört, wurde die Stadt unter JUSTINIAN als **Theupolis** in kleinerem Umfang wiederaufgebaut. Im MA., nach Eroberung durch die Mamelucken 1268, verlor A. seine Bedeutung. Von Bauten der Antike ist so gut wie nichts erhalten (Brücke des Kaisers DIOKLETIAN, Ruinen eines unter TRAJAN erbauten Aquädukts). Zahlreiche Mosaikfunde aus röm. Häusern und Palästen von A. und seiner Umgebung enthält das Archäolog. Mus. von Antakya, eine der umfangreichsten Sammlungen antiker Mosaiken.

**Antiope,** zwei Gestalten des grch. Mythos: **1)** Tochter des Königs Nykteus von Theben, gebar dem Zeus die Zwillinge Amphion und Zethos. Als Nykteus' Nachfolger Lykos und seine Gattin Dirke A. grausam behandelten, rächten A.s Söhne sie. Zeus (Jupiter), sich der A. als Satyr nähernd, ist ein häufiges Motiv v. a. auf Gemälden der Neuzeit (TIZIAN, TINTORETTO, A. VAN DYCK).

**2)** Königin der Amazonen. Sie (oder auch die Amazone Hippolyte) wurde von Theseus geraubt und dessen Gemahlin. Zus. mit Theseus ist A. auf grch. Vasen und Reliefs bereits um 500 v. Chr. nachweisbar, u. a. auf einer Metope vom Schatzhaus der Athener in Delphi.

**Antiquitäten** [lat.], kunsthandwerkl. Gegenstände, die ein bestimmtes Alter erreicht haben (nach dem dt. Zolltarif mindestens 100 Jahre).

**Antiquités judaïques** [ãtikit'e ʒyda'ik, frz. ›jüdische Altertümer‹], ein unter KARL V. im 14. Jh. ins Frz. übersetztes Werk des jüd. Historikers FLAVIUS JOSEPHUS (etwa 37–100 n. Chr.) über die Geschichte seines Volkes. Gegen 1405 ließ Herzog Jean de →Berry eine zweibändige Ausgabe schreiben und gab die ersten Miniaturen in Auftrag (man unterscheidet den ›Josephus-Meister‹ und den ›Harvard Hannibal-Meister‹). J. D'ARMAGNAC erbte später die A. j. und ließ um 1470 weitere Miniaturen von J. FOUQUET und seiner Schule ausführen.

M. THOMAS: Buchmalerei aus der Zeit des Jean de Berry (1979).

**antithetisch** [grch.], zwei im Profil dargestellte Tier- oder Menschenfiguren, die symmetrisch einer Mittelachse zugeordnet sind. Dieses Motiv ist im Alten Orient ausgebildet worden und wird in der Folgezeit zur Gestaltung von Reliefs, Symbolen und Wappen mit feierl. Charakter verwendet.

**Antitypus,** christl. Ikonographie: das dem Typus (v. a. im A. T.) als Erfüllung gegenüberstehende Nachbild (im N. T.) – etwa Christus als A. von Adam (→Adam und Eva), die Apostel als A. der Propheten. (→Typologie 2)

**Antokolskij,** Mark (Mordechai) Matwejewitsch, jüd.-russ. Bildhauer, *Wilna 2. 11. 1843, †Homburg v. d. H. 9. 7. 1902, zunächst als Holzschnitzer ausgebildet, besuchte 1862–67 die St. Petersburger Akad. Er gestaltete Persönlichkeiten der russ. Geschichte, u. a. Peter I. (1872, Leningrad, Russ. Mus.), Jermak (1889, ebd.); sein HW ›Iwan d. Schreckliche‹ (1870/71; ebd.) fand internat. Anerkennung. Wegen Judenverfolgungen im zarist. Rußland und Anfeindungen russisch-nationaler Kreise lebte er ab 1874 meist in Paris und Rom.

**Antolínez** [-θ], José, span. Maler, *Sevilla(?) 1635, †Madrid 30. 5. 1675, Schüler von F. RIZI am Madrider Hof. A. schuf neben Porträts und minuziös gemalten Landschaften v. a. relig. Bilder im Stil des Spätbarock (›Hl. Magdalena mit Engeln‹, Madrid, Prado).

**Antonello da Messina,** italienischer Maler, * Messina um 1430, †ebd. zw. 14. und 25. 2. 1479, tätig in Sizilien und Süditalien, 1475/76 in Venedig und Mailand. Er lernte in Neapel die altniederländ. Harzölmalerei kennen und vermittelte deren Technik den venezian. Malern. A. da M. schuf streng charakterisierte männl. Bildnisse und Altarbilder mit Landschaften und Innenräumen. (BILD S. 139)

**HW:** Hl. Hieronymus (um 1456; London, Nat. Gal.); Verkündigung (1474; Syrakus, Nat.-Mus.); Hl. Sebastian (1475/76; Dresden, Gemäldegal. – Alte Meister).

G. MANDEL: A. d. M. (Mailand 1967).

**Antoniazzo Romano,** eigtl. A. **Aquili,** ital. Maler, *Rom um 1435, †ebd. zw. 1508 und 1517, schuf unter dem Einfluß von MELOZZO DA FORLÌ Fresken und Tafelbilder. Fast alle Werke befinden sich in Rom.

**Antonin,** Dorf in der Wwschaft Kalisz (Kalisch), Polen, mit dem eigenwilligen Zentralbau eines viergeschossigen Jagdschlosses aus Holz, das 1822–24 für die Familie Radziwiłł nach Entwurf von K. F. SCHINKEL erbaut wurde.

**Antonius,** Heilige: **1) A. der Große,** Eremit in Ägypten, *Kome (Mittelägypten) 251/52, †356, lebte 35 Jahre in einem Felsengrab nahe seiner Heimat, dann 20 Jahre auf einem Berg jenseits des Nils und gründete schließlich Einsiedler-Kolonien, eine Vorform des Mönchtums. – Seine Attribute sind oft ein Schwein (Hinweis auf das Privileg des Ordens der Antoniter im MA. als Ausgleich für ihre Krankenpflege Schweine frei zu weiden), ein Stab mit T-förmigem Kreuz und eine Glocke. Sein legendärer Besuch bei dem Einsiedler Paulus von Theben (A. soll ihn mit Hilfe zweier Löwen begraben haben) ist u. a. vom Augsburger Meister (1445; Basel), v. a. aber von M. GRÜNEWALD für den Isenheimer Altar gemalt worden. Im Spät-MA. er-

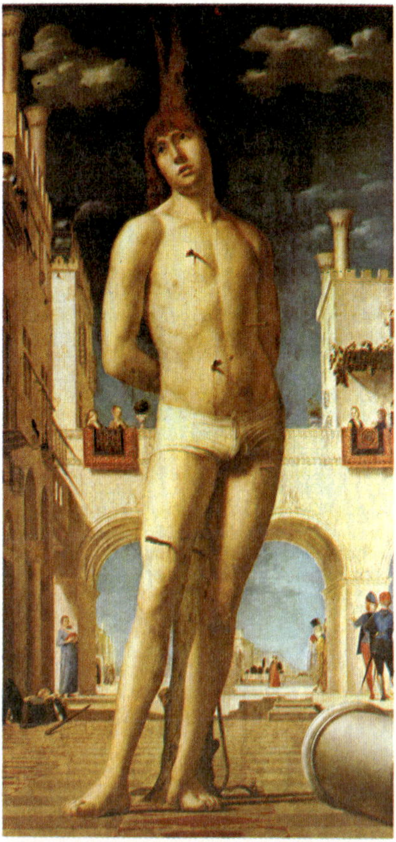

**Antonello da Messina:**
Hl. Sebastian; 1475/76 (Dresden, Gemäldegalerie – Alte Meister)

scheint A. oft thronend, so im Mittelschrein des Isenheimer Altars, geschnitzt von N. HAGNOWER. Häufig sind Darstellungen der Versuchungen des A. (H. BOSCH, M. SCHONGAUER, M. GRÜNEWALD bis in den Barock).

**2) A. von Pạdua,** Franziskaner, *Lissabon 1195, †Arcella bei Padua 13. 6. 1231, Lehrer der Theologie in Bologna, Volksprediger in S-Frankreich und Italien, 1232 heiliggesprochen. In diesem Jahr begann der Bau seiner Grabeskirche S. Antonio in Padua (genannt ›Il Santo‹). – A. wird als Prediger, häufig barfüßig, in den Händen Buch und Lilien, auch mit dem Jesuskind auf den Armen, dargestellt. Szenen seiner Legende vereinte DONATELLO am Hochaltar des Santo (1445ff.) in bewegten Reliefs. 1511 malte TIZIAN in der Scuola del Santo in Padua ein Fresko mit einem Wunder des Heiligen.

**Antwerpen,** frz. **Anvers** [ãv'ɛ:r], belg. Seehafen an der Schelde, 259300 Ew., erlebte im 13. Jh. eine erste

Blüte, wurde nach der Versandung des Brügger Hafens die erste Handelsstadt Europas (15./16. Jh.). Die Altstadt wird beherrscht von der Kathedrale, dem HW der fläm. Spätgotik (1352– um 1519), einem siebenschiffigen Bau mit kreuzförmigem Grundriß, Chor und Kapellenkranz sowie reich gegliedertem N-Turm (123 m). Der urspr. reiche plast. Schmuck wurde beim Bildersturm 1566 zerstört; erh. ist eine ›Madonna mit Kind‹ (um 1335). Als größte Kostbarkeit birgt die Kathedrale den Kreuzaufrichtungsaltar (1610/11) und den Kreuzabnahmealtar (1612–14) sowie die ›Himmelfahrt Mariens‹ (1626) von P. P. RUBENS. Die nach der Kathedrale bedeutendste Kirche ist St. Jacob (1491 beg.), eine kreuzförmige Basilika, Chor mit Umgang und Kapellenkranz sowie Kapellen an den Seitenschiffen; sehr reiche barocke Ausstattung; in Rubens' Grabkapelle eines seiner Spätwerke (›Maria mit dem Hl. Georg‹, 1636–38); Skulpturen von A. QUELLINUS D. Ä. Ebenfalls spätgotisch ist die Dominikanerkirche St. Paul (1533 bis 1639) mit barockem Turm (1679); im Innern geschnitzte Beichtstühle von P. VERBRUGGEN D. Ä. und A. QUELLINUS D. J., Marmoraltar von P. VERBRUGGEN D. J., ›Geißelung Christi‹ (1608) von Rubens. Die bedeutendste Barockkirche ist die Karl-Borromäus-Kirche (Anf. 17. Jh.) mit reich gegliederter Fassade nach ital. Vorbild; die Deckengemälde von P. P. RUBENS und A. VAN DYCK wurden durch einen Brand (1718) vernichtet.

Am ›Grote Markt‹ mit seinen fast nur aus hohen Fenstern bestehenden Gildehäusern der Böttcher, Krämer, Schützen u. a. (16. Jh.) steht das Rathaus (1561–65) von C. FLORIS, der die Fassade in der Art ital. Paläste mit Elementen nördl. Renaissance verbindet. Unweit vom Markt liegt die spätgot. Fleischhalle (Vleeshuis, 1501 bis 1503), heute Mus. (Kunsthandwerk). Das Rubenshaus (1610–17), Wohnhaus und Atelier des Malers, hat einen reichen Barockgiebel und einen aufwendigen Portikus zum Garten; es enthält Gemälde von Rubens und seinen Zeitgenossen. Zu den bed. europ. Museen zählt das Mus. der Schönen Künste (u. a. umfangreiche Samml. der fläm. Malerei des 17. Jh., belg. Malerei des 19. Jh.). Weitere Museen: Mus. Mayer-van den Bergh in einem Patrizierhaus des 16. Jh. (griechisch-röm. Kunst, ma. Elfenbeinschnitzerei, Malerei und Plastik); Mus. Plantin-Moretus in einem als Druckerei errichteten Renaissancebau des 16. Jh. (vollständige Druckerei, Stiche, Gemälde des 18. Jh.); Mus. Ridder Smidt van Gelder (Möbel, Porzellan, Gemälde des 18. Jh.). Park von Middelheim mit zahlreichen modernen Skulpturen.

**Antwerpener Manieristen,** Sammelname für eine Gruppe von überwiegend anonymen Malern, um 1510 bis 1515 in Antwerpen. Ihre prunkvollen Altarbilder haben einen stilisierten spätgot. Charakter. Sie dürfen nicht mit dem internationalen Manierismus nach 1520 verwechselt werden.

**Anubis,** ägypt. Gott in Gestalt eines Hundes oder eines Menschen mit Hundekopf; Kultort in Kynopolis (Mittelägypten); früh in ganz Ägypten als Totengott verehrt: er übernimmt die rituelle Vorbereitung der Leiche. Daher trug der die Leiche umsorgende Priester

Anubis

eine tönerne Hundekopfmaske; von den Griechen als **Hermanubis** dem Götterboten Hermes gleichgesetzt.

**Anuli** [lat. ›Ringlein‹] *Mz.*, flache, meist dreifache Riemchen unter dem →Echinus des Kapitells an dorischen Säulen.

**Anuradhapura, Anaradschapura,** Provinzhauptstadt in Sri Lanka (Ceylon), 348 000 Ew.; alte Hauptstadt des buddhist. Reiches, nach singhales. Tradition im 5. Jh. v. Chr. gegr. Unter den Heiligtümern, die A. zu einer Hauptstätte des Hinayana-Buddhismus machen, sind der →Bodhi-Baum, Klosterbauten mit Dagobas (→Stupa) und Wasseranlagen, die z. T. auf das 2. Jh. v. Chr. zurückgehen (Thuparama-Dagoba, Ruanweli-Dagoba), aber bis in die Neuzeit überbaut wurden. Die Hauptphasen der Kunst von A. liegen im 2.–3. Jh. n. Chr. (Skulpturen, →Mondsteine, beeinflußt von

**Anuradhapura:** Thuparama-Dagoba, 3. Jh. v. Chr.; wiederholt umgebaut, im 19. Jh. restauriert

→Amaravati) und im 7.–8. Jh. (Issurumuniya-Kloster mit Elefanten-Relief).

H. MODE: Die buddhist. Plastik auf Ceylon (1963).

**Anuszkiewicz** [ənuskj'ewitʃ], Richard, amerikan. Maler, *Erie (Pennsylvania) 23. 5. 1930, studierte u. a. bei J. ALBERS an der Yale Univ., malt rein geometrisch aufgebaute Bilder meist in 2 Farben i. S. der →Op Art.

**Anvers** [ãv'ɛ:r], frz. Name von →Antwerpen.

**Anyang,** Stamm in Westafrika, →Ekoi.

**Anyang,** Stadt im N der chines. Prov. Honan, nördlich des Gelben Flusses. 2,5 km nordwestlich, bei dem Dorf Hsiaot'un, Ausgrabungen der letzten Hauptstadt

Yinhsü (1300–1066 v. Chr.) der Shang-Dynastie; reich mit Bronzegeräten, Skulpturen und Jadeschnitzereien ausgestattete Gräber von Shang-Königen, die sich von Sklaven, Haustieren, Pferden und Wagen in den Tod begleiten ließen. Zahlreiche Orakelknochen- und Schildkrötenpanzerfunde; die bei der Divination eingeritzten Piktogramm-Zeichen stellen die älteste Form chines. Zeichenschrift dar.

**Anyi, Agni** [aɲ'i], Stamm in Westafrika, gehört zur Gruppe der →Akan.

äolisches Kapitell

**äolisches Kapitell,** antike Kapitellform in Äolien: Palmette zw. 2 Voluten, etwa seit dem 6. Jh. v. Chr. vorkommend.

**Äoli|en,** das Gebiet der von dem altgrch. Stamm der **Äolier** besiedelten Städte auf den Inseln Lesbos und Tenedos sowie an der NW-Küste Kleinasiens.

**Aosta,** Hauptstadt des ital. Aostatals, 39 000 Ew.; Bischofssitz. Röm. Baureste, u. a. Stadtmauer, Porta Praetoria, Theater, Augustusbogen (weitere Funde im archäolog. Mus.). Kirche S. Orso (Fassade 15. Jh.; reiche Innenausstattung) mit roman. Kreuzgang (reicher figürl. Skulpturenschmuck der Säulenkapitelle) und Propstei (um 1500; Fresken); Dom (11.–19. Jh.; Fresken) und Kreuzgang (15. Jh.).

**Apadana** *das,* Palasthalle, so bezeichnet in einer achaimenid. Bauinschrift von Susa und in einer des babylon. Königs NEBUKADNEZAR II. in Babylon; sie diente der öffentl. Audienz des Königs. In →Persepolis ist eine solche Halle mit 25 m hohen Säulen und prächtigen Reliefs erhalten geblieben.

**Apamea am Orontes,** heute die Ruinenstätte **Kalat el-Mudik,** nordwestlich von Hama (Syrien), in hellenist. Zeit Hauptstützpunkt der Seleukiden. Ausgrabungen erbrachten Reste öffentl. Gebäude und Kirchen (v. a. die ›Kathedrale‹, ein Zentralbau mit innerem Viernischenkranz und Umgang), aus denen bed. Bodenmosaiken des 4.–6. Jh. n. Chr. stammen (heute in Damaskus und Brüssel). Teile der riesigen Säulenhallen des 2. Jh. n. Chr. entlang der 1,5 km langen Hauptstraßenachse wurden wieder aufgerichtet.

**Apeldoorn,** Stadt in der niederländ. Prov. Geldern, 132 800 Ew., mit dem königl. Schloß Het Loo (beg. 1685, mehrfach verändert), einem repräsentativen Bau mit viergeschossigem Mitteltrakt und je 2 Seitenflügeln; in dem großen Landschaftspark (Anf. 19. Jh.) liegt das Wasserschloß Het Oude Loo (15./16. Jh.).

**Apelles,** grch. Maler des 4. Jh. v. Chr., Freund ALEXANDERS D. GR. A. galt als der größte Maler der Antike, noch im MA. und der Renaissance, obwohl kein Werk von ihm erhalten blieb; er schuf v. a. Götterdarstellungen und Porträts. Am bekanntesten waren seine ›Aphrodite Anadyomene‹ in Kos und sein ›Alexander mit dem Blitz‹ im Artemision von Ephesos. Von einem Bild mit dem Titel ›Die Verleumdung‹ gibt LUKIAN (Mitte des 2. Jh. n. Chr.) eine Beschreibung, die BOTTICELLI zu einem Gemälde anregte (Florenz, Uffizien).

**Aphaia,** lat. **Aphaea,** wohl Verschmelzung einer

urspr. ägäischen Göttin mit der kret. Göttin Britomartis, im grch. Mythos Tochter des Zeus und der Karme. A. wurde seit myken. Zeit auf →Ägina verehrt, wo ihr der große Tempel geweiht war.

**Aphrodisias,** antike Stadt in Karien (W-Kleinasien), deren Ruinen bei dem heutigen Dorf Geyre, südöstlich von Nazilli liegen. A. erlebte seine Hauptblüte in der röm. Kaiserzeit. Bedeutendster Bau der Stadt war der Aphrodite-Tempel aus hellenist. Zeit, der im 4. Jh. n. Chr. in eine christl. Basilika umgebaut wurde; ferner wurden ein Stadion, ein Odeion, die von Säulenhallen umgebene Agora (14–29 n. Chr.), eine Thermenanlage aus hadrian. Zeit u. a. freigelegt; die Bauten waren z. T. mit Girlandenfriesen, Köpfen und figürl. Ornamenten verziert (heute größtenteils, ebenso wie die qualitätvollen Statuenfunde, in den Mus. von Izmir und Istanbul). Die Werke der **Bildhauerschule von A.,** die häufig mit Bildhauersignaturen versehen sind, waren in Griechenland, Italien und Nordafrika im 1. und 2. Jh. n. Chr. verbreitet.

**Aphrodisium,** röm. Hafenstadt in Tunesien, bei →Henchir Fraga.

**Aphrodite,** grch. Göttin der Liebe und Schönheit, in ihrer Gestalt Elemente prähistor. Liebes- und Fruchtbarkeitsgöttinnen, von den Römern der Venus gleichgestellt. Sie galt als Göttin der ›himmlischen‹ **(A. Urania)** und der einfachen, sexuellen Liebe **(A. Pandemos).** Vieldeutig sind die Versionen ihrer Geburt: aus dem Genitalschaum des Uranus im Meer entstanden oder von Zeus gezeugt. Im grch. Mythos war sie Gemahlin des Hephaistos, Geliebte u. a. des Adonis und Ares, dem sie Eros, Anteros, Harmonia, Deimos und Phobos gebar. Paris wählte sie als die Schönste aus, wofür sie ihm Helena zuführte. Als **A. Aineias** war sie Mutter des Äneas und damit Stammutter des julischen Kaiserhauses. A. wurde in zahlreichen Kultstätten, v. a. in Korinth, verehrt. Der Gürtel ist ihr Attribut, zugeordnet sind ihr u. a. Apfel, Rose, Taube, Sperling und Delphin.

Darstellungen der A. lassen sich in der grch. Kunst seit dem 7. Jh. v. Chr. auf Vasen (Halsbild einer naxischen Amphora; A. mit Ares auf einem mit Flügelrossen bespannten Wagen stehend, 7. Jh. v. Chr., Naxos), Reliefs und bereits in archaischer Zeit als Freiplastiken nachweisen; vorbildlich für spätere Werke wurden Skulpturen von PRAXITELES, der als erster A. nackt darstellte, und LYSIPP; aus hellenist. Zeit stammt die **A. von Melos,** auch **Venus von Milo** (Paris, Louvre). Die Römer gestalteten das Thema v. a. auch auf Wandbildern und Sarkophagen. Das MA. kannte A. als ›Frau Welt‹, ›Frau Minne‹ und weibl. Amor im positiven Sinne oder als Personifikation der Wollust und Unkeuschheit (Kapitell in St. Lazare, Autun, 12. Jh.). In der Neuzeit wurde die Gestalt der Venus überwiegend idealistisch in Skulpturen (J. SANSOVINO, GIAMBOLOGNA, B. THORVALDSEN, A. RENOIR) und Gemälden (BOTTICELLI, A. MANTEGNA, L. CRANACH D. Ä., TIZIAN, GIORGIONE, P. VERONESE, TINTORETTO, P. P. RUBENS, D. VELASQUEZ, A. BÖCKLIN) verherrlicht, im 20. Jh. tiefsinnig reflektiert (S. DALÍ, P. PICASSO, J. KOLÁŘ).

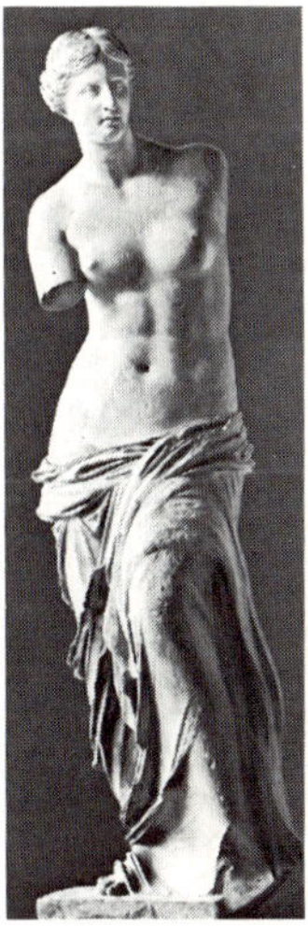

**Aphrodite von Melos,**
um 130/120 v. Chr.
(Paris, Louvre)

**Apis,** Relief (Paris, Louvre)

**Apis,** ägypt. **Hapi,** ägypt. Religion: hl. Stier, in Memphis verehrt, nach dem Tode oft einbalsamiert; durch die Verbindung mit Osiris wurde aus dem urspr. Fruchtbarkeitsgott ein Totengott; beigesetzt im →Serapeum. Dargestellt wurde A. mit der Sonnenscheibe und Uräusschlange zw. den Hörnern. Der Kult verschmolz in der Ptolemäerzeit mit dem des →Sarapis.

**Apodyterium** [grch.], Umkleideraum in den antiken →Thermen.

**Apokalypse** [grch. ›Offenbarung‹] *die,* eine Schrift, die Weltlauf und Weltende in visionärer, oft schwer deutbarer Sprache prophetisch enthüllt – im A. T. die Bücher Jesaja und Daniel, im N. T. v. a. die **(Geheime) Offenbarung des Johannes,** um 96 n. Chr. zur Zeit der Verfolgung des DOMITIAN entstanden. – In der Kunst gehört die A. zu den Stoffen, die sich im Grunde der bildl. Darstellung entziehen. Gleichwohl finden sich schon in frühchristl. Zeit Bilder von Einzelmotiven: Christus mit den 4 Lebenden (Evangelisten-Symbole, →Maiestas Domini), mit dem →A und O, mit den 24 Ältesten; das Lamm auf dem Berge, dem die 4 Paradiesesflüsse entströmen; das apokalypt. Weib. Vermutlich schon aus dem 5. oder 6. Jh. stammen die ersten abendländ. Versuche, die A. insgesamt zu verbildlichen.

Als Thema der frühmittelalterl. Buchmalerei findet sich die A. in 3 Herkunftszweigen: dem spanisch-nordafrikanisch-südfrz. Zweig (9.–13. Jh.) steht ein ital. und ein gallisch-ostfränk. gegenüber (Einfluß auf die dt. Buchmalerei). Dem phantast. Wesen der A. kommt die – wenn auch oft absurde – span. Darstellung am nächsten (→Beatus-Apokalypsen). Näher an das Absonderliche der A., ihrer Intention und Ausdruckskraft, kamen die großen Meister des MA. Zu ihnen gehörte der Reichenauer Meister der →Bamberger Apokalypse (um 1000). Die ma. A.-Zyklen sind bes. durch die Buchmalerei überliefert; in St. Savin, León, S. Elia bei Nepi, Anagni u. a. begegnen sie auch als Fresken. Aus got. Zeit stammt die A. von →Angers. Im Spät-MA. verbreitete dann die Graphik (Blockbücher) die A. Zum Höhepunkt führte A. DÜRER die Darstellung der A. in seiner Holzschnitt-A. von 1498, zugleich ein lange Zeit nachwirkendes Vorbild (bis in die russ. volkstüml. Bilderbögen des 18. Jh.). Noch in der Decken- und Apsismalerei des Barock spielen die apokalypt. Visionen eine große Rolle. Darstellungen der A. widerstrebten dem 19. Jh. und finden sich wieder im 20. Jh.

**Apokalyptische Reiter,** die schon in den frühen Handschriften der →Apokalypse, am eindringlichsten dann von A. DÜRER dargestellten 4 Reiter, die nach dem allegor. Bild in Offb. 6, 1 ff. über die Welt Krieg, Hunger, Pest und Tod bringen.

**Apokryphen** [grch. ›verborgene (Schriften)‹], in jüd. und christl. Sprachgebrauch nicht zum anerkannten Kanon der Bibel gehörende Schriften, diesen in Anlage und Inhalt ähnlich, doch vom Geist ihrer eigenen Zeit, von Wunderglauben und Freude an legendärer Ausgestaltung bestimmt. Motive der A. finden sich schon in der frühchristl. Kunst, bestimmte Bildtypen (Einzelheiten der Geburt Jesu wie Höhle, Stern, Engel, ebenso der Flucht nach Ägypten, der Höllenfahrt Christi – auch des Marienlebens) werden in der Folge zum festen Bestandteil der christl. Ikonographie.

**Apoll,** grch. **Apollon,** lat. **Apollo,** grch. Gott des Lichtes, von vielschichtigem, ambivalentem Wesen, dessen Ursprung versch. Gottheiten u.a. wohl aus dem östl. Kulturbereich sind. Als Heilgott wendete er allg. Unheil ab und wirkte als Arzt. Als Sühnegott sandte er mit seinen Pfeilen Krankheit und plötzlichen Tod. Als nie irrender Orakelgott verkündete er Wahrheit und brachte Läuterung. Er spielte die Leier, war Gott der Musik und der Dichtkunst, der Harmonie und Ordnung. Seit dem 5. Jh. v. Chr. wurde A. dem Sonnengott **Helios** gleichgesetzt und gewann seine eindeutige Natur als junger Gott des Lichtes. Im Mythos ist er Sohn des Zeus und der Leto, Zwillingsbruder der Artemis, auf Delos geboren. Nach der Tötung des Drachen Python bei Delphi und dem Kampf um den Dreifuß mit Herakles gründete er dort seine Kultstätte. Sein Kult breitete sich über ganz Hellas aus. Seine Symbole sind v.a. Bogen und Köcher, Leier, Lorbeer und Dreifuß.

Fülle und Vielfalt der A.-Darstellungen zeigen sich auf grch. Vasen, Reliefs und Statuetten seit dem 7. Jh. v. Chr.: A. allein, zus. mit den Olympiern, im Gigantenkampf, mit Artemis, Herakles, Tityos und den Kindern der Niobe. Bed. Statuen sind u.a. die röm. Kopien ›Kasseler A.‹, wohl nach PHIDIAS, A. als nackten Gott darstellend, und ›A. von Belvedere‹ (Vatikan), wohl nach LEOCHARES, die A. im Lauf den Bogen haltend und dem Pfeil nachblickend zeigt. Überaus zahlreich sind neuzeitl. Darstellungen als Plastiken (A. SANSOVINI, B. THORVALDSEN, A. RODIN) und auf Gemälden u.a. mit Diana (L. CRANACH d. Ä.), Daphne (G. B. TIEPOLO), auf dem Sonnenwagen (G. B. TIEPOLO, O. REDON), mit den Musen (N. POUSSIN), mit Python (E. DELACROIX) und den Marsyas schindend (A. CARRACCI, G. RENI).

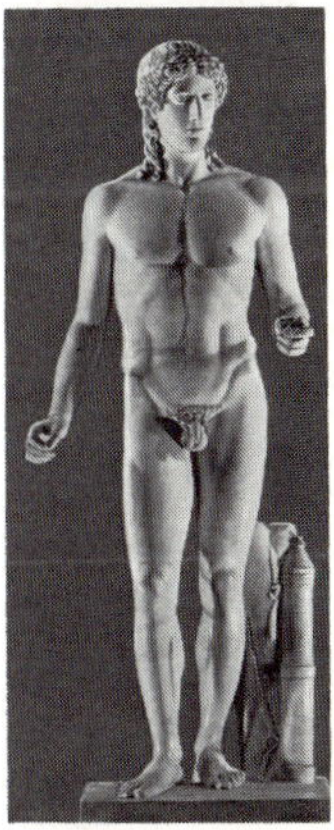

Apoll

**Apoll**: OBEN archaische Bronzestatuette (Boston, Museum of Fine Arts). UNTEN Kasseler Apoll, röm. Kopie nach einem Bronzestandbild von Phidias ? (Kassel, Staatl. Kunstsammlungen)

**Apollinaris,** Bischof von Ravenna, Märtyrer, lebte um 200 n. Chr. (?), nach der Legende Begleiter des Hl. Petrus (Grab in der Kirche S. Apollinare in Classe bei Ravenna); dargestellt in weißem Gewand mit schwarzem Kreuz, mit Bischofsstab und Keule (mit der er erschlagen worden sein soll).

**Apollodoros, Apollodor, 1) A. aus Damaskus,** der bedeutendste Architekt der röm. Kaiserzeit, wirkte in der 1. H. des 2. Jh. n. Chr., hauptsächlich unter TRAJAN, den er auf seinen dakischen Feldzügen begleitet. A. baute die über 1 km lange Donaubrücke am ›Eisernen Tor‹ (104–5), das Odeion und die Trajansthermen in Rom sowie das großartigste röm. Kaiserforum, das Forum Traiani (107–13). Unter HADRIAN soll er wegen Kritik an dessen dilettant. Bauplänen in Ungnade gefallen und hingerichtet worden sein.

**2) A. von Athen,** grch. Maler des späten 5. Jh. v. Chr., galt als Erfinder der Schattenmalerei (→Schattieren).

**Apollon,** der grch. Gott →Apoll.

**Apollonios,** Name mehrerer grch. Bildhauer, v. a. **A. von Tralles,** im 1. Jh. v. Chr. tätig, einer der Meister der Marmorgruppe, die die Fesselung der Dirke an den Stier durch Amphion und Zethos darstellt (als Kopie, ›Farnes. Stier‹, in Neapel erhalten); ein ebenfalls im 1. Jh. v. Chr. arbeitender athen. Bildhauer **A.** wurde durch das von ihm signierte Werk, den →Belvederischen Torso bekannt.

**Apostel** [grch. ›Sendboten‹], die von Jesus zur Verkündigung seiner Lehre ausgewählten 12 Jünger: Petrus, Andreas, Jakobus d. Ä. (Zebedäi), Johannes, Philippus, Bartholomäus, Matthäus, Thomas, Jakobus d. J. (Alphäi), Thaddäus, Simon, Judas (Ischarioth) und nach dessen Verrat durch Zuwahl Matthias. Als A. der Heiden nahm auch Paulus die unmittelbare Berufung durch Christus in Anspruch. – Die Darstellung der A. in der frühchristl. Kunst geht von der Apostelgesch. wie von den apokryphen A.-Evangelien aus. Bereits auf den Sarkophagen des 4. Jh. erscheint das A.-Kollegium an der Seite des Weltenrichters, andererseits bei allen wichtigen bibl. Ereignissen bis zum Heimgang Mariens. Werden die A. insgesamt wiedergegeben, so zeigt sich gewöhnlich in ihrer Mitte Christus als Lehrer, Auferstandener, Gesetzgeber. Alle sitzen (zuweilen im Halbkreis) oder Christus thront, während die A. stehen, oder die A. sind beiderseits des i. d. R. erhöhten Herrn aufgereiht. An seiner Stelle kann auch das Kreuz mit dem Monogramm (dem ›Namen‹ Christi) auftreten. Diese Komposition einer Mehrheit von Zeugengestalten um eine sinngebende Mittelgestalt ist trotz antiker Vorstufen neuartig. – Gewöhnlich sind es 12 A., meist einschließlich Paulus, so daß nicht nur Judas, sondern auch Matthias fehlen. Die Heiligkeit der Zwölfzahl erscheint zwingender als die histor. Treue. Schon früh erhalten Petrus und Paulus die bevorzugten Plätze unmittelbar neben Christus. Sie sind auch die ersten und für lange Zeit die einzigen, die durch ihre Kopftypen hervorgehoben werden (Paulus: Kahlkopf; Petrus: Lokkenkopf). Ihren besonderen Platz hat ihnen erst im MA. Johannes streitig gemacht: Er darf an der Brust des Herrn ruhen (Lieblingsjünger) und wird als Jüngling zu einem feststehenden Typus. Die anderen A. werden erst im Spät-MA. in bestimmter Gestalt dargestellt. Unterscheidend sind allerdings mehr die seit dem 13. Jh. übl. Attribute, meist die Marterwerkzeuge (Andreas: Diagonal-Kreuz; Bartholomäus: Messer; Jakobus d. Ä.: Pilgerstab; Jakobus d. J.: Walkerstab; Johannes: Kelch mit Giftschlange; Matthäus: Schwert oder Hellebarde; Matthias: Beil; Philippus: Kreuzstab; Simon: Säge; Thomas: Winkelmaß); die ältesten Attribute sind die des Petrus (Schlüssel) und des Paulus (Schwert). Allg. Kennzeichen der A. sind Schriftrolle oder Buch. – Im ganzen MA. und später begegnet die Darstellung der A. mit oder ohne Christus in verschiedensten, oft bedeutsamen Zusammenhängen. Ihre Bedeutung wird auf unterschiedl. Weise hervorgehoben: An den Fassaden span. Kirchen erscheinen die ›Apostolados‹ (Apostelreihen). Abt SUGER bezeichnete in seinem Neubau von

St. Denis (in Anlehnung an Gal. 2, 9) die Säulen des Mittelschiffs als A., die der Seitenschiffe als Propheten. In der Folge sind den Säulen des Mittelschiffs tatsächlich auch die Figuren der A. hinzugefügt worden (Sainte Chapelle, Paris; Münster, Freiburg i. Br.; Dom, Würzburg u. a. bis hin zu den Riesenfiguren der Bernini-Schule in S. Giovanni in Laterano, Rom). Häufig erscheint die typolog. Verbindung der A. mit den (ihnen meist untergeordneten) Propheten (Apsis-Fresko Reichenau-Niederzell). Deren Vorläuferschaft kommt symbolisch zum Ausdruck, wenn die A. auf den Schultern der Propheten sitzen (Merseburger Taufbecken, Glasfenster in Chartres) oder stehen (Bamberger Dom). Als Einzelgestalten sind nur einige A. für die Kunstgeschichte bedeutungsvoll geworden: im MA. v. a. Petrus, der die päpstl. Mitra tragen kann, Paulus bes. seit der Reformation, Johannes im Spät-MA., der ungläubige Thomas schon im MA., am denkwürdigsten jedoch im Barock (M. DA CARAVAGGIO und dessen Nachfolge). Petrus, Paulus, Johannes und Jakobus stellte A. DÜRER dar (auch als Sinnbilder der 4 Temperamente).

**Apostelkrüge,** Deckelkrüge aus Steinzeug mit farbigen Reliefs der Apostel; im 16. und 17. Jh. in Creußen bei Bayreuth hergestellt.

**Apostel|löffel,** Satz von 13 Löffeln, deren Stiele figürlich ausgeformt sind (12 Apostel und Christus oder Maria). Im 16./17. Jh. ein beliebtes Patengeschenk.

**Apotheose** [grch.], die Erhebung eines Menschen zur Würde eines Gottes oder Halbgottes. Bei den Römern wird die A. meist durch Wagenauffahrt dargestellt (Ara Augusti, vielleicht Caesars; Vatikan), die durch den Tierkreis gehen kann (Igeler Grabdenkmal), auch durch Entrückung auf einem Adler (›Germanicus‹-Kamee; Louvre). Dieser kann den Entrückten auch begleiten oder ihm vorausfliegen. Frauen trägt der die Unsterblichkeit symbolisierende Pfau empor, auch die Aeternitas (Personifikation der Ewigkeit). Auf der bedeutendsten A., der des Antoninus Pius und der Faustina (Vatikan), stellt die das röm. Kaiserpaar entrükkende Gestalt wahrscheinlich den Äon dar. Im Barock und im 19. Jh. wird die A. wieder aufgegriffen, so hat z. B. D. CHODOWIECKI die Entrückung Friedrichs d. Gr. zum gestirnten Himmel darzustellen versucht und J. A. D. INGRES sich um die A. Homers (1827) und Napoleons I. (1853) bemüht.

**Apotropäon** [grch.] *das,* ein magisches Abwehrmittel gegen Unheil und Krankheit, Tote und böse Geister, das v. a. Kraft gegen Kraft setzt, oft in Form eines Amuletts.

**Apoxyomenos** [grch. ›der Schabende‹], der sich mit dem Schabeisen (Strigilis) reinigende Athlet, ein Thema in der grch. Kunst, z. B. bei →Lysipp.

**Appel,** Karel, holländ. Maler, *Amsterdam 25. 4. 1921, Mitgl. der Gruppe →Cobra, lebt in Paris. Ausgehend von der pastos aufgetragenen Farbmaterie, strebt A. als Neoexpressionist zu bewußt primitiv wirkenden gegenständl. Assoziationen.

**Appiani,** Andrea, ital. Maler, *Mailand 23. 5. 1754, †ebd. 8. 11. 1817, wurde durch seine an RAFFAEL geschulten, mythologisch-allegor. Fresken in klassizist. Stil (›Amor und Psyche‹, 1789; Monza, Villa Reale) bekannt und von NAPOLEON I. zum Hofmaler ernannt (Ausgestaltung des Palazzo Reale in Mailand, 1807 bis 1810; Wand- und Deckengemälde im 2. Weltkrieg teilweise zerstört); war daneben auch als Porträtmaler tätig (Antonio Canova; Mailand, Gal. d'Arte Moderna).

**Appiano,** ital. für →Eppan.

**Appingedam,** Stadt in der niederländ. Prov. Groningen. Die romanisch-got. Kirche (um 1250) mit got. Chor (um 1300) wurde im 15. Jh. zur dreischiffigen Hallenkirche umgestaltet; figürl. und ornamentale Malereien (1570) an Gewölben und Pfeilern, Backstein-Rathaus mit lebhafter Fassade (1630).

**Applikation** [lat. ›Hinzufügung‹], ornamentierte Auflage, u. a. aus Papier, Blei, Farbteig (→Preßbrokat) bes. auf Gemälden, gefaßten Skulpturen, Möbeln; seit dem späten MA. beliebte und oft virtuos eingesetzte Technik, um bildl. Darstellungen lebensnäher zu gestalten.

**Applikations|arbeit, Aufnäh|arbeit,** Nadelarbeit, bei der Verzierungen aus Stoff, Leder u. a. auf eine Unterlage (Textilien, Leder) aufgenäht werden. Oft treten Stickerei oder Malerei hinzu. Werden die Muster in den Stoff eingearbeitet, spricht man von **Inkrustation.**

**Applike** [lat. ›das Angefügte‹], **1)** in der grch.-röm. Kunst meist zur Bez. flacher Tonreliefs verwendet, die auf einem anderen Untergrund befestigt wurden, v.a. an Vasen, an Sarkophagen (S-Italien, S-Rußland) oder auf Holzkästchen (Melische Reliefs). **2)** selbständig gearbeitetes Zierstück, z. B. vergoldeter Bronzebeschlag für Möbel. **3)** ein- oder mehrarmiger Wandleuchter.

**après la lettre** [apr'ɛ lal'ɛtr, frz.], →avec la lettre.

**Aprey** [apr'ɛ], Ort im frz. Dép. Haute-Marne. Die hier 1744 gegr. Fayencemanufaktur stellte zunächst im ›Straßburger Stil‹ mit Blumenornamentik dekorierte Ware her; gegen Ende des 18. Jh. herrschten Vogelmalerei und Chinoiserien vor. Es kommen auch ausgekratzte Rankenmuster auf dem Rand vor.

Apsis

**Apsara** [Skt.], ind. Mythologie: ind. Nymphe und Verführerin, meist als Beifigur im Luftraum schwebend dargestellt.

**Apsis** [grch. ›Wölbung‹] *die, Mz.* **Apsiden, Abside,** halbrunder (später auch vielseitiger), meist mit einer Halbkuppel überwölbter Raumteil. In den röm. Tempeln, Basiliken, Thermen wurden die A. als Nebenräume in Nischenform gestaltet. Beim frühchristl. und roman. Kirchenbau bildet die A. den Abschluß des basilikalen Langhauses (→Basilika). Dieser Haupt-A. entsprechend wurden oft kleine Nebenapsiden **(Apsidiolen)** an der Ostseite der Kreuzarme oder an den Chorumgängen angeordnet. Wegen ihrer Überwölbung in Form einer Viertelkugel (Kalotte) wird die A. auch Konche (Muschel) genannt. Die Kalotte der Haupt-A.

wurde seit frühchristl. Zeit mit einem raumbeherrschenden Fresko oder Mosaik geschmückt, das bes. in der Romanik die ›Maiestas Domini‹ darstellt. Byzanz bevorzugte dagegen Darstellungen von Maria mit Kind, während des Bilderstreits ersetzt durch ein großes Kreuz.

**Apt,** frz. Stadt in der Provence, rd. 45 km östlich von Avignon, 10 000 Ew.; in der romanisch-got. ehem. Kathedrale (11./12. und 14. Jh.) die Kapelle Ste. Anne (1660; mit Büstenreliquiar), 2 Krypten (obere romanisch, untere vorromanisch), reicher Kirchenschatz (u. a. Reliquienschreine mit Emailarbeiten aus Limoges, 12. und 13. Jh.); Archäolog. Mus. (röm. Funde). – In der Nähe der röm. Pont Julien (1. Jh. n. Chr.).

**Apt,** Ulrich d. Ä., Maler, seit 1481 in Augsburg nachweisbar, †ebd. 1532, Meister einer vielbeschäftigten Werkstatt ebd., in der auch seine Söhne Jakob und Ulrich d. J. mitarbeiteten, stilverwandt mit H. HOLBEIN D. Ä.

**Werke:** Altarflügel (1510; Augsburg, Hl. Kreuz): Geburt Christi (Windsor Castle, Royal Art Collection) und Anbetung der Könige (Paris, Louvre); Porträt eines alten Mannes (Vaduz, Fürstl. Liechtenstein. Gemäldegal.).

**Apulische Vasen,** rotfigurige Vasengattung, die in Apulien (Unteritalien) zunächst in direkter Anlehnung an Attische Vasen hergestellt wurde. Produktionszentrum wohl Tarent, etwa 430–300 v. Chr. Die A. V. zeichnen sich durch besondere Vorliebe für reiches pflanzl. Ornament, oft vielfigurige Darstellungen, in der Spätzeit durch Zunahme von Farbigkeit und perspektiv. Versuche aus. Thematisch finden sich neben mytholog. Szenen solche aus dem Grabbrauch oder vom Theater. Auffällig ist die oft beachtl. Größe der Kratere.

**Aqar Quf,** Ruinenstätte nordwestlich von Bagdad, Irak (KARTE Alter Orient), der alten Stadt **Dur Kurigalzu**, die im 15./14. Jh. v. Chr. zeitweilig Residenz der Kassitendynastie Babyloniens war. Ausgegraben wurde die noch rd. 50 m anstehende Zikkurat, Teile eines Palastes mit Wandmalereien und Reste von Tempeln. A. Q. ist größtenteils noch unerforscht.

**Aquädukt** [lat.] *der,* Wasserleitungsrinne, meist auf brückenartigem Steinbauwerk, von den Römern zu Monumentalbauten mit offenen oder gedeckten Kanälen entwickelt. Der erste röm. A., die **Aqua Appia** (312 v. Chr. vom damaligen Zensor APPIUS CLAUDIUS CAECUS erbaut), führte das Wasser auf einem etwa 16,5 km langen Weg von den Albaner Bergen in die Stadt Rom. A. gab es in Italien und in vielen Prov. des Röm. Reiches (Spanien, Frankreich, Dtl., Schweiz, Nordafrika, Kleinasien, Griechenland), z. T. bis heute gut erhalten. Vor den Römern gab es A. bereits im Vorderen Orient bei den Phönikern und in Griechenland.

**Aquamanile** [lat.] *das,* Gießgefäß, im MA. oft in Form eines Tieres (Löwe, Drache) aus Silber, Bronze oder Messing. In der Kath. Kirche ein Gefäß zur Handwaschung des Priesters während der Messe. Urspr. war A. nur die Bez. für die Schale, in der das Wasser aufgefangen wurde; der Name ging auf das Gießgefäß über.

**Aquamanile** in Form eines Löwen; Messing mit Granat-Augen, Anfang des 13. Jh. (München, Bayer. Nationalmuseum)

Die profane Verwendung von A. ist wahrscheinlich. Tiergefäße aus Bronze kommen auch in der islam. Kunst vor und haben die roman. Tierplastik beeinflußt.

**Aquarellfarben,** sehr fein angeriebene Farben (→ Anreiben 1) in wasserlösl. Bindemitteln, meist →Gummi. A. waren schon den Ägyptern bekannt; sie wurden zum Kolorieren benutzt.

**Aquarellmalerei** [ital.], Malerei mit Wasserfarben auf hellem, holzfreiem, geleimten Hadernpapier, auch auf Pergament, Japanpapier, Elfenbein und Seide, im Unterschied zur →Gouachemalerei ohne Deckweiß und vom Hellen zum Dunklen gemalt. Ein weißer Farbton wird nur durch →Aussparen des Malgrundes erreicht, womit sich zugleich die hellste Lichtwirkung er-

**Aquarellmalerei:** William Turner, ›Genfer See mit Dent d'Oche‹; um 1841 (London, Brit. Museum)

.quarellmalerei: August Macke, ›Blick auf eine Moschee‹; 1914 (Privatsammlung)

gibt. Eigenarten der A. sind das →Lasieren und das →Lavieren sowie die Transparenz der Wasserfarben, durch die das Licht nicht von der Oberfläche der Farbschicht, sondern vom weißen Malgrund durch das Medium Farbe reflektiert wird.

Geschichte. Die A. war schon im 2. Jh. v. Chr. im alten Ägypten bekannt (Totenbücher). Mit Aquarellfarben arbeiteten auch die Buchmaler des MA., doch bevorzugten sie bes. später die Deckfarbentechnik. Aquarellfarben wurden auch von den Briefmalern und Illuministen beim Kolorieren von Holzschnitten (Einblattdrucke) benutzt. Von der Buchillustration ging die A. in die Stamm- und Wappenbücher des 16. Jh. über. Zur Eigenständigkeit gelangte die A. jedoch erst in den hervorragenden Landschaftsbildern von A. DÜRER, die zunächst ohne Nachfolge blieb. Im 17./18. Jh. benutzten zahlreiche Künstler die A., häufig in Verbindung mit anderen Techniken, bes. für Landschaftsdarstellungen sowie Bildnisminiaturen auf Elfenbein. Die neuere Entwicklung ging um 1800 von England aus, wo sie sich trotz aller Anfeindungen der Londoner Akademie gegen den Vorwurf des Dilettantismus durchsetzte. 1805 trat die ›Society of Painters in Water Colours‹ mit ihrer ersten erfolgreichen Ausst. hervor. Die bedeutendsten Meister in England sind T. GIRTIN und W. TURNER. Die weitere Entwicklung folgte mehr dem Realisten Girtin als dem Landschaftspoeten Turner. Die Aquarelle R. P. BONINGTONS waren von starker Wirkung auf die Künstler Frankreichs, wo sowohl die romant. Realisten (T.

GÉRICAULT, E. DELACROIX) wie auch die Schilderer des zeitgenöss. Gesellschaftslebens (P. GAVARNI, C. GUYS) meisterhafte Aquarelle malten. Auch die A. von K. BLECHEN stand unter dem engl. Einfluß, während die dt. Maler zu Beginn des 19. Jh. ansonsten die aquarellierte Zeichnung bevorzugten (K. P. FOHR, L. RICHTER u. a.). Eine fruchtbare Tradition bildete sich bes. in Wien heraus, wo R. v. ALT die meisten seiner Architektur- und Landschaftsbilder mit Aquarellfarben malte. Gegen Ende des 19. Jh. verlor die A. an Bedeutung, obwohl die Ausdrucksmöglichkeiten dieser Technik v. a. von P. CÉZANNE in virtuoser Ausführung erkannt wurden. Erst im 20. Jh. entwickelte sich bes. bei den Expressionisten (E. NOLDE, C. ROHLFS, K. SCHMIDT-ROTTLUFF, A. MACKE u. a.) ein neuer Stil der A.

W. KOSCHATZKY: Das Aquarell (1969); Das Aquarell 1400–1950, Ausst.-Kat., München (1972); R. WEDEWER u. H. SCHNEIDLER: Aquarelle und Zeichnungen des 20. Jh. (1982).

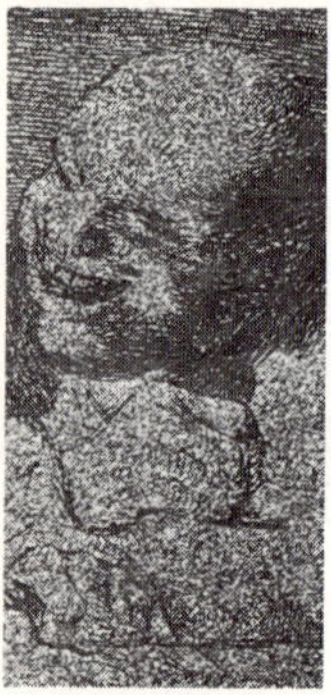

**Aquantinta**
(Ausschnitt aus einer A. von F. Goya)

**Aquatinta** [lat.-ital.], graph. Technik, bei der Säure (lat. aqua fortis) den dunklen Ton (ital. tinta) der körnig strukturierten Flächen erzeugt; durch den Ätzvorgang der Radierung verwandt. Die Darstellung wird meist vor dem Ätzen nur in Umrissen auf die Platte gezeichnet. An den Stellen, die im Druck weiß erscheinen sollen, wird die Platte mit durchsichtigem Ätzgrund überzogen. In einem Staubkasten wird sie dann mit einer Schicht säurefester Staubkörner (Asphalt oder Kolophonium) gleichmäßig bedeckt, die anschließend durch Hitze angeschmolzen werden. Im Ätzbad dringt die Säure nur in den Zwischenräumen zum Metall vor und frißt sich in die Oberfläche ein, wodurch der charakterist. punktartige Flächenton der A. entsteht. Versch. Halbtöne entstehen durch stufenweises Ätzen und Abdecken der Platte mit einem Lack. Dichte und Dunkelheit des Drucks sind durch die Beschaffenheit des Staubbelags und durch die Dauer des Säurebads zu modifizieren. Das Verfahren wurde um die Mitte des 18. Jh. zur Wiedergabe von Sepiapinselzeichnungen erfunden. F. GOYA erhob es in seinen graph. Folgen, wie ›Los Caprichos‹ (1797–99), zum bildkünstler. Mittel. Eine Weiterentwicklung der A. ist die →Heliogravüre.

**Aquileja**, ital. **Aquileia**, Stadt (3000 Ew.) in der Prov. Udine, mit antiken Bauresten (röm. Grabbezirk; Fundgegenstände im archäolog. Mus.). Der Dom, eine dreischiffige Basilika (Neubau des 11. Jh., Umbau im 14./15. Jh.) mit Vorhalle (9. Jh., z. T. mit antiken Säulen; durch die Chiesa dei Pagani mit dem Baptisterium, wohl 5./6. Jh., verbunden) und freistehendem Glokkenturm (11.–14. Jh.), besitzt eine reiche Innenausstattung (u. a. mit roman. Fresken geschmückte Krypta des 9. Jh.). Umfangreiche Reste frühchristl. Bauten (v. a. Mosaikböden) des 1.–4. Jh. unter dem Dom (Ausgrabungen) und im Vorort Monastero (Basilika).

**Aquincum**, ehem. röm. Legionslager in →Budapest.

**Aquitanische Kuppelkirchen**, eine bes. in Aquitanien erhaltene Gruppe von etwa 60 Saal- oder Hallenkirchen des 12. Jh., bei denen die einzelnen Joche stark voneinander geschieden und durch Kuppeln gewölbt sind; z. T. angeregt wohl von byzantin. oder von ihnen abhängigen Vorbildern (Venedig, San Marco), doch von hoher künstler. Eigenständigkeit: Angoulême, Kathedrale (1128 gew.); Cahors, Kathedrale (1119); Fontevrault, Abteikirche (beg. 1104); Périgueux, St. Front (nach 1120); Souillac, Abteikirche (vor 1150).

**Arabeske** [ital.] *die,* naturalisierendes plast. Rankenornament in symmetr. Anordnung aus der hellenist.-röm. Antike; es wurde in einer abstrahierten flächenhaften Form von der islam. Kunst übernommen (Samarra, 9. Jh.) und entwickelte sich zu einem ihrer charakteristischsten Ornamente: fortlaufende rhythmisch geschwungene Ranken, die durch Gabelblätter und Tierkörper hindurchlaufen und in Wiederholung, Aufrollung und Überschneidung zu dekorativem Füllwerk wurden. In der Architektur, über den Zierauftrag hinaus, wurde die A. als Mittel zur Entmaterialisierung von Baumassen (Kuppel, Gewölbe, Fassade) angewendet. Ihre Verbreitung ist durch das islam. Bilderverbot mitverursacht. Im Lauf des 16. Jh. wurde sie durch Ornamentstich-Vorlagebücher auch nördlich der Alpen weit verbreitet und zur →Maureske umgebildet. Im 17. Jh. verlor die A. an Bedeutung, lebte aber im Klassizismus des 18./19. Jh. wieder auf. (BILD Ornament)

**Arabeske** (aus einer persischen Handschrift, 2. Hälfte des 15. Jh.)

**Arad, 1)** Hauptstadt des Kr. Arad, Rumänien, an der Maros, 172600 Ew., Festung aus dem 16. Jh., in Kriegen zerstört, 1783–92 erneuert. Barocke Sakralbauten des 18. Jh.: serbisch-orthodoxe Kathedrale (Anf. 18. Jh.), Florianskapelle (1751–53), Kloster des Hl. Simeon Stîlpnicul (1760–62).

**2)** neue Stadt in Israel, im Negev, westl. des bibl. A., 11000 Ew. – Nach dem Befund der Ausgrabungen (1962–67) wurde der Ort des bibl. A. schon in der frühen Bronzezeit von einer Stadt mit 2,5 m dicken Mauern eingenommen. Funde weisen auf einen lebhaften Handel mit Ägypten hin. Die spätere eisenzeitl. Festung umfaßte u. a. einen Tempel, der den Normen des Salomon. Tempels in Jerusalem (erwähnt auf einer in A. gefundenen Tonscherbe) entsprach.

**Arakan,** nach der birman. Dynastie A. des 15. bis 17. Jh. benannte Stilrichtung bes. für Buddha-Figuren aus Bronze, die in Kleidung, Schmuck und Proportionen Ähnlichkeit mit sino-tibet. Figuren aufweisen.

**Arakawa,** Shusaku, japan. Künstler, *Nagoya 6. 7. 1936, seit 1960 in den USA ansässig, vertritt die Concept Art. Mitte der 1960er Jahre ersetzte A. in seinen Bildern die Gegenstände handschriftlich durch verbale

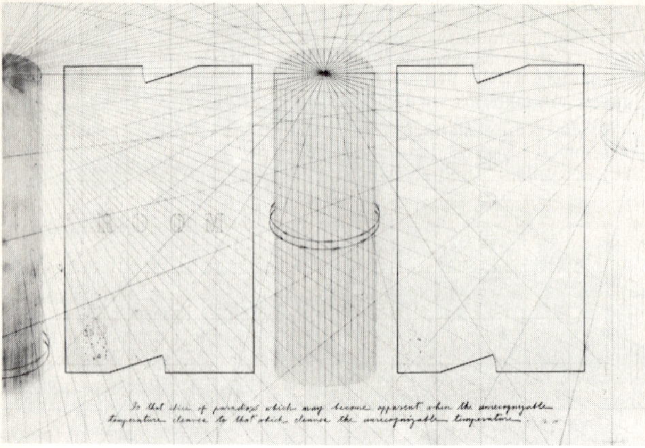

**Shusaku Arakawa:** Sketches for an Anatomy of the Signified or If ... Part I, No. 2; 1974–75 (München, Galerie Art in Progress)

Begriffe. Seine malerisch sensiblen Denkbilder zeigen die Spannung zw. Begriff und Vorstellung.

S. A., Ausst.-Kat., München (1981).

**Arạk el-Emịr** [arab.], Ruinenstätte 18 km westlich von Ammạn mit dem Kasr el-Abd (arab. ›Sklavenschloß‹), nach Befund der Ausgrabungen ein im 2. Jh. v. Chr. von HYRKANUS errichteter Kultbau (vermutlich ein Tempel) aus weißen Steinblöcken, mit monumentalen Löwenfiguren im Relief (3 m lang, 2 m hoch), davon 4 noch in der ursprüngl. Lage.

**aramäische Kunst:** Kolossalstatue eines Königs aus Zincirli; 9./8. Jh. v. Chr., Höhe etwa 320 cm (Abguß)

**aramä̦ische Kunst,** die Kunst der Aramäer in Syrien, etwa 1200–600 v. Chr. Die Aramäer, Angehörige einer semit. Einwanderungswelle, waren nach der Mitte des 2. Jahrtsd. v. Chr. aus der syr. Steppe nach Innersyrien und Mesopotamien eingedrungen. Als Zentren der a. K. sind Damaskus und vielleicht Aleppo (beide können nicht ausgegraben werden), Hama sowie, trotz stark späthethit. Einflusses, Tell Halaf und Zincirli anzusehen. Alle aramäischen Denkmalsgattungen sind nicht leicht von späthethit. und phönik. Kunst zu trennen; auch wurden Einflüsse aus Assyrien, Urartu und Ägypten aufgenommen, so wie umgekehrt aramäische Merkmale in jenen Kunstwerken auszumachen sind. Das Charakteristische der a. K. kommt am besten in einigen Werken der Plastik und des Reliefs sowie im Bereich der Kleinkunst (Elfenbeinschnitzereien) zum Ausdruck; es tritt weniger deutlich in der Thematik als vielmehr in der stilist. Ausführung hervor, bei der ein Nebeneinander von kantiger Körpergestaltung (Löwe aus Scheich Sa'ad, Damaskus, Nat.-Mus.; Skulpturen aus Tell Halaf, in Kopien erh.) und eine elegant-weiche Formgebung (Relief aus Aleppo, Aleppo, Nat.-Mus.; Stele des Priesters Agbar, Louvre) zu beobachten ist (vielleicht aus der Arbeit versch. Werkstätten zu erklä-

**aramäische Kunst:** Königin beim Mahl; Relief aus Zincirli (Höhe 134 cm), um 730 v. Chr. (Berlin-Ost, Staatl. Museen)

ren). Typ. Werke der a. K. sind im Querschnitt halbrunde Stelen, auf denen Gottheiten in sehr verkürzter Formsprache, entweder nur in Symbolen oder in Zusammenhang mit ihren Symbolen, dargestellt werden oder Grabstelen, auf denen sich der uralte Bildgedanke des kult. Gelages, aber mit veränderter Bedeutung (Beziehung zum Grab) wiederfindet.

H. FRANKFORT: The Art and Architecture of the Ancient Orient (London [4]1970); W. ORTHMANN: Der Alte Orient (1975); J. BÖRKER-KLÄHN: Altvorderasiat. Bildstelen und vergleichbare Felsreliefs (1982).

**Aranda de Duero,** span. Stadt, rd. 17 000 Ew., in Altkastilien, am Duero östlich von Valladolid. Die reich skulptierte Fassade der Kirche S. Maria la Real (von FERDINAND II. und seiner Gemahlin ISABELLA I. gestiftet) ist ein HW des Isabellinischen Stils (Ende 15. Jh.).

**Aranjuez** [araŋxu'εθ], Stadt auf der Hochfläche Neukastiliens, am Tajo, 30 000 Ew., Sommerresidenz der span. Könige, 50 km südlich von Madrid. Der Königspalast (Neubau unter PHILIPP II. 1561 ff. durch J. B. DE TOLEDO und J. DE HERRERA; nach mehreren Bränden verändert) besteht aus einem dreistöckigen Haupttrakt mit Attika (überragt von den Kuppeln der Eckpavillons) und 2 doppelgeschossigen Seitenflügeln mit Arkadengal. (1771–78); Innenausstattung des 19. Jh., Gemäldegal., Porzellansaal (mit Arbeiten der königl. Porzellanmanufaktur Buen Retiro); prächtige Parkanlagen. KARL IV. ließ nach 1790 im NO der Stadt das Schlößchen Casita del Labrador errichten (prunkvolle Ausstattung, u. a. Pompejan. Kabinett).

**Ara Pacis Augustae** [lat. ›Altar des Augustusfriedens‹], der Altar, der vom röm. Senat für die Heimkehr des AUGUSTUS nach der Befriedung aller Provinzen

13–9 v. Chr. in Rom am Marsfeld errichtet wurde. Systemat. Ausgrabungen 1903 und 1937/38 ermöglichten den Wiederaufbau mit Hilfe der 1569 und 1859 gefundenen, in Rom und Florenz aufbewahrten Reliefplatten, doch nicht am alten Platz, sondern in der Nähe des Augustus-Mausoleums. Ein von einer 6 m hohen Mauer eingefaßter rechteckiger Bezirk von etwa 11 mal 10 m enthält in der Mitte den reliefgeschmückten Altar. Die Umfassungsmauern sind mit plast. Girlanden- und Rankenwerk und Figurenfriesen verziert. Dargestellt sind die Erdmutter (Tellus), die Stadtgöttin Roma, das Opfer des Äneas, die Romulus und Remus säugende Wölfin; an den Längsseiten Ausschnitte aus der Opferprozession der Priester, der kaiserl. Familie und der Bürger zur Einweihung des Altars. Die A. P. A. ist das kostbarste erhaltene Denkmal repräsentativer röm. Staatskunst und des klass. Reliefstils augusteischer Zeit.

**Arapowo-Kloster,** z. Z. der Osmanenherrschaft (1856) gegr. festungsähnl. Kloster bei dem Dorf Arapowo (heute Slatowrach, Bez. Assenowgrad) in S-Bulgarien, mit der Hauptkirche Sweta Nedelja, einer dreischiffigen Dreikonchenanlage mit Kuppel.

**Aratea-Handschriften,** Bilder-Hss. aus karoling. Zeit, die auf das Werk des grch. Dichters ARATUS VON SOLI (315–245 v. Chr.) zurückgehen. U. a. ist die A.-H. CICEROS überliefert (London, Brit. Mus., Harley Ms. 647), deren Miniaturen sich durch ›Schriftbilder‹ (›carmina figurata‹) auszeichnen, d. h. die Körper der personifiziert wiedergegebenen Sternbildfiguren werden aus Schriftzeichen gebildet. Immer wieder kopiert wurde auch die A.-H. des GERMANICUS (Prunkausgabe in Leiden, Bibl. der Rijksuniv., 2. Viertel 9. Jh.).

**Arazzi** [n. der frz. Stadt Arras], ital. Bez. für Bildwirkereien, bes. für die Bildteppiche, die im 15. und 16. Jh. in Arras, Brüssel u. a. Städten der alten Niederlande nach Entwürfen ital. Maler ausgeführt wurden. So wurden die von RAFFAEL für die Sixtin. Kapelle in Rom entworfenen Wandteppiche nach dessen Kartons in Brüssel gewirkt.

**Arbanassi,** Dorf mit Klöstern in N-Bulgarien, Bez. Weliko Tarnowo. Bei der türk. Eroberung 1393 nicht zerstört, verfiel jedoch bis ins 17. Jh.; 1680 Bau neuer Kirchen, Klosterneugründung 1716. In der Kirche des Hauptklosters Wandmalereien von 1762, reiche Ikonensammlung.

**Arboga,** Stadt im schwed. Län Västmanland, 14700 Ew.; St. Nikolai (12./13. Jh.); Dreifaltigkeitskirche (um 1300 als Kirche des ehem. Franziskanerklosters) mit Fresken (15./16. Jh.) zum Leben des Hl. Franziskus, z. B. seine Predigt vor Rentieren und Vögeln.

**Arbore,** Ort im Kr. Suceava, N-Rumänien, 7300 Ew., mit Kloster (→Moldauklöster) und Kirche (Grablege eines Bojaren); Baubeginn 1503; bed. Außenfresken aus der Erbauungszeit.

**Arca,** ital. Bildhauer, →Niccolò dell'Arca.

**Arca Lingga,** balines. Kultfiguren anthropomorpher Gestalt aus polychrom gefaßtem Holz und versch. anderen Materialien, in die sich nach balines. Glauben Götter zeitweise hineinbegeben.

**archaische Kunst,** die Periode in der grch. Kunst zw. geometr. und klass. Stil im 7. und 6. Jh. v. Chr. (→ griechische Kunst).

**archaistische Kunst,** Kunstform in grch. und röm. Zeit, die bewußt versucht, den älteren archaischen Stil nachzuahmen. Die ältesten Beispiele sind im 5. Jh. v. Chr. faßbar, zunächst vorwiegend bei bestimmten Kultbildtypen; seit dem späten Hellenismus und in der frühen Kaiserzeit findet sich archaist. Stil v. a. bei dekorativen Reliefs und Gebrauchsplastik. Der Archaismus artikuliert sich v. a. in den Gewändern (Zickzackfalten), aber auch in den Frisuren (Buckellöckchen, Korkenzieherlocken).

**Archanes,** Ortschaft auf Kreta, etwa 10 km südlich von Knossos am Fuß des Juktas-Berges über einer minoischen Siedlung (KARTE kretisch-mykenische Kunst). In A. wurde ein kleines Stück einer palastartigen Anlage ausgegraben. Nach den Funden in der westlich von A. auf dem Phourni-Hügel freigelegten Nekropole reicht die minoische Siedlung in die 2. H. des 3. Jahrtsd. v. Chr. zurück. Die Nekropole bietet eine Vielzahl von Grabtypen. Aus Steinen gebaute Rundgräber lassen sich von etwa 2400 v. Chr. bis etwa 1350 v. Chr. verfolgen (reiche Grabbeigaben; in der Frühzeit starker heklad. Einfluß, z. B. Marmoridole). – Ein jüngst aufgedecktes dreigeteiltes Heiligtum unweit von A., **Anemospilia,** läßt nach den Funden auf ein Menschenopfer schließen (17. Jh. v. Chr.).

**Archangelskoje,** Landschloß (→Usadba) in der Nähe Moskaus, Russ. SFSR. In der 2. H. des 17. Jh. als Bojarenhof angelegt, Ende des 18. Jh. nach frz. Entwurf zum Schloß der Fürsten GOLIZYN ausgestaltet, voll. im 19. Jh. durch die Fürsten JUSSUPOW. Engl. Park mit dem ›Ital. Haus‹ (um 1750), einem Bau des Neu-Palladianismus, und bed. Theaterbau (1817). Die Anlage ist heute Mus. mit reicher Gemäldesamml. (G. B. TIEPOLO, A. VAN DYCK, F. BOUCHER, H. ROBERT u. a.).

**Archäologie** [grch.], **Altertumskunde,** urspr. die Erforschung nicht zur Sprachwissenschaft gehörender Gebiete des Altertums (Geschichte, Sitten, Mythen, Antiquaria); seit K. O. MÜLLER (*1797, †1840) die Wissenschaft von den Kunst- und Baudenkmälern des Altertums, heute wieder allgemeiner gefaßt als Wissenschaft vom Altertum, soweit sich dieses aus Denkmälern, Bodenfunden und Schriftquellen erschließen läßt.

A. als histor. Wissenschaft hat die möglichst weitgehende Erforschung einer älteren Kultur zum Inhalt. Insofern lassen sich ebenso viele Bereiche der A. unterscheiden, wie es Kulturbereiche gibt. Die Herausbildung spezieller Fachgebiete ist in den einzelnen Ländern unterschiedlich und von der jeweiligen histor. Situation dieser Länder abhängig. So hat es in China eine einheim. A. schon in der Sung-Zeit gegeben (960 bis 1279). In Europa steht wissenschaftsgeschichtlich die Erforschung der grch.-röm. Antike seit der Renaissance am Anfang archäolog. Tätigkeit. Zur Abgrenzung von anderen Richtungen wird sie heute als **klassische A.** oder **A.** schlechthin bezeichnet. Mit zunehmender Materialfülle haben sich im Lauf der Zeit aus der klass. A. Spezialbereiche verselbständigt: **kretisch-mykenische A., etruskische A., provinzialröm. A.** (bes. Rheinland, Süddeutschland, Österreich, Schweiz); den zeitlichen Anschluß bildet die **christliche A. Mittelalterliche A.** fällt in den Bereich der Frühgeschichte oder der Landesgeschichte. Im 19. Jh. und teilweise noch im 20. Jh. wurden archäolog. Aufgaben von sprachwissenschaftlich orientierten Fächern (z. B. Ägyptologie, Indologie), histor. Fächern (z. B. Landesgeschichte) oder kulturhistor. Fächern (z. B. Ethnologie) mit wahrgenommen. Die fachl. Verselbständigung einzelner Zweige der A. ist vielfach vom Zufall und den Gegebenheiten einzelner Universitäten (oder Museen) abhängig. Größere Eigenständigkeit besitzen neben der klass. A. heute die **Vor-** und **Frühgeschichte** sowie die **vorderasiatische A.**; dagegen sind andere Gebiete zumeist noch im Bereich größerer Fächer angesiedelt, z. B. **biblische A.** (Theologie), **indische A.** (Indologie), **nordamerikan. A., mittel-** und **südamerikan. A.** (Ethnologie), **chinesische A.** (Ethnologie oder Sinologie).

Eine einheitl. Gliederung der versch. Zweige der A. gibt es nicht. Gemeinsam ist allen, daß sie auf Grund der Auswertung von Denkmälern, Bodenfunden und Schriftquellen versuchen, das Bild einer geographisch und zeitlich begrenzten Kultur nachzuzeichnen. Im Zentrum stehen dabei Fragen nach Wirtschafts- und Siedlungswesen, Formen des Alltagslebens, Totenbrauchtum und religiösen Vorstellungen; eine wichtige Stellung nimmt die Beschäftigung mit den Kunstdenkmälern ein **(Kunst-A.)**. Soweit möglich durchdringen sich theoret. und prakt. Forschung (Feld-A., Ausgrabungen). Bei der Auswertung von Bodenfunden und Denkmälern gewinnt die Zusammenarbeit mit den Naturwissenschaften zunehmend an Bedeutung (z. B. Anthropologie, Paläobotanik, Geologie, Physik, Chemie; Altersbestimmung v. a. durch Radiokarbondatierung, die Thermolumineszenzmethode sowie durch Dendrochronologie.

Die klass. A., als die älteste europ. A., nimmt in Dtl. auf Grund der humanist. Tradition immer noch eine besondere Stellung ein. Während sich seit der Renaissance zunächst Künstler und Antiquare mit der Erfassung und Sammlung von Denkmälern beschäftigten, sind es seit dem 18. Jh. in zunehmendem Maß auch Philologen. Große Bedeutung haben die von der ›Society of Dilettanti‹ in London geförderten topograph. Untersuchungen in der Türkei und Griechenland sowie die Forschungen frz. Militärs unter Napoleon in Ägypten und später auch in Griechenland. Mit den Schriften J. J. WINCKELMANNS verlagerte sich für lange Zeit der Interessenschwerpunkt auf die Kunst-A.; das 19. Jh. hat durch Ausgrabungen, systemat. Erfassung von Museumsbeständen und Denkmälerklassen, die Gründung der ersten archäolog. Auslandsinstitute und die Institutionalisierung eines selbständigen Faches A. an den dt. Universitäten die wesentl. Grundlagen für die heutige Forschung geschaffen.

Archaeologia Mundi, hg. v. J. MARCADÉ, bisher 23 Bde. (1965 ff.); Alte Kulturen ans Licht gebracht, hg. v. R. PÖRTNER (1975, volkstümlich); Die illustrierte Weltgesch. der A., hg. v. L. FASANI (1979); Lübbes Enzyklopädie der A., hg. v. G. DANIEL (a. d. Engl., 1979); Die Cambridge Enzyklopädie der A., hg. v. A. SHERRATT; (a. d. Engl., 1980); E. GORYS: Kleines Hb. der A. (1981).

**Archelaos,** grch. Bildhauer aus Priene (2. H. des 2. Jh. v. Chr.). Von seinem Werk hat sich ein Weihrelief erhalten (heute in London, Brit. Mus.), das neben einer Verherrlichung Homers Apoll und die 9 Musen zeigt. (BILD Musen)

**Archetyp(us)** [grch. ›Urbild‹, ›Urform‹] *der,* urspr. in der grch. Philosophie verwendeter Begriff für das Urbild des Seienden. I. KANT legte die Grundlage für das heutige Verständnis des Begriffs A. in den Kunstwissenschaften. Kant bezeichnet in der ›Kritik der Urteilskraft‹ die ›ästhet. Idee‹ in den bildenden Künsten als ›Archetypon‹, das nach diesem gestaltete Abbild, das Kunstwerk, als ›Ektypon‹. Das räumlich-materielle Kunstwerk wird so zur Annäherung an die materiell nicht faßbare ästhet. Idee.

**Archigram** [ˈɑːkɪgræm], Architektengruppe, 1961 in London von P. COOK (*1936), M. WEBB (*1937), D. GREENE (*1937) gegr. (später erweitert), in den 70er Jahren aufgelöst. A. suchte eine den Industriegesellschaften entsprechende, dem japan. Metabolismus ähnl. Architektur zu entwickeln. Pläne und Entwürfe der ehem. Mitgl. von A. werden seit 1975 durch Energiekrisen und ökologisch geprägtes Denken beeinflußt.

HW (Publikationen und Projekte): A. (London [1]1961); P. COOK: Experimental architecture (London 1970); ›Arcadia‹, Wohnungs- und Stadtplanung (1977/78).

**Archipenko,** Alexander, amerikan. Bildhauer russ. Herkunft, *Kiew 30. 5. 1887, †New York 25. 2. 1964, studierte in Moskau, ging 1908 nach Paris, 1920 nach Berlin und lebte seit 1923 in den USA. Seit 1912 entstanden seine konkav-kubist. Abstraktionen, bes. der weibl. Gestalt, seine Skulptomalerei (bemalte Reliefs), auch schon bewegte Figuren. In den 20er Jahren kehrte er vorübergehend zu einem barock stilisierten Naturalismus zurück; seit den 50er Jahren überraschte er mit fast abstrakten Gebilden und neuen Materialien: außer polychromer Plastik auch Bewegungsobjekten, kinetischer Malerei (›Archipentura‹) und von innen beleuchteten Hohlplastiken aus transparentem Kunststoff oder Plexiglas. A. schrieb: ›Fifty creative years‹ (New York 1960).

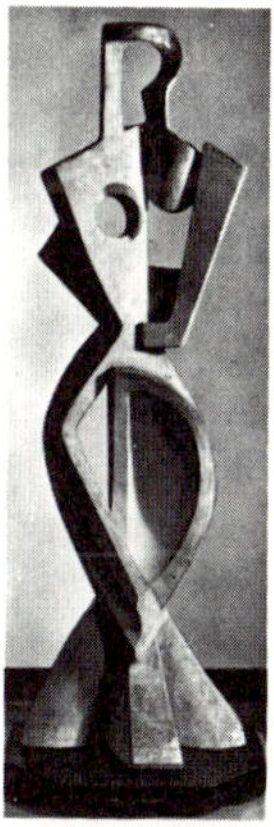

**Alexander Archipenko:** Stehende; 1920 (Darmstadt, Landesmuseum)

D. KARSHAN: A., The sculpture and graphic art (Tübingen 1974).

**Architekt** [grch.], in Dtl. geschützte Bauberufsbez. für Entwurfs- und Planverfasser von Gebäuden; Koordinator der Bauausführung bis zur Fertigstellung.

Als erster A. wird der Wesir IMHOTEP des ägypt. Königs Djoser (um 2600 v. Chr.) angesehen (Stufenpyramide von Sakkara; Einführung des Steinbaus). Er galt im Altertum als Schutzherr der Bauleute und Schreiber. DAIDALOS (legendärer Erbauer des Labyrinths von Knossos, Kreta; Konstrukteur von Fluggeräten) ist als erster Universalist anzusehen, wenn auch im Bereich der Sage; damit entsprach er bereits dem während der

Renaissance und im Barock herrschenden Bild des A. (LEONARDO DA VINCI, L. B. ALBERTI, B. NEUMANN oder C. J. VON SCHLAUN), der im Hoch-, Städte-, Festungs- oder Ingenieurbau gleichermaßen bewandert war. Aus röm. Zeit sind nur wenige A.-Persönlichkeiten bekannt (VITRUV); im MA. wird die Bez. A. meist durch →Baumeister ersetzt. Die zunehmende Vielfalt der Technik führte im 19. Jh. zur Unterteilung der Bautätigkeiten in Ingenieur- und Hochbau. Die Tätigkeit des A. als Koordinator der Einzelleistungen, die zur Planung und Erstellung eines Baus nötig sind, gewann deshalb neben der eigtl. Entwurfstätigkeit zunehmend an Bedeutung.

H. RICKEN: Der A., Geschichte eines Berufs (Berlin-Ost 1977).

**architektonisch,** den Gesetzen der Baukunst entsprechend; i. w. S. auch der streng gefügte Aufbau einer Skulptur, eines Gemäldes u. a. Kunstwerke.

**Architektur** [grch.], **Baukunst,** die älteste und am meisten zweckgebundene der bildenden Künste. Die A. ist eine Folge der Seßhaftwerdung der Völker (nomad. Völker haben keine A.). Durch den Willen, Dauerhaftes zu schaffen, wurden aus den naturgegebenen Mitteln (Lehm, Äste, lose Steine u. a.) Stoffe mit konstruktiven Möglichkeiten entwickelt: von den Sumerern die Ziegel (ungebrannt, im 4. Jahrtsd. v. Chr.), den Ägyptern die schichtbaren Steinblöcke (um 3000 v. Chr.). Als stoffgebundene Konstruktion bleibt die A. von der Technik unablösbar. Die entwickelten Formen gründen sich auf die Kenntnis mathemat. Gebilde (Würfel, Pyramide, Halbkugel u. a.) und Verhältnisse (Maßzahlen, Goldener Schnitt, gleichseitiges Dreieck). L. B. ALBERTI hat die Zahl für das Grundelement der A. schlechthin gehalten.

Nach den versch. Aufgabenbereichen unterscheidet man den **Sakral-** und den **Profanbau.** Soweit sich die Frühzeiten erhellen lassen, wuchsen Kunst und Technik vornehmlich an den Sakralbauten (→Tempel, →Zikkurat). Durch den Herrscherkult bedingt, erreichten in den Hochkulturen die profanen Grabbauten und Paläste Ausmaße und Wesen der sakralen A. (→Pyramide). Vor- oder Gleichrangigkeit von Sakral- und Profan-A. kann als Spiegelbild der jeweiligen Kultur interpretiert werden. Die grch. A.-Geschichte ist z. B. eine Geschichte des Tempelbaus. Die Römer waren im Abendland die ersten, die zeitweise dem **Zweckbau** (Aquädukte, Brücken, Thermen, Platz- und Stadtanlagen) den Vorrang vor der Sakral-A. gaben. Das MA. ist durch ein höchst lebendiges Nebeneinander und gegenseitiges Einwirken von Sakral- und Zweckbau (Wehr-, Wohn-, Verwaltungsbau) gekennzeichnet. Sowohl Sakral- wie Profanbauten können durch best. Gestaltung zu einem Bedeutungsträger werden. Ein erster Höhepunkt der **Bausymbolik** im Altertum sind die Pflanzensäulen der ägypt. Tempelhalle, seit der Spätantike die Kreuzgestalt der christl. Kirche. Zu den aussagereichsten Tatsachen der Geschichte einer Kultur gehört weiterhin, ob sich die architekton. Gestaltung auf den selbständigen Einzelbau beschränkte oder ob eine architekton. Ordnung der Stadt geprägt wurde (Mesopotamien). Im Abendland wurden erstmals im Hellenismus Einzelbauten durch Achsen und Plätze im Sinne einer **Stadtbaukunst** geordnet. Sie galt erneut in der Renaissance als höchstes gestalter. Ziel der Architekten. Nachdem im 19. Jh. der Sinn dafür vielfach verlorengegangen war, suchte das 20. Jh. in seinen besten Leistungen wieder A. als Ausdruck eines Ordnungswillens zu verwirklichen (→moderne Architektur).

Zur Geschichte der A. vgl. die Artikel über die Kunst der einzelnen Kulturen, der Völker und Epochen.

⇒ Ausstellungsbauten · Backsteinbau · Bauhütte · Baukeramik · Bauplastik · Denkmalpflege · Eisenarchitektur · Glasarchitektur · Revolutionsarchitektur · Ziegelbau

H. Soeder: Urformen der abendländ. Baukunst (1964); S. Giedion: Raum: Zeit und A. (1965); B. Rudofsky: Architecture without architects (New York 1965); Lexikon der Welt-A., hg. v. N. Pevsner ([2]1971); ders.: Europ. A. von den Anfängen bis zur Gegenwart ([3]1973, mit Lit.); H. Koepf: Bildwb. der A. ([2]1974); Le Corbusier: Ausblick auf eine A. (a. d. Frz., 1975); C. Norberg-Schulz: Logik der Baukunst (1975); Weltgeschichte der A., hg. v. P. L. Nervi, 14 Bde. (1975–77); Programm und Manifeste zur A. des 20. Jh., hg. v. U. Conrads (1981); Internationale A., hg. v. W. Gropius (Nachdr. 1981); V. M. Lampugnani: A. und Städtebau im 20. Jh. (a. d. Ital., 1981). – Ztschr.: Architectura (seit 1970); archithese (seit 1982).

**Architekturausstellungen,** →Ausstellungsbauten.

**Architekturbild,** Darstellung von Innen- oder Außenansicht eines Bauwerks, bei der die nicht zur Architektur gehörigen Motive (z. B. Menschen) nur als →Staffage dienen. Als Bildgattung entwickelte sich das A. bald nach 1600 in den Niederlanden durch die →Steenwijks, die →Neefs u. a. Die Maler stellten das Innere von Kirchen dar, anfänglich jedoch mehr Phantasieräume. Erst P. Saenredam malte mit anziehender Sachlichkeit Innenansichten wirkl. Kirchen. Die Stufe des bloß Abbildlichen überwand G. Houckgeest. Nicht allein die Architektur, sondern auch der Standpunkt des Malers bestimmte die Komposition (Raumausschnitt, Schräganischt, Überschneidungen). Die

**Architekturbild:** Inneres der St.-Jakobs-Kirche in Utrecht, Gemälde von P. Saenredam, 1642 (München, Alte Pinakothek)

Stimmung des Raumes wurde wirksam. E. DE WITTE vollendete die Gattung. Der Raum erschien geheimnisvoll erfüllt von Licht und Schatten. Neben den architekturbezogenen Innenraumdarstellungen des A. gewann in den Niederlanden etwa gleichzeitig das →Interieur an Bedeutung. In Italien kam das A. erst im 18. Jh. zur Ausprägung. Kirchl. Innenräume malte G. B. PANNINI, während CANALETTO und B. BELLOTTO mit ihren Stadtansichten das A. zur →Vedute erweiterten. Eine Sonderstellung nehmen auch G. B. PIRANESIS Architekturphantasien ein.

Vorstufen gab es schon in der späteren Antike (Hauptvertreter LUDIUS), wenn diese das A. auch noch nicht verselbständigten. Spiegelungen früher byzantin. Architekturdarstellungen finden sich auch in der karoling. Buchmalerei (Lebensbrunnen in Evangeliaren). Wichtiges Mittel der Bildgliederung, nicht selten mit symbol. Bedeutung, wurde die Architektur dann in der Romanik, mehr noch in der Gotik. Seit dem 14. Jh. spielte die Darstellung des Innenraums eine stetig wachsende Rolle. Die wesentl. Voraussetzung für die Erhebung des A. zu einer selbständigen Bildgattung war jedoch im 15. Jh. die Entdeckung und Anwendung der Zentralperspektive (→Perspektive).

**Architekturkritik,** Erklärung, Analyse und Wertung von Gebäuden, architekton. Planungen oder Architekturtheorien sowie der Intentionen und des Werks von Architekten. Die A., von der →Architekturtheorie durch ihren rezensierenden Charakter unterschieden, entstand aus der Notwendigkeit, der Öffentlichkeit, aber auch den am Baugeschehen Beteiligten, Verständnis- und Urteilshilfen zu neuen Planungen und Bauten zu vermitteln. Mit dem Erscheinen der ersten Tageszeitungen im 18. Jh. gewann die A. zunehmend an Bedeutung für das allg. Architekturverständnis. Mit der Methode, in Streitschriften und Traktaten negative Kritik an vorhandenen Architekturauffassungen oder Gebäuden zu üben und daraus Lehren für eine neue Architektur zu ziehen, kam, spätestens mit dem Jugendstil oder A. LOOS' Polemik gegen das Ornament, eine neue Form der A. auf, die bis heute nicht eindeutig gegen die Inhalte der Architekturtheorie abzugrenzen ist und weiterhin neben der herkömml. Art der A. etwa von L. und R. KRIER praktiziert wird.

H. REX: A. in Zeitungen und Ztschr. der Bundesrep. (1981); J. P. BONTA: Über Interpretation von Architektur (1982).

**Architekturmodell,** dreidimensionale, plast. Wiedergabe eines Bauwerks in Holz, Ton, Gips, Kork, Pappe u. a. Man unterscheidet die A., die als Entwurfsmodelle zur Veranschaulichung eines geplanten Baus dienen, und Modelle, die nach gebauten Architekturen angefertigt werden. Letztere dienen als Kontroll-A. und Lehrmodelle zur Sichtbarmachung der Konstruktion und zu didakt. Zwecken. Stadtmodelle wurden früher vorwiegend aus befestigungstechn. Überlegungen angefertigt; in neuerer Zeit sind sie v. a. Grundlage der Stadtplanung. Erhalten sind A. seit dem späten MA. Mit der Renaissance, die eine Gesamtkonzeption und Einheitlichkeit der Planung forderte, wurde das A. zum wichtigen Medium zw. dem Architekten, Bauherrn und

**Architekturmodell:** LINKS Teil des Modells für den Dom zu Pavia, um 1497–1520 (Pavia, Bischöfl. Palais); RECHTS drittes Modell für das Augsburger Rathaus von Elias Holl, 1614/15 (Augsburg, Städt. Kunstsammlungen)

Bauhandwerker. Im Barock wird das A. darüber hinaus zum Objekt fürstl. Samml. Seit dem 19. Jh. ist das A. Voraussetzung für die Realisierung jeglicher größerer Bauvorhaben im öffentl. Raum.

**Architekturmuseum,** Samml. von Bauentwürfen und Modellen. Vorläufer der A. waren die barocken Modell- und Plansamml. und die seit 1873 im Rahmen der Weltausstellungen veranstalteten Architekturausstellungen. In Helsinki und Stockholm wurden 1956 und 1962 die ersten modernen A. gegr. Das 1. dt. A., eine internat. Samml. der Architektur des 20. Jh. mit Zeichnungen, Entwürfen, Plänen, Modellen, Möbeln und Gemälden, mit Bibliothek und Videothek, entsteht in einer von O. M. UNGERS umgebauten gründerzeitl. Villa in Frankfurt a. M. (Leitung: H. KLOTZ).

**Architekturpreise,** →Kunstpreise.

**Architekturtheorie,** die Bemühung um Formulierung von Gesetzmäßigkeiten zeitgemäßer Architektur mit Hilfe der Analyse anerkannter Beispiele der Baugeschichte, ablehnender Kritik an vorhandener Architektur oder durch die Propagierung innovativer Gedanken zum Bauen. Aus dem MA. sind nur wenige Aufzeichnungen zur A. überliefert. Dagegen wurden seit der Renaissance die im 15. Jh. wiederentdeckten ›Zehn Bücher über Baukunst‹ des VITRUV Vorbild vieler Abhandlungen der A., u. a. von L. B. ALBERTI, FILARETE und A. PALLADIO. E.-L. BOULLÉE und J. N. L. DURAND schufen die Grundlagen für eine rationalist. A. Mit seinen Bauten und Projekten suchte K. F. SCHINKEL den Wert individuell geprägter A. zu betonen. Seit G. SEMPER und E.-E. VIOLLET-LE-DUC versuchte die A., die überlieferten Regeln der Baukunst auf die neuen techn. Möglichkeiten abzustimmen. Die A. von A. LOOS gründete ihren formalen Purismus auf radikaler Polemik gegen die zeitgenöss. Ornamentik. LE CORBUSIER ist einer der ersten, dessen innovative Theorien vor dem Entstehen

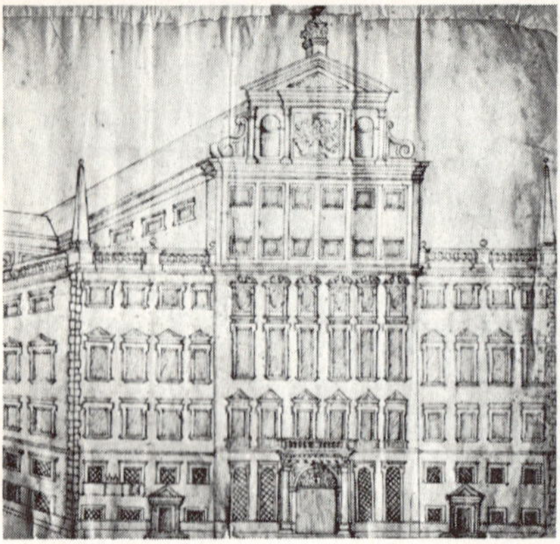

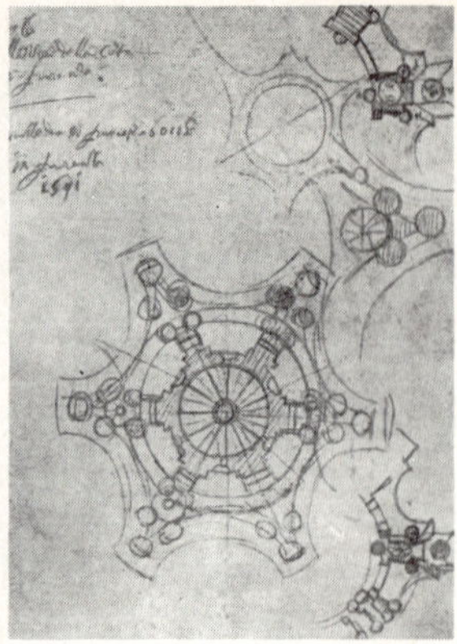

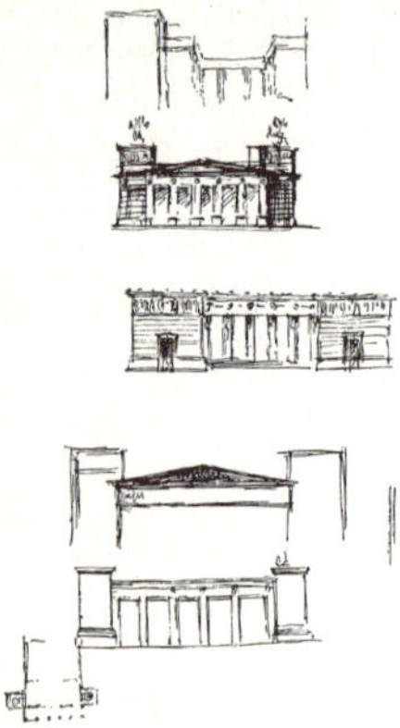

**Architekturzeichnung:** OBEN LINKS perspektivischer Entwurf zum Augsburger Rathaus von Elias Holl, 1615–20, Federzeichnung (Augsburg, Städt. Kunstsammlungen). OBEN RECHTS Entwurf für die Laterne von S. Ivo della Sapienza zu Rom von Francesco Borromini, 1642–61. UNTEN LINKS Entwürfe zur Neuen Wache in Berlin, Federzeichnungen von Karl Friedrich Schinkel, 1817/18

programmat. Bauten veröffentlicht wurden. A. ROSSI und R. KRIER sind Architekten der jüngeren Generation, die Fehler der Architektur der Nachkriegszeit bewährten Regeln der Baugeschichte gegenüberstellen und daraus ihre individuelle A. aufbauen. →Architekturkritik wird bei ihnen Grundstein einer neuen A., deren Ideal die Wiederaufnahme bewährter Stadtbaumuster ist.

G. GERMANN: Einführung in die Geschichte der A. (1980).

**Architekturzeichnung,** für die Ausführung von Bauten bestimmte Zeichnung. A. sind seit dem MA. in größerer Zahl erhalten, sowohl große Entwurfszeichnungen (W-Fassade des Straßburger Münsters) als auch Werkzeichnungen einzelner Bauteile für Handwerker. Letztere wurden im MA. oft nicht auf Pergament, sondern auf den Fußboden des Baus, auf Mauerflächen oder im Dachstuhl eingeritzt. Es wurden auch Skizzenbücher mit A. angelegt, die dem Zeichner als Erinnerung an seine Tätigkeit und als Vorlagen für weitere Bauten, auch anderen Bauleuten, als Musterbeispiele dienten (Bauhüttenbuch des →Villard de Honnecourt). Während der Renaissance entwickelte Perspektivtechniken führten zu erhöhter Anschaulichkeit der A. Besondere Bedeutung für die Baugeschichte haben die Entwürfe für die Peterskirche in Rom von B. ROSSELLINO, BRAMANTE, MICHELANGELO u.a. und von B. NEUMANN für die Würzburger Residenz. An den A. des Barock und des Klassizismus wird die zunehmende Freude an der räumlich wirkenden und farbigen Darstellungsweise ablesbar. Das rasche Wachstum der Städte im 19. und frühen 20. Jh. brachte, ähnlich wie die Beseitigung der Zerstörungen nach dem 2. Weltkrieg, eine rege Bautätigkeit mit sich, so daß die A., ihre Anschaulichkeit einbüßend, zum rasch erstellten Werkzeug einer schnellen Bauausführung wurde. Bedingt durch die Wirtschaftskrise nach dem 1. Weltkrieg, in Verbindung mit neuen Vorstellungen von Architektur (→Bauhaus, →Funktionalismus), wandten viele Architekten der Ausführlichkeit und plast. Wirkung der A. wieder mehr Aufmerksamkeit zu. Ähnliches gilt seit den 70er Jahren dieses Jh., als der geringere Bedarf an Neubauten und wiederum neue Ideen zur Architektur (→Postmodernismus, →Rationale Architektur) eine Rückbesinnung auf den Wert einer sorgfältigen A. bewirkten. Neben den nach wie vor erstellten Ausführungszeichnungen, die als Anleitung zur Fertigstellung eines Gebäudes dienen, haben sich A., mit nicht unbedingt zur Ausführung bestimmten Entwürfen, z.T. in komplizierten graph. Techniken ausgeführt, zu Objekten des Kunstmarktes entwickelt. Die so entstandene Eigenständigkeit rückt die A. in die Nähe des →Architekturbildes.

**Architrav** [lat.] *der,* **Epistyl** [grch.], Baukunst: der von einer Säulen- oder Pfeilerreihe getragene Balken. Im Altertum bestand der A. bei größeren Bauten aus 2 oder 3 Balken (→Säulenordnung). Über einer Wand heißt der A. **Wandarchitrav.**

**Archivolte** [ital.] *die,* Baukunst: profilierte Frontseite eines Bogens, meist auf einem →Kämpfer 1) aufsitzend. In der roman. und got. Baukunst liegen häufig mehrere mit Ornamenten oder Figuren besetzte A. als Fortsetzung der Gewändegliederung übereinander.

**Arcimboldo** [-tʃ-], **Arcimboldi,** Giuseppe, ital. Maler, *Mailand um 1527, †ebd. 11. 7. 1593, in seiner Frühzeit, v.a. als Glasmaler, am Mailänder Dom tätig, später Hofmaler in Prag, wo er bes. unter RUDOLF II.

**Architrav**

**Archivolte**

**Giuseppe Arcimboldo:** Der Winter (Wien, Kunsthistor. Museum)

auch Fest- und Theaterdekorationen entwarf; 1592 zum Reichsgrafen ernannt. Parallelen mit dem Surrealismus der Gegenwart haben die Aufmerksamkeit auf seine allegor. Bilder gelenkt, meist Köpfe, die aus realistisch gemaltem Obst und Gemüse (z. B. Allegorie des Sommers), Fischen (Allegorie des Wassers), Büchern u. a. zusammengesetzt sind. – Werke u. a. in Brescia, Pinakothek (Vier Jahreszeiten), Wien, Kunsthistor. Mus. (Folgen aus den Vier Elementen und Vier Jahreszeiten).

**Arcos de la Frontera,** Stadt in der südspan. Prov. Cádiz, 26 000 Ew., überragt von der einschiffigen Kirche S. Pedro mit barockem Portal und Hauptretabel mit hervorragendem Abendmahlrelief (1550); spätgot. Kirche S. María (platereskes Portal und barockes Chorgestühl); Schloß der Herzöge von Arcos mit Zinnentürmen; Hospital de la Caridad (1740).

**Arcus triumphalis** [lat.], →Triumphbogen.

**Ardagger,** Marktgem. bei Amstetten, NÖ; in der Nähe das 1149 gegr. Kollegiatsstift (seit 1813 Schloß); spätroman. dreischiffige Pfeilerbasilika (13. Jh.), das Glasgemälde an einem Fenster des got. Chors (um 1230/40) ist ein HW der österr. Glasmalerei der Zeit; Stuckverzierungen von 1678 im 19. Jh. z. T. wieder entfernt. Got. Kreuzgang mit Fresken (14. Jh.).

**Ardebil, Ardabil,** Stadt in NO-Iran, 85 000 Ew., angebl. vom Sassanidenkönig PEROZ (457–484) gegr., 1220 von den Mongolen zerstört. Wallfahrtsort der iran. Schiiten ist das Mausoleum für SAFI (Scheich des Sufi-Ordens, †1334 in A.), von seinen Nachkommen (Safawiden-Dynastie, 1500–1722) errichtet, 1650 vollendet; der Kenotaph im Grabraum ist mit kostbaren Teppichen bedeckt. Seit dem 16. Jh. ist die Imitation chines. Blauweiß-Keramik aus A. bekannt.

**Ardhamandapa** [Skt.], Eingangshalle ind. Tempel, als Veranda dem Mahamandapa vorgelagert oder im Innern durch Säulen abgeteilt.

**Ardhanarishvara** [Skt.], hermaphrodit. Form der hinduist. Gottheit Shiva, die das Zusammenwirken von Geist und Materie im asket. und geschlechtl. Schöpfungsakt symbolisiert: die rechte Körperhälfte wird meist männlich, die linke weiblich dargestellt.

**Ardistan,** Ort in Iran, etwa 100 km nordöstlich von Isfahan. Die bed. Moschee wurde zunächst als Kioskbau begonnen (im Hauptgebetsaal noch erkennbar), der dann im 12. Jh. (unter den Seldschuken) in eine Vier-Iwan-Moschee einbezogen wurde.

**Arditi, Ardito,** Andrea di, ital. Goldschmied und Emailleur, in der 1. H. des 14. Jh. in Florenz tätig; verwendete in Italien als einer der ersten die fortgeschrittene Technik der frz. Schmelzkunst (HW: Büste und Mitra des Hl. Zenobius; Florenz, Dom).

**Ardmore** [ ˈɑːdmɔː], ehem. Kloster in der Cty. Waterford, Irland. Noch vor der Christianisierung durch St. PATRICK (*um 385, †461) gegr., von O. CROMWELL (*1599, †1658) zerstört. 30 m hoher Rundturm (2. H. 12. Jh.). Am W-Giebel der Kathedrale Reliefschmuck mit bibl. Themen in 2 übereinandergeordneten Arkadenreihen, die mit den Darstellungen auf den Steinkreuzen verwandt sind.

**Ardon,** Mordechai, eigtl. Max **Bronstein,** israel. Maler, *Tuchów (Polen) 13. 7. 1896, studierte am Bauhaus in Weimar und in München, emigrierte 1933 nach Jerusalem. Seine ins Zeichenhafte umgeformten Darstellungen erheben die alltägliche Umwelt ins magisch Bedeutsame.

**Arellano** [-ʎ'a:no], Juan de, span. Maler, *Santorcaz 1614, †Madrid 12. 10. 1676. A. ist der bedeutendste span. Blumenmaler des 17. Jh., der ital. und niederländ. Einflüsse verarbeitet hat (Gemälde in Madrid in der Akad. S. Fernando und im Prado).

**Arena** [lat. ›Sand‹], mit Sand bestreuter Kampfplatz im antiken Amphitheater, Circus oder Stadion.

**Arena-Kapelle,** eigtl. **Cappella degli Scrovegni** [-d'eʎi skrov'eɲi], 1303–05 in Padua auf dem Gelände des ehem. röm. Amphitheaters (›Arena‹) errichtete Kapelle, benannt nach dem Stifter E. DEGLI SCROVEGNI, ausgemalt mit einem umfangreichen Freskenzyklus, der zu den HW →Giottos zählt.

**Arendsee,** Stadt am See A. in der Altmark, Dt. Dem. Rep., 3200 Ew.; Ruine des ehem. Benediktinerinnenklosters (1184 gegr.); gut erh. Klosterkirche, eine dreischiffige spätroman. Pfeilerbasilika (voll. um 1210), mit bemerkenswertem Schnitzaltar (2. H. 14. Jh.) und frühgot. hölzernem Kruzifix (um 1240).

**Arenenberg,** Schloß im schweizer. Kt. Thurgau, am Bodensee, 1817 von Königin HORTENSE, Mutter des frz. Kaisers NAPOLEON III., erworben und klassizistisch umgebaut; Beispiel der Wohnkultur des frz. 1. und 2. Kaiserreichs.

**Arequipa** [-k'i-], Stadt in Peru, 2363 m ü. M. am Fuß des schneebedeckten Vulkans Misti, 460 000 Ew. Erhalten sind viele kolonialzeitl. Bauten, z. T. aus weißem Tuffgestein: Kloster La Compañía mit schönem Kreuzgang (ornamentierte Pfeiler), Kirche mit reich gestalteter Barockfassade (1698) und Tympanon. Ein ähnlich dekoratives Portal besitzt die Kirche San Agustín. Das Tympanon in roman. Stil der Kirche Santo Domingo erinnert in seiner Bearbeitung an die altindian. Tiahuanaco-Kultur. Das Kloster Santa Catalina (gegr. 1580), ehemals von 450 Nonnen bewohnt, gleicht einem von Mauern umgebenen Dorf mit Straßen und Plätzen. Die nach Erdbeben und Brand zerstörte Kathedrale (17. Jh.) wurde im 19. Jh. in neoklassizist. Stil neu errichtet.

**Ares,** der grch. Kriegsgott, von den Römern →Mars gleichgestellt, urspr. wohl aus einem mediterranen Lanzengott und einem blutrünstigen Schlachtendämon im vorgrch. Thrakien hervorgegangen. Seine Begleiter sind Eris (Streit), Deimos (Schrecken), Phobos (Furcht); im grch. Mythos Sohn des Zeus und der Hera, Liebhaber oder auch Gemahl der Aphrodite. A. wird aber auch mit griechenfeindl. Stämmen oder Gestalten in genealog. Zusammenhang gebracht, z. B. als Vater der Amazonen, worin sich, zus. mit der Kultarmut in Griechenland, eine gewisse Abneigung gegen ihn, darin im Unterschied zum röm. Mars, ausdrückt. A. wird zunächst bewaffnet und bärtig, dann jugendlich, oft bartlos und nackt gebildet. Thematisch bevorzugt sind Darstellungen zus. mit Aphrodite, aber auch mit Hephaistos, in Gigantenkämpfen, mit den Olympiern und als Einzelstatue. Bereits im 7. Jh. v. Chr. ist er auf grch. Vasen nachweisbar: naxische Amphora, A. und Aphrodite auf einem mit Flügelrossen bespannten Wagen (1. H. 7. Jh. v. Chr., Naxos). Bed. Statuen sind ›A. Borghese‹ (A. in der Ausfallstellung, Paris, Louvre) und der sitzende ›A. Ludovisi‹ (Rom, Thermenmus., beides röm. Kopien grch. Originale des 4. Jh. v. Chr.).

**Aretino,** Pietro, ital. Schriftst., *Arezzo 20. 4. 1492, †Venedig 21. 10. 1556. Seine Schmähschriften machten ihn zur ›Geißel der Fürsten‹ (nach ARIOST). Über Perugia und Rom kam er 1527 nach Venedig, wo ihn bald eine enge Freundschaft mit TIZIAN verband, dessen Kunst er leidenschaftlich bewunderte und engagiert verbreitete. Sein von ihm selbst veröffentlichter Briefwechsel mit berühmten Zeitgenossen (›Lettere‹, 6 Bde., 1537–1557) ist ein aufschlußreiches Zeitdokument.

**Arévalo** [ar'eβalo], span. Stadt (rd. 6000 Ew.) in Altkastilien, Prov. Ávila, überragt von einer Schloßruine des 14. Jh.; mehrere Backsteinkirchen (nur die tragenden Teile aus Backstein) des 12.–14. Jh. im Mudéjar-Stil. 2 km vor der Stadt die Ruine der ehem. Zisterzienserkirche Lugareja (13. Jh.) mit durch lange Blendarkaden gegliedertem Chor und wuchtigem Vierungsturm.

**Arezzo,** ital. Stadt in der Toskana, 90 800 Ew.; im Altertum als **Arretium** eine der wichtigsten altetrusk. Städte. An der Piazza Grande Paläste, Loggien (u. a. Palazzo delle Loggie von G. VASARI, 1573–81; Palazzo della Fraternità dei Laici, von B. ROSSELLINO u. a., 1375 bis 1460) und die roman. Kirche S. Maria della Pieve (um 1000 beg.; dekorative Fassade mit Blendarkaden und Bogengängen; Glockenturm am Corso Italia; im Inneren Flügelaltar von P. LORENZETTI, 1320). Got. Kirche S. Francesco (1290 beg.) mit Freskenzyklus (Kreuzeslegende) von PIERO DELLA FRANCESCA (1452–66); romanisch-got. Dom (13.–16. Jh., im 20. Jh. restauriert) mit Arca di S. Donato (Schrein, 1369), Fresken, Terrakottastatuen (A. DELLA ROBBIA); got. Kirche S. Domenico (1275 gegr.; Kruzifix von CIMABUE). Etwa 1 km südlich die Renaissancekirche S. Maria delle Grazie (15. Jh.; Portikus von BENEDETTO DA MAIANO). Im Archäolog. Mus. etrusk. und röm. Funde (u. a. die korallenfarbige **Arretin. Keramik**); Mus. für Mittelalterl. Kunst mit Pinakothek.

**Arfe,** im 16. Jh. in Spanien tätige Familie von Goldschmieden dt. oder niederländ. Abstammung; Schöpfer der Custodien (→Custodia).

**1)** Antonio de, Sohn von 2), *León um 1510, in Valladolid noch 1566 bezeugt. Seine HW sind die im Platereskenstil gearbeiteten Custodien in der Kirche von Medina de Riosecco (1534) und der Kathedrale von Santiago de Compostela (1540–45).

**2)** Enrique de, Vater von 1), kam im Gefolge PHILIPPS DES SCHÖNEN (1506) nach Spanien, bis 1543 in León nachweisbar; schuf die ersten prächtigen spätgot. Custodien und prägte damit den Typ des span. Prozessionstabernakels, so in den Kathedralen von León (1506 ff.; im 19. Jh. geplündert), Córdoba (1513–18), Toledo (1515–24) und im Benediktinerkloster Sahagún (um 1510, im 19. Jh. geplündert).

**3) A. y Villafañe** [-iβiʎaf'aɲe], Juan de, Sohn von 1), Enkel von 2), *León 1535, †Madrid 1. 4. 1603, war der vielseitigste Künstler der Familie. Er überwand den Platereskenstil und arbeitete im klassisch-ital. Stil der span. Hochrenaissance. Seine erste bed. Arbeit ist die Custodia der Kathedrale von Ávila (1564–71), sein HW die Custodia von Sevilla (Aufbau von 4 Tempeln mit figürl. Schmuck, 1580–87). Neben liturg. Geräten und Heiligenfiguren für den Escorial und Bronzebildwerken (u. a. Herzog und Herzogin von Lerma; Mus. in Valladolid), hat A. ein 1575 in Sevilla erschienenes Traktat über Architektur und Bildhauerei hinterlassen.

**Argonauten,** grch. Mythos: die Helden, die unter Iasons Führung auf dem Schiff Argo nach Kolchis am Schwarzen Meer fuhren und mit Medeas Hilfe das von einem Drachen bewachte Goldene →Vlies nach Griechenland holten. Darstellungen (Bau des Schiffes, Abfahrtsszenen, Raub des Hylas, Gewinnung des Goldenen Vlieses, Leichenspiele des Pelias) lassen sich seit dem 6. Jh. v. Chr. auf grch. Vasen und Reliefs nachweisen, u. a. auf dem Metopenrelief des alten Schatzhauses von Sikyon in Delphi (Schiff in Seitenansicht, A. in Vorderansicht, um 560 v. Chr., Delphi, Mus.). Der ›A.-Krater‹ des NIOBIDENMALERS (2. Viertel 5. Jh. v. Chr., Paris, Louvre) ist inhaltlich nicht sicher deutbar. Die röm. Kunst behandelt den A.-Mythos v. a. auf Sarkophagen und Tonreliefs der Kaiserzeit. Auch in der Neuzeit läßt sich das Thema nachweisen (B. THORVALDSEN, G. DE CHIRICO, M. BECKMANN).

**Argos,** grch. Stadt (199 000 Ew.), 5 km von der Küste des Golfs von Nauplia entfernt. Das antike A., Hauptstadt der Argolis, hatte schon in myken. Zeit große Bedeutung (Siedlung auf dem Burgberg **Larisa**). Unter dem Tyrannen PHEIDON (7. Jh. v. Chr.) erlebte A. Blütezeiten; es steuerte zur grch. Klassik v. a. durch seine Bildhauerschule (POLYKLET und seine Nachfolger) bei. Reste der griechisch-röm. Stadt sind v. a. am Fuß der Larisa ausgegraben (Thermen, Theater, Agora, Odeion).

Nordöstlich von A. liegen die Reste des **Argivischen Heraions** (Heiligtum der Hera), das seine größte Bedeutung als Kultzentrum im 8.–5. Jh. v. Chr. hatte. Mittelpunkt des in Terrassen angelegten hl. Bezirks war der Hera-Tempel; nach Brand des älteren Baus aus dem 7. Jh. v. Chr. wurde gegen Ende des 5. Jh. v. Chr. unterhalb des 1. Tempels ein neuer errichtet (Skulpturenreste von Giebeln und Metopen wurden gefunden), für den der Bildhauer POLYKLET eine Goldelfenbeinstatue der Hera schuf (nur aus Münzabbildungen und aus Beschreibungen des PAUSANIAS bekannt). Der Tempel war von zahlreichen großen Nebengebäuden umgeben.

**Argos**, grch. Mythos: **1)** →Argus. **2)** einer der →Argonauten, der Erbauer des Schiffs Argo. **3)** argolischer Heros, Gründer der Stadt →Argos.

**Argus,** grch. **Argos,** grch. Mythos: **1)** vieläugiger Riese, von Hera zum Wächter der Io bestellt; er wurde von Hermes getötet. Hermes, dem A. die in eine Kuh verwandelte Io entführend, zeigt eine klazomenische Amphora (6. Jh. v. Chr., München, Staatl. Antikensamml.). Bewachung der Io, Begegnung mit Hermes (als Merkur), Entführung der Io, Einschläferung oder Tod des A., Hera (als Juno) und A. sind auf röm. Wandbildern (Pompeji, Rom) und in der Neuzeit (TINTORETTO, P. P. RUBENS, D. VELAZQUEZ) behandelt worden. **2)** treuer Hund des Odysseus, der seinen als Bettler verkleideten Herrn nach dessen 20jähriger Abwesenheit wiedererkannte und dann sofort starb.

**Arhat** [Skt.], buddhist. oder jinist. Weiser auf dem Weg der Erleuchtung. Die buddhist. Darstellungen der kahlköpfigen A. in Mönchsroben gelangte über Zentralasien nach China (→Lohan). Über A. im Jinismus →Tirthankara.

**Århus** ['ɔrhus], Stadt an der Ostküste Jütlands, Dänemark, 245 000 Ew.; seit 948 Bischofssitz. Der Dom (1201 beg., roman. Elemente v. a. an Lang- und Querhaus) wurde im 15. Jh. zur spätgot. Kathedrale umgebaut; Flügelaltar von B. NOTKE (1479), Kalkmalereien (Ende 15. Jh.), viele Epitaphien. Die Liebfrauenkirche (13.–15. Jh.) bildet den S-Flügel des ehem. Dominikanerklosters; im Innern Kalkmalereien (14.–16. Jh.), Altarschrein von C. BERG (1517); unter dem Chor wurde 1955 die Hallenkrypta (um 1080) einer Nikolaikirche entdeckt. Im Freilichtmus. ›Den gamle By‹ über 50 Häuser aus Jütland, v. a. Fachwerkbauten. Kunstmus. (bes. Werke dän. Künstler).

**Ariadne,** auf Kreta und den Ägäischen Inseln heim. Vegetationsgöttin, im grch. Mythos Tochter des Königs Minos und der Pasiphae. Sie gab Theseus den Garnknäuel, mit dem er aus dem →Labyrinth herausfand **(Ariadnefaden).** A. flüchtete mit ihm, wurde aber von ihm auf Naxos zurückgelassen; dort wurde sie von Dionysos gefunden, der sie zu seiner Gattin machte; zur Hochzeit erhielt sie eine Strahlenkrone. Vielfältig sind die A.-Darstellungen auf grch. Vasen und Reliefs seit dem 7. Jh. v. Chr.: u. a. das Minotaurosabenteuer, die Werbung des Theseus oder auf der Françoisvase die Ankunft der vom Opfertod befreiten Athener Kinder in Delos zus. mit A., ihrer Amme und Theseus. Die röm. Kunst bevorzugte v. a. auf Wandgemälden und Sarkophagen die verlassene A. und ihre Begegnung mit Dionysos. In der neuzeitl. Kunst wurde der Triumphzug des Bacchus und der A. oder deren Krönung v. a. auf festl. Wanddekorationen dargestellt.

**Aripan,** ind. Boden- und Wandzeichnung aus dem bäuerl. Hausritus. Einfache Symbole werden als Glückszeichen angebracht, komplizierte geometr. Formen repräsentieren Gottheiten und kosmolog. Strukturen (Mandala).

**Aristion|stele,** ein von dem Bildhauer ARISTOKLES

um 510 v. Chr. gemeißeltes und signiertes spätarchaisches Grabrelief des Kriegers ARISTION, mit Resten einstiger Bemalung (Athen, Nat.-Mus.; BILD griechische Kunst).

**Arita,** berühmter Töpferort an der NW-Spitze von Kyushu, Japan, seit 1616 Zentrum der japan. Porzellanherstellung (→Arita-Porzellan); Museum mit Sammlung histor. Töpfereierzeugnisse.

**Arita-Porzellan,** erstes Porzellan Japans, dessen Herstellung 1616 von einem Koreaner in Arita eingeführt wurde; anfangs nach chines. Vorbild in weiß oder mit unter der Glasur liegendem kobaltblauem Dekor; Produktion für ganz Japan und seit Mitte 17. Jh. auch für den Export.

**Arjuna, Candi A.** [tç-], Haupttempel einer Gruppe von 5 shivait. Tempeln auf dem →Dieng-Plateau (8. Jh.); relativ schlichte Bauten mit je einer Nische für eine Götterfigur in den Seitenwänden und der Rückfront (KARTE indonesische Kunst).

**Arkade** [von lat. arcus ›Bogen‹] *die,* fortlaufende Reihe von Bogen, die auf Pfeilern oder Säulen ruhen, auch der davon eingefaßte, wenigstens nach einer Seite geöffnete Gang **(Bogengang).** In der röm. Baukunst wurden Untergeschosse von Gebäuden, aber auch ganze Platzfronten von A. eingefaßt. In der frühchristl. und ma. Basilika trennen A. das Mittelschiff von den Seitenschiffen. Auch der Kreuzgang des ma. Klosters wird von A. gebildet. In der Profanbaukunst des MA. und der Renaissance wurden bes. im südl. Europa A. als Bogengänge verwendet, die öffentl. Plätze und Straßen umsäumen (Venedig, Markusplatz; Bologna); im nördl. Europa finden sich A. (Lauben) im Erdgeschoß von Rathäusern und anderen öffentl. Gebäuden oder mehrgeschossig zur Hofgliederung in Renaissanceschlössern (Stuttgart, Altes Schloß). Sie umsäumen auch ganze Straßenzüge (Bern, Bozen, Meran) oder Marktplätze (Freudenstadt).

Schon die röm. Baukunst kannte die **Blendarkade,** deren Stützen und Bogen rein dekorativ der undurchbrochenen Wand aufgelegt sind, sie also nicht öffnen. Diese Form der A. findet sich bes. in der maur. und roman. Baukunst. Als Schmuckform dient ferner die aus A. gebildete **Zwerggalerie,** die zuerst unter dem Hauptgesims am Chor roman. Kirchen auftritt.

Arkade

**Arkadi,** Kloster auf Kreta, südöstlich von Rethymnon (KARTE kretisch-mykenische Kunst), kretische Nationalstätte in Erinnerung an den Aufstand von 1866 gegen die Türken. Die Klosteranlage stammt aus dem 17. Jh., die Klosterkirche ist ein frühbarocker Bau von 1587.

**Arkadia,** Landschaftspark bei Łowicz in der Wwschaft Skierniewice, Polen, mit romant. Parkgebäuden, 1778–1821 von S. B. ZUG und W. JASZCZOLD für HELENA RADZIWIŁŁ entworfen und angelegt.

**Arkanist** [lat. arcanum ›Geheimnis‹], bes. im 18. Jh. gebräuchl. Bez. für den in das Geheimnis der Porzellanherstellung Eingeweihten.

**Arkatur** [aus lat.], die Gesamtheit der →Arkaden eines Gebäudes.

**Arkesila(o)sschale,** spartan. Trinkschale, um 550 v. Chr., gefunden in Vulci (jetzt Paris, Nat.-Bibl.), ein Meisterwerk Lakonischer Vasen. Dargestellt ist das Abwiegen, Verladen und Stapeln von Wolle oder Silphion (Heil- und Würzpflanze) vor einem thronenden Mann, durch Beischrift als Arkesilaos bezeichnet (vermutlich ARKESILAOS II., König von Kyrene).

**Arkosolium** [lat.], mit Tonnengewölbe oder Bogen überspanntes Nischengrab im Bereich der spätröm. Kultur (bes. in frühchristl. Zeit). A. finden sich in Felsgräbern, gemauerten Grabbauten und Katakomben und sind bei aufwendigen Grablegen in Bogenfeld und Laibung mit Malereien verziert.

**Arkosolium** in der Via-Latina-Katakombe, Rom

**Arles** [arl], frz. Stadt am Kopf des Rhône-Deltas mit 50 000 Ew. Der ehem. Hauptort Galliens besitzt archäologisch und kunsthistorisch bed. Denkmäler aus röm. Zeit, u. a. das augusteische Theater mit erhaltenen Bogen- und Säulenstellungen und das Amphitheater (›Arènes‹), um 46 v. Chr. errichtet und im MA. als Festung umgebaut (Attika fehlt völlig, 3 Türme aus dem 12. Jh. erhalten). Am S-Rand der Stadt die Allee der Sarkophage (›Alyscamps‹ mit Resten eines röm., später christl. Begräbnisplatzes). Weitere Funde aus der Antike im ›Musée d'Art Païen‹ in der ehem. Kirche Ste. Anne (Sarkophage, Statuen und Mosaiken) und im ›Musée d'Art Chrétien‹ (frühchristl. Sarkophage; mit Zugang zu den ›Kryptoportiken‹, d. h. unterird. Gängen der röm. Zeit). Roman. Kathedrale St. Trophime (606 gegr., 1152–80 als dreischiffige Basilika im Stil der

Provenzal. Bauschule umgebaut) mit reich skulptierter W-Fassade (v. a. Portal) und Kreuzgang (2 roman. Säulengänge des 12. Jh. und 2 got. des 14. Jh.).

**Arlesheim,** Ort im schweizer. Kt. Basel-Landschaft, 8500 Ew., 1678–1792 Sitz des Domkapitels des Bistums Basel; Dom (1680/81, Umgestaltung 1759–61), reiche Stuckausstattung von J. M. FEUCHTMAYER (1760); um den Domplatz Chorherrenhäuser (17./18. Jh.).

**Arlon** [arl'ɔ̃], Hauptstadt der belg. Prov. Luxembourg, 13 800 Ew., das röm. **Orolaunum**, an der Römerstraße Reims – Trier. Reste der röm. Befestigung, einer Basilika und eines Bades (4. Jh.) sind erh. Im Mus. Luxembourgeois u. a. bemerkenswerte röm. Grabreliefs, merowing. Kunst.

**Arma Christi** [lat. ›Waffen Christi‹], die Passionswerkzeuge Christi: Geißelsäule, Geißel, Kreuz, Dornenkrone, Lanze, Schwamm mit Stab u. a., die in ihrer Darstellung mit der Kreuzverehrung in S. Croce in Gerusalemme in Rom zusammenhängen; in der mittelalterl. Kathedralplastik in den Händen der Engel des Jüngsten Gerichts. Sie wurden im Spät-MA. oft wappenartig zusammengestellt und galten deshalb auch als Wappen Christi. (→Hungertücher)

**Arman** [arm'ã], eigtl. Armand **Fernandez** [fɛrnãd'ɛs], amerikan. Künstler frz. Herkunft, *Nizza 17. 11. 1928, war 1960 Mitbegründer der Gruppe ›Nouveaux Réalistes‹. In Auseinandersetzung mit dem ›Objet trouvé‹ gelangte er 1959 zu →Akkumulationen (BILD). Eine zweite Werkgruppe umfaßt gewaltsam zerstörte oder systematisch zergliederte Gegenstände, die, in Acrylglas gegossen, als ›Destruktionen‹ bezeichnet werden.

A., Retrospektive 1955–1982, Ausst.-Kat., Hannover u. a. (1982).

**Armarium** [lat.], in der Spätantike häufig bezeugter Schrank, v. a. für Waffen; im MA. Wandschrank zur Aufnahme des Allerheiligsten, von Büchern, Reliquien, liturg. Geräten und Paramenten.

**Armenbibel,** →Biblia pauperum.

**armenische Kunst,** die Kunst in einem Teil der heutigen Türkei und der Armen. SSR, v. a. unter der Herrschaft der Bagratiden (885–1079). Neben Plastik und Buchmalerei umfaßte sie bes. Denkmäler der Architektur und endete weitgehend mit dem Einfall der Mongolen (1236) in dieses Gebiet. Die a. K. ist ein Randgebiet der →frühchristlichen Kunst und der byzantinischen Kunst.

**Armentia,** Ort im span. Baskenland, bei Vitoria; in der Kirche S. Andrés (1181, im 18. Jh. stark verändert) hervorragende roman. Bauplastik (Skulpturen, Basreliefs, Kapitelle, Bildsäulen).

**Armeria** [ital.], **Armería** [span.], das →Zeughaus, auch Rüstkammer; Waffensammlung.

**Armitage** [ 'ɑːmɪtɪdʒ], Kenneth, engl. Bronze-Bildhauer, *Leeds 18. 7. 1916, schuf Einzelfiguren und Gruppen, die Genremotive manieristisch-elegant abstrahieren; seit 1960 mehrdeutige Formvereinfachungen von surrealer Ironie.

**Kenneth Armitage:** Zwei schreitende Figuren; Bronze, 1957

**Armory Show** ['ɑ:mərɪʃəʊ], die erste umfassende Ausstellung moderner europ. Kunst in den USA, 1913 zunächst im Zeughaus (Armory) des 69. Regiments in New York, dann in Chicago und Boston. Gezeigt wurden neben Bildern von J. A. D. INGRES und E. DELACROIX v.a. Werke des Impressionismus und der Kubisten und Fauvisten. Besondere Beachtung fanden u.a. Werke von P. PICASSO, W. KANDINSKY und M. DUCHAMP (›Akt eine Treppe hinabsteigend‹; 1912). Die A. S. verhalf der Moderne in den USA zum Durchbruch.

**Arnau y Mascort**; Eusebio, span. Bildhauer, tätig um 1900; nach Ausbildung in Barcelona studierte A. in Rom, Florenz und Paris. Er war v.a. auf dem Gebiet der relig. Skulptur tätig. Für die Kirche S. Engracia in Saragossa schuf er mehrere monumentale Reliefs sowie die Gruppe der ›Esperanza‹. Die Bronzetüren der Kirche von Comillas, zahlreiche dekorative Arbeiten, Kleinplastik und Medaillen gehören zu seinem Oeuvre.

**Arnegunde-Grab.** 1959 wurde unter der Basilika von Saint-Denis der Steinsarkophag der merowing. Königin ARNEGUNDE, auch AREGUNDE (*um 520, †um 565) gefunden. Durch die Ausstattung mit kostbaren Beigaben ist das Grab, auch wegen der Möglichkeit der histor. Einordnung, für die archäolog. Forschung ähnlich bed. wie das →Childerich-Grab.

**Arnheim,** niederländ. **Arnhem,** Hauptstadt der niederländ. Prov. Gelderland, 126200 Ew. Die enge Altstadt wurde 1944 zerstört; von der ma. Befestigung ist das Sabelstor (1440) erh. Die spätgot. St. Eusebiuskirche (1452–Mitte 16. Jh.), eine kreuzförmige dreischiffige Basilika mit Netz- und Sterngewölben, wurde nach schweren Schäden (1944) bis 1964 wiederhergestellt, wobei das Turmoberteil eine an den spätgot. Stil angepaßte Neukonstruktion ist; Malereien sind nur im Chorumgang erh., ferner qualitätvolle Grabmäler, bes. das Renaissance-Grabmal des letzten Herzogs von Geldern (um 1538). Unter den erh. Profanbauten ragt das Rathaus heraus, ein Renaissancebau (1540–46) mit prachtvoller W-Fassade, wegen der 3 Satyrfiguren an den Arkadenbögen ›Duivelshuis‹ (Teufelshaus) gen. Am Stadtrand das Niederländ. Freiluft-Mus. Nördlich von A. liegt der ausgedehnte Nationalpark Hoge Veluwe mit dem →Kröller-Müller-Museum.

**Arnold, 1)** Josef d. Ä., Maler, *Stans bei Schwaz (Tirol) 14. 3. 1788, †Innsbruck 23. 2. 1879, seit 1825 ebd. tätig, malte im Stil von H. F. FÜGER, dann nach dem Vorbild von J. SCHÖPF Altarbilder u.a.; beherrschte nach Schöpfs Tod (1822) lange die kirchl. Kunst Tirols und führte sie zum nazaren. Stil. – Sein Sohn Josef (*1823, †1862) war ebenfalls Maler.

**2)** Karl, Zeichner und Maler, *Neustadt bei Coburg 1. 4. 1883, †München 29. 11. 1953, zeichnete seit 1907 für den ›Simplicissimus‹ u.a. Blätter. Humor und satir. Schärfe verbinden sich im treffsicheren Linienstil seiner Karikaturen.

**Arnolfo di Cambio,** ital. Baumeister und Bildhauer, *Colle di Val d'Elsa um 1245, †Florenz 1302(?), war in den 70er Jahren des 13. Jh. für KARL VON ANJOU in Rom und in Perugia als Bildhauer tätig, unterhielt im letzten Lebensjahrzehnt Werkstätten in Rom und Florenz. An Bauten ist ihm mit Sicherheit der erste Entwurf des Doms von Florenz zuzuschreiben (beg. 1296, nur die ersten Langhausjoche von ihm ausgeführt), weiterhin werden ihm die Pläne für S. Croce und den Palazzo Vecchio ebd. zugeschrieben. Als Bildhauer war er Schüler von NICCOLÒ PISANO, unter dem er an der Domkanzel in Siena arbeitete (voll. 1267). Im Ggs. zu Niccolò und Giovanni Pisano bildete A. di C. seine Skulpturen in blockhafter Geschlossenheit mit ruhiger Kontur, wodurch er einer der wichtigsten Vorläufer der Malerei GIOTTOS wurde.

**HW:** Grabmahl des Kardinals de Braye (1282; Orvieto, S. Domenico); Tabernakel in S. Paolo fuori le mura (1285) und S. Cecilia (1293) in Rom; Grabmal von Papst Bonifatius VIII. (1300; ebd., St. Peter; Fragmente mit Tumba heute in den Vatikan. Grotten); Figuren der Florentiner Domfassade (1296–1302; Florenz, Dom-Mus.).

A. M. ROMANINI. A. di C. (Mailand 1969).

**Arnsberg,** Stadt im Hochsauerland, NRW, 82000 Ew.; einst Sitz der Grafen von Werl, 1368–1815 kurkölnisch. Kath. Propsteikirche St. Laurentius, die ehem. Prämonstratenser-Klosterkirche **Wedinghausen** (1173 gegr.), got. Hallenkirche mit reicher Barockausstattung. Hirschberger Tor (Rest eines kurköln. Jagdschlosses) 1753 von J. C. SCHLAUN. Schloßruine (12./16. Jh., der Dreiflügelbau von 1730/35 im Siebenjährigen Krieg 1762 gesprengt). Altes Rathaus (1710), gegenüber der Landsberger Hof (1605, Mus.). In der nach 1817 angelegten Neustadt geschlossene Straßenzüge mit klassizist. Wohnhäusern im Stil K. F. SCHINKELS; die evang. Kirche am Neumarkt 1822–25 unter Mitwirkung Schinkels erbaut.

**Arnsburg,** ehem. Zisterzienserabtei in Mittelhessen (gegr. 1174); spätroman. Kirche (1246 gew.), seit 1828 Ruine; Kreuzgangsbereich seit 1958 Kriegsgräberstätte. Die barocken Konventsgebäude wurden nach 1803 Schloß der Grafen zu Solms-Laubach.

**Arnstadt,** Stadt südlich von Erfurt, Dt. Dem. Rep., 29300 Ew. Die Liebfrauenkirche, eine dreischiffige Basilika (beg. um 1215/35) mit Querschiff und dreischiffigem Hallenchor (um 1275–1300) ist ein Beispiel für den Übergangsstil von der Romanik zur Gotik; im Innern u. a. Schöne Madonna (um 1415), spätgot. Altar (1498), Tumba des Grafen GÜNTHER XXV. VON SCHWARZENBERG aus der Parler-Schule (um 1380). Die Oberkirche ist ein einschiffiger got. Bau (1. H. 14. Jh.). Neues Palais (1728–32, heute Mus.); Bürgerhäuser (seit 16. Jh.); am Markt Renaissance-Rathaus (1581–83) mit dekorierten Volutengiebeln und Renaissancegalerie (1583, ehem. Tuchmachergaden).

**Arnstein,** ehem. Prämonstratenser-Reichsabtei über dem Lahntal, Rheinl.-Pf., 1139 gegr. Die Kirche (1208 gew., 1359 Erweiterung des Ostchores und Einwölbung) ist eine doppelchörige Pfeilerbasilika (reiche Ausstattung, u. a. roman. Fußboden); Klostergebäude romanisch und barock.

**Arolsen,** Stadt in Nordhessen, 15800 Ew.; seit 1719 planmäßig angelegte Residenz der Fürsten von Waldeck. Weitläufiges Barockschloß (Mus.), HW von J. L. ROTHWEIL, 1710–29 nach dem Vorbild von Versailles; Kaulbach-Mus.; Christian-Rauch-Gedenkstätte.

**Aron ha-kodesch** [hebr. ›Heiliger Schrein‹], **Thoraschrein,** ein oft kunstvoll geschnitzter Wandschrank an der O-Wand der Synagoge (Richtung nach Jerusalem), in dem die Thorarollen (→Thora) aufbewahrt werden.

**Arp,** Hans, Dichter, Maler und Bildhauer, *Straßburg 16. 9. 1886, †Basel 7. 6. 1966, besuchte die Kunstgewerbeschule ebd., studierte (1905–07) an der Kunstschule in Weimar und (1908) an der Académie Julian, Paris. 1911 schloß er sich den Künstlern vom ›Blauen Reiter‹ an; 1913 war er Mitarbeiter an der Ztschr. ›Der Sturm‹. 1916 gehörte er zu den Gründern des →Dadaismus, 1925–28 zum Kreis der Surrealisten in Paris, wurde 1931 Gründungsmitgl. der Gruppe →Abstraction-Création und schuf wesentl. Beiträge zur Konkreten Kunst. A. lebte und arbeitete mit seiner Frau Sophie →Taeuber-Arp abwechselnd in Meudon bei Paris (seit 1926), Solduno-Locarno und Basel. Sein außergewöhnlich umfangreiches und vielfältiges Werk macht A. zu einem der wichtigsten Bildhauer im 20. Jh. Seit 1916 entstanden insgesamt fast 800 Reliefs aus biomorph konturierten, übereinandergelegten bemalten Holzplatten, die das Prinzip der Collage in freie, oft witzige Formfindungen übertragen. In den 30er Jahren entstanden Freiskulpturen aus Marmor oder Bronze, die organ. Wachstumsformen ohne jeden naturalist.

**Hans Arp:** Configuration; bemaltes Holz, 1928 (Basel, Kunstmuseum, Stiftung Emanuel Hoffmann)

Anklang zeigen. Das Spätwerk zeigt offenere Formgebilde, in denen negatives und positives Volumen sich wechselseitig aktivieren. – A. hat auch bed. Gedichtbände aus dem Geist von Dada und Surrealismus veröffentlicht.

Autobiograph. Sammelband: Unsern tägl. Traum (1955); Zweiklang (Selbstzeugnisse, mit SOPHIE TAEUBER-A., hg. 1960).

Skulpturen 1957–1966, Bibl. v. MARGUERITE A. – HAGENBACH, Skulpturenkatalog v. F. A. (1968); S. POLEY: H. A. (1978); W. F. ARNTZ: H. A., Das graf. Werk 1912–66 (1980); B. RAU: H. A., die Reliefs. Oeuvre-Kat. (1981); H. A., Ausst.-Kat., Basel (1982).

**Arpino, Cavalier d'A.,** ital. Maler, →Cesari.

**Arraiolos** [-luʃ], portug. Stadt (rd. 5000 Ew.) nördlich von Évora, überragt von der mächtigen Ruine eines Kastells (14. Jh.). Von der einstigen Pracht des Klosters Quinta dos Lóios (16. Jh.) zeugen das Portal im Emanuelstil und die mit Azulejos verkleidete Klosterkirche. In der Nähe liegt das ehem. erzbischöfl. Jagdschloß Sempre Noiva (16. Jh.) im Emanuelstil. – A. ist seit Ende des 17. Jh. wegen seiner Teppichherstellung bekannt.

**Arras** [ar'a:s], fläm. **Atrecht,** nordfrz. Bischofsstadt (46 000 Ew.) an der Scarpe; fläm. Stadtbild mit Giebelhäusern und Arkaden, v. a. an Grande Place und Place des Héros mit dem Rathaus (Hôtel de Ville, 15./16. Jh.; nach dem 1. Weltkrieg wiederaufgebaut; mit 75 m hohem Turm). Klassizist. Kathedrale (Ende 18. Jh.); Mus. im ehem. Benediktinerkloster St. Vaast (18. Jh.).

Durch die seit Anf. 11. Jh. blühende Tuchproduktion wurde A. eine der reichsten frz. Städte des MA. und brachte eine bed. Teppichkunst hervor. Die Bildwirkerei ist seit der 1. H. des 14. Jh. durch künstlerisch und technisch hochstehende Teppiche bezeugt. (→Arazzi)

**Arretinische Keramik** [n. Arretium, →Arezzo], →Terra sigillata.

**Arroyo, 1)** Diego de, span. Maler, *Toledo 1498, †Madrid 1551, stand im Dienst KARLS V. und PHILIPPS II. am span. Hof und schuf neben Buchmalereien v. a. Porträts, Wappenentwürfe sowie Entwurfzeichnungen für Prunkrüstungen und -sättel.

**2)** Eduardo, span. Maler, *Madrid 26. 2. 1937, verließ Spanien 1958 und emigrierte nach Paris. A. formulierte in Figurenbildern sein polit. Engagement gegen das Franco-Regime. Seine Art, realist. Bildzitate zu kombinieren, zeigt in Film und Photographie angewendete Methoden.

**Arruda,** Diego de, portug. Baumeister des frühen 16. Jh., †um 1531, war 1513 beim Bau des Klosters Tomar tätig und gilt als Schöpfer des reich ausgeschmückten Kapitelsaals, ein bed. Beispiel des frühen Emanuelstils.

**Arsameia am Nymphaios,** Residenz des antiken Königreiches Kommagene in Kleinasien (1. Jh. v. Chr.), rd. 60 km südöstlich Malatya, Türkei. Durch dt. Ausgrabungen seit 1951 wurde eine monumentale Grabanlage des Königs MITHRIDATES I. KALLINIKOS freigelegt mit grch. Inschriften seines Sohnes ANTIOCHOS I. und kolossalen Reliefstelen, auf denen der König die grch.-pers. Götter Helios-Mithras und Herkules-Artagnes begrüßt, ein Denkmal des spätantiken Synkretismus.

F. K. DÖRNER: Kommagene, Neue Entdeckungen der Archäologie (1981).

**Arschan, Aršan,** Dorf in Tuwa, S-Sibirien, in dessen Nähe 1971–74 das bisher größte und älteste Königsgrab des Steppenraumes ausgegraben wurde (Anf. 8. Jh. v. Chr.). Unter einer aus Felsplatten erbauten, runden Plattform (120 m Durchmesser) liegen über 60 Kammern. Im Zentrum der Anlage stehen 2 ineinandergeschachtelte Holzbauten; in dem innersten ruhten in Baumsärgen der Fürst und seine Frau. 15 Würdenträger wurden mitbestattet, außerdem weit über 100 Pferde (Tribute unterworfener oder benachbarter Stämme). Einige im Tierstil geschmückte Objekte aus dem sonst ausgeraubten Grab sowie Tierdekor auf einem Stelenfragment weisen auf die östl. Herkunft der Nomadenkunst.

**Arslan Tasch, Arslan-Taş,** Ruinenstätte in N-Syrien (KARTE Alter Orient); im 1. Jahrtsd. v. Chr. lag hier die Stadt **Chadatu**, eine aramäische Gründung mit Zitadelle und kreisrunder Stadtbefestigung. Freigelegt wurden ein Palast mit Orthostaten des assyr. Königs TIGLATPILESER III. (744–727 v. Chr.), ein Tempel mit großen Torskulpturen sowie Tempel aus hellenist. Zeit. Unter den Funden sind v. a. viele Elfenbeinschnitzereien von Möbeln (phönik. Arbeit).

**Ars moriendi** [lat. ›die Kunst des Sterbens‹], ein Erbauungsbuch des späten MA., das in einer Folge von 11 Bildern den Kampf der Engel und Teufel um die Seele des Sterbenden und den Sieg des Himmels darstellt. Die ältesten Beispiele sind eine Kupferstichfolge des MEISTERS E. S. und die Holzschnitte eines um 1460 vermutlich in den Niederlanden entstandenen Blockbuchs (London, Brit. Mus.).

**Ars multiplicata** [lat. ›vervielfältigte Kunst‹, Titel einer Ausstellung in Köln 1968], Werke zeitgenöss. Kunst, die in vielen ›Original‹-Exemplaren verbreitet werden sollen (Auflagengraphik, →Multiple).

**Arta,** Stadt im westl. Griechenland, nördlich vom Ambrakischen Golf (Golf von A.), 20300 Ew., mit bed. Kirchen aus byzantin. Zeit, v. a. Panhagia Parigoritissa, Ende 13. Jh. erbaut als Katholikon eines nur z. T. erhaltenen Klosters, ein kub. Bau mit Mittelkuppel und kleineren Kuppeln über den Ecken, im oktogonalen Zwischengeschoß Konsolen und Spitzbogen in Formen der spätroman. und frühgot. Architektur W-Europas; bed. Kuppelmosaiken.

**Artajona** [-x'ona], Ort in der nordspan. Prov. Navarra; gut erhaltene Stadtmauer (14. Jh.) mit mächtigen Türmen; Wehrkirche S. Saturnino (12. Jh.); Portaltympanon mit Szenen aus dem Leben des Kirchenpatrons; roman. Apsisfresken heute im Mus. von Pamplona.

**Art Brut** [a:rbr'yt, frz. ›unverbildete Kunst‹], von J. DUBUFFET gebrauchter Begriff für das spontan und unreflektiert Gestaltete (z. B. von Geisteskranken, auch von Kindern oder Amateurmalern), das für ihn als schöpfer. Beleg wahrer Kunst galt. Aus diesen Werken übernahm er Anregungen für sein eigenes Schaffen. Eine Samml. von Beispielen der A. B., von Dubuffet zusammengetragen und 1947 in Paris gezeigt, befindet sich heute im Mus. der ›Compagnie de l'A. B.‹ (Château de Beaulieu) in Lausanne.

Écrits de J. Dubuffet (Paris 1967, mit Abdruck der ›Cahiers de la Compagnie de l'A. B.‹); Ausst.-Kat. A. B., Mus. des Arts Décoratifs (ebd. 1967).

**Art Concret** [a:rkɔ̃kr'ɛ, frz.], →Konkrete Kunst.

**Art Déco** [a:rdek'o, frz.], Stilbez. für Kunsthandwerk, Malerei, Plastik und Architektur der 20er und 30er Jahre des 20. Jh. Der Begriff entstand während der ›Exposition Internationale des Arts Décoratifs et Industriels Modernes‹, die 1925 in Paris auf der Esplanade des Invalides stattfand. Die dort tätigen Architekten (R. Mallet-Stevens, L. Boileau, H. und A. Favier, P. Patout, die Brüder A. und G. Perret), Innenarchitekten, Designer und Modeschöpfer (P. Follot, M. Dufrêne, E. Kohlmann, E. Jacques, P. Chareau, F. Jourdain, R. Lalique) zeigten ihre Erzeugnisse in eigenen Pavillons. Diese, wie die 4 Tore, die Musterbauten und sonstigen Anlagen bildeten dekorative Ensembles von zumeist exklusiver Ausstattung mit üppiger Ornamentik. Sie reichen stilistisch von der Tradition des späten Jugendstils bis zu dem aus Standardelementen in stereometr. Formen errichteten ›Pavillon de L'Ésprit Nouveau‹ von Le Corbusier. Künstler aus dem Umkreis der Fauves (Keramiken von M. Vlaminck, A. Derain, G. Rouault, H. Matisse; Stoffe von R. Dufy), des Kubismus (F. Léger, A. Herbin) u.a. zeitgenöss. Richtungen (Stoffe von Sonja Delaunay, Plastiken von H. Laurens und A. Archipenko) beteiligten sich mit betont dekorativen Werken. Die Neigung zu kostbar behandelten, glatte Formgebung gestattenden Materialien fällt auf: Kristall, glänzende Metalle, Bakelit, Eisenschmiedearbeiten (E. Brandt), Glasgemälde (R. Subes). Außer den frz. Pavillons fand der Beitrag der UdSSR von A. Rodtschenko, K. Malewitsch Beachtung und der Österreichs von J. Hoffmann. An diesem Gebäude befand sich ein suprematist. Glashaus von P. Behrens. Das merkl. Abstandhalten zur ausgeprägten individuellen Gestaltung in Malerei und Plastik fand in Frankreich 1929 Nachfolge in der weitläufigen Künstlergruppe Abstraction-Création. Kennzeichen von A. D. finden sich bis in die 1930er Jahre hinein in England (bei O. Bernard, Weeden & Mather, C. Fox, K. Cheesman) und in den USA (bes. Bauten von W. Wurdeman, E. Beckett, Walls & Clements, Curlett & Beelman in Los Angeles).

Cinquantenaire de l'exposition de 1925, Ausst.-Kat., Paris (1976/77); M. Battersby: The decorative thirties (New York 1971); V. Arwas: A. D. (London 1980).

**Arte Cifra** [-tʃ'ifra, ital. ›Ziffer‹, ›Chiffre‹], Bez. für eine avantgardist. Richtung der ital. Kunst, die sich seit Mitte der 1970er Jahre in Italien als Gegenreaktion auf die Concept Art und Arte Povera entwickelte. Mit sehr persönl., fast chiffreartigen Zeichen gestaltet der Künstler eigene Bildwelten, in denen v. a. Bereiche des Unbewußten zum Ausdruck kommen sollen; die Bilder sind vom Betrachter oft schwer zu entschlüsseln. Vertreter sind u. a. M. PALADINO, S. CHIA, F. CLEMENTE, E. CUCCHI, N. DE MARIA.

**Artefakt** [lat. ›Kunsterzeugnis‹], in der Vorgeschichte ein vom Menschen hergestelltes Werkzeug (Manufakt), im Paläolithikum bes. Knochen- und Steingeräte. Das Auftreten von A. an vorgeschichtl. Fundstätten ist ein Beleg für die Anwesenheit des Menschen.

H. HODGES: Artifacts (London 1981).

**Artemis,** grch. Göttin, im röm. Mythos **Diana,** aus Gottheiten des minoischen und kleinasiat. Bereichs hervorgegangen. Im Mythos Tochter des Zeus und der Leto, Zwillingsschwester des Apoll. In früher Zeit wurde sie mit Mutter- oder Jungfrauzügen ausgestattet und war Herrin der freien Natur und wilden Tiere, zugleich lebenspendend und vernichtend. Später vereinfachte sich ihre Eigenart zur Jägerin, die mit ihren Nymphen durch die Wälder zog. Als Mondgöttin wurde sie dann der Selene gleichgesetzt und damit ihrem Bruder Apoll als Sonnengott angeglichen. Sie wirkte als Heilgöttin und Retterin, behütete die Keuschheit der Frauen, verlieh eine leichte Geburt, brachte aber auch mit ihrem Bogen plötzl. Tod und war schreckl. Rachegöttin (Aktaion, Iphigenie, Niobe, Orion). Ihre Attribute sind Bogen, Pfeil und Köcher, auch Tierfelle und Tiere (Hirsch; BILD Brauron).

Sie wurde in langem, später meist in kurzem Gewand, bis in die röm. Kaiserzeit auch geflügelt, dargestellt. A. findet sich seit dem 7. Jh. v. Chr. oft auf grch. Vasen und Reliefs, als Statue und Statuette v. a. auch in der röm. Kunst. Fremdartig mutet die in vielen Kopien und Umbildungen erhaltene vielbrüstige **A. von Ephesos** an. Unter den Statuen ragt die **A. von Versailles** hervor (röm. Marmorkopie nach grch. Original aus der 2. H. 4. Jh. v. Chr., Paris, Louvre).

In der ma. Kunst ist A. v. a. als Luna zus. mit Apoll als Sol zu finden. Künstler der Neuzeit stellten Diana als Göttin der Jagd, im Bade und zus. mit Aktaion dar (TIZIAN, A. CORREGGIO, L. CRANACH D. J., TINTORETTO, J. BRUEGEL D. Ä., P. P. RUBENS, REMBRANDT, VERMEER VAN DELFT, F. BOUCHER, T. GAINSBOROUGH, A. BÖCKLIN, A. RENOIR, C. COROT).

**Artemis:** Artemis von Ephesos, röm. Kopie (mit Ergänzungen), Alabaster und Bronze, nach der Kult-Statue der ephesischen Artemis (Neapel, Archäolog. Nationalmuseum)

**Artemision,** Bez. für ein Heiligtum der Artemis, v. a. das zu den Sieben Weltwundern gezählte A. von →Ephesos, das größte Bauwerk der grch. Welt.

**Arte Povera** [ital. ›arme Kunst‹], eine Form der Objektkunst in den späten 1960er und 1970er Jahren. Die A. P. überschneidet sich vielfach mit der →Minimal Art und der →Concept Art. Sie will mit ›armen‹, dürftigen und reduzierten Materialien wie Erde, Holz, Schnur, Filz, aber auch Neonröhren die poetische Komplexität und kreative Ausstrahlungskraft dieser einfachen Dinge sichtbar machen. Zu den Künstlern der A. P. gehören u. a. R. RUTHENBECK, T. ULRICHS, M. MERZ, G. PENONE, G. PAOLINI, J. KOUNELLIS und der frühe R. SERRA.

**Artes liberales** [lat.], die 7 ›freien Künste‹ der ma. Bildungsordnung. Schon in der Antike wurden Sprache und Redekunst einerseits, Mathematik und die aus ihr abgeleitete Musik andererseits als grundlegende Künste angesehen. In hellenist. Zeit bildete sich daraus eine Folge von 5–7 ›freien‹ Künsten. Seit AUGUSTINUS stand die Siebenzahl fest: die 3 Sprachkünste (Grammatik, Rhetorik, Dialektik) und die 4 mathemat. Künste (Arithmetik, Geometrie, Musik, Astronomie); sie wurden später Trivium (Dreiweg) und Quadrivium (Vierweg) genannt. In Malerei und Plastik wurden sie durch Frauengestalten mit Attributen personifiziert, denen ein Hauptvertreter des Fachs (z. B. CICERO für Rhetorik) zugeordnet wurde.

**Artesonado** [span. ›Kassettierung‹], Bez. für reich verzierte kassettierte Holzdecken und -türen. Sie bestehen aus zahlreichen versch. Hölzern, aus denen geometr. Muster mit vertieften Feldern gebildet werden. Auf islam. Einfluß zurückgehend, erlebte die Kunst des A. ihre höchste Blüte im 15./16. Jh. auf der Iber. Halbinsel (Mudéjar-Stil) und verbreitete sich bis nach Lateinamerika. Bes. prächtige A. befinden sich im Thronsaal der Aljafería in Saragossa, im Kapitelsaal der Kathedrale von Toledo und in der Alhambra in Granada.

**Arthois** [artw'a], Jacques d'A., fläm. Maler, getauft Brüssel 12. 10. 1613, †ebd. 1684, schuf fein gegliederte niederländ. Wald- und Flachlandschaften und großangelegte kirchl. Landschaften (Brüssel, Notre-Dame-des-Chapelles).

**Art Informel** [a:rɛ̃fɔrm'ɛl, frz.], →Informelle Kunst.

**Art Institute of Chicago** [ɑ:t 'ɪnstɪtju:t ɔvʃɪk'ɑ:gəʊ], Mus. für amerikan., europ. und asiat. Kunst, Bibliothek (Ryerson Library, Burnham Library) und Kunstschule in Chicago (Illinois). Das A. I. of C. ist 1882 aus der 1879 gegr. Chicago Academy of Fine Arts hervorgegangen. Aus privaten Stiftungen entstanden Schwerpunkte u. a. der Malerei des frz. Impressionismus und des frühen 20. Jh.

**Art & Language** [ɑ:t ænd l'æŋgwɪdʒ, engl. ›Kunst und Sprache‹], engl.-amerikan. Künstlergruppe, 1968 gegr., 1975 gespalten, betreibt Kunst rein begrifflich und verbal als Analyse sprachl. und log. Strukturen, auf der Grenze zw. Ontologie und Sprachwissenschaft (T. ATKINSON, J. KOSUTH u. a.).

**Art Mobilier** [a:r mɔbilj'e, frz. ›bewegl. Kunst‹], die nicht an einen festen Untergrund (Felsblöcke, Höhlenwände oder Höhlenboden) gebundene Kleinkunst des Paläolithikums (→Eiszeitkunst).

**Art Nouveau** [a:r nuv'o, frz.], im frz. und auch im angloamerikan. Sprachraum Bez. für den →Jugendstil.

**Artothek** [lat.-grch.], Verleihstelle für Kunstwerke.

**Arts and Crafts Movement** [ɑ:ts ænd kr'ɑ:fts m'u:vmənt], engl. Bewegung zur Reform des Kunstgewerbes, begann 1861 mit der Herstellung von handwerklich bes. gediegenen Möbeln, Tapeten u. a. durch W. MORRIS und seine Künstlerfreunde und erreichte mit der 1888 von W. CRANE u. a. gegr. **Arts and Crafts**

**Society** ihren Höhepunkt; beeinflußte auch stark das Kunstgewerbe auf dem europ. Festland (→Jugendstil).

**Arundel** ['ærəndl], Thomas Howard, 14. Earl of A., engl. Sammler und Mäzen, *Framlingham 7. 7. 1585, †Padua 4. 10. 1646, legte als erster in England eine Antikensamml. an, die 1628 z. T. in ›Marmorea Arundeliana‹ veröffentlicht wurde; die bedeutendsten Werke wurden 1667 von seinem Enkel an die Oxford Univ. geschenkt (A.- oder Oxford-Marbles), darunter auch die Marmorchronik aus Paros. Die Handschriftensamml., die A. 1636 aus dem Nachlaß W. PIRCKHEIMERS in Nürnberg erworben hatte, wurde der Royal Society, 1831 dem Brit. Mus. (A. Coll.) überwiesen. – **A.-Gesellschaft** (A. Society for promoting the knowledge of art), 1849–95 in London bestehende Vereinigung von Kunstfreunden, die zur Förderung der Kunstkenntnis Kunstwerke in Reproduktion veröffentlichte.

**Aryballos** *der,* grch. Salbgefäß, kugelförmig mit Henkel für ein Band, da der A. von Athleten an der Hand getragen wurde (→Vasen).

**Asahi-Yaki,** japan. Töpferware von Asahi bei Uji, einem der ›Sieben Öfen‹, deren Produktion mit der Herausbildung der Teezeremonie verbunden ist (Teegeräte mit grau oder gelblich-weißen Glasuren 2. H. 17. Jh.).

**Asam,** bayer. Künstlerfamilie des 17./18. Jh.:

**1)** Cosmas Damian, Maler und Baumeister, Sohn von 3), Bruder von 2), *Benediktbeuern 28. 9. 1686,

**Egid Quirin Asam:** Schnitt durch einen Rundtempel, lavierte Federzeichnung (München, Staatl. Graph. Sammlung)

†München 10. 5. 1739, wie sein Bruder in Rom ausgebildet, übernahm von dort die scheinräuml. Deckenmalerei von A. →Pozzo. Seine reichbewegten, auch in der Farbgebung sehr bedeutenden Gemälde (Ingolstadt, Bürgersaal St. Maria Victoria; Prag, Kloster Břevnov; Schloß Alteglofsheim/Oberpfalz u. a.) erweitern den Raum in das scheinbar Unbegrenzte.

**2)** Egid Quirin, Stukkator, Baumeister, Sohn von 3), Bruder von 1), getauft Tegernsee 1. 9. 1692, †Mannheim 29. 4. 1750, entwickelte zus. mit seinem Bruder aus der Verbindung der spätbarocken Kunst Roms mit Elementen des zeitgenöss. Theaters das bayer. Rokoko. In diesem Sinn werden durch schwere Farbigkeit und gezielte Lichtführung über dem bühnenartigen Altar ein pantheonartiges Oval (Kloster Weltenburg), eine Basilika (Rohr) und ein gotisch-steiler Raum (Johann-Nepomuk-Kirche in München, 1733–46; daneben das A.-Haus) verwandelt. Cosmas Damian übernahm hierbei jeweils den maler., Egid Quirin den plast. Anteil. Bis gegen 1740 beherrschten die Brüder A. die Baukunst Bayerns (Klosterkirchen Weltenburg 1716–36, Aldersbach 1720, Rohr 1717–22, Osterhofen 1731; Umgestaltung des Doms in Freising und der got. Heiliggeistkirche in München, 1723–27 u. a.), weiterhin bis zum Rhein, nach Böhmen, Schlesien. (BILD S. 182)

**3)** Hans Georg, Freskomaler und Stukkator, Vater von 1) und 2), *Rott am Inn 12. 10. 1649, †Sulzbach (Oberpfalz) 7. 3. 1711, von der venezian. Malerei beeinflußt, wirkte in Benediktbeuern, Fürstenfeld, Tegernsee, Rottach-Egern u. a.

A. WEICHSLGARTNER u. a.: Die Familie A. ([3]1978); B. RUPPRECHT u. a.: Die Brüder A. (1980).

**Asana** [Skt. ›Sitz‹], Thron ind. Bildwerke, v. a. aber deren Sitzhaltung. Am häufigsten kommen Formen des Yogasitzes (z. B. Padmasana) vor, daneben bequeme Haltungen wie Rajalilasana, Lalitasana und Paryankasana, die u. a. der lehrende Buddha einnimmt.

**Äsani,** röm. Ruinenstätte in Kleinasien, →Aizanoi.

**Aschaffenburg,** Stadt in Unterfranken, am rechten Mainufer, 55 400 Ew.; 982–1803 dem Hochstift Mainz gehörig. In der Stiftskirche (12./13. Jh.) bemerkenswertes Westportal, Emporenkapitelle, ›Beweinung Christi‹ von M. GRÜNEWALD, Kreuzgang, Schatzkammer; Schloß Johannisburg (1605–14 von G. RIDINGER erbaut), Residenz der Mainzer Erzbischöfe, hervorragender Renaissancebau, Mus. (Prunkräume, Gemäldegal., Korkmodellsamml., Paramentenkammer u. a.); Stiftsmus. im Stiftskapitelhaus; Pompejanum (1840–48) für LUDWIG I. VON BAYERN durch F. v. GÄRTNER erbaut. Auf der anderen Mainseite Schloß und Park Schönbusch (1776).

**Aschdod, Ashdod,** auch **Asdod,** 1956 gegr. Stadt an der Mittelmeerküste Israels, südlich von Tel Aviv, mit 62 300 Ew. – Unweit des modernen A. finden sich die Ruinen des alten A., einer Akropolis mit Unterstadt. Durch Ausgrabungen ist in 20 Schichten eine Besiedlung von der Mittelbronzezeit bis zur byzantin. Zeit nachgewiesen; in den Schichten 13–11 Reste aus der

Padmasana

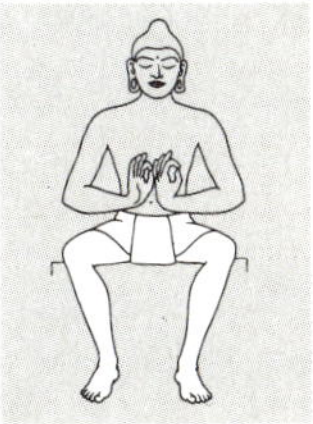

Paryankasana

Rajalilasana

Lalitasana

**Asana**

Zeit der Philister (u.a. Keramik, die an die kypriot. Ware der spätmyken. Zeit erinnert).

**Aschendorf,** Stadtteil von Papenburg, Ndsachs.; Amanduskirche (1498), got. Backsteinbau mit reicher Barockausstattung; Schloß Altenkamp (1728); Burg Nienhaus (spätklassizist. Neubau 1832–36).

**Ạschersleben,** Kreisstadt am NO-Rand des Harzes, Dt. Dem. Rep., 36400 Ew.; gut erh. Befestigung (15. Jh.) mit 15 Wehrtürmen, Rathaus (16. Jh.), zahlreiche Wohnhäuser des 16. Jh.; St. Stephanikirche, eine spätgot. Hallenkirche (beg. 1406, Schlußweihe 1507), mit mehreren qualitätvollen Flügelaltären und Tafelbildern (v.a. 16. Jh.).

**Aschfarbe,** Maltechnik: vom 16. bis 18. Jh. beliebter Grauton für monochrome und mehrfarbige Fassaden- und Raumgestaltungen.

**Aschkelọn, Ashkelon,** auch **Ạskalon,** Stadt und Seebad an der südl. Mittelmeerküste Israels mit 52000 Ew. – Auf dem Tell al-Khader (südwestlich der Stadt) wurden aus der Zeit der Hyksos (2. Jahrtsd. v. Chr.) Reste von Festungsanlagen gefunden, darüber Überreste aus der Zeit der ägypt. Herrschaft. Funde aus dieser Schicht weisen auf Beziehungen zu Zypern und der ägäischen Welt. Aus röm. Zeit sind baul. Reste, Sarkophage, Großplastiken u.a. erhalten, aus der Kreuzfahrerzeit Teile der 1192 durch den engl. König RICHARD LÖWENHERZ errichteten Mauerwerke (3 km eines Mauerrings, z.T. mit Wehrtürmen).

**Ạscoli Piceno** [-pitʃ'ɛ:no], ital. Stadt und Bischofssitz in den Marken, 56400 Ew., mit zahlreichen Bauwerken aus der Antike (Porta Binata, 1. Jh.), dem MA. (u.a. Geschlechtertürme, 12. Jh.) und der Renaissance. Der dreischiffige Dom (12. Jh., nach 1482 erweitert) mit Fassade in korinth. Säulenordnung (1529–39, von C. DELL'AMATRICE) und Renaissanceportal (1496) birgt im Inneren einen zweigeschossigen Flügelaltar (1473, von C. CRIVELLI) und got. Chorgestühl; Baptisterium (12. Jh., quadrat. Basis, achteckiges Mittelteil). An der Piazza del Popolo mit niedrigen Backsteinbauten des 16. Jh. (mit Arkaden und Zinnen geschmückt) der Palazzo del Popolo (13. Jh., 1520 verändert; archäolog. Mus.) und die got. Kirche S. Francesco (13.–16. Jh.; mit Kreuzgang, um 1600; heute Markt). Weitere Kirchen: SS. Vincenzo e Anastasio (11.–14. Jh., Fassade in 64 Felder geteilt), S. Pietro Martire (14. Jh., Kirchenschatz) u.a. Im Palazzo Comunale (2 Bauten des MA., im 17. Jh. durch eine Front verbunden) die Pinakothek (u.a. Stigmatisation des Hl. Franziskus von TIZIAN).

**Ascọna,** Gem. im schweizer. Kt. Tessin, am Lago Maggiore, 4400 Ew.; Pfarrkirche SS. Pietro e Paolo (1. H. 16. Jh.) mit 3 Gemälden von G. SERODINE; S. Maria della Misericordia (1399 beg., 1442 gew.), umfangreicher spätgot. Freskenzyklus; Collegio Papio mit prächtigem Renaissance-Innenhof (1585–1602); Casa Serodine (1620) mit reich stuckierter Fassade.

**Ascott** ['æskət], herrenhausähnl. Cottage in Buckinghamshire, nordöstlich von Aylesbury (England), als maler. Ensemble scheinbar selbständiger, zufällig zusammengewachsener Fachwerkbauten unter Einbeziehung eines Bauernhauses (1606) für L. DE ROTHSCHILD 1874–86 erbaut. Kunstsamml. mit Gemälden, Möbeln, chines. Porzellan.

**Ashanti, Aschanti, Asante,** Volk der Akan-Gruppe in S-Ghana, Westafrika, etwa 1 Mio.; das Reich der A. (Hauptstadt: →Kumasi) bestand westlich des unteren Volta vom späten 17. bis zum Ende des 19. Jh. Mit dem Goldreichtum des Landes entwickelten die A. eine bed. Goldschmiedekunst, deren Schöpfungen v. a. der Verherrlichung des sakralen Königtums dienten; daneben waren und sind die A. auch als Holzschnitzer tätig und stellen v. a. Mutter-und-Kind-Figuren, Fruchtbarkeitspuppen (›Akua-ba‹) sowie die rituell benötigten Klan-Hocker her. Bed. Terrakotta-Köpfe und -Figuren, die z. T. bis ins 18. Jh. datieren, wurden ausgegraben oder auf alten Gräbern gefunden. Die profane Kunst manifestiert sich v. a. in Gelbgußarbeiten (z. B. →Goldgewichte) sowie in hochstehender Töpferei und Weberei.

**Ashanti:** Schminkdosen aus gepunztem Messingblech; je 18 cm hoch (Privatsammlung).

**Ashcan School** ['æʃkæn sku:l, engl. ›Mülleimerschule‹], Bez. für eine Gruppe amerikan. Maler, auch ›The Eight‹ gen., der die Realisten R. HENRI, W. GLACKENS, G. LUKS, E. SHINN, J. SLOAN sowie E. LAWSON, A. B. DAVIES und M. PRENDERGAST, die dem Impressionismus nahestanden, angehörten. Die Künstler stellten 1908 in New York zus. aus, nachdem die Bilder von Glackens, Luks und Shinn von der Nat. Academy of Design 1907 zurückgewiesen worden waren. Ihre realist. Malweise mit Motiven aus dem Alltagsleben der Großstadtbewohner knüpft an É. MANET, G. COURBET und die Düsseldorfer Malerschule, an der Henri studierte, an. Mit der A. S., der auch G. BELLOWS, G. COLEMAN, E. HIGGINS, E. HOPPER und J. MYERS zuzuordnen sind, begann in den USA eine eigenständige, selbstbewußte Kunstrichtung, die später von der →American Scene übernommen wurde.

**Asher, 1)** Louis, Maler, *Hamburg 28. 6. 1804, †ebd. 7. 3. 1878, malte Historien- und Genrebilder unter Einfluß von P. CORNELIUS und W. KAULBACH.

**2)** ['æʃə], Michael, amerikan. Künstler, *Los Angeles 15. 7. 1943. Seit 1968 verändert er Räume durch simple Eingriffe in die Architektur wie das Einziehen von Zwischenwänden oder die schwarze Einfärbung einer Wand. Er manipuliert den Lichteinfall und macht dessen Abstufungen zum Thema der Installation.Seine Arbeiten sind ein wichtiger Beitrag zur spezifisch kaliforn. Kunstform des purist. Lichtraums.

Ausst.-Kat. M. A., Van-Abbe-Museum, Eindhoven (1980).

**Ashmolean Museum** [æʃm'əuljən mju:z'ıəm], eines der 4 Univ.-Museen in Oxford, das älteste öffentl. Mus. Englands, 1675 von dem Altertumsforscher und Sammler E. ASHMOLE (*1617, †1692) gegr., 1683 eröffnet. Die urspr. naturwissenschaftl. und histor. Bestände wurden im Laufe des 19. Jh. zu einer die verschiedensten Gebiete der Kunst umfassenden Samml. ausgebaut. Das Mus., seit 1845 in einem klassizist. Gebäude von C. R. COCKERELL, umfaßt heute europ., ägypt. und asiat. Altertümer, ital., holländ., frz. und engl. Gemälde und Graphik, Skulpturen, Bronzen, Miniaturen, engl. Silber sowie chines., japan., tibetan., indian. und islam. Kunst.

**Ashoka,** Kaiser der Maurya-Dynastie, regierte 273–232 v. Chr., Schöpfer des ersten ind. Großreiches. Nach seinen Eroberungskriegen bekannte er sich zu einer buddhistisch geprägten Ethik. Seine monolith. Ediktsäulen mit bekrönenden Tierfiguren sind die ältesten monumentalen Zeugnisse der →indischen Kunst.

**Ashrama-Maha-Rosei-Tempel** [›Einsiedelei des großen Asketen‹], brahman. Heiligtum in Kambodscha unter der Fu-nan-Dynastie (6. Jh.) am N-Abhang des Phnom Da aus Basaltquadern errichtet. Der A.-M.-R.-T. trägt deutlich ind. Merkmale mit Cella und schmalem Umgang. Von dort stammt vermutlich die 175 cm hohe Harihara-Steinskulptur (Paris, Mus. Guimet), die Züge der ind. Gupta- und Pallava-Kunst aufweist. (BILD Khmer-Kunst)

**Ashridge Park** [ 'æʃrɪdʒ pɑ:k], Schloß in Herfordshire, nördlich von Berkhamsted (England), langgestreckte Gebäudeanlage in maler. Neugotik, von J. WYATT 1806–13 beg., 1817 von J. WYATVILLE voll. Die 1813 von H. REPTON (*1752, †1818) angelegten ›pleasure grounds‹ südlich des Hauses, z. T. erhalten, umfaßten 15 versch. Gartenformen, vom geometr. bis zum Landschaftsgarten.

**Asine,** felsige Höhe am Argolischen Golf südöstlich von Nauplion (Griechenland) mit hellenist. Wehrmauer und – auf Terrassen über dem Meer – Siedlungen aus früh- bis späthellad. Zeit (→helladische Kunst). Die älteste Siedlung ist denen von →Lerna und →Tiryns verwandt (Dachziegel, Rundbau, Siegelabdrücke). Aus dem 12. Jh. v. Chr. Funde eines stattl. Hausheiligtums, v. a. Idole und ein bemalter Tonkopf (›Lord von A.‹); reiche Nekropole mit Kammergräbern.

**Asir, Achir,** Ruinenfeld der Hauptstadt der →Ziriden in N-Algerien, am S-Hang der Titteri-Berge östlich von Boukhari; 935/936 gegr. Die Reste des Palastes markieren den Beginn eigenständiger maur. Architektur. Die völlig regelmäßige Rechteckanlage (75 × 50 m) mit der besonderen zirid. Raumgestaltung (›bayt‹) wurde zum Prototyp des Palast- und Hausbaus aller späteren Dynastien im gesamten Maghreb bis ins 19. Jh.; monumentales Eingangstor im Stil der Großen Moschee von →Mahdia, quadrat. Zentralpatio, transversaler Empfangsraum vor kreuzförmigem Thronsaal als zentrale Außennische, 4 flankierende, völlig gleiche separate Apartements mit jeweils eigenem kleinen quadrat. Patio und transversaler Halle mit Zentralnische.

**Asket** [grch.], in der ind. Kunst der göttl. oder menschl. Yogin. Seine Attribute sind ein Schurz aus Tierfell, eine Meditationskette (Akshamala) und ein Wassertopf (Kamandalu). Der hinduist. Grundtyp des A. ist der ithyphallische →Shiva. Der Buddha als Hungerasket wird in der Gandhara-Kunst mit abgemagertem Leib dargestellt.

**Asklepieion,** Heiligtum des grch. Heilgottes Asklepios. Die A., teils mit Ärzteschulen, wurden in Griechenland seit dem 5. Jh. v. Chr. Wallfahrtsorte für die Kranken. Zu den Anlagen gehörten außer dem hl. Bezirk Gästehäuser, Liegehallen, Badeanlagen und Palästren. A. gab es u. a. auf Kos, in Knidos, Epidauros, Pergamon.

**Asklepios,** grch. Heilgott, →Äskulap.

**Asklipion,** Ort auf Rhodos, westlich von Lindos, mit bed. byzantin. Kirche (›Kimisis Theotokou‹, Schlaf, Tod der Gottesgebärerin). Das Mittelschiff stammt aus dem Jahr 1060 (über ihm auf achteckigem Grundriß eine Tambourkuppel ohne Fenster), die von Kreuzrippen-Gewölben überspannten Seitenschiffe vermutlich aus dem 18. Jh. (Fresken des 17. Jh.).

**Askos,** kleines, flach auf dem Boden aufliegendes schlauchförmiges Gefäß der grch. Antike, vermutlich ein Ölfläschchen.

**Äskulap,** grch. **Asklepios,** grch. Gott der Heilkunde, urspr. wohl aus Thessalien, im Mythos zunächst Heros und Arzt, Sohn Apolls, wegen Erweckung eines Toten von Zeus getötet. Sein Kult (→Asklepieion) verbreitete sich im späten 6. Jh. v. Chr. von Epidauros aus, löste im 5. Jh. v. Chr. den des Apoll als Heilgott ab und wurde 420 v. Chr. in Athen, anläßlich einer Pest 293 v. Chr. in Rom eingeführt. Der hellenist. Ä. wurde mit der Göttin Hygieia verehrt, in der röm. Kaiserzeit war er einer der am meisten verehrten Götter. Sein Attribut ist der **Äskulapstab,** ein von der heiligen Schlange umringelter Stab, der zum Sinnbild für den Heilberuf wurde.

Seit dem Ende des 5. Jh. v. Chr. wurde Ä. meistens als bärtiger, in einen Mantel gehüllter Mann dargestellt, v. a. auf Weihreliefs des 4. Jh. v. Chr. Im ganzen Altertum waren Statuen des Ä. überaus verbreitet. MA. und Neuzeit kennen Darstellungen nur vereinzelt.

**Asmat,** versch. Stammesgruppen in W-Neuguinea (Irian Jaya), im trop. Regenwald an den Flußufern des südl. Küstenlands. Bei den A., nach deren Mythos Mensch und Baum identisch und die Menschen aus hölzernen Figuren entstanden sind, gibt es hervorragende Holzschnitzer. Die menschl. Figur wird am häufigsten dargestellt, oft in Hockstellung, dabei zugleich die Gestalt der Gottesanbeterin miteinbeziehend, frei geformt oder als Element von ›Seelenkanus‹ sowie als Ornament auf Trommeln, Schilden, Schalen u. a. – Maskenkostüme aus Bastgeflecht und Maschenstoff stellen Geister dar. Die großartigsten Schnitzereien der A. sind die bis zu 7 m hohen Ahnengedenkpfähle (›Mbis‹ oder ›Bisji‹) aus mehreren übereinanderstehenden menschl. Figuren und einem aus der obersten Figur herausragenden, durchbrochen gearbeiteten Flügel (Penis). Formal bes. vielfältig sind die durch helle Bemalung der Flächen akzentuierten Reliefverzierungen der bis zu 2 m hohen Schilde. Kalk, roter Ocker und Holzkohle sind die häufigsten Farben. – In neuerer Zeit benutzen auch die A. Metallwerkzeuge und fertigen z. T. angepaßte Formen für den Verkauf.

A. Gerbrands: Wow-Ipits. Eight A. woodcarvers of New Guinea

**Asmat:** Ahnenfigur vom Lorentz-Fluß, Holz, Kopf und Ohrschmuck aus Schnur, Bast, Kasuarfedern und Grassamen, 90 cm hoch (Basel, Museum für Völkerkunde)

(Den Haag 1967); G. KONRAD u. a.: A. Leben mit den Ahnen, Ausst.-Kat., Hofheim a. Ts. (1981).

**Asmus,** Dieter, Maler, *Hamburg 1. 3. 1939, war 1965 Mitbegründer der Gruppe →Zebra, deren manierierter, an der Photographie orientierter, plastisch übersteigerter Realismus einen wichtigen Beitrag zur gegenständl. Malerei in den 1960er Jahren leistete.

**Aspendos,** antike Hafenstadt in Pamphylien (rd. 50 km östlich von Antalya, Türkei), die ihre größte Blüte in röm. Zeit (seit 133 v. Chr.) erlebte und viele aufwendige Bauten aufwies. Aus dem 2. Jh. n. Chr. stammt das Theater, eines der besterhaltenen und größten (15 000 Sitzplätze) Kleinasiens, das, restauriert, heute wieder verwendet wird. Durch Ausgrabungen wurden ferner die Agora, ein Nymphäum und eine Basilika freigelegt; Reste eines Aquäduktes.

**Asper, 1)** Hans, schweizer. Maler und Zeichner für den Holzschnitt, *Zürich 1499, †ebd. 21. 3. 1571, einer der bedeutendsten Porträtmaler der Zeit nach H. HOLBEIN D. J. (Porträts Schweizer Reformatoren wie H. ZWINGLI und H. BULLINGER; Zürich, Zentralbibl.).

**2)** Hans Konrad, schweizer. Baumeister und Bildhauer, *Zürich um 1588, †Konstanz(?) um 1666, tätig in Wien, Konstanz, Überlingen, Salzburg, Maria-Einsiedeln und (seit 1645) in München. Hier ist er als Baumeister von Kirche und Kloster der Karmeliten (1654–60) nachgewiesen. Seine Bildwerke sind beeinflußt von J. ZÜRN. A. ist Wegbereiter des Frühbarock.

**WW:** Grabmal des Dompropstes A. Lodron (1615; Salzburg, St. Petersfriedhof); Taufstein (1642; Konstanz, Münster).

**Aspertini,** Amico, ital. Maler, *Bologna 1474 oder 1475, †ebd. 1552, wahrscheinlich Schüler F. FRANCIAS, malte Fresken (S. Cecilia in Bologna, um 1506–07; S. Frediano in Lucca, 1508) und Altarbilder; Skizzenbücher mit Antikennachzeichnungen (eines in Schloß Wolfegg; zwei im Brit. Mus., London).

**Aspetti,** Tiziano, ital. Bildhauer, *Padua um 1565, †Pisa 1607, schuf v. a. in Venedig, Padua und Pisa manierist. Statuen, Bronzebüsten und -reliefs.

**HW:** Herkules und Atlas (Venedig, am Eingang der Scala d'oro im Palazzo Ducale); Bronzerelief mit dem Martyrium des Hl. Daniel (Padua, Krypta des Doms); 4 Bronzefiguren der Tugenden (ebd., auf der Balustrade vor dem Presbyterium in S. Antonio).

**Asphalt** [grch.], **Erdpech,** natürl. Gemische von hochmolekularen Kohlenwasserstoffen und Mineralstoffen. In der Ölmalerei wird der sehr transparente gelbbraune Ton des A. für Lasuren sehr geschätzt. Zum Gelbfärben von Lacken wird A. mindestens seit dem Hoch-MA. verwendet. In Mischung mit Wachs und Harzen dient A. als Ätzgrund für →Radierungen.

**Asphaltmalerei,** Malverfahren unter Verwendung von Asphalt, eine im 19. Jh. beliebte →Tonmalerei (Buntfarben auf gelbbraunem Grund). Obwohl von reizvoller Wirkung hat sich die Technik nicht bewährt, da breite Frühschwundrisse im Bild entstehen.

**Aspis und Basilisk,** bibl. Fabeltiere und christl. Symbole, →Christusbild.

**Asplund,** Erik Gunnar, schwed. Architekt, *Stockholm 22. 9. 1885, †ebd. 20. 10. 1940, vollzog in Schweden mit der Stockholmer Stadtbibliothek 1927 und bes. mit seinen Bauten der Stockholmer Ausstellung 1930 den Übergang von einer klassizist. Architekturauffassung zur modernen Architektur. (→Nationalromantik)

**WW:** Planung Südfriedhof Stockholm (1918–20, mit S. LEWERENTZ); Waldkrematorium (ebd. 1935–40).

**Asselijn** ['asəlɛjn], **Asselyn,** Jan, niederländ. Maler, *Diemen oder Dieppe um 1615, †Amsterdam Oktober 1652, schuf Landschaften aus der Umgebung Roms (Ruinen- und Torbogenmotive, meist mit gelbl. Abendbeleuchtung). A. gehört mit J. BOTH und N. BERCHEM zu den italianisierenden Landschaftsmalern (HW in Amsterdam, Rijksmus.; Dresden, Gemäldegal.).

**Assemblage** [asãbl'a:ʒ, frz. ›Ansammlung‹] *die,* eine Weiterentwicklung der →Collage, bei der das Objekt in seiner vorgefundenen Beschaffenheit auf einem vertikalen Bildträger angebracht und zum Teil eines räumlich-plast. Materialbildes gemacht wird (J. CORNELL, R. RAUSCHENBERG, E. KIENHOLZ, M. RAYSSE, LOUISE NEVELSON, die ›Fallenbilder‹ von D. SPOERRI). Die Verbindung der A. mit der Malerei wird →Combine-Painting genannt. Abgeleitete Sonderformen der A. sind Akkumulation und Destruktion (→Arman).

W. SEITZ: The art of A. (New York 1961); A. KAPROW: A., Environment and Happening (ebd. 1966); W. ROTZLER: Objektkunst (1972).

**Assereto,** Gio(v)acchino, ital. Maler, *Genua 1600, †ebd. 28. 7. 1649, schuf Altarbilder und Fresken für Kirchen und Paläste in Genua (Werke in den Gemäldegal. des Palazzo Rosso und Palazzo Bianco).

**Assemblage:** Louise Nevelson, ›Royal Tide IV‹; Holz, 1960 (Köln, Museum Ludwig)

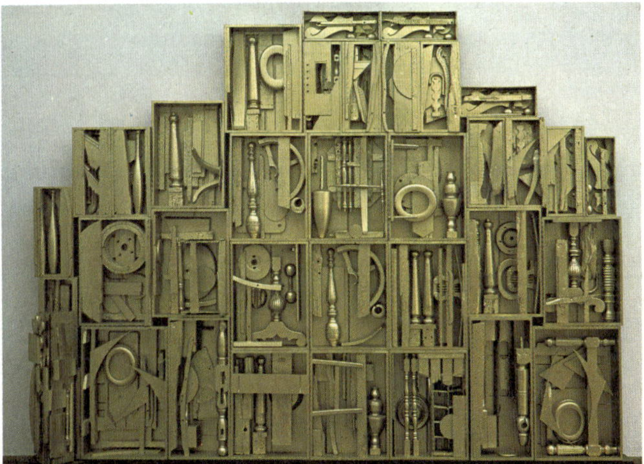

**Assisi,** ital. Stadt, Bischofssitz und Wallfahrtsort in Umbrien (Prov. Perugia), auf einem Bergabhang gelegen, 22400 Ew. Die Basilika S. Francesco des Franziskanerklosters besteht aus der got. einschiffigen Oberkirche (1235 gew.; Freskenzyklus mit der Franziskus-Legende von GIOTTO, durch Erdstöße z. T. beschädigt; weitere Fresken von CIMABUE; Glasfenster, um 1250) und der einschiffigen Unterkirche mit Kreuzgewölben (1228 beg.; got. Doppelportal, 14. Jh.; Vorhalle, 1487; ausgemalt mit Fresken von Giotto, SIMONE MARTINI, P. LORENZETTI u. a.; Kirchenschatz und Grab des Hl. Franziskus von A. in der Krypta). An der Piazza del Comune Giebelfront des röm. Minerva-Tempels (heute Vorhalle der Kirche S. Maria sopra Minerva), Palazzo dei Priori (14. Jh.; Pinakothek). Dom (im 9. Jh. gegr., 1228 gew.; dreigeteilte Fassade mit Skulpturenschmuck; Glockenturm, 11. Jh.; Chorgestühl, 1520; Dom-Mus.); Kirche S. Chiara (1257–60; wiederholt die Formen der Oberkirche von S. Francesco; mit Schrein der Hl. Klara). Unterhalb der Kirche S. Maria Maggiore wurde das Haus des röm. Dichter PROPERZ aus augusteischer Zeit freigelegt (mytholog. Wandmalerei). 5 km außerhalb von A. die Kirche S. Maria degli Angeli (1569 beg.) mit der Portiuncula-Kapelle (wohl 4. Jh., schreinähnl. Bau) unter ihrer Kuppel.

**Assistenzfiguren,** Figuren, die zur Darstellung eines Themas in der bildenden Kunst nicht erforderlich

**Assistenzfiguren:** Hans Baldung, ›Das Martyrium des Hl. Sebastian‹; Mittelbild des Sebastianaltars, 1507; die Gestalt hinter dem Heiligen ist ein Selbstporträt Baldungs (Nürnberg, German. Nationalmuseum)

sind. Sie nehmen an der Handlung meist nur als Zuschauer teil und dienen häufig zur Bereicherung figurenarmer Szenen. Bes. in der ital. Malerei des 15. Jh. finden sich A. mit dem Porträt eines bekannten Zeitgenossen oder Selbstporträt eines Künstlers.

**Assiut,** Provinzhauptstadt in Mittelägypten (KARTE ägyptische Kunst), auf dem westl. Nilufer (176000 Ew.); seit dem Altertum Ausgangspunkt von Karawanenwegen durch die Westwüste. Politisch und kulturell ein Zentrum der 1. Zwischenzeit und des frühen Mittleren Reiches (um 2100–1900 v. Chr.); Felsgräber von Gaufürsten und zahlreiche bemalte Särge aus jener Zeit; von den Tempeln des Neuen Reiches ist nichts erhalten.

**Assos,** antike Stadt in Kleinasien, am Golf von Edremit, Türkei, auf hohen Terrassen gelegen, an ihrer Stelle heute das Dorf **Behramkale**. Ruinen eines Athenatempels (6. Jh. v. Chr., Reliefschmuck von Metopen und Fries in den Museen von Istanbul und Paris), eines Theaters (3. Jh. v. Chr.), eines Gymnasions (2. Jh. v. Chr.) und Reste einer Stadtmauer (4. Jh. v. Chr.).

**Assteas,** Vasenmaler aus Paestum, tätig etwa 360 bis 340 v. Chr., malte neben mytholog. Themen auch Theaterszenen, darunter solche der unteritalischen Posse, der Mythentravestie (→Phlyakenvasen).

**Assuan, Aswan,** Provinzhauptstadt im südl. Ägypten (202000 Ew.) auf dem östl. Nilufer, gegenüber der Insel →Elephantine (KARTE ägyptische Kunst). A. war im Altertum ein wichtiges Handelszentrum (Karawanenstraße nach Nubien); der in den Steinbrüchen von A. gewonnene Rosen- und dunkelgraue Granit wurde für Bauten, Statuen, Sarkophage, Obelisken u. a. verarbeitet; in den Steinbrüchen liegen noch halbfertige Stücke, v. a. ein Obelisk von 42 m Länge. A. gewann erst in der Spätzeit Bedeutung, während der Chnumtempel auf Elephantine bis in die Frühzeit zurückreicht. Auf dem Westufer liegen die Felsgräber von Gaufürsten des 22. bis 19. Jh. v. Chr. und das →Simeonskloster aus dem 10. Jh. n. Chr.

**Assunta** [ital. ›die Aufgenommene‹] *die,* ital. Bez. für die in den Himmel aufgenommene Maria und die Darstellung ihrer Himmelfahrt (→Himmelfahrt Mariä).

**Assur,** Reichsgott der Assyrer mit Hauptheiligtum in der Stadt Assur. A. wurde noch bis in parth. Zeit verehrt; er wurde kriegerisch dargestellt als bogenschießender Gott in der Flügelsonne.

**Assur** assyr. Stadt, heute Ruinenfeld bei **Kal'at. Scherqat** am rechten Tigrisufer (KARTE Alter Orient), lange Zeit Hauptstadt des Assyrerreiches, Kultort des Reichsgottes Assur; 614 v. Chr. von den Medern erobert und zerstört, unter den Parthern wieder besiedelt (140 v. Chr. – 256 n. Chr.). – Durch dt. Ausgrabungen wurde die Geschichte der Stadt seit dem 3. Jahrtsd. v. Chr. geklärt: An der NO-Spitze lag das Hauptheiligtum des Stadtgottes mit sehr alter, gut erhaltener Zikkurat, daneben ein großer Palast (›Alter Palast‹) mit unterird. Grüften assyr. Könige. Nach SW schlossen 2 Doppeltempel an: der eine für den Himmelsgott Anu und den Wettergott Adad (mit 2 kleinen Tempeltürmen), der andere für den Mondgott Sin und den Sonnengott Schamasch. Schon im 3. Jahrtsd. v. Chr. bestand das bed. Heiligtum der Ischtar, in dem Beterstatuetten (Gipsstuck) und Kultgegenstände gefunden wurden. Im NW des Stadtgebietes lag auf einer großen Terrasse ein weiterer Palastkomplex des mittelassyr. Königs Tukulti-Ninurta I. mit anschließendem bollwerkartigem Torbereich. Die Altstadt war von einer doppelten Mauer, die im S liegende jüngere Neustadt nur von einer einfachen Umwallung umschlossen. Zum Tigris hin befanden sich große Kai- und Hafenanlagen und weitere Palastbauten. Außerhalb der Stadt konnte auch das Neujahrsfesthaus festgestellt werden. – Zahlreiche bed. Funde von Skulpturen, histor. Denkmälern (Stelen, Gründungsurkunden), Schmuck und Keilschrifttexten wurden während der Ausgrabungen gemacht.

Im 2. Jh. v.–3. Jh. n. Chr. wurde über den assyr. Ruinen von den iran. Parthern die Stadt neu errichtet in hellenistisch-asiat. Mischstil mit Säulenarkaden und Iwanhallen; v.a. große Palastanlage aus Lehmziegeln mit reicher Stuckgliederung; eine der 4 Palastseiten wurde rekonstruiert und befindet sich im Vorderasiat. Mus., Berlin-Ost: dreigeschossig, durch Halbsäulen und Pilaster gegliedert, im Mittelteil ein großer Iwan, Schmuckformen im hellenist. Stil (korinthische Kapitelle, Mäanderdekor). Die Ruinen von A. werden z. Z. von irakischen Archäologen erneut untersucht und restauriert.

W. Andrae: Das wiedererstandene A. ([2]1977).

Altstadt von **Assur**

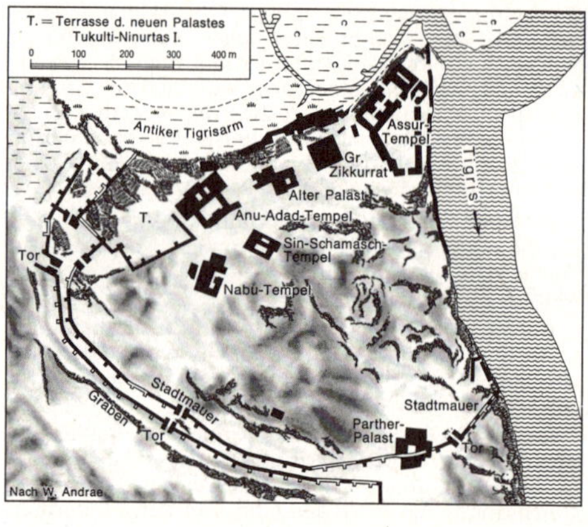


**Assurnaṣirpal II.**, assyr. König (883–859 v. Chr.); ließ Kalach zur neuen Residenz ausbauen und gestaltete seinen Palast reich aus; erstmals wurden die Repräsentationsräume mit reliefierten Alabasterorthostaten (mytholog. und krieger. Szenen) geschmückt, auf denen der König selbst auch dargestellt ist.

**Assy** [as'i], Sanatoriumssiedlung in den Frz. Alpen (Dép. Haute-Savoie), mit kath. Pfarrkirche (1937 beg., 1950 gew.), die 1945–52 unter Leitung des ABBÉ PAUL COUTURIER (*1881, †1953) von bed. Künstlern der Zeit ausgestattet wurde: P. BONNARD (Wandbild), G. ROUAULT (Glasfenster), J. R. BAZAINE (Chorfenster), H. MATISSE (Keramiktafel mit dem Hl. Dominikus), G. BRAQUE (Tabernakeltür), F. LÉGER (Fassadenmosaik), A. LURÇAT (Wandteppich) und GERMAINE RICHIER (Kruzifix).

**assyrische Kunst,** die Kunst des im 2. Jahrtsd. v. Chr. mächtigen assyr. Reiches im Vorderen Orient, die immer in einer Wechselbeziehung zur babylonischen Kunst stand; sie zerfällt in 3 Abschnitte: die **altassyr. Kunst,** etwa 2000–1750 v. Chr., nach Machtzerfall Assyriens in den folgenden Jh. setzt man die **mittelassyr. Kunst** etwa 1400–1200 v. Chr. an und die **neuassyr. Kunst** etwa 1200–600 v. Chr.

**assyrische Kunst:** Pferdeknecht mit zwei Pferden; Kalksteinrelief aus Dur-Scharrukin, 8. Jh. v. Chr. (London, Brit. Museum)

Baukunst. Bereits in altassyr. Zeit war die Vorliebe der assyr. Könige erkennbar, sich neue Residenzstädte zu bauen oder bestehende Städte großenteils umzubauen und dabei im ganzen Reich ähnliche Architektur- und Schmuckformen zu verwenden; so kamen in Schubat Enlil (Residenzstadt des Königs SCHAMSCHI-ADAD I., 18. Jh. v. Chr., wahrscheinlich im Tell Leilan, NO-Syrien, verborgen) Teile eines Tempels mit verzierten Halbsäulen zutage, die dem gleichzeitigen Tempelbau der assyr. Provinzstadt Karana (Tell Rimah) in N-Mesopotamien entsprechen. Eine charakterist. Tendenz assyr. Baukunst, die Bindung eines Tempels an einen Tempelturm (Zikkurat), begegnet ebenfalls in der Frühzeit (Tell Rimah). Seit mittelassyr. Zeit ist die enge Beziehung zw. Tempel, Zikkurat und Palast zu belegen (Kar Tukulti-Ninurta, 13. Jh.); der Tempel kann sogar Teil des Palastkomplexes werden. Eine typisch assyr. Bauform ist der Doppeltempel, bereits im 15. Jh. v. Chr. in Assur im Heiligtum für die Götter Sin und Schamasch bezeugt; in diesem Bau ist auch das später charakterist. Grundschema: Cella als Langraum mit vorgelagerter Vorcella als Breitraum erstmals verwirklicht.

Für die neuassyr. Zeit ist der Palastbau bes. typisch. Er bestand aus einem Vor- und einem Haupthof (assyrisch babanu und bitanu); der Thronsaal war ein Langraum und durch besondere Größe, Pracht und Einbauten wie Thronsockel und fahrbarem Ofen gekennzeichnet. Die Wände waren mit Reliefs (Orthostaten) und Malereien verziert. Gewaltige Ausmaße (1600 × 1900 m) erreichte Ende des 8. Jh. v. Chr. die Residenz SAR-

**assyrische Kunst:** OBEN LINKS geflügelter Genius; Alabasterrelief aus Kalach; um 880 v. Chr. (Paris, Louvre). OBEN RECHTS unbekannter Gott; Reliefbruchstück aus Kalach, um 880 v. Chr. (Berlin – Ost, Staatl. Museum). UNTEN Assurnasirpal II. (883–859 v. Chr.) auf der Löwenjagd; Alabasterrelief (London, Brit. Museum)

GONS II., Dur-Scharrukin. Den Palästen und Residenzen wurden jetzt Zeughäuser mit Kasernen (assyrisch ekal mascharti) beigegeben.

Die Bildkunst der altassyr. Zeit ist kaum bekannt. Nur für die Periode der assyr. Handelsniederlassungen in Anatolien läßt sich ein bestimmter Stil der Steinschneidekunst erschließen.

Die mittelassyr. Zeit dagegen stellt einen Höhepunkt altvorderasiat. Kunstschaffens dar, das jedoch fast ausschließlich in Werken der Kleinkunst, bes. der Glyptik (Siegel), überliefert ist. Angeregt durch die mitannische Kunst wurden neue Themen, Motive und Kompositionen eingeführt, die, in der Ausführung übersteigert und beinahe manieriert wirkend, ihre Höchstleistung im 13. Jh. hervorbrachte. Bewegte Tierkämpfe, an denen häufig ein Bogenschütze teilnimmt, auch unter Einbeziehung der Natur, waren beliebt. Neue Motive waren Pferd und Flügelroß. Die Dynamik der Tiere wird durch eingeknickte Vorder- und diagonal weggestreckte Hinterläufe eindrucksvoll gesteigert. Fast ausschließlich wurde unter Verwendung harter Steinmaterialien ein hohes Relief herausgearbeitet.

Dank der Ausgrabungen zahlreicher assyr. Residenzen ist die Kunst des neuassyr. Weltreiches in fast allen Werken der Bildkunst reichhaltig überliefert. I. Ggs. zur mittelassyr. wirkt die neuassyr. Kunst konventionell und starr; erst unter den letzten großen Königen SANHERIB und ASSURBANIPAL befreite sie sich von dem selbst auferlegten Kompositionszwang und gewann an Ausdrucksstärke und Dynamik.

In rundplast. Darstellungen wurden Götter, Könige und hohe Beamte wiedergegeben. Die überlebensgroßen Lamassu-Figuren, die paarweise die Palasteingänge flankierten, sind eine Neuschöpfung und bilden einen Kompromiß zw. Plastik und Relief. Sie sind auf strenge Vorder- oder Seitenansicht konzipiert, entsprechend dem unperspektiv. Sehen, das die vorderasiat. Kunst prägt. Mit zahlreichen Orthostatenreliefs ließen die neuassyr. Könige ASSURNASIRPAL II., TIGLATPILESAR III., SARGON II., SANHERIB und ASSURBANIPAL die Thronsäle ihrer Paläste in Kalach, Chorsabad und Ninive an allen Seiten reich ausschmücken. Sie wurden erst an Ort und Stelle bearbeitet und nach Fertigstellung bemalt. Inhaltlich stellen sie die Bildannalen des Königs dar, zeigen ihn in seiner Funktion als oberster Kriegsherr und Priester, als Bauherr oder auf der Jagd und im Kampf. Weiterer Reliefträger war seit dem 11. Jh. v. Chr. der Obelisk, ebenfalls mit Darstellung von Kampf-, Jagd- und kult. Szenen (›weißer‹ und ›schwarzer‹ Obelisk aus Ninive, 1. H. 9. Jh. v. Chr., London, Brit. Mus.). Zahlreiche Siegesstelen waren im ganzen Land aufgestellt und zeigen meistens den König und die um Gnade bittenden Feinde. Die Bronzetore von Balawat beweisen eindrucksvoll, daß auch die Toreutik große Bedeutung hatte und in das Konzept des erzählenden Bildreports mit einbezogen wurde.

In der Kleinkunst erreichten Elfenbeinarbeiten als Besatzstücke und Teile von Möbeln einen hohen Stand (BILD Kalach); hier sind stilistisch neben assyr., Arbeiten phönikische und syrisch-aramäische deutlich zu un-

**assyrische Kunst:** OBEN Geflügeltes Pferd im Galopp, Rollsiegelabrollung auf Ton aus Tell Schech Hamad; 13. Jh. v. Chr. (Deir ez-Zor, Museum) UNTEN Umrißzeichnung von der Darstellung

**assyrische Kunst:** Symbolsockel Tukulti-Ninurtas I. (1243–1207 v. Chr.) aus Assur; Alabaster (Berlin-Ost, Staatl. Museen)

terscheiden. In der Siegelkunst, in der das Stempelsiegel neben dem Rollsiegel wieder an Bedeutung gewann, wurden sowohl harte (Glas, Obsidian) wie weiche (Fritte, Fayence) Materialien benutzt. Eine Unterscheidung der neuassyr. Siegelkunst in 4 Stilgruppen (plast., geschnittener, Kerbschnitt- und/oder Fritte-Stil) ist z. T. aus den versch. Materialien und dem jeweiligen Bearbeitungsgerät abzuleiten.

W. FORMAN u. R. D. BARNETT: Assyr. Palastreliefs (a. d. Engl., 1959); B. HROUDA: Die Kulturgeschichte des assyr. Flachbildes (1965); ders. Vorderasien I (1971); A. MOORTGAT: Die Kunst des Alten Mesopotamien (1967); W. NAGEL: Die neuassyr. Reliefstile unter Sanherib und Assurbanaplu (1967); EVA STROMMENGER: Die neuassyr. Rundskulptur (1970); W. ORTHMANN: Der Alte Orient (1975); JUTTA BÖRKER-KLÄHN: Altvorderasiat. Bildstelen u. vergleichbare Felsreliefs (1982).

**Ast,** Balthasar van der, holländ. Maler, *Middelburg um 1593/94, †Delft nach dem 7. 3. 1656, schuf Blumenstilleben in der Nachfolge A. BOSSCHAERTS sowie miniaturhaft feine Bilder mit Muscheln und Insekten.

**Astarte,** syrisch-phönik. Göttin der körperl. Liebe und des Krieges, ähnlich der Ischtar. Die nackte, häufig ihre Brüste haltende Göttin auf Amuletten und Siegelbildern ist wohl mit A. zu identifizieren. Daneben galt sie als ›Herrin der Tiere‹ und ist oft mit Ziegen, gelegentlich aber auch mit ihrem Symboltier, dem Löwen, dargestellt. In Ägypten, wohin ihr Kult in der Mitte des 16. Jh. v. Chr. gelangte, wurde sie auch als nackte Bogenschützin zu Pferde abgebildet.

**Ästhetik,** →Kunstwissenschaft.

**Asti,** ital. Stadt (80000 Ew.) in Piemont mit vielen ma. Bauwerken, u.a. got. Kathedrale (14. Jh., Fresken des Rokoko), roman. Baptisterium S. Pietro (12. Jh., achtekkiger Grundriß), Kirche S. Secondo (13. Jh.); Palazzo di Bellino (1730, von B. ALFIERI) mit Gemäldegalerie.

**Astorga,** nordwestspan. Stadt und Bischofssitz in der Prov. León, 12700 Ew., im MA. bed. Wallfahrtsort auf dem Weg nach Santiago de Compostela. Die dreischiffige Kathedrale ohne Querhaus ist ein bed. Werk der späten Gotik (beg. 1471 mit dem Chor, Langhaus um 1530 voll.) mit Barockfassade (im 17. Jh. voll.) und üppig skulptierten Portalen im Platereskenstil; im Inneren der aus 15 reich gegliederten Bildfeldern bestehende Altaraufsatz mit Szenen aus dem Marienleben (von GASPAR BECCERA 1562 voll.) u. a. qualitätvollen Plastiken; Kirchenschatz (u. a. Kristallkelch, 11. Jh.; Reliquiar, 12. Jh.); erzbischöfl. Palast von A. GAUDÍ (1889 beg.) mit Mus. (ma. Holzplastik); Reste der röm. Stadtummauerung.

**Astrachan,** Gebietshauptstadt in der Russ. SFSR, im Wolgadelta 22 m unter dem Meeresspiegel gelegen, 465 000 Ew. Im 15. Jh. Sitz eines tatar. Chanats, 1554 als Zartum A. dem Russ. Reich einverleibt. Kreml (1589–1662) mit der Kathedrale Mariae Himmelfahrt (1700–17); Haus PETERS DES GR. (18. Jh.).

**Astragal** [grch. ›Wirbelknochen‹] *der,* **1)** antikes Spielsteinchen, meist aus Knöcheln von Lämmern. Der A. wurde zum Würfeln verwendet. A.-Spieler und -spielerinnen waren beliebte Motive der antiken Kunst.

**2) A., Perlstab,** kleines Rundprofil, durch runde oder längl. Perlen zw. doppelten flachen Scheiben gegliedert; ein charakterist. Zierelement auf Kapitellen und Gebälk in der ionischen Ordnung der grch. Baukunst.

**Astrolabium** [grch.], scheibenförmiges astronom. Beobachtungs- und Meßgerät, das schon im Alten Orient bekannt war; durch Araber kam es im 11. Jh. über Toledo nach Europa, oft künstlerisch reich gestaltet mit Gravierung und Tauschierung.

**Astrup,** Nikolai, norweg. Maler, *Bremanger (Prov. Sogn og Fjordane) 30. 8. 1880, †Førde (Prov. Sogn og Fjordane) 21. 1. 1928, Schüler von HARRIET BACKER und C. KROHG, schilderte in reichen Farben und oft romant. Stimmung die Landschaft seiner Heimat. Seine Farbholzschnitte wirkten bahnbrechend in Norwegen.

**Asturischer Stil, Asturianischer Stil,** Sonderform der früh-ma. Architektur Spaniens, die sich im Kgr. Asturien entfaltete. Neben Reminiszenzen an die altröm. Architektur ist der A. S. gekennzeichnet durch gestelzte Rundbögen, spiralförmige oder mit Fischgratmuster verzierte Säulen und v. a. durch das Doppelkordelmotiv als charakterist. Ornament an Kapitellen. HW des A. S. ist die Königshalle RAMIROS I. (Regierungszeit 842–50), heute Kirche S. María de Naranco, auf dem Monte Naranco bei →Oviedo.

Astwerk

**Astwerk,** spätgot. Ornament der Zeit um 1500, ist verschlungenen, blattlosen Ästen mit Stümpfen nachgebildet. Zuerst in motivisch bedingten Themen wie ›Wurzel Jesse‹ und ›Dornenkrone‹, später autonomes Architekturornament an Konsolen, Sakramentshäusern, Taufsteinen, Gewölben, u. a.; auch in der gleichzeitigen Goldschmiedekunst beliebt. Im Zusammenhang mit romantisch-naturalisierenden Strömungen im 18. und 19. Jh. wurde es wiederverwendet.

**Asunción** [asunsj'ɔn], Hauptstadt Paraguays,

600 000 Ew., am Ostufer des Río Paraguay. Die alte, 1537 (1541) gegr. Stadt wurde in der 1. H. des 19. Jh. abgerissen und durch neue repräsentative Gebäude nach europ. Vorbildern ersetzt. Der Regierungspalast ist vom Louvre inspiriert; das Hauptsteueramt (urspr. als Nationaltheater geplant) entstand in Anlehnung an das Pariser Odéon-Theater. Vorbild des Panteón Nacional de los Héroes (ehem. Kirche, 1936 umgebaut) war der Invalidendom, Paris. Der Palacio Legislativo zeigt im Erdgeschoß kolonialzeitl. Anklänge. Die Kuppel der modernen Kirche La Encarnación ist Wahrzeichen der Stadt.

**Atalante,** grch. Mythos: 2 urspr. wohl ident. und schwer zu trennende Gestalten: eine arkad. Jägerin und eine böot. Heroine, deren Freier mit ihnen um die Wette laufen mußten. Die Besiegten erwartete der Tod. Die Jägerin wurde schließlich von Meilanion überlistet, die Heroine von Hippomenes besiegt.

Darstellungen der A. finden sich auf grch. Vasen des 6. Jh. v. Chr., die wie auf einer Chalchid. Vase den Ringkampf zw. A. und Peleus bei den Leichenspielen für Pelias (um 550 v. Chr., München) oder die Kalydon. Jagd wie auf der François-Vase zeigen. A. in Jagdszenen und im Wettkampf mit Meleagros oder Hippomenes finden sich v. a. auf röm. Wandbildern und Sarkophagen und dann wieder seit der Renaissance auf Gemälden (Raffaelschule, A. SCHIAVONE, N. POUSSIN, P. P. RUBENS).

**Atami,** Kurort etwa 100 km westlich von Tokio, 50 000 Ew.; Kunstmuseum (japan. Malerei, Plastik u. a.).

**Atelier** [atəlj'e:, frz.] *das,* Werkstatt für Maler und Bildhauer. Das Bildhauer-A. ist zweckmäßigerweise ebenerdig, das Maler-A. häufig ein Dach-A. wegen des Lichteinfalls aus versch. Richtungen. Das gleichmäßig einfallende Licht der N-Fenster wird oft bevorzugt; Temperaturschwankungen sollten vermieden werden.

Geschichtliches. Das A. löste den spätmittelalterl. Werkstattbetrieb mit handwerkl. Rangordnung von Meister und Gehilfen ab. Mit dem Rückgang von auftragsgebundenen großformatigen Kunstwerken entstanden der Künstlerwohnung angegliederte Arbeitsräume für Lehrer und Schüler. Sie dienten meist auch als Verkaufsraum. Im 18./19. Jh. übernahmen die **Meister-A.** der →Akademien den Lehrbetrieb. Die pompösen Salons der ›Malerfürsten‹ (H. MAKART, F. v. LENBACH u. a.) waren Treffpunkt des gesellschaftl. Lebens.

Das **Atelierbildnis** zeigt den Künstler im A. bei der Arbeit; häufig Kulisse für ein Selbstporträt. – Die **Ateliermalerei** zeigt ein Außenmotiv, das aus der Erinnerung, nach Skizzen oder mit Hilfe techn. Mittel im A. entstanden ist. Die Ateliermalerei war die übl. Form der →Landschaftsmalerei, bis sie von der →Freilichtmalerei abgelöst wurde.

**Atelier 5** [atəlj'e: -], 1955 in Bern gegr. Bürogemeinschaft von Architekten (E. FRITZ, *1927; S. GERBER, *1932; R. HESTERBERG, *1927; A. PINI, *1932), die mit der Formensprache des →Brutalismus, mit regional bewährten Bautypen und Bemühungen um Nutzerbeteiligung, formal streng, der Region angepaßte, den funktionellen Bedürfnissen entsprechende Gebäude zu schaffen sucht.

HW: Boilerfabrik in Thun (1960); Siedlung Halen bei Bern (1961); Siedlung Thalmatt (1974); Studentenheim und Mensa in Stuttgart-Vaihingen (1972/76).

R. BANHAM: Brutalismus in der Architektur (1966); G. SCHWAB: Differenzierte Wohnanlagen (1974); W. MEYER-BOHE: Wohngruppen (1979).

**Athanadoros,** →Athenadoros.

**Athelhampton Hall** [ˈæθəlhæmtən hɔːl], Herrensitz in der Cty. Dorset, England, nordöstl. von Dorchester im →Perpendicular Style. Seit 1893 entstanden 12 geometr. Gärten von F. J. THOMAS und R. BLOMFIELD.

**Athen, Athenai** [neugrch. aθˈinɛ], Hauptstadt Griechenlands, heute wieder wie im Altertum kulturelles und polit. Zentrum sowie die größte Stadt des Landes, 867 000 Ew.

Das sichtbare Bild der antiken Hinterlassenschaft wird heute weitgehend bestimmt durch Bauwerke des 5. Jh. v. Chr. (nach der Zerstörung durch die Perser 480 bis 479 v. Chr. und vor dem wirtschaftl. und polit. Niedergang nach dem Peloponnes. Krieg 431–404 v. Chr.) sowie durch Bauten hellenistischer und römischer Zeit. Mittelpunkt der Stadt war der 156 m hohe Felsen der Akropolis. Bedeutende antike Überreste auch auf weiteren Hügeln im Stadtgebiet: dem Areopag (Sitz des Alten Rates), der Pnyx, dem Nymphenhügel und dem Musenhügel.

Älteste Siedlungsspuren (Gräber, Häuser), die bes. auf der Akropolis (BILD) nachweisbar sind, reichen in spätneolith. Zeit zurück. Die vielen attischen Einzelsiedlungen wurden wohl erst im 1. Jahrtsd. v. Chr. mit A. als Hauptstadt Attikas vereint. Die politische Reform (594/93 v. Chr.) unter SOLON hatte vielleicht die geplante Ausdehnung nach NW und die Planung der Agora nördlich vom Areopag zur Folge. Umfassend wurde A. aber erst unter der Tyrannis des PEISISTRATOS und seiner Söhne (561/60–510 v. Chr.) ausgebaut; damals wurde v. a. die →Akropolis 2) zu einem relig. Zentrum ausgestaltet. Das überdimensionale Olympieion (Tempel des olymp. Zeus), südöstlich der Akropolis, wurde begonnen, aber nach dem Sturz der Tyrannis nicht weitergebaut und erst unter Kaiser HADRIAN 131/132 n. Chr. voll. (15 Säulen der doppelten korinth. Säulenhalle stehen noch aufrecht); ebenfalls aus dem 6. Jh. v. Chr. stammt die erste Anlage (Orchestra) des Dionysos-Theaters am S-Abhang der Akropolis (weitere Bauphasen folgten im 5., 4. Jh. v. Chr. sowie in hellenist. und v. a. röm. Zeit). 480/79 v. Chr. wurde A. durch die Perser zerstört.

Nach dem Sieg der Griechen über die Perser bei Platää (479 v. Chr.) ließ THEMISTOKLES A. erstmals mit einer Stadtmauer umgeben, von der zahlreiche Reste im gesamten Stadtgebiet freigelegt sind. Die besterforschte Toranlage ist das Dipylon (›Doppeltor‹) im NW, vor dem der Staatsfriedhof lag; die in diesem Bereich (→Kerameikos) freigelegten Grabanlagen und Gräberkomplexe reichen von der geometr. bis zur hellenist. Zeit (die Grabreliefs sind durch Nachgüsse ersetzt). PERIKLES setzte den Bau der 461 v. Chr. begonnenen ›lan-

gen Mauern‹ fort, die die Stadt A. mit dem Hafen Piräus verbanden (unter dem athen. Flottenführer KONON 394 v. Chr. erneuert).

Eine rege Bautätigkeit entfaltete sich unter PERIKLES, der v. a. die Akropolis zu einem panhellen. Heiligtum umgestaltete. Die Agora wurde ausgebaut: An der N-Seite ließ der athen. Feldherr KIMON die von POLYGNOT

ausgemalte ›Bunte Halle‹ (Stoa Poikile) errichten, an der S-Seite entstand ein hl. Bezirk für Theseus, im W die Tholos der Prytanen (ein neues Rathaus, nur Fundamente aufgedeckt) und oberhalb davon der dorische Hephaistos-Tempel (um 440 v. Chr., früher fälschlich Theseion gen., der am besten erhaltene antike Tempel Griechenlands). Weitere bed. Bauten dieser Zeit sind das Odeion des Perikles im SO der Akropolis (nur spärliche Reste), ein Hallenbau als Spielhintergrund des Dionysos-Theaters (später mehrfach umgebaut, die heute sichtbare Bühnenfront aus der Mitte des 2. Jh. n. Chr., die Pflasterung des Platzes wohl 1. Jh. n. Chr.) und der Asklepios-Tempel.

Seit dem 4. Jh. v. Chr. bereicherten außer privaten Stiftungen (Lysikratesdenkmal, Thrasyllos-Monument, beide gut erh.) staatl. Zweckbauten das Stadtbild: die Münze im SO der Agora (um 400 v. Chr.), das Pompeion (um 400 v. Chr.) beim Dipylon-Tor (ein Gebäude zur Aufbewahrung der hl. Geräte für den Festzug der Panathenäen, der hier seinen Ausgangspunkt hatte und zur Akropolis führte), vor den Stadtmauern die Akademie (Platons Wirkungsstätte, Reste der Ummauerung und ein beschrifteter Grenzstein wurden gefunden) und das Gymnasion (Aristoteles).

In hellenist. Zeit erhielt A. zahlreiche fremde Stiftungen v. a. von pergamen. Herrschern: EUMENES II. ließ eine Säulenhalle im S der Akropolis errichten (rückwärtige Arkadenwand erh.); ATTALOS II. baute eine Säulenhalle im O der Agora (heute modern aufgebaut und als Mus. eingerichtet) und ließ auf der Akropolis das kleine →Attalische Weihgeschenk aufstellen; die Ptolemäer errichteten die doppelte Hallenanlage des Gymnasions im S der Agora.

Die Eroberung der Stadt durch die Römer unter SULLA 86 v. Chr. brachte schwere Schäden am Dipylon, auf der Agora und am Odeion des Perikles. Unter AUGUSTUS wurde auf der Agora das Odeion des AGRIPPA erbaut (Gigantenpfeiler von einer Erneuerung um 160 n. Chr. erh.), östlich der Agora wurde der Bau einer neuen Marktplatzanlage, die ›röm. Agora‹ begonnen, zu der an der W-Seite ein 11 m breites noch aufrecht stehendes Tor mit 3 Eingängen führte (›Tor der Athena‹). Außerhalb des Platzes steht der noch gut erh. →Turm der Winde. Anf. des 2. Jh. n. Chr. entstand im SW der Stadt auf dem Musenhügel das Grabmal des ostkleinasiat. Fürsten ANTIOCHOS PHILOPAPPOS VON KOMMAGENE (als Ruine erh.). Unter HADRIAN wurde die Bautätigkeit sehr gefördert; er ließ v. a. einen riesigen Säulenhof mit Bibliothek (Ruine) am 2. Kaiserforum parallel zur röm. Agora errichten; von seiner Erweiterung der Stadt im SO (Hadriansstadt) gibt heute noch das gut erh. Festtor (Hadrianstor) Zeugnis. Um 140 n. Chr. stiftete der reiche Athener HERODES ATTICUS am SW-Hang der Akropolis ein überdecktes röm. Theater (Odeion, heute wieder in Benutzung) und erneuerte das im O der Stadt gelegene Stadion in Marmor (1896 für die 1. modernen Olymp. Spiele rekonstruiert).

In röm. Zeit erlebte A. zwar unter Hadrian eine erneute Blüte, verlor aber an polit. und zunehmend an kultureller Bedeutung. Die Schließung der Akademie durch JUSTINIAN 529 n. Chr. und die Umwandlung der Tempel in Kirchen beschleunigte den Niedergang; A. sank schließlich zu einer äml. Provinzstadt herab. In der Zeit der Kreuzzüge war sie Sitz eines lat. Herzogtums. An christl. Bauten aus byzantin. Zeit blieben die Nikodemus-Kirche aus dem 11. Jh. (Kreuzkuppelkirche, viergeschossiger Glockenturm), die Kapnikarea-Kirche (urspr. 11.Jh., Anbau im 17.Jh.) sowie die Kleine Metropolis (12.Jh., mit etwa 100 antiken und byzantin. Skulpturen am Außenbau) erhalten. – 1456–58 fiel A. für fast 400 Jahre an die Türken, eine weitere Zeit des Verfalls.

Neue Bedeutung gewann die Stadt nach der grch. Unabhängigkeit als Hauptstadt und Residenz des Königs seit 1834. König OTTO I. aus dem Haus Wittelsbach ließ A. unter Schonung der Altstadt (Plaka) am NO-Fuß der Akropolis neu erstehen. Nach dem Plan der Architekten S. KLEANTHES und E. SCHAUBERT und unter Mitwirkung L. v. KLENZES entstand ein klassizist. Stadtbild mit strahlenförmigen Hauptstraßen (Vorbilder Karlsruhe, München) und Durchblicken zur Akropolis und zur Kapnikarea-Kirche. Klassizist. Bauten der Brüder CHR. und T. HANSEN (Univ., Akad., Bibl.) entstanden an der Universitätsstraße (Panepistimiu). Nach 1860 kamen Techn. Hochschule und Nat.-Mus. an der Ausfallstraße nach Patissia hinzu. Das Schloß von F. v. GÄRTNER (1837–41) am Syntagma-Platz ist heute Sitz des Parlaments. Im Stadtkern wurden seit 1950 zunehmend klassizist. Wohnbauten durch Hochhäuser ersetzt und breite Hauptstraßen angelegt.

Museen. Nat.-Mus. mit bed. archäolog. Samml., die einen Überblick über die gesamte grch. Kunst des Altertums vermittelt. Byzantin. Mus. (Skulpturen, Mosaike und Ikonen). Benakis-Mus. (Samml. aus frühchristl. und byzantin. Zeit und aus der Zeit des grch. Freiheitskampfes). Akropolis-Mus. mit Funden, v.a. Skulpturen der Akropolis.

J. TRAVLOS: Bildlexikon zur Topographie des antiken A. (1971); The Athenian Agora. A guide to the excavation and museum, hg. v. H. A. THOMPSON (Athen [3]1976); M. S. BROUSCARIS: The monuments of the Acropolis (ebd. 1978); R. SPEICH: Südgriechenland, Bd. 1 (1978); Kunstdenkmäler in Griechenland, Bd. 1, hg. v. R. HOOTZ (1982).

**Athenadoros, Athanadoros,** grch. Bildhauer aus Rhodos, der mit HAGESANDROS und POLYDOROS die Laokoongruppe und in →Sperlonga gefundene Skulpturen schuf.

**Athene, Pallas A.,** auch **Athena,** grch. Göttin, von den Römern der →Minerva gleichgesetzt, in myken. Zeit vorgeformt, im Mythos kluge und starke Tochter des Zeus und dessen Haupt entsprungen; jungfräul. Göttin von kämpfer. Geist, aber auch Bewahrerin handwerkl. Kunstfertigkeit (Weben, Zimmern); Schutzherrin der Heilkunst, der Bildhauer und Musiker; Verkörperung klarer Verstandeskräfte und von prakt. Sinn, von vernichtender Kraft in Gigantenkämpfen und Vorkämpferin in Schlachten. Sie half den Helden (Herakles, Theseus, Odysseus, Perseus, Achill) im trojan. Krieg auf grch. Seite. Ihre kult. Verehrung, v.a. als Schutzherrin von Burgen und Städten, zentrierte sich um ihr Bild, das Palladion, und war weit verbreitet. Als Stadtgöttin von Athen wurde sie als die ›Jungfräuliche‹ **(Parthenos)** jährlich gefeiert **(Panathenäen),** und es wurde ihr der großartigste Tempel auf der Akropolis, der →Parthenon, erbaut. Attribute der A. sind Schild, Speer, Helm und →Aigis, Symbole v.a. Eule und Ölbaum.

Darstellungen finden sich seit dem 7.Jh. v.Chr. auf grch. Vasen, Reliefs und als Statuetten, im 5.Jh. v.Chr.

**Athene:**
Röm. Kopie nach einem Original von Myron; Mitte 5. Jh. v.Chr. (Frankfurt am Main, Liebieghaus)

als Großplastiken. Der kriegerisch gewappneten A. steht auch in der Kunst die friedl., unbewaffnete Hüterin der Burgen und Städte und des Handwerks (mit Spindel) gegenüber. Frühe Darstellungen zeigen ihre Geburt, ihre Teilnahme an Gigantenkämpfen, an den Abenteuern ihrer Schützlinge und am Parisurteil und die lanzenschwingende **A. Promachos** (→panathenäische Preisamphoren).

Zu den bed. Statuen des 5. Jh. v. Chr. gehören die ›A. Parthenos‹, ein 12 m hohes Kultbild des PHIDIAS aus Gold und Elfenbein (um 435 v. Chr., in Nachbildungen erh.), ›A. Lemnia‹ (vor 440 v. Chr., röm. Kopie, Dresden, Albertinum); A. und Marsyas von MYRON (Mitte 5. Jh. v. Chr., röm. Kopie, Frankfurt/M., Liebieghaus). Hellenismus und Kaiserzeit bildeten A. gern in jugendl. Gestalt. In der neuzeitl. Kunst erscheint A. meist gewappnet als Allegorie für Tugend, Kunst und Wissen (S. BOTTICELLI, A. MANTEGNA, TINTORETTO, P. P. RUBENS, G. KLIMT).

**ätherische Öle, flüchtige Öle,** restlos oder fast restlos flüchtige Destillate aus →Balsamen, die u. a. zur Verdünnung von Malölen und zur Herstellung von Firnissen verwendet werden.

**Athos,** grch. **Hagion Oros** [›Heiliger Berg‹], im Altertum **Akte,** die östlichste der Chalkidike-Halbinseln in Nord-Griechenland, an ihrer Südspitze der Berg A. (2033 m). Die Halbinsel wird eingenommen von der autonomen, jedoch nicht souveränen Mönchsrep. A. (Verwaltungsort Karyais) mit 20 Großklöstern. – Nach Eremitensiedlungen (wohl seit dem 7. Jh.) wurde um die Mitte des 9. Jh. eine erste Klostergemeinschaft gegr. und Anfang des 10. Jh. nach Karyais verlegt. Das neu gegr. Großkloster Megiste Lavra wurde von Kaiser JOHANNES TZIMISKES 971/72 offiziell anerkannt. Danach entstanden weitere Klöster, v. a. im 11. Jh.; bed. Persönlichkeiten des byzantin. Reiches zogen sich hierhin zurück und brachten Grundbesitz, Vermögen, Bibliotheken und Kunstwerke mit. – Der erste Kirchenbau, das Protaton in Karyais aus dem Anfang des 10. Jh., wurde um die Mitte des Jh. vergrößert; seine Baugestalt wird vom heutigen Bau aus dem 14. Jh. wiederholt (kreuzförmiger Naos). Schönster und wichtigster Kirchenbau des A. ist das Katholikon der Megiste Lavra (von einem Neubau um 1000 ist v. a. der trikonchosförmige Naos erh.). – Durch Brände, Plünderungen, Erweiterungen oder Neubauten hat sich die Klosteranlage der mittelbyzantin. Zeit verändert. – Aus dem Ende des 11. Jh. stammt ein Mosaik mit Deesis über der Tür zum Exonarthex in Vatopedi. Die frühesten Schichten der Fresken stammen aus der Zeit um 1300 (z. B. Protaton, Vatopedi); das meiste wurde in späteren Jahrhunderten (z. B. Chilandar Anfang 19. Jh.) vollkommen übermalt. – In den Klosterschätzen befinden sich wichtige illustrierte Handschriften, u. a. 3 Mosaikikonen sowie kostbare Reliquienbehälter.

**Atlant** [n. dem Himmelsträger →Atlas], **Telamon,** in der Bau- und Bildhauerkunst eine kraftvolle männl. Gestalt, die an Stelle eines Pfeilers oder einer Säule ein Gebälk stützt. Die weibl. gebälktragende Figur heißt →Karyatide.

**Atlant** im Kreuzgang der Stiftskirche in Königslutter am Elm; 2. H. des 12. Jh.

Im vorkolumb. Amerika finden sich A. (v. a. in →Tula 2) als Steinsäulen zur Stützung eines Oberbaus, rund oder eckig in der Form, mit Skulpturen versehen oder figürlich plastisch ausgearbeitet.

**Atlanta** [ətl'æntə], Hauptstadt von Georgia, USA, 451 000 Ew. Zum Kulturzentrum A. (Memorial Arts Center, 1968 fertiggestellt) gehört das High Mus. of Art (u. a. Skulpturen der Kress Collection; Renaissance-Gemälde). Östlich von A. im ›Stone Mountain Memorial State Park‹ ein 1923–1970 aus einem Granitblock herausgemeißeltes Reiterrelief (24 × 50 m), das die Führer der Südstaaten-Konföderation darstellt.

**Atlas,** grch. Mythos: Sohn des Titanen Iapetos, Vater der Plejaden, Hyaden und Hesperiden. Er hatte die, auch als Strafe für die Teilnahme am Kampf gegen Zeus ausgelegte Aufgabe, die Säulen des Himmelsgewölbes zu schützen oder den Himmel selbst zu tragen.

Häufig erscheint A. im Zusammenhang mit dem Hesperidenabenteuer des Herakles, das auf grch. Vasen, auf einer Metope vom Zeustempel in Olympia (vor 450 v. Chr.; Olympia, Mus.) und auf etrusk. Spiegeln dargestellt ist. Das MA. übernahm A. kosmologisch als Himmelsträger, christianisiert als schwere Last tragenden Büßer, umgebildet als Träger Christi und mit Adam gleichgesetzt (Relief am Dom in Modena), oft auch als dämonisierten Besiegten. A. als Träger des Himmelsgewölbes sowie A. mit Herakles sind auch noch Themen neuzeitl. Kunst (A. CARRACCI).

**Aton** [ägypt. ›Sonnenscheibe‹], ägypt. Gott, wurde von AMENOPHIS IV. zur alleinigen Gottheit erklärt, dargestellt als Sonnenscheibe, deren Strahlen in Hände auslaufen und dem König das Schriftzeichen ›Leben‹ reichen.

**Atotonilco el Grande,** Augustinerkloster im Staat Hidalgo, Mexiko; 1542–62 zweigeschossig, in plateresken Stil erbaut, mit Offener Kapelle und Wandmalereien, die den Heiligen Augustinus, Platon, Sokrates, Seneca und Cicero darstellen; Kirche mit Renaissance-Portal.

**Atreus,** grch. Mythos: Sohn des Pelops und der Hippodameia, König von Mykene, Vater des Agamemnon und des Menelaos. Als **Schatzhaus des A.** wird das größte der Königsgräber in Mykene bezeichnet, ein mit Steinquadern ausgekleidetes →Kuppelgrab aus dem Ende des 14. Jh. v. Chr. (Durchmesser 14,50 m, Höhe 13,20 m); die Spannweite seiner Kuppel wurde erst vom Pantheon in Rom übertroffen.

**Atrium** [lat.] *das, Mz.* **Atri|en,** Mittel- und Hauptraum des altitalischen Wohnhauses, der in ältester Zeit den Herd enthielt. In der Mitte des Daches über dem Raum befand sich eine rechteckige Öffnung (Compluvium); ihr entsprach eine Vertiefung im Boden (Impluvium), in der sich das Regenwasser sammelte. Diese einfache Form des A. wurde später durch Säulen bereichert. Die frühesten ausgegrabenen A. entstammen dem 4./3. Jh. v. Chr. Mit der Übernahme des grch. Peristyls (Säulenhof) im 2. Jh. v. Chr. wurde das A. zum Repräsentations- und Empfangsraum des Hausherrn.

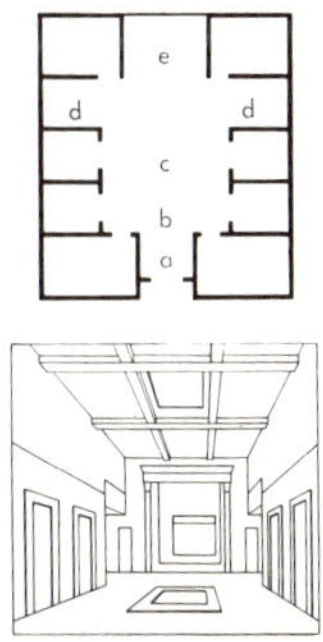


**Atrium:** OBEN Grundriß eines altröm. Hauses (schematisch); a Fauces (Eingang), b Atrium, c Impluvium, d Alae, e Tablinum. UNTEN Ansicht eines A. (schematisch)

Im Kirchenbau bezeichnet man als A. (auch →Paradies 2) den von 3 oder 4 Hallenflügeln umgebenen Hof vor der Basilikafassade. – Heute heißt A. eine nach außen geöffnete Halle im Erdgeschoß eines großen Gebäudes, auch der Wohnhof mit Gartenanlagen im **Atriumhaus,** das an den Grundriß des antiken Wohnhauses anknüpft.

**Attalische Weihgeschenke,** 2 Skulpturengruppen, Siege pergamen. Könige über die Galater (›Gallier‹) verherrlichend: Das große A. W. wurde von ATTALOS I. um 230 v. Chr. vermutlich in Pergamon errichtet (in Kopien überliefert, u. a. ›der Gallier und sein Weib‹, Rom, Thermenmus., ›der sterbende Gallier‹, Rom, Kapitolin. Museen); das kleine A. W., wohl unter ATTALOS II. um 150 v. Chr. gestiftet, enthielt Darstellungen aus Giganten-, Perser- und Amazonenkämpfen; nach PAUSANIAS stand eine Fassung davon auf der Akropolis von Athen (Kopien erhalten).

**Attasche** [zu frz. attacher ›befestigen‹], Ansatzplatten für Henkel oder Griffe am Körper von Metallgefäßen v. a. aus der Antike, die ornamental (z. B. palmettenförmig) oder figürlich gestaltet sein können.

**Attika** [grch.] *die,* fensterloser Aufbau über dem Hauptgesims eines Gebäudes zur Verdeckung des Daches und zur Aufnahme von Inschriften oder Reliefs, oft mit Steinvasen oder Skulpturen **(Attikafiguren)** besetzt. **Attikageschoß,** zurückgesetztes oberstes Geschoß (ähnlich dem Penthouse).

**Attingham Park** ['ætɪŋəm pɑ:k], Schloß in Shropshire, südöstlich von Shrewsbury (England), 1783–85 erbaut, an den Hauptblock mit über 3 Stockwerke aufsteigendem Portikus schließen Flügelbauten aus Peristylen und Eckpavillons an. Innendekorationen und Erweiterungen zwischen 1805–10 von J. NASH u. a. Gemäldegalerie; Landschaftspark von H. REPTON (* 1752, † 1818).

**Attische Basis,** die im 5. Jh. v. Chr. in Attika entstandene Abwandlung des ionischen Säulen-Fußes mit 2 durch eine Hohlkehle getrennten Wülsten und ohne Fußplatte; auch im roman. und got. Stil mit veränderten Einzelheiten gebräuchlich.

**Attische Vasen,** →Vasen.

**Attre** [atr], Gem. in der belg. Prov. Hennegau. Das Schloß (1752) ist mit seiner originalen Ausstattung erh.: Möbel, Porzellan, Silber, Elfenbeinschnitzereien und Gemälde (F. SNYDERS, J.-A. WATTEAU u. a.); frz. Park mit ma. Turmruine und Zierbauten.

**Attribut** [lat.] *das,* das einer Person beigegebene, sie kennzeichnende Symbol. Solche A. können sein: ein Ding (Dreizack des Poseidon, Schlüssel des Petrus) oder ein lebendiges Wesen (Eule der Athene, Schwein des Antonius), Sinnbild einer Kraft (Blitz des Zeus, Feuer löschendes Wasser des Florian), Erinnerungszeichen an eine besondere Tat (Medusenhaupt des Perseus, Drache des Georg) oder an ein heraushebendes Schicksal (A. der Märtyrer), Wesensdeutbild (Lilie der Maria, flammendes Herz des Augustinus), Berufungs-

wie Berufszeichen (Buchrollen, Bücher der Apostel; Winkelmaß des Baumeisters).

V. WIMMER: Die A. der Heiligen (1964).

**Atum,** ägypt. Urgott und Weltschöpfer, der durch Selbstbegattung das erste ägypt. Götterpaar Schu und Tefnut hervorgebracht hatte. A., menschengestaltig und mit Doppelkrone dargestellt, wurde v.a. in Heliopolis verehrt; später dem Sonnengott Re gleichgesetzt.

**Ätzgrund,** Graphik: säurefeste Schutzschicht aus Asphaltlack, Wachs oder Kolophonium, mit der bei →Druckverfahren des Tiefdrucks die Druckplatte vor der künstler. Gestaltung überzogen wird (→Ätzung).

**Atzmann** [ein Koboldname, Verkleinerung von Adolf], am Mittelrhein Bez. für die aus Stein, später aus Holz gebildete, lebensgroße Statue eines Diakons, der ein liturg. Lesepult stützt oder in den Händen hält.

**Ätzung,** Graphik: von D. HOPFER erfundenes Verfahren, das wesentl. Bestandteil der →Radierung ist. Die in den →Ätzgrund eingravierte Zeichnung wird im nachfolgenden Ätzbad von der Säure angegriffen und erscheint im Druck schwarz, die geschützten (unbearbeiteten) Stellen werden nicht angegriffen und bleiben im Druck weiß.

**Auaris,** Hauptstadt der →Hyksos im Nildelta (→Tell el-Dab'a).

**Auberjonois** [obɛrʒɔnw'a], René, schweizer. Bildnis- und Landschaftsmaler, *Montagny bei Yverdon 18. 8. 1872, †Lausanne 11. 10. 1957, Altmeister der mo-

**René Auberjonois:** Die Zirkusreiterin (Frankfurt am Main, Städelsches Kunstinstitut)

dernen schweizer. Malerei. Er bildete seinen Stil in enger Verbindung mit den frz. Nachimpressionisten, bes. mit A. DERAIN.

R. A., Ausst.-Kat., Aarau (1966).

**Aubry** [obr'i], Étienne, frz. Maler, *Versailles 10. 1. 1745, †ebd. 24. 7. 1781, wurde 1775 in die königl. Akad. für Malerei und Bildhauerei aufgenommen. A. malte v. a. koloristisch und kompositionell reizvolle Bildnisse und Genreszenen. Sein Werk steht J.-B. CHARDIN und J.-B. GREUZE nahe.

**Aubusson-Teppiche** [ɔbys'ɔ̃-, n. der frz. Stadt Aubusson, Dép. Creuse], gewirkte Bildteppiche, die seit dem 16. Jh. nachweisbar sind und im 18. Jh. hohes Ansehen erlangten. Seit 1920/30 entwickelte sich, bes. unter J. LURÇAT, eine neue Manufaktur zum wichtigsten Zentrum der modernen französischen Tapisserie (→ Bildwirkerei).

**Auch** [o:ʃ], frz. Stadt und Erzbischofssitz am Gers, 22600 Ew.; spätgot. Kathedrale (1489–1597, Gewölbe 1617, Türme 1678 voll.) mit hervorragenden Glasmalereien (1507–1513) und Renaissance-Chorgestühl (1520–1529).

**Auckland** ['ɔ:klənd], die größte Stadt Neuseelands auf der Nordinsel, 804000 Ew. Das ›A. War Memorial Mus.‹ enthält u. a. eine bed. Sammlung von Kunst und Gebrauchsgegenständen der Maori.

**Audenarde** [o:dn'ard], frz. Name von →Oudenarde.

**Audley End** ['ɔ: dlı end], Landsitz in Essex (England) südlich von Cambridge, Anlage 1603–16 an der Stelle einer ehem. Abtei. Die symmetr. Vierflügelanlage ordnet sich um 2 Höfe; Umbauten im 18. und 19. Jh. Die heutige Hauptfassade ist ein großartiges Beispiel des Jacobean Style, durch Verwendung kontinentaler Renaissancemotive bereichert. Innendekorationen (1763 bis 1765 von R. ADAM); Landschaftspark von L. BROWN mit Gartengebäuden des 18. Jh.

**Audran** [odr'ã], Familie frz. Kupferstecher aus Lyon. Bedeutendstes Mitgl. war Gérard (*Lyon 2. 8. 1640, †Paris 26. 7. 1703), in Rom Schüler des C. MARATTI, schuf Stiche nach Historienbildern der Zeit. Sein Großneffe Michel (*Paris 20. 2. 1701, †ebd. 25. 3. 1771) fertigte als Mitarbeiter der Königl. Gobelinmanufaktur zahlreiche Gobelins nach Vorlagen bed. Maler.

**Audubon** ['ɔ:dəbɔn, engl.], John James, amerikan. Zeichner, *Les Cayes (Haiti) 26. 4. 1785, †New York 27. 1. 1851, war kurze Zeit Zeichenschüler bei J. L. DAVID in Paris, wandte sich in den USA dem Studium der Vögel zu. Seine auf langen Reisen entstandenen farbigen Zeichnungen von Vögeln u. a. Tieren, deren Genauigkeit und künstler. Reiz heute geschätzt werden, veröffentlichte er in großen Kupferstichwerken.

**Auer,** ital. **Ora,** Städtchen in Südtirol, an der Etsch; Kirche St. Daniel am Kiechlberg (um 1400) mit Fresken (1448) und spätgot. Schnitzaltar (um 1525). Unterhalb St. Daniel der Hügel von Castelfeder mit spätröm. Mauerresten.

**Aufätzen,** Graphik: →Aufstechen.

**Auferstehung Christi,** die verklärte Wiederkehr Jesu in das Leben nach seinem Kreuzestod, im N. T. bezeugt durch sein Erscheinen vor den Jüngern.

Frühchristentum und frühes Mitttelalter kennen das Bild der A. C. noch nicht; sie wird symbolisch angedeutet (Kreuz mit Christusmonogramm und Wachsoldaten unter ihm; Jonas, vom Walfisch ausgespien). Später kommen die Darstellungen des Ganges der Frauen zum Grabe und der →Höllenfahrt Christi hinzu. Diese bleibt das Osterbild der Ostkirche (Anastasis). – Reichenauer Maler um 1000 wagen zuerst, die A. C. zu vergegenwärtigen, zunächst symbolisch: Christus erscheint als Lebender im offenen Sarg. Die Folgezeit gestaltet das Motiv in realist. Sinne durch. Sie gibt das Heraussteigen aus dem Sarg wieder, als ob die A. C. die Rückkehr Christi in die Welt sei. Andere Kompositionen suchen (theologisch getreuer) sinnfällig zu machen, daß die A. C. nicht Rückkehr ist, sondern Übergang zum himml. Sein (Pascha: ›Vorübergang‹). Die Darstellung der Rückkehr kann mit der des Übergangs verbunden, das Wunder dadurch angedeutet werden, daß Christus aus dem geschlossenen Sarg aufsteigt. Nebenformen zeigen Christus vor oder auf dem Sarg stehend oder sitzend. Die Italiener, anfänglich dem dt. Kompositionstypus folgend, bilden seit dem frühen 14. Jh. (v. a. GIOTTO) einen eigenen aus: Der Auferstandene schwebt über dem Sarg; er ist der Erhöhte, der Herr in der Glorie. Die →Himmelfahrt Christi scheint vorausgenommen. MICHELANGELO hat diesen Typus mit dem Ausdruck des Übergangs zum himml. Sein durchdrungen (Zeichnungen). Der Norden übernimmt den ital. Typus seit dem 16. Jh. (A. DÜRER, M. G. GRÜNEWALD, A. ALTDORFER); er bleibt nun vorherrschend. Seit der Reformation wird die A. C. bevorzugter Darstellungsgegenstand für Grabmäler, erst bei den Protestanten, dann auch bei den Katholiken. (BILD Pleydenwurff)

**Auffenwerth,** Johann, Goldschmied und Hausmaler, †1728. In seiner Augsburger Werkstatt, in der auch seine Tochter SABINA HOHENESTEL arbeitete, wurden u. a. Meißener Porzellane mit Chinoiserien dekoriert und, wie bei B. SEUTER, mit goldenen und silbernen Silhouetten (Goldchinesen) belegt.

**Aufglasurfarben,** →Porzellan.

**Aufklärung,** Ende des 17. Jh. einsetzende geistesgeschichtl. Epoche, die in der Vernunft das eigtl. Wesen des Menschen sah und von England und Frankreich ausgehend sich zu einer der bestimmenden Denkrichtungen des europ. Geisteslebens entwickelte und bis ins 19. Jh. wirksam war.

In der bildenden Kunst vollzog sich die A. zunächst mit dem Übergang vom Barock zu dessen Spätblüte, dem Rokoko: Helle Farben, heiter schwingende Linien, weltl. Inhalte und Verweltlichung relig. Darstellungen wurden kennzeichnend. Seit der Mitte des 18. Jh. wurde das Rokoko allmählich abgelöst durch den strengeren Klassizismus, dessen oberstes künstler. Ziel die Nachahmung antiker Kunst war. Wie das Religiöse suchte man auch das Künstlerische verstandesmäßig zu erfassen. So entstanden eine systemat. Kunstkritik und als neuer Zweig der Philosophie eine systemat. und selbständige Ästhetik (C. DU BOS, A. G. BAUMGARTEN).

**Auflage,** in der Druckgraphik die Anzahl der von einer Druckform gedruckten Blätter. Der **Auflagendruck** folgt den →Zustandsdrucken, den →Probedrucken sowie den Künstlerdrucken (→Épreuves d'artiste). Seit Beginn des 20. Jh. werden die Einzelblätter einer A. häufig vom Künstler numeriert und signiert.

**Auflager,** Baukunst: belastete Fläche, auf der ein tragendes Bauteil (Balken, Decke, Bogen, Kuppel) aufliegt. Bei Bogen und Gewölben ist der Kämpfer das A.

**Aufriß,** zeichner. Darstellung der Außenansicht oder der Innenwand eines Baues in senkrechter Projektion und verjüngtem Maßstab. Zur Darstellung von Vorsprüngen können Schatten eingezeichnet werden, deren Breite gleich der Breite des Vorsprungs ist. (BILD Haus)

**Aufsicht,** →Perspektive.

**Aufstechen,** Graphik: bei Kupferstichen das Nachfahren der Linien abgenutzter Platten mit dem Stichel; oft im Auftrag von Verlegern, die ausgedruckte Platten, bes. von Stichfolgen, erwarben, um Neudrucke herauszugeben. Seit dem 17. Jh. arbeitete man die Platten auch mit Ätzmitteln auf **(Aufätzen).** Abzüge von aufgestochenen Platten sind an den vergröberten Linien erkennbar. Das A. wird kaum mehr angewendet, seitdem man Platten galvanisch verstählen kann.

**Auge, Oculus,** Baukunst: **1)** Öffnung zur Beleuchtung im Scheitel einer Kuppel. **2)** Lichtsäule im Zentrum einer Wendeltreppe. **3)** Scheibe in der Volute ionischer Kapitelle.

**Augenschalen,** eine Gruppe antiker Schalen, v. a. aus Attika, mit niedrigem Fuß, an der Außenwand beidseitig mit je einem Augenpaar verziert, gefertigt sowohl in schwarzfiguriger wie rotfiguriger Technik (um 550–520 v. Chr.).

**Augsburg,** ehem. Reichsstadt im bayer. Schwaben, 250 100 Ew.; kath. Bischofssitz. Urspr. röm. Militärkolonie **(Augusta Vindelicorum),** entwickelte sich A. im 15./16. Jh. zum Mittelpunkt des dt. Wirtschafts- und Geisteslebens (die Kaufmannsfamilien der FUGGER und WELSER, H. HOLBEIN D. Ä.). Der 1065 gew. Dom wurde nach 1320 gotisch umgestaltet (Bronzetüren, 11. Jh., ältester Glasfensterzyklus Europas, um 1100); (BILD Glasmalerei). Der gewaltige Bau von St. Ulrich und Afra (1467–1603, ehem. Benediktinerreichsstift) steht am Übergang von der Spätgotik zur Renaissance. In der ehem. Karmelitenkirche St. Anna (15.–18. Jh.) die Fuggerkapelle (1509–18), einer der frühesten dt. Renaissancebauten. Dominikanerkirche (von A., F. X. und J. M. FEUCHTMAYER barockisierte zweischiffige Halle) mit Röm. Mus. Vom ehem. Jesuitenkolleg besteht nur noch der ›Kleine Goldene Saal‹ (1765). Das monumentale Rathaus (1615–20 von E. HOLL) spiegelt das Selbstbewußtsein der Augsburger Bürgerschaft wider (BILD E. Holl), daneben erhebt sich der Perlachturm (16./17. Jh.), das Wahrzeichen der Stadt. Die 1516 gegr. Fuggerei ist die erste Siedlung der Welt für arme Bürger. Im Schaezlerpalais (1756–57) mit bed. Festsaal die Dt. Barockgal.; Maximilianmus. (v.a. Augsburger Goldschmiedekunst); Mozart-Haus (Mus.); weitere Profanbauten: Fuggerhaus (1512–15), Zeughaus (1602–07, von Holl), Residenz der Fürstbischöfe (1743), 3 Renaissancebrunnen (1589–1602). Ein großer Teil der Wohnbauten wurde 1944/45 zerstört.

J. WERNER: Die Ausgrabungen in St. Ulrich und Afra in A. (1977); Welt im Umbruch – A. zw. Renaissance und Barock, Ausst.-Kat., A., 3 Bde. (1980).

**Augsburger Kabinett,** in Augsburg hergestellter →Kabinettschrank; bes. bekannt wurde der →Pommersche Kunstschrank.

**Augst,** →Kaiseraugst.

**Augusteische Kunst,** die unter der Herrschaft des röm. Kaisers AUGUSTUS (27 v. Chr.–14 n. Chr.) entstandene höf. oder an ihr orientierte Kunst; sie ist gekennzeichnet durch starke Rückgriffe auf klassisch grch. Formen, ein Streben nach Idealisierung und zugleich linearer Klarheit; Schöpfungen der A. K. sind u.a. das Augustusforum in Rom, die →Ara Pacis Augustae sowie die Porträts der kaiserl. Familie.

**Augustinus,** Aurelius, lat. Kirchenlehrer des christl. Altertums, *Tagaste (Numidien) 13. 11. 354, †Hippo Regius (Numidien) 28. 8. 430. A. war ein bed. Theologe und Philosoph. – Er wird dargestellt als Bischof im Ornat, auch als Mönch mit schwarzer Kutte; Attribute: ein brennendes Herz, Buch, Kreuz u.a. In bildl. Darstellungen werden auch versch. Legenden um A. wiedergegeben (vergebl. Ausschöpfen des Meeres durch ein Kind als Vergleich für die Unergründbarkeit der Trinität in einem Holzschnitt von S. BOTTICELLI u.a.). M. PARLER stellte ihn auf dem Kirchenväter-Altar (1482) dar; Statuen von LUCA DELLA ROBBIA und N. HAGNOWER u.a.

**Augustus,** röm. Kaiser, *Velitrae 23. 9. 63 v. Chr., †Nola bei Neapel 19. 8. 14 n. Chr., seit 27 v. Chr. faktisch und verfassungsrechtlich Alleinherrscher, begründete in den Augen der röm. Welt ein neues goldenes und friedl. Zeitalter. Kunst und Architektur wurden eingesetzt, um dieses Ideengut zu befestigen und zugleich um die schicksalhafte Verbindung des Kaiserhauses mit dem röm. Staat zu versinnbildlichen. Wesentl. Bestandteil der polit. Selbstdarstellung des Kaisers sind die Porträts, die in ganz neuer Weise im gesamten Reichsgebiet zur Aufstellung gelangen. Von den mehr als 230 erhaltenen A.-Porträts, von der Forschung in mehrere Typen gegliedert, vertritt die Panzerstatue von →Primaporta den verbreitetsten, auf das klassische Griechenland zurückgreifenden Typus der A.-Darstellungen.

**Augustusburg,** Stadt in Sachsen, östlich von Karl-Marx-Stadt, Dt. Dem. Rep., 3100 Ew.; Jagdschloß Kurfürst AUGUSTS I., 1567–73 in schlichtem Renaissancestil von H. LOTTER, Vierflügelanlage um einen Hof in

Form eines grch. Kreuzes; in der Schloßkapelle Altarbild und Gemälde an der Kanzel von L. CRANACH d. J.

**Augustus-Mausoleum** in Rom, die 28 v. Chr. vom Kaiser AUGUSTUS für sich, seine Familie und seine Nachkommen auf dem Marsfeld errichtete Grabstätte. Der Bau bestand aus einem mit Travertin verkleideten Zylinder (Durchmesser etwa 89 m), über dem sich ein mit Bäumen bedeckter Erdhügel erhob. Auf dem Gipfel stand eine eherne Bildnisstatue des Kaisers. Zu beiden Seiten des Grabmals waren an Pfeilern die Bronzetafeln aufgestellt, die den von Augustus verfaßten Bericht über seine Taten (Res gestae) enthielten, daneben zwei Obelisken. Erhalten sind nur die unteren Teile des Kerns und um ihn herum Reste von 5 konzentr. Mauerringen.

**Auktionen, Kunst-A.,** →Kunsthandel.

**Aula** [lat.-grch.] *die,* urspr. der Vorhof des grch. Hauses (Megaron). Durch Anordnung weiterer Räume rings um den offenen Hof und Ausschmückung mit umlaufenden Säulenhallen (Peristyl) wurde die A. zum Binnenhof und Mittelpunkt des grch. Hauses. A. wurde dann zur Bez. großer Hausanlagen, bes. der Königs- und Kaiserpaläste (A. regia), entsprechend unserem ›Hof‹. In frühchristl. Basiliken ist A. der Vorhof, dann der für die Laien bestimmte Teil des Kirchenraumes (auch A. Dei ›Haus Gottes, Kirche‹). In neuerer Zeit sind A. Versammlungs- und Festräume in Univ. und Schulen.

**Auliczek** [-tʃɛk], Dominikus, Bildhauer und Porzellanmodelleur, *Polička (Böhmen) 1. 8. 1734, †München 15. 4. 1804, war in Wien, Paris, London, Rom und 1763–97 als Nachfolger von F. A. BUSTELLI an der Manufaktur Nymphenburg tätig; er schuf auch Gartenplastiken für den Nymphenburger Park. 1772 wurde er Hofbildhauer in München. Er bevorzugte die Tierplastik mit mytholog. Themen.

**Aulnay** [on'ɛ], Städtchen im westfrz. Dép. Charente-Maritime, mit hervorragender roman. Kirche St. Pierre (1130–60; prachtvolles Portal am südl. Querschiff), einer harmon. Verbindung von aquitan. Baukunst mit der des Poitou.

**Aulne** [o:n], ehem. Abtei südwestlich von Charleroi in der belg. Prov. Hennegau, 656 gegr., 1794 von Franzosen zerstört. Apsis und Querschiff der spätgot. Abteikirche (16. Jh.) sind als eindrucksvolle Ruine erhalten.

**A und O,** der erste und der letzte Buchstabe des grch. Alphabets, in der christl. Kunst (oft mit Monogramm oder Kreuz) Sinnbild für Christus, auch in Verbindung mit seiner Gestalt; ohne sie häufig u. a. auf Glocken.

**Aurangabad,** Stadt im nördl. Deccan, Indien, 150 500 Ew.; benannt nach AURANGZEB, der hier als Vizekönig und zum Ende des 17. Jh. als Kaiser residierte. Als Mausoleum seiner Gattin entstand 1678 das Bibika-Maqbara, eine etwas grobe, verkleinerte Kopie des Taj Mahal. In Felsen bei A. befindet sich eine Gruppe buddhist. Höhlentempel: eine Chaityahalle des 2. Jh. n. Chr. und 8 Viharas des 6.–7. Jh. mit fast rundplast.

Reliefs (Tänzerinnen, Meditationsbuddhas), die Themen des Mahayana-Buddhismus zeigen.

**Aurangzẹb,** Kaiser (1658–1707) der Mogul-Dynastie, mit dem die Glanzzeit dieser Epoche endete. Seine hindufeindl. Haltung (Zerstörung von →Mathura) und Vernachlässigung des Mäzenatentums seiner Vorgänger führten zum Verfall der Kunst. A. ließ sich im Fort von →Delhi die kleine marmorne Perl-Moschee (Moti Masjid) errichten. Sein schlichtes Grabmal in Khuldabad bei Aurangabad entspricht seiner asketisch-islam. Gesinnung.

**Aureọle** [lat. aureola ›kleine goldene (Krone)‹], der die ganze Gestalt umschließende →Heiligenschein.

**Aureolịn** [lat. aureolus ›golden‹] *das*, ältere Bez. für Kobaltgelb (→Kobaltfarben).

**Aurignacien** [oriɲasjˈɛ̃, n. der frz. Stadt Aurignac, Dép. Haute Garonne] *das*, Kulturstufe der Altsteinzeit (um 30 000 bis 20 000 v. Chr.), lieferte die ältesten Belege für das Auftreten der bildenden Kunst in Form von Malereien und Gravierungen in Höhlen und Skulpturen von Mensch und Tier.

**Auripigmẹnt** [lat. ›Goldfarbe‹], **Rauschgelb,** leuchtend gelbes Mineral (Arsensulfid, giftig), von der Antike bis zum MA. als Pigment (Königsgelb) in versch. Techniken verwendet; seit dem 16. Jh. durch →Bleizinngelb und →Neapelgelb verdrängt.

**Aurọra,** lat. Name der →Eos.

**ausgeschiedene Vierung,** Baukunst: quadrat. →Vierung, die durch 4 gleichhohe Bogenstellungen gegen Langhaus und Querschiff ausgeschieden und (um 1000) zur Maßeinheit des ganzen Baues wird.

**Ausgießung des Heiligen Geistes,** →Pfingstwunder.

**Ausgrabungen,** gezielte Freilegung und wissenschaftl. Erschließung kulturgeschichtl. Bodenfunde. Archäologie und Vorgeschichte suchen mit den A. Spuren menschl. Tätigkeit, um ein möglichst umfassendes Bild histor. Lebensformen zu rekonstruieren.

Die ältesten nachweisbaren Grabungen fanden bereits in der Antike statt, v. a. mit dem Ziel, Schätze aus Gräbern zu erbeuten. Die Suche nach Schätzen und alten Kunstwerken stand auch bei den mit der Renaissance aufkommenden neuzeitl. A. zunächst im Vordergrund. Erst mit der Aufklärung setzte sich allmählich die Erkenntnis durch, daß A. histor. Zusammenhänge erhellen und verdeutlichen können. Bahnbrechend war die topograph. Arbeit frz. Militärs zu Beginn des 19. Jh. in Ägypten und Griechenland. In der 2. H. des 19. Jh. wurden die A. schrittweise systematisiert, vielfach in Anlehnung an von der Geologie oder Vorgeschichtsforschung entwickelte Methoden; bes. wichtig war dabei die Beobachtung von Fundschichten als Mittel zur Erkenntnis einer relativen Chronologie (Stratigraphie).

Neben Plangrabungen treten im 20. Jh. zunehmend Notgrabungen, die meist unter Zeitdruck durch Bauarbeiten entdeckte und gefährdete Fundplätze untersuchen. Notgrabungen werden z. T. auch im Wettlauf mit der immer stärker anwachsenden Zahl von Raubgrabungen durchgeführt. Um unwissenschaftl. A. vorzubeugen, haben die meisten Länder eigene Denkmalschutzbestimmungen erlassen, die die Durchführung von A. und die Fundverwertung gesetzmäßig regeln.

**Auskragung, Ausladung,** Bauteile, die frei oder auf →Konsolen 1) oder →Knaggen über ein Auflager hinausragen, z. B. Erker oder ganze Stockwerke.

**Auslucht, Utlucht,** Baukunst: vom Boden aufsteigender, erkerartiger Vorbau der niederdt. Renaissance; auch Querdachgiebel über Seitenschiffjochen bes. an got. Kirchen im östl. Dtl.

**Außenkanzel,** Kanzel an der Kirchenaußenwand, oft durch eine Tür von innen, seltener durch eine Außentreppe zugänglich; seit dem 14. Jh. an Wallfahrtskirchen zur Vorweisung von Reliquien und zur Predigt.

**Aussig,** tschech. **Ústí nad Labem** ['u:stji:-], Hauptstadt des Nordböhm. Kreises, ČSSR, an der Elbe, 80300 Ew.; got. Stadtkirche (14. Jh.), ehem. Dominikanerkloster und -kirche (1731), Renaissance-Rathaus (1570, im 19. Jh. stark verändert); in der Nähe Burg Schreckenstein (Střekov, Anf. 14. Jh.).

**Aussparen, Aussparung,** in der Graphik, bei Zeichnungen und bes. der Aquarellmalerei das Sichtbarlassen des Grundes, wodurch dieser zum Lichtträger wird.

**Ausstellung,** →Kunstausstellung.

**Ausstellungsbauten,** aus Anlaß von Ausstellungen errichtete Bauten, oft von großem Einfluß auf die Entwicklung der →modernen Architektur. Wichtig waren bes. die seit Mitte des 19. Jh. veranstalteten Weltausstellungen: 1851 London (Kristallpalast von J. PAXTON); 1867 Paris (Galeries des Machines von F. LE PAY, J. B. KRANTZ, G. EIFFEL); 1879 Paris (Galeries des Machines von H. DE DION); 1889 Paris (Eiffelturm von G. Eiffel, Palais des Machines von F. DUTERT und A. CONTAMINE). – Bei der ›Exposition Internationale des Arts Décoratifs et Industriels Modernes‹ 1925 in Paris verdeutlichten die A. die Vielfalt und den Zwiespalt der Architekturauffassungen der 20er Jahre: Der ›Pavillon de L'Esprit Nouveau‹ von LE CORBUSIER steht hier mit seinen nüchternen stereometr. Formen neben zahlreichen A., deren üppige Ornamentik dem Jugendstil und dem Art Déco verpflichtet ist. Einzelne A. sind auch in der Folgezeit richtungweisend für die moderne Architektur: 1929 Barcelona (Dt. Pavillon von L. MIES VAN DER ROHE); 1939 New York (Brasilian. Pavillon von O. NIEMEYER, L. COSTA und P. L. WIENER, Finn. Pavillon von A. AALTO); 1958 Brüssel (Dt. Pavillon von S. RUF und E. EIERMANN; Seilkonstruktionen, u. a. am Frz. Pavillon von R. SARGER).

Ausstellungen mit begrenztem Thema oder spezif. Teilnehmerkreis haben ähnl. Bedeutung: Werkbundausstellung in Köln 1914 (Fabrik von W. GROPIUS, Theater von H. VAN DE VELDE, Glashaus von B. TAUT), die Stockholmer Ausstellung von 1930 (Gesamtplanung G. ASPLUND), bei den nach 1945 veranstalteten Bundesgartenschauen die Zeltdächer von F. OTTO. Sonderfälle sind Ausstellungen rein architekton. oder städtebaul. Art, deren Bauten oft als Musterschau dienen und nach Ausstellungsschluß einer Dauerverwendung zugeführt werden. Beispiele in der Bundesrep. Dtl.: 1901: Ausstellung ›Dokument Dt. Kunst‹, Künstlerkolonie Mathildenhöhe Darmstadt (Gesamtplanung J. M. OLBRICH); 1927: Werkbundausstellung ›Die Wohnung‹, Stuttgart, Weißenhofsiedlung (Gesamtplanung L. MIES VAN DER ROHE); 1957: Interbau Berlin (Leitendes Ausschußmitgl. O. BARTNING); 1984 (geplant): Internat. Bauausstellung Berlin 1984, IBA (Planungsdirektoren bis Ende 1982: H.-W. HÄMER, J. P. KLEIHUES).

**Austerlitz,** tschech. **Slavkov u Brna,** Stadt im Kr. Südmähren, ČSSR, 7000 Ew.; war bis ins 15. Jh. Kommende des Dt. Ritterordens; Barockschloß der Grafen KAUNITZ (erbaut um 1700 von D. MARTINELLI, bis 1790 erweitert); Schloßkirche (1786–90); Napoleon-Mus.

**Australier.** Die traditionelle Kunst der austral. Ureinwohner (Aborigines) findet wesentl. Ausdruck bei Waffen und Gerät; Schilde und Speerschleuder werden mit Kerbschnitzereien verziert oder mit geometr. Mustern bemalt. Geräte der Frauen, wie Rindenmulden und -eimer oder Netztaschen, tragen bunte Muster. Verwendet wurden früher nur Erdfarben: roter und gelber Ocker, Pfeifenton und Holzkohle. Die Hauptentfaltung der künstler. Betätigung der A. findet sich im Kultleben. Sakralobjekte (→Tjuringa) sind mit geometr. Mustern beschnitzt oder bemalt. Sorgfältiger Körperschmuck wird durch Bemalen und Bekleben mit Federn hergestellt. Sandbilder, aus kunstvollen, stilisierten Mustern, ebenfalls mit Farben und Federflaum, werden für die Zeremonien auf den Boden gemalt. Felsmalereien und -gravierungen (→Felsbilder) finden sich in ganz Australien. Meist werden Urzeitgeschehnisse und archaische Traumbilder durch symbolhafte, stilisierte und bedingt naturalist. Motive veranschaulicht. Figürl. Darstellungen sind aus O- und N-Australien bekannt, wo Felsbilder von Menschen und Tieren und kleine menschl. Vollplastiken aus Holz sowie Malerei auf Eukalyptusrinde (Arnhem-Land) gefunden wurden. In der westl. Wüste gibt es vereinzelt flache Menschendarstellungen aus Holz. In der Gegenwart werden

**Australier:** Rindenmalerei mit Darstellung eines Wallaby (Känguruh); 74 × 42 cm, Arnhem-Land (Frankfurt am Main, Museum für Völkerkunde)

**Australier:** Felsmalerei im Röntgenstil; Nourlangie Rock, etwa 150 km östlich von Darwin

die traditionellen Motive der zentralaustral. Sandbilder von einheim. Künstlern (Aborigines) auf Acrylbilder umgesetzt.

A. P. ELKIN u. a.: Art in Arnhem-Land (Chicago 1950); ders.: The Australian aborigines (Sydney 1970); R. M. und CATHARINE H. BERNDT: The World of the first Australians (Chicago 1964); Australian Aboriginal Art, hg. von R. M. BERNDT (New York 1964); K. KUPKA: Peintres aborigènes d'Australie (Paris 1972); A. BÜHLER, T. BARROW, C. MOUNTFORD: Ozeanien und Australien. Die Kunst der Südsee (1980); E. ROWLISON u. a.: Aboriginal Australia (Sydney 1981).

**Austråt** ['œjstro:t], **Østraat,** Schloß bei Trondheim, Norwegen, prachtvolle burgähnl. Barockanlage, 1654 bis 1656 unter Einbeziehung der ma. Kirche angelegt; neben der barocken Einrichtung zahlreiche ma. Holzskulpturen erh.; nach Brand (1916) restauriert.

**Autographie,** Graphik: →Umdruck.

**Automaten** [grch. automatos ›sich selbst bewegend‹], kunstvolle feinmechan. Gebilde, die Bewegungen und Verrichtungen lebender Wesen nachahmten (›künstl. Menschen‹). A. gab es schon im Altertum. HERON VON ALEXANDRIEN schrieb im 1. Jh. n. Chr. über den Bau von A.-Theatern. Automat. Glockenschläger **(Jaquemart)** entstanden mit und ohne Figurendefilee seit 1300, z. B. am Straßburger Münster 1352 und an der Frauenkirche in Nürnberg 1509 (›Männleinlaufen‹),

JOHANNES MÜLLER, gen. Regiomontanus (*1436, †1476), fertigte einen eisernen, flügelschlagenden Hahn für Kaiser MAXIMILIAN I. Bes. Renaissance und Barock hatten eine Vorliebe für A. Im 18. Jh. wurden die A. von J. DE VAUCANSON (*1709, †1782), der neben einem mechan. Flötenspieler (1738) eine gehende, schnatternde, fressende und verdauende Ente schuf, und der Schreiber-A. (1760) von P. JAQUET-DROZ (*1721, †1790) bekannt.

H. HECKMANN: Die andere Schöpfung (1982).

**Automatismus,** spontaner Malvorgang ohne rationale Kontrolle, den A. BRETON im 1. Manifest des →Surrealismus 1924 theoretisch begründete. Diese Methode erschloß psych. Quellen und instinktive Regungen des Künstlers, der dem Diktat seines Unterbewußtseins folgt, so z. B. M. ERNST, A. MASSON, A. GORKY. Der A. wurde weltweit im Abstrakten Expressionismus und in der Informellen Kunst weiterentwickelt. – Zu der in Kanada 1948 gegr. Gruppe ›Les Automatistes‹ gehörte u. a. J.-P. RIOPELLE.

**Autorenbild,** das Bild des Verfassers (Evangelist, Kirchenvater, Übersetzer) in Hss. der Spätantike und des MA. Es wurde dem betreffenden Werk vorangestellt und sollte dem Leser eine Vorstellung von der Persönlichkeit des Autors geben. Das A. ist die älteste bekannte Form der Buchillustration: seit frühhellenist. Zeit nachweisbar, wurde es in die christl. Codices übernommen. Folgende Typen lassen sich unterscheiden: 1. das spätantike Brustbild in Medaillonform; 2. der sitzende Autor in der Pose des Schreibenden oder Meditierenden; 3. der Autor, inspiriert von seiner Muse oder (bei den Evangelisten) von seinem Symboltier. Der Bildtyp des schreibenden Evangelisten war in den Hss. des MA. kontinuierlich vertreten.

**Autotypie** [grch.], Graphik: chemigraphisch hergestellte Originaldruckplatte zur Wiedergabe von Halbtonbildern im Buch- und Flachdruck mit Hilfe eines Rasters, durch den das ganze Bild aus kleinen, regelmäßig verteilten, aber verschieden großen Elementen aufgebaut wird. Die erhaltenen photograph. Negative werden auf lichtempfindl. Metallplatten (Kupfer, Zink, Messing) kopiert und diese geätzt. Man erhält dann Druckplatten mit einem System druckender Punkte. – Die A. dient auch als Grundlage des Drei- und Vierfarbendrucks **(Mehrfarben-A.).** – Die Erfindung der A. leitete in den letzten Jahrzehnten des 19. Jh. im Zusammenwirken mit der Photographie eine Umwälzung in der Buch-, Zeitschriften- und Zeitungsillustration ein.

**Autun** [ot'œ̃], frz. Stadt und Bischofssitz in Burgund, 21 500 Ew.; auf röm. Gründung zurückgehend; Reste eines Amphitheaters und 2 Stadttore aus dem 3. Jh. (Porte St. André und Porte d'Arroux) erhalten. Die 1120–32 erbaute Kathedrale St. Lazare mit Skulpturen von GISLEBERTUS (v. a. das ›Jüngste Gericht‹ im Bogenfeld des Mittelportals) ist ein HW der burgund. Romanik; im Hôtel Rolin Mus. mit Werken ma. Kunst.

**Auwera, Auvera,** Bildhauer, **1)** Jakob von der, Vater von 2), *Mecheln 1672, †Würzburg 1760, schuf als

Hofbildhauer ebd. im barocken Stil G. L. BERNINIS dekorative Bauplastik für das Schloß und viele Kirchen.

**2)** Johann Wolfgang von der, Sohn von 1), *Würzburg 24. 10. 1708, †ebd. 27. 3. 1756, Hofbildhauer ebd., schuf neben rein dekorativen Skulpturen (für die Schloßanlagen in Würzburg und den Hofgarten in Veitshöchheim) und dem Entwurf für das (1945 zerstörte) Spiegelkabinett der Würzburger Residenz kirchl. Ausstattungen und große Grabmäler: Hochaltar des Doms in Worms (1741), Ausstattung der Kirche in Heusenstamm (1744), Hochaltar der Franziskaner-(Schloß-)Kirche in Brühl (1745) u. a. In Franken war A. der Hauptmeister des frühen Rokoko.

**Auxerre** [os'ɛ:r], frz. Stadt in Burgund, 37 300 Ew.; ehem. Bischofssitz mit der Kathedrale St. Étienne (13. bis 14. Jh.), einem HW der burgund. Gotik: Fassade mit 3 figurenreichen Portalen, Glasfenster (13. und 16. Jh.), Chorumgang (1215–45), Krypta (11. Jh.) und Fresken (11.–13. Jh.). Die Kirche der ehem. Benediktinerabtei St. Germain (13.–15. Jh.) besitzt eine mehrgeschossige Kryptenanlage (6.–11. Jh.; u. a. Grab des Hl. Germain) mit karoling. Fresken (9.–11. Jh.). Tour de l'Horloge (1483); Mus. im ehem. Palais de Justice (vorgeschichtl. und gallo-röm. Funde, ma. Gegenstände).

**Avalokiteshvara,** der →Bodhisattva der Gnade, neben dem Buddha und den Tathagatas wichtigste Kultfigur des Mahayana-Buddhismus. Sein Attribut ist ein Lotos (Padmapani), in der Haarkrone trägt er eine kleine Figur des Amitabha. Im Tantrayana wird er auch elfköpfig und tausendarmig dargestellt.

**Avantgarde** [avãg'ard, frz.] *die,* Gruppe von Vorkämpfern (**Avantgardisten**) v. a. für künstler. Strömungen, die überlieferte Formen sprengen und neue Entwicklungen einleiten wollen.

**avant la lettre** [av'ã lal'ɛtr, frz.], →avec la lettre.

**Avanzo,** ital. Maler, Schüler und Mitarbeiter des →Altichiero, arbeitete im letzten Drittel des 14. Jh. in Venetien; seine Bedeutung liegt bes. in der Raum- und Architekturdarstellung.

**Fresken** mit Szenen aus dem Leben der Hl. Lucia, Oratorio di San Giorgio, Padua (1384).

**Avatara** [Skt. ›Herabkunft‹], ird. Manifestation einer ind. Gottheit, bes. des →Vishnu.

**Avdat,** arab. **Abda,** Ruinenstätte in der Wüste Negev (Israel) an der Straße Beerscheba–Elath, 63 km von Beerscheba entfernt; auf der Anhöhe eine gut erhaltene byzantin. Burg und Ruinen von 2 byzantin. Kirchen (im Fußboden der Theodoroskirche Marmorgrabplatten mit grch. Inschriften), 250 m östlich ein ehem. röm. Feldlager, unweit davon eine nabatäische Grabkammer mit aus der Wand gehauenen Grabnischen.

**avec la lettre** [av'ɛk lal'ɛtr, frz. ›mit der Schrift‹], bei graph. Blättern die Drucke der fertigen Auflage nach Anbringung von Titel, Künstlernamen und Verlegeradresse; **avant la lettre** [av'ã-, frz. ›vor der Schrift‹], die vor Einstechen der Schrift abgezogenen Probedrucke; **après la lettre** [apr'ɛ-, frz. ›nach der Schrift‹], die nach

Ausschleifen der Unterschrift von der meist abgenutzten Platte gedruckten, weniger wertvollen Abzüge.

**Aved,** Jacques André Joseph, frz. Maler holländ. Abstammung, *Douai(?) 12. 1. 1702, †Paris 4. 3. 1766, kam mit 19 Jahren nach Paris, befreundete sich mit J.-B. CHARDIN und wurde 1734 Mitgl. der königl. Akademie für Malerei und Bildhauerei. Ein feiner Realitätssinn prägt seine Bildnisse von Frau Crozat (1741; Montpellier, Mus. Fabre), Ludwig XV. (unvollendet 1744), Wilhelm IV. von Oranien (1751; Amsterdam, Rijksmus.), J. P. Rameau (Dijon, Mus. des Beaux-Arts) u. a.

**Aveiro** [av'eiru], Distriktshauptstadt und Bischofssitz in der portug. Landschaft Beira, 27200 Ew., eine von Kanälen durchzogene Lagunenstadt. Vor der Kathedrale (15.–18. Jh.) Pilgersäule im Emanuelstil (1510, skulptiertes Kapitell mit Passionsdarstellungen); Misericórdia-Kirche (16. Jh., von F. TERZIO in Renaissanceformen erbaut, Fassade im 19. Jh. mit Azulejos verkleidet); barocke achteckige Kapelle Senhor das Baroccas (um 1730, von JOÃO ANTUNES). In der Vorhalle der mit Talhas Douradas geschmückten Klosterkirche de Jesús (15. Jh.) der prunkvolle Barocksarkophag der Hl. Joana (Johanna) von A. (1711, von Antunes); Mus. in den Klostergebäuden (ma. Kultgeräte und Plastik, Gemäldegal., Keramik).

**Avenches** [av'ãʃ], Stadt im schweizer. Kt. Waadt, 2200 Ew. Von der Römersiedlung **Aventicum** zeugen die in ganzer Länge (5650 m) erh. Ringmauer mit rd. 80 Türmen, Theater und Amphitheater, Reste von Wohnhäusern und Tempeln. Wesentlich kleiner als die Römerstadt ist die ma. Neugründung; Renaissanceschloß (1565–85, Umbau einer spätgot. Anlage). Röm. Mus.

**Aventin, Aventinischer Hügel,** lat. **Mons Aventinus,** einer der 7 Hügel des alten Rom, erhebt sich im S der Stadt steil über dem Tiber. Das Tal des Circus Maximus trennt ihn vom Palatin. Auf dem A. lagen mehrere Tempel; der röm. König SERVIUS TULLIUS (6. Jh. v. Chr.) soll dort den Tempel der Diana erbaut haben.

**Aventuringlas** [n. dem Mineral Aventurin], Kunstglas, das mit Metallspänen durchsetzt ist, die sich beim Schmelzen in Form von glitzernden Punkten ausscheiden. Die Technik war im 17. Jh. bes. in Venedig beliebt.

**Avenue** [avən'y, frz.], mit Bäumen besetzte Zufahrt; auch jede breite und prächtige Straße.

**Averbode,** Ort in der belg. Prov. Brabant mit 1134 gegr. Abtei, während der Frz. Revolution z. T. zerstört; von den urspr. Bauten u. a. Torhaus (1379) erh. Die Kirche ist ein Barockbau (1664–72), deren Chor größer als das Schiff ist; Ausstattung des 17. Jh.; im Kapitelsaal Gemälde, u. a. von F. SNYDERS.

**Avercamp, 1)** Barent van, holländ. Maler, Neffe und Schüler von 2), *Kampen 1612, †ebd. 1679, schuf Winterlandschaften im Stil seines Onkels.

**2)** Hendrick van, holländ. Maler, Onkel von 1), *Amsterdam 25. 1. 1585, begraben Kampen 15. 5. 1635, malte (auch in Aquarelltechnik) helltonige Winterlandschaften mit bunten Figürchen. Vom Landschaftsstil des G. VAN CONINXLOO und D. VINCKEBOONS ausgehend, wurde er der Schöpfer des holländ. Winterbildes des 17. Jh.; typisch ist der herabgezogene Horizont seiner Ansichten vereister Kanäle.

HW in Amsterdam (Rijksmus.), Rotterdam (Mus. Boymans-van Beuningen), London (Nat. Gal.), Schwerin (Staatl. Mus.), Wien (Kunsthistor. Mus.).

**Averlino,** Antonio di Pietro A., →Filarete.

**Avery** ['eɪvərɪ], Milton, amerikan. Maler, *Altmar (New York) 7. 3. 1893, †New York 3. 1. 1965; vom Fauvismus beeinflußt, gelangte er zu einem kräftigen, großflächigen Malstil, in dem er bes. stark abstrahierte Strandlandschaften schuf. (›In green sea‹, 1954; New York, Metropolitan Mus.).

**Avignon** [aviɲ'ɔ̃], frz. Stadt in der Provence, 88 700 Ew., wurde durch den Aufenthalt der aus Rom vertriebenen Päpste (1309–76) zu einer wohlhabenden Stadt mit wertvollen Kunstdenkmälern, von denen ein Großteil erhalten ist, u. a. die Remparts (Stadtwälle des 14. Jh. mit über 80 Türmen), das Palais du Pape, ein festungsartiger got. Palast (14. Jh.) mit bemerkenswerten Innenräumen: u. a. der zweischiffige Große Audienzsaal mit Fresken des 14. Jh. und die päpstl. Kapelle (Chapelle Clémentine). Roman. Kathedrale Notre-Dame-des-Doms (12. Jh., im 17. Jh. umgebaut) mit Vorhalle und Bischofsstuhl aus weißem Marmor (12. Jh.) im Chor; der Pont St. Bénézet oder Pont d'Avignon gen. (1175–85, im 13. Jh. restauriert, seit dem 17. Jh. nur noch zur Hälfte vorhanden); die Kirche St. Pierre (1358–1525) mit Renaissance-Torflügeln und prachtvoller Chordekoration des 17. Jh. Im Hôtel Villeneuve-Martignan (1754) das Mus. Calvet (Kunstschmiedearbeiten, antike Gegenstände, Gemälde); das Mus. du Petit Palais beherbergt v. a. ital. Gemälde des 14. bis 18. Jh.

**Avignon** [aviɲ'ɔ̃], **Schule von A., École d'A.** [ek'ɔl-], Kreis bildender Künstler, vereinte um 1400–70 in Avignon Maler versch. Herkunft, in deren Arbeiten sich fläm., ital. und auch katalan. Elemente durchdringen, in denen sich jedoch insgesamt kein verbindlich klarer, einheitl. Stil ausbildete. HW ist die von einem unbekannten Meister um 1455 gemalte **Pietà von Avignon** (Louvre). BILD S. 221

**Avila** ['aβila], span. Stadt und Bischofssitz in Altkastilien, 32 500 Ew., von einer gut erh. ma. Stadtmauer mit über 80 Türmen umgeben, auf der der Chor der Kathedrale ruht. Der Bau (11.–16. Jh.) wirkt uneinheitlich und hat einen zweischiffigen Chorumgang; am Hauptportal (1779) Skulpturen von J. GUAS; im Inneren die HW des kastil. Bildhauers V. DE LA ZARZA (u. a. Grabmal des Bischofs Don Alonso de Madrigal, 1518; Skulpturen des Hauptaltars); reicher Kirchenschatz (u. a. Custodia von J. DE ARFE Y VILLAFAÑE, 1564–71). Roman. Kirche S. Vicente (12. Jh.) mit hervorragender Plastik an S- und W-Portal; im Inneren reliefgeschmückter Sarkophag der Hl. Vinzenz, Sabina und Cristeta (1180–85). Got. Klosterkirche S. Tomás (1482

**Schule von Avignon:** Pietà; um 1455 (Paris, Louvre)

beg.) mit bed. Grabmälern und Hauptretabel von P. BERRUGUETE; 3 Kreuzgänge (v. a. der prächtige ›Kreuzgang der Könige‹ mit Mus. für ostasiat. Kunst). Zahlreiche weitere Kirchen und Klöster, u. a. S. Segundo (12. bis 16. Jh., mit Grabmal des Hl. Segundo von J. DE JUNI, 1572), Capilla de Mosén Rubín de Baracamonte (1516, mit Renaissancefassade), Kloster S. Teresa (17. Jh., mit Mus. für die Hl. Teresa von Á.). Palast des Marquis de las Navas (13.–16. Jh.); Casa de los Deanes (16. Jh., Mus. mit Kunsthandwerk).

**Avolsheim,** Gem. im Unterelsaß, südwestlich von Straßburg; Ulrichskapelle (um 1000 erbaut, 1773 verändert); südlich von A. die dreischiffige Basilika Dompeter (›Domus Petri‹) mit achteckigem Westturm (1049 geweiht, auf karoling. Vorgängerbau) mit reliefgeschmückten Portalen.

**Avramidis,** Joannis, österreich. Bildhauer grch. Herkunft, *Batumi 26. 3. 1922, seit 1966 Prof. an der Wiener Akad. A. sucht in seinen stilisierten, aufgrund präziser Vorstudien konzipierten Figurendarstellungen die Herstellung ›einer objektiven, d. h. vollkommen erfaßbaren Form‹. Sein Ausgangsmodell bildet die ein- oder zweiachsige, stelenförmige Konstruktion der menschl. Figur.

Ausst.-Kat. der Kestner-Ges., Hannover, 1966/67 (1967).

**Joannis Avramidis:** Zweifigurengruppe B; Bronze, 1964

**Axminster-Teppiche** ['æks-, n. dem engl. Ort Axminster, Devon], in der Musterung dem Savonnerie-Teppich ähnl. Arbeiten in türk. Knüpfung, die in der von dem engl. Teppichweber T. WHITTY 1755 gegr. Manufaktur hergestellt wurden. Der Betrieb wurde 1835 geschlossen.

**Ayacucho** [ajak'utʃo], Stadt in Peru, am Osthang der W-Kordillere, 25 000 Ew., hat viel von ihrem kolonialzeitl. Aussehen bewahrt: dreischiffige Kathedrale (gew. 1672; churrigueresque Retabel und Kanzel), Kirche Santo Domingo (1548; Altäre und Atriumskreuz), Kirche Compañía de Jesús (1605; Retabel, Kanzel, Barockornamentik), Kloster S. Clara mit Kirche (1568; geschnitztes Gitterwerk und Kanzel sowie maurisch beeinflußte, geschnitzte Kassettendecke); Kirchen San Francisco (1713) und San Francisco de Assis (1552).

**Ayagapaṭta,** steinerne Zeremonialplatte der jinist. Kunst mit reliefierten Glückszeichen und Darstellungen der Tirthankaras.

**Ạyaka** [Skt.], Kultpfeiler in der Nähe einer Stupa, nach Reliefdarstellungen aus Amaravati in Fünfergruppen auf Plattformen aufgestellt.

**Aymonịno,** Carlo, ital. Architekt, *Rom 18. 7. 1926, gilt als einer der Hauptvertreter der Rationalen Architektur in Italien. Durch Zurückführen einer Bauform auf ihren Archetypus ohne ornamentales Beiwerk versucht A., einem Gebäude die Grundstruktur zu geben, die den Bedürfnissen der Nutzer gerecht wird, den Zweck des Baus erkennen läßt und formal aus geometr. Grundelementen zusammengesetzt ist.

**HW:** Wohnquartier Gallarate bei Mailand (1970, mit A. Rossi); Wissenschaftl. Hochschule in Pesaro (1970–73).
C. A. in: Contemporary Architects (London 1980).

**Ayọdhya,** Stadt in NO-Indien, ehem. Zentrum des Koshala-Reiches und mytholog. Residenz von Rama.

**Ayudhapụrusha** [Skt.], Personifizierung der Attribute ind. Götterfiguren, meist als kleine Beifiguren seitlich der Gottheit dargestellt.

**Ayụtthaya, Ajuthia,** thailänd. auch **Krung Kao,** Provinzhauptstadt in Thailand, am Menam 80 km nördlich von Bangkok, etwa 40000 Ew. A. war 1350 bis 1767 Hauptstadt des Landes (Königreich A.); aus dieser Zeit stammen ausgedehnte Palast- und Tempelanlagen (z. T. rekonstruiert). Der bedeutendste Tempel, Wat Si Sanpeth (15./16. Jh.), als Privat-Tempel des Königs und Ort von Staatszeremonien urspr. innerhalb von Palastmauern gelegen, hat langgestreckten Rechteckgrundriß und 3 monumentale Chedis auf einer Terrasse. Das Wat Rajaburana (15. Jh.) enthält qualitätvollen plast. Schmuck und Wandmalereien in kräftigen Farben; unterhalb des hohen Turmdaches fand sich eine Vielzahl von goldenen Figuren und Votivtafeln. – Im A.-Stil verschmelzen Elemente der Sukhothai-Kunst mit solchen der Khmer-Kunst. Im Nat.-Mus. Chao-Sam-Phaya sind Fundobjekte aus A., ferner solche des Khmer-, Mon- und Sukhothai-Stils (→thailändische Kunst).

**Azạnde,** Volk in Zentralafrika, →Zande.

**Azay-le-Rideau** [az'ɛ lə rid'o], frz. Stadt im Dép. Indre-et-Loire, 2700 Ew., mit Renaissanceschloß (1518 bis 1527) auf einer Insel des Indre (mit dem, neben Chenonceaux, frühesten geradläufigen Treppenhaus Frankreichs); heute Mus. mit Mobiliar und Wandteppichen der Renaissance.

**Azeffoun** [azəf'un], Ort an der N-Küste Algeriens, 77 km westlich von Bejaia. Bed. Reste röm. Thermen; in der Nähe neolith. Felsbilder (Ritzzeichnungen).

**Azo|farbstoffe,** Gruppe der →Teerfarben.

**Azteken,** Indianervolk, das zu Beginn des 2. Jahrtsd. von N kommend ins Zentrale Hochland von Mexiko eindrang und um 1325 auf einer Insel im Texcoco-See die Stadt Tenochtitlán gründete. Durch Kriegszüge, Diplomatie, Bündnisse und Handel machten sie sich Stämme tributpflichtig in einem Gebiet, das zur Zeit der span. Eroberung durch H. Cortéz (1521) vom Atlant. Ozean bis nach Südmexiko und Guatemala reichte. Der Kunststil der A. ist eine Mischform aus Elementen anderer Stile des zentralmexikan. Gebiets, so von Nachfolgern der Teotihuacán-Kultur, von Tolteken und Mixteken, entwickelte aber typische aztek. Ausprägungen. Da ihre Hauptstadt 1521 vollständig zerstört wurde, vermitteln Orte des Hochtals wie Calixtlahuaca und Malinalco sowie Darstellungen in den Bilderhandschriften einen Eindruck von der Architektur. Charakteristisch dafür ist der Doppeltempel: 2 Bauten in der gleichen Höhe und Form nebeneinander auf einer Pyramide, zu denen 2 parallele Treppen hinaufführen. Ein weiteres Kennzeichen der aztek. Kunst sind monumentale Steinskulpturen, von denen aber heute verhältnismäßig wenige erhalten sind. Dazu gehören Kolossalstatuen oder Reliefs der einzelnen Gestalten des vielfältigen Götterpantheons, wie Darstellungen von Coatlicue oder Coyolxauhqui, die typ. Skulptur des Quetzalcoatl (zusammengerollter monumentaler Schlangenkörper und lebhaft geformter Kopf), der Stein des Tizoc (zylindrisch geformter, verzierter Block von 2,65 m ∅) und der ›Kalenderstein‹ (25 t Gewicht, 3,60 m ∅) mit der Darstellung der Weltalter und des Erdgottes Tlaltecutli (nach anderer Auffassung des Sonnengottes Tonatiuh). Die Götterbilder, die einen furchterregenden Eindruck vermitteln, sind von Realismus und Naturalismus geprägt. Die A. waren auch Meister im Herstellen von →Federarbeiten (Fächer, Schilde, Kopfschmuck), Masken oder Schilden aus Türkis, Perlmutt, Jett und Muschelschale. Charakteristisch für die Keramik sind schwarze Muster auf gelbbraun-rotem, später auf rotem, dann weißem Grund. Die Muster sind zunächst geometrisch, später naturalist. Motive. Als Formen sind Schalen, z. T. mit 3 Beinen, am häufigsten. Die Bilder-

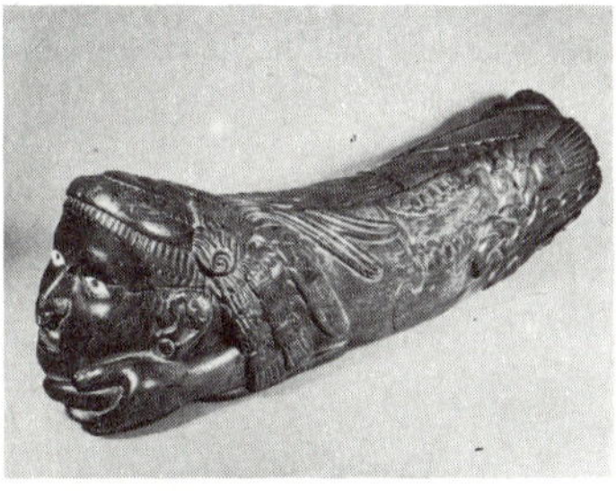

**Azteken:** Hölzerne Zungenschlitztrommel, mit Perlmutt- und Pyriteinlagen, aus Tlaxcala, 60 cm lang (Mexiko, Anthropolog. Nationalmuseum)

**Azteken:**
Basaltstatue der Göttin Coatlicue, 1,20 m hoch (Mexiko, Anthropolog. Nationalmuseum)

handschriften enthalten Aufzeichnungen von Festen aus dem relig. Bereich, von Weissagungen, von Tributlisten und Katasteraufzeichnungen, von Herrscherlisten sowie von polit. Ereignissen. Bilder und Schriftzeichensystem sind denen der Mixteken ähnlich.

W. KRICKEBERG: Altmexikan. Kulturen (1975); N. DAVIES: Die A. (a. d. Engl., 1975); Geschichte der A., Codex Aubin und verwandte Dokumente. Aztek. Text. Übersetzt und erläutert von W. LEHMANN und G. KUTSCHER (1981).

**Azulejos** [aðul'εxɔs, span. azul ›blau‹, aus arab.], Fayence-Wandfliesen, die von den Mauren nach der Eroberung Spaniens (711) auf der Iber. Halbinsel eingeführt wurden. Seit dem 14. Jh. lösten diese mehrfarbig glasierten Fliesen (v. a. dunkelgrün, blau, violett, rot, weiß und gelb) den Gebrauch der →Alicatados ab. Anfänglich gaben die A. auf einer einzigen Fliese oder einem aus 4 Fliesen gebildeten Feld die geometr. Muster der Alicatados wieder. Zunächst v. a. in Andalusien produziert (Sevilla, Málaga), wurden die A. zunehmend in ganz Spanien verbreitet. Neben den reliefartigen A. des Mudéjar-Stils gab es seit dem 16. Jh. auch ›glatt‹ bemalte A. in der Technik der ital. Majolika. Der aus Pisa stammende FRANCESCO NICULOSO hatte die neue Technik und auch neue Dekorformen (Grotesken, pflanzl. Ornamente) in Spanien eingeführt. Für das Bodenpflaster verwendete A. heißen ›Olambrillas‹, als Deckenschmuck ›Tableros‹. In der 2. H. des 16. Jh. wurde →Talavera de la Reina zur führenden span. A.-Manufaktur (bes. prächtige A.-Ausstattung in der Kirche Virgen del Prado, ebd.). Nun wurden aus A. große figürl. Wandbilder geformt. Gegen Ende des 17. Jh. kamen A. in blau-weiß-Technik als Imitation der Delfter Fayence auf. Eine bes. reiche Entfaltung fand die Kunst der A. in Portugal (A.-Manufakturen in Lissabon, Porto, Coimbra), wo bes. prächtige monumentale Wandbilder aus blau-weißen A. gestaltet wurden (Miradouro de Santa Luzia in Lissabon). A. fanden auch Verbreitung in den span. und portug. Kolonialgebieten Lateinamerikas (→lateinamerikanische Kunst).

**Azurit, Kupferlasur, Bergblau, Azur, Kupferblau,** tiefblaues, in zerstoßenem Zustand leuchtend blaues Mineral. Im Altertum nicht nachgewiesen, ist A. im MA. neben dem teuren Ultramarin das wichtigste Blaupigment für Fassungen; seine in Leim gebunden farbkräftige matte Oberfläche wurde häufig mit poliertem Gold kombiniert. In Gemälden weniger verwendet und seit dem 16. Jh. oft durch Smalte (→Kobaltfarben) abgelöst, seit dem 19. Jh. nur noch selten anzutreffen.

# B

**Ba-,** Vorsilbe in Bantusprachen, bezeichnet eine Mehrzahl von Personen, z. B. bei Stammesnamen wie Baluba, Bakongo, Bakota, Barotse, Bateke. Als Stichwörter werden in diesem Lexikon die Stammesnamen ohne Vorsilbe gebracht (also: Luba, Kongo, Kota, Rotse, Teke).

**Baal** [hebr. ›Herr‹], syrisch-kannaanäische Gottheit des 2./1. Jahrtsd. v. Chr., als Wettergott häufig auf Berghöhen verehrt, meist in kurzem Schurz (Kriegskleidung) mit einer Axt (Donnersymbol) und Lanze mit Blitzbündel dargestellt. Später oft Zeus/Jupiter angeglichen.

**Baalbek, Balbek,** Provinzhauptstadt im Libanon, im Hochtal Beka, 1200 m ü. M., 28 000 Ew.

B. wurde als **Bali** in assyr. Inschriften 804 v. Chr. erwähnt, in hellenist. Zeit **Heliopolis** (Stadt des Sonnengottes) gen. und war seit AUGUSTUS röm. Kolonie. Die Ruinen der im 1.–3. Jh. n. Chr. errichteten Tempel lassen noch die monumentalen Ausmaße der Bauten erkennen, die zu den gewaltigsten des Vorderen Orients gehören. Der Haupttempelbezirk war Jupiter und Venus gew. Der Jupitertempel, ein 106 × 69 m großer Peripteros aus der Mitte des 1. Jh., erhob sich auf einer 7 m hohen Terrasse. Vor diesem Tempel lag ein großer Altarhof (135 × 113 m), von Säulenhallen mit reichem Reliefdekor eingefaßt; im Hofinneren standen 2 Altarbauten. Durch ein Propylon und einen damit verbunde-

**Baalbek:** Jupitertempel mit Altarplatz und Sechseckhof; im Vordergrund der Venustempel

nen Sechseckhof hatte man Zugang zu diesem Altarplatz. – Südlich des großen Tempelbezirks liegt der besser erhaltene Venustempel (fälschlich auch Bacchustempel), ein Peripteros aus dem 2. Jh. Die Kassettendecke des Umgangs, das Portal und die architektonisch gegliederte Innenwand der Cella sowie das Adyton, in dem das Kultbild stand, sind mit figürl. und pflanzl. Reliefs reich dekoriert. Östlich der beiden Haupttempel steht ein kleiner Rundbau mit halbkreisförmiger Cella, achtsäuligem Außenbau und halbrund eingebogenem Gebälk (2. H. 2. Jh.). – THEODOSIUS D. GR. (379–95) ließ im Hauptbez. eine dreischiffige christl. Pfeilerbasilika errichten.

**Baba Djan** [-dʒan], prähistor. Siedlungshügel bei Kermanshah (SW-Iran; KARTE Alter Orient) mit 5 Schichten (älteste um 3000 v. Chr.); bes. reiche Funde aus der mittleren Eisenzeit (9. Jh.–7. Jh. v. Chr.): 2 Palastvillen mit Räumen um einen quadrat. Hof, später zu einem Säulensaal umgestaltet, mit Herd und Thronsitz des Fürsten. Im Schutt eines weiteren Gebäudes (Tempel) wurden bemalte Fliesen sowie ein Kamin oder Feueraltar und reich verzierte Wandnischen gefunden. Zu den spärl. Kleinfunden gehören einige Luristan-Bronzen, aufschlußreich für die stilist. und chronolog. Einordnung dieser sonst nur aus Raubgrabungen bekannten Bronzen.

**Babel,** Johann Baptist, Bildhauer, *Pfronten (Allgäu) 25. 6. 1716, †Einsiedeln 9. 2. 1799, schuf ebd. (seit 1746 im Dienst des Klosters) um 1750 für den Chor der neuen Klosterkirche 12 ausdrucksvolle Apostel und 4 allegor. Figuren, ferner Skulpturen für die Außenfront des Klosters und allegor. Gestalten für die Ballustrade der Kramgasse ebd., in Solothurn schließlich 10 monumentale Statuen für die Fassade der St. Ursenkathedrale (1772–74).

**Babelsberg,** Stadtteil von →Potsdam.

**Baben, Steinbaben,** russ. **Kamennyje Baby,** ur- und frühgeschichtl., anthropomorphe Skulpturen O-Europas und Sibiriens. Aus dem nördl. Schwarzmeergebiet stammen B. aus der Zeit der Skythen.

**Babenhausen,** Stadt in Südhessen mit gut erh. spätma. Stadtbild, 13 000 Ew. Das Schloß ist eine nach 1200 erbaute Wasserburg (spätroman. Erdgeschoßhalle); im 15./16. Jh. Ausbau zur heutigen Anlage. Spätgot. Pfarrkirche mit Schnitzaltar von 1518. Zahlreiche Fachwerkhäuser des 16.–18. Jh.

**Baburen** [bab'yrə], Dirck van, holländ. Maler, *Utrecht um 1595, †ebd. 21. 2. 1624, war 1611–22 in Rom. Mit G. TERBRUGGHEN und G. HONTHORST gehört er zu den ›Utrechter Caravaggisten‹; malte Genreszenen und während der röm. Zeit relig. Themen.

**Baby face** [b'eıbı feıs, engl.], Bez. für die in der olmekischen Kunst dargestellten Gesichter: meist pausbäkkig, mit großen Augen, breiter Nase, wulstigen Lippen und heruntergezogenen Mundwinkeln.

**Babylon,** hebr. **Babel,** Ruinenstadt in Mesopotamien beiderseits des Euphrat (KARTE Alter Orient); öst-

**Baby face:** Jade-Figur mit dem typ. Gesichtsausdruck der Olmeken-Kultur, 24,5 cm hoch (Wien, Museum für Völkerkunde)

lich die Alt-, westlich die Neustadt; erstmals gegen Ende des 3. Jahrtsd. v. Chr. erwähnt.

Zu dieser Zeit war B. eine unbedeutende Kleinstadt. Vom Anfang des 2. Jahrtsd. bis zu ALEXANDER D. GR. wurde sie zum kulturellen Zentrum der gesamten vorderasiat. Welt. Ihre Vormachtstellung, die um 1700 v. Chr. von HAMMURAPI begründet wurde, beruht v. a. auf der überragenden Bedeutung ihres Hauptgottes Marduk, der von einem Stadtgott zum Götterkönig erhoben und überall in Vorderasien verehrt wurde. So liegt B. auf der babylon. Weltkarte im Zentrum der Erdscheibe. Von der Pracht, dem Reichtum und der Ausdehnung dieser Stadt zeugen neben den Inschriften des neubabylon. Königs NEBUKADNEZAR II. (605–562) und Angaben versch. antiker Schriftsteller (am ausführlichsten HERODOT) die Grabungsfunde der Dt. Orient-Gesellschaft aus den Jahren 1899–1917 unter Leitung von R. KOLDEWEY. Das freigelegte B. ist in der Hauptsache die Stadt Nebukadnezars II. Die Hammurapi-Schicht konnte nicht ausgegraben werden, da sie unter dem Grundwasserspiegel liegt.

Hammurapi machte B. zur Hauptstadt Babyloniens. Nach Einnahme der Stadt durch den hethit. König MURSCHILI I. (1594 v. Chr.) wurde B. zeitweilig auch die Hauptstadt der kassit. Herrscher. Seit 1250 fiel B. mehrfach in assyr. Hand. Bes. schwer war die Zerstörung durch SANHERIB (689 v. Chr.), die aber durch die Erneuerung unter ASARHADDON (von 680 an) wieder wettgemacht wurde. Die größte Blüte erlebte B. unter NABOPOLASSAR (626 bis 605) und NEBUKADNEZAR II. (605–562). Unter den Achaimeniden war B. eine der 3 Hauptstädte des Perserreiches. 480 zerstörte XERXES I. den Marduktempel Esangila. ALEXANDER D. GR., der B. 331 eroberte, beabsichtigte, die Stadt wieder vollständig herzustellen. In seleukid. Zeit ging die Bedeutung B.s weiter zurück, da die Residenz nach Seleukia am Tigris verlegt wurde. Erst in parth. Zeit gelangte es wieder zu einem gewissen Wohlstand.

Die neubabylon. Stadt war ein Rechteck (2600 m × 1500 m), eingefaßt von doppelter Lehmziegelmauer. 8 Tore führten in das Innere. Das berühmteste war das Tor der Ischtar, eine monumentale doppeltorige Anlage, deren Wände mit buntglasierten Ziegelreliefs (Stiere, Schlangendrachen) geschmückt und mit Zinnen bekrönt waren. Durch dieses Tor führte eine breite Prozessionsstraße. Sie verlief von der wichtigsten Euphratbrücke, zunächst in OW-Richtung, zw. dem Tempelturm Etemenanki (Babylonischer Turm, →Zikkurat) und dem Tempelbezirk des Marduk Esangila. Dann bog sie nach N um und führte an der Eingangspforte des Heiligtums vorbei. Beide Tempel standen in einem kult. Zusammenhang mit einem dritten, den man bisher nur aus Inschriften kennt. Nördlich vom Ischtar-Tor verlief die Prozessionsstraße zw. der großen Hauptburg, in der sich viele Beutestücke fanden, und einer gewaltigen Befestigungsanlage. In diesem Abschnitt waren die Wände, die sie einfaßten, wie das Ischtar-Tor mit farbigglasierten Ziegelreliefs (schreitende Löwen zw. Rosettenbändern) verziert. Südlich der Hauptburg lag der große Palast Nebukadnezars II., die Südburg, mit Thronsaal und ›Hängenden Gärten‹. Im N, etwa

3 km von der Innenstadt entfernt, lag der Sommerpalast Nebukadnezars, jetzt die Ruine Babil.

W. ANDRAE: B. (1952); R. KOLDEWEY: Die Tempel von B. und Borsippa ... (Neudr. 1972); PETRA EISELE: B., eine archäolog. Biographie ... (1980); J. G. MACQUEEN: B. (London 1982).

**babylonische Kunst:** Hammurapi-Gesetzesstele, in Susa gefunden; Basalt, altbabylonisch, um 1700 v. Chr.

**babylonische Kunst,** die Kunst, die in der Landschaft Babylonien (am Unterlauf der Flüsse Euphrat und Tigris, heute Irak) hervorgebracht wurde, nachdem diese zu einer kulturpolit. Einheit geworden war. Obwohl das Gebiet erst unter HAMMURAPI von Babylon (1792–1750 v. Chr.) in einer Hand vereinigt wurde, kann man den Beginn der b. K. schon mit dem Anfang des 2. Jahrtsd. ansetzen (altbabylon. Kunst, bis etwa 1600 v. Chr.).

Nach dem Sturz der altbabylon. Dynastie (1594 v. Chr.) geriet Babylonien unter die fast 500 Jahre andauernde Herrschaft der Kassiten. Über die Kunst dieser Zeit, für die die Bez. mittelbabylonisch nicht verwendet wird, →kassitische Kunst.

Im 1. Jahrtsd. v. Chr. kam Babylonien unter die Herrschaft der Assyrer; die polit. Gegebenheiten schwankten zw. einem babylon. Vasallenkönigtum und völliger Knechtschaft (zweimalige Zerstörung Babylons durch die Assyrer im 7. Jh. v. Chr.). Parallel zu neuassyr. Kunst (etwa 1200–600 v. Chr.) spricht man von **neubabylon. Kunst,** die jedoch nur in wenigen Werken belegt ist. Von einer eigenständigen b. K. kann erst wieder nach der Abwerfung des assyr. Jochs durch NABUPOLASSAR (um 630 v. Chr.) die Rede sein. Diese entfaltete unter NEBUKADNEZAR II. (605–562 v. Chr.) ihre größte Blüte **(spätbabylon. Kunst,** bis zur Zeit der Achaimenidenherrschaft nach 539 v. Chr.).

Baukunst. Da die altbabylon. Schichten von Babylon im Grundwasser liegen, konnten architekton. Reste bisher nicht freigelegt werden. Für den dadurch unerreichbaren Palast des Hammurapi von Babylon wird häufig der altsyr. Palast des ZIMRILIM in Mari am Mittleren Euphrat zum Vergleich herangezogen. Dieser Bau vermittelt mit seiner noch heute erkennbaren Pracht (Wandmalereien) und seiner funktional gegliederten Vielräumigkeit lediglich einen Eindruck davon, wie man sich den Palast des Hammurapi vorzustellen hat. Über ein Schema des altbabylon. Palastbaus kann gegenwärtig noch keine Aussage gemacht werden, da der Palast des SINKASCHID von Uruk einen von Mari abweichenden Grundriß aufweist und auch der ›Audienzsaal‹ des NARAMSIN von Eschnunna wieder anders gestaltet ist. Im Tempelbau überwog das Vorbild des Hürdenhauses (in seiner Urform ein in einer Ummauerung liegendes Gebäude), das bes. deutlich am Enki-Tempel in Ur nachzuweisen ist.

Für die spätbabylon. Zeit ist die Baukunst eindrucksvoll durch die Hauptstadt →Babylon selbst bezeugt. Neben der planmäßig angelegten Wohnstadt sind es die mit glasierten Ziegeln verzierten Paläste und Tore, die bereits die antike Welt in Staunen versetzten.

Bildkunst. Die Gesetzesstele des Hammurapi (1. H. 18. Jh. v. Chr.), mit Inschriftenstreifen (›Codex Hammurapi‹) und Reliefdarstellung des betenden Königs vor dem thronenden Sonnengott Schamasch, der ihm die Zeichen der Herrschaft, Stab und Ring, überreicht, ist sowohl für die gesellschaftl. Struktur Babyloniens als auch für die altbabylon. Bildniskunst bedeutsam. In der Darstellung der Gesichter des Hammurapi und des

**babylonische Kunst:** Kudurru des Königs Marduk-apla-iddina II.; schwarzer Marmor, 46 cm hoch, neubabylonisch, um 700 v. Chr.

**babylonische Kunst:** Löwe von der Prozessionsstraße am Ischtartor in Babylon; spätbabylonisch um 575 v. Chr. (Paris, Louvre)

Gottes hat man Ansätze zu einer perspektiv. Sehweise erkennen wollen, die in der zu dieser Zeit weit verbreiteten Denkmalsgattung der kleinen →Terrakottareliefs auch zu finden ist. Wie die Hammurapi-Stele, so stehen auch andere Reliefwerke und Plastiken (u. a. mehrere nach Susa verschleppte und dort gefundene Skulpturen) in der beabsichtigten Tradition der neusumer. und akkad. Kunst, verleugnen aber dennoch nicht ihren eigenen Charakter; sie sind sorgfältig gearbeitet, die Reliefs hoch herausgehoben und mit realist. Detailschilderung versehen. Typische Kleidungsstücke (wie das Falbelgewand), Kopfbedeckungen, Kronen, Haartrachten sowie versch. Gegenstände (Ring und Stab, Waffen, Göttersymbole) werden abgebildet. In der Kleinplastik sind mehrfach Werke aus Bronze überliefert. Die Rollsiegelkunst zeigt eine Vorliebe zur themat. Verkürzung (bes. bei der →Einführungsszene) und zur Verlagerung des Bildinhaltes (vorwiegend mythol. Themen) in die in dieser Zeit ausführlicher abgefaßte Inschrift. Am Ende der stilist. Entwicklung steht eine Längung der Figuren unter Beibehaltung ihrer Plastizität.

Von der neubabylon. Kunst sind einige Reliefs auf Stelen und Kudurrus überliefert. Sie standen zunächst deutlich in älterer babylon. Tradition und gewannen erst am Ende des 8. Jh. mit dem Relief des MARDUK-APLA-IDDINA II. ihren eigenen Ausdruck und Stil.

Aus der spätbabylon. Kunst ist v. a. die Verkleidung der Bauten mit glasierten Ziegeln bekannt, die mit farbigen Reliefs schreitender Tiere wie Löwen, Stiere oder Schlangendrachen (Symbol des Gottes Marduk) sowie mit stilisierten Palmen und versch. friesartig angeordneten Ornamentformen geschmückt waren.

Das Rollsiegel, für das ein von Assyrien übernommener ›geschnittener‹ Stil typisch ist, wurde in neubabylon. Zeit vom Stempelsiegel fast ganz verdrängt; deren kleinerer Bildfläche trägt die Darstellung dadurch Rechnung, daß häufig der Beter nur noch vor Göttersymbolen statt vor Götterfiguren wiedergegeben wird.

A. MOORTGAT: Die Kunst des Alten Mesopotamien (1967); W. ORTHMANN: Der Alte Orient (1975); Sumer – Assur – Babylon,

Ausst.-Kat., Berlin (1978); J. BÖRKER-KLÄHN: Altvorderasiat. Bildstelen u. vergleichbare Felsreliefs (1982); Babylon. Kunstschätze zw. Euphrat und Tigris, bearb. v. M. V. SETON-WILLIAMS (a. d. Engl., 1982).

**Babylonischer Turm,** →Zikkurat.

**Bacchanalien,** die wohl vom Orient beeinflußten und prähistorisch vorgeprägten rauschhaften Kulte des Gottes Bacchus (→Dionysos), die sich durch Vermittlung der Griechen seit dem 6. oder 5. Jh. v. Chr. als myst. Geheimriten über die italien. Halbinsel verbreiteten und nach vorübergehendem Verbot durch den röm. Senat (186 v. Chr.) in eingeschränkter Form bis etwa 200 n. Chr. gefeiert wurden.

Darstellungen v. a. auf Wandgemälden der ›Mysterienvilla‹ in Pompeji (um 50 v. Chr.); in der Neuzeit als Ausdruck der Diesseitsbejahung (A. MANTEGNA, MICHELANGELO, TIZIAN, N. POUSSIN); im Barock gesteigert zur Darstellung uneingeschränkter, rauschhafter Sinnenfreude (P. P. RUBENS); um 1900 und in der modernen Kunst sind die B. Ausdruck der Sehnsucht nach der von Zwängen befreiten, ursprüngl. Triebnatur des Menschen (L. CORINTH, F. v. STUCK, P. PICASSO).

**Bacchus,** lat. Name des grch. Gottes →Dionysos.

**Baccio d'Agnolo** [b'attʃod'aɲolo], ital. Baumeister, →Baglioni.

**Bacharach,** Stadt am Mittelrhein, Rheinl.-Pf., 2700 Ew.; maler. Ortsbild mit zahlreichen prächtigen Fachwerkhäusern und sehr gut erh. Stadtbefestigung (1344 bis 1400). Peterskirche (1200–69) in reichsten spätroman. Formen; hochgot. Wernerkapelle (ab 1293 von der Kölner Dombauhütte errichtet, seit 1787 Ruine); über B. die **Burg Stahleck** (12.–14. Jh.); im Ortsteil **Steeg** die **Burgruine Stahlberg** (13. Jh.).

**Bachem,** Bele, eigtl. Renate Gabriele **Böhmer,** Zeichnerin, *Düsseldorf 17. 5. 1916, bemalte Porzellan und schuf Buch-Illustrationen, Bühnenbilder, Tapeten in einer phantasievoll-symbol. Bildwelt.

**Bachiacca** [baki'akka], **Bacchiacca,** eigtl. Francesco **Ubertini Verdi,** gen. **Il B.,** ital. Maler, *Florenz 1. 3. 1494, †ebd. 5. 10. 1557, malte meist kleinformatige erzählende Darstellungen (oft übertrug er als Truhenmaler Themen und Motive anderer Künstler auf Mobiliar) und Bildnisse (›Hl. Magdalena‹, um 1540–45; Florenz, Gal. Palatina im Palazzo Pitti) im Stil des frühen Manierismus. Daneben schuf er Landschaften, Entwürfe für Wandteppiche der MEDICI (Monats- und Groteskendarstellungen, 1552–53; heute Florenz, Uffizien), Dekorationen im Palazzo Vecchio ebd.

**Baciccio** [batʃ'ittʃo], **Baciccia,** Giovanni Battista, eigtl. G. B. **Gaulli,** ital. Maler, *Genua 8. 5. 1639, †Rom 2. 4. 1709, erhielt in Rom durch Empfehlung von G. L. BERNINI, unter dessen Einfluß er stand, viele Bildnisaufträge (›Papst Clemens IX.‹, um 1668; Rom, Gal. dell'Accademia Nazionale di S. Luca) und bed. Dekorationsaufgaben in Kirchen. Sein HW sind die 1668–83 ausgeführten Deckenfresken in Langhaus und Apsis von Il Gesù.

Hans Backofen: Grabmal des Berthold von Henneberg im Mainzer Dom

**Backer, 1)** Harriet, norweg. Malerin, *Holmestrand (bei Oslo) 21. 1. 1845, †Oslo 25. 3. 1932, studierte in München, lebte 1878–89 in Paris, wo sie entscheidende Anregungen vom Impressionismus erhielt. Sie malte v.a. Interieurs mit feiner Lichtwirkung; später waren ihre Motive Bauernstuben und die farbenprächtigen altnorweg. Landkirchen.

**2)** Jakob Adriaensz., holländ. Maler, *Harlingen um 1608, †Amsterdam 27. 8. 1651, Schüler REMBRANDTS, malte bibl. und mytholog. Themen und war ein geschätzter Porträtist.

**HW:** Schützenstück (1642; Amsterdam, Rathaus); Porträt des Johannes Uyttenbogaert (1635; Amsterdam, Rijksmus.).

**Backhuysen** [b'akhœjzə], **Backhuisen,** Ludolf, holländ. Maler, *Emden 18. 12. 1631, begraben Amsterdam 17. 11. 1708, malte Seestücke von bewegter Komposition, guter Zeichnung und glatter Farbigkeit (›Die Reede von Amsterdam‹, 1668; Louvre, Paris).

**Backnang,** Stadt in Nordwürttemberg, 29 500 Ew.; ehem. Stiftskirche St. Pankratius (bis 1245 Grablege der Markgrafen von Baden); Chorruine der frühgot. Michaelskirche; mächtiges Fachwerkrathaus (um 1600).

**Backofen, Backoffen,** Hans, Steinbildhauer, *Sulzbach (Main-Taunus-Kreis oder bei Aschaffenburg) um 1470/75(?), †Mainz 21. 9. 1519, stand ebd. in kurfürstl. Dienst. B. schuf für Mainz und andere mittelrhein. Orte v.a. Grabmäler und Kreuzigungsgruppen. Seine kraftvolle Kunst gehört der barocken Stilrichtung der spätgot. Plastik an. B.s Einfluß ist über das rhein. Ursprungsgebiet hinaus bis in die Pfalz und Trier spürbar (noch in der 2. Hälfte des 16. Jh.).

**HW:** Grabmäler im Mainzer Dom für die Erzbischöfe Berthold v. Henneberg, Jacob v. Liebenstein und Uriel v. Gemmingen; Kreuzigungsgruppe am Dom zu Frankfurt a. M. (gestiftet v. JAKOB HELLER 1509).

**Backsteinbau.** Bau aus Ziegeln oder Klinkern, berappt, verputzt, verkleidet oder nicht verputzt. In Oberitalien wurde seit dem 9. und 10. Jh. in einfachen, dem B. eigenen Formen gebaut. Nach Mitte des 12. Jh. verbreitete sich der B. in Norddtl. und Bayern. Aus der Beschränkung auf die Möglichkeiten des B. entwickelte sich in Norddtl. ein eigener Stil, die **Backsteingotik,** in dem sich machtvoll geschlossene Wirkung mit reicher Flächenbehandlung durch farbig glasierte Ziegel und Formsteine verbindet, so bes. in den mit Spitzbogenblenden und Maßwerk geschmückten Schaugiebeln. Von den Niederlanden bis zum Deutschordensgebiet entstand eine Fülle von in Backstein errichteten Kirchen, Burgen, Schlössern, Rathäusern und Stadttoren, auch in Skandinavien und England. Seit der Renaissance verwendete man, bes. in den Niederlanden, eine gemischte Bauweise, indem man die Mauerflächen in Backstein, einzelne Bauglieder wie Gesimse, Fenster- und Türgewände dagegen aus Haustein ausführte. Im 19. Jh. ging eine Erneuerung des B. von der Schinkel-Schule aus. Im 20. Jh. erstrebte man v.a. wieder eine werkstoffgerechte Verarbeitung; die Außenseiten wurden meist mit Klinkern verblendet, die mit ihrer rotbraunen bis violetten Färbung die Flächen beleben.

Unter den Baumeistern, die den B. bevorzugten, ragten F. SCHUMACHER und F. HÖGER (Chilehaus) in Hamburg hervor. Eine neue Belebung erfährt der B. durch niederländ., engl. und bes. skandinav. Architekten, die ihn auch in Kombination mit Sichtbeton verwendeten (J. H. VAN DEN BROEK und J. B. BAKEMA, J. STIRLING, A. JACOBSEN, A. AALTO u. a.).

Über Bauten aus Ziegeln im Altertum und den außereurop. Bereichen →Ziegelbau.

W. BURMEISTER: Norddt. Backsteindome ([3]1943); J. A. SCHMOLL gen. Eisenwerth: Das Kloster Chorin u. die askan. Architektur der Mark Brandenburg (1961).

**Baçó** [bas'ɔ], Jaime, gen. **Jacomart,** span. Maler, *Valencia zw. 1410 und 1415, †ebd. 16. oder 17. 7. 1461, seit 1442 in Neapel und seit 1456 in Valencia Hofmaler König ALFONS' V. von Aragón. B. übernahm für seine zahlreichen Altarbilder die Technik der altniederländ. Ölmalerei und Formengut der ital. Renaissance.

**HW:** Altar der Hl. Laurentius und Petrus Martyr (1460, Sakramentskapelle in Catí, bei Castellón de la Plana); Martinsaltar (1447 oder 57, in Zusammenarbeit mit seinem Schüler J. REIXACH(?); Segorbe, Diözesanmus.).

**Bacon** [b'eɪkən], Francis, engl. Maler, *Dublin 28. 10. 1909, entwickelte nach anfängl. Anlehnung an G. SUTHERLAND, P. PICASSO u.a. eine in ihrer Kraßheit schockierende Darstellung des Menschen, realistisch, doch angsttraumhaft, ins Schemenhafte verwischt und entstellt, oft auch, wie in der Serie der Papstbilder (nach D. VELAZQUEZ), wie von einem Glaskäfig umfangen.

F. B., Ausst.-Kat., Düsseldorf (1971); J. RUSSEL: F. B. (a. d. Engl., 1972); D. SYLVESTER: Gespräche mit F. B. (a. d. Engl., 1982).

**Francis Bacon:** Figur in Landschaft; 1945 (London, Tate Gallery)

**Bad...** Mit ›Bad‹ zusammengesetzte Ortsnamen bitte unter diesen nachschlagen.

**Badajoz** [baðax'ɔθ], westspan. Stadt und Bischofssitz in Estremadura, nahe der portug. Grenze, 103 300

Ew.; Reste der maur. Stadtmauer mit zahlreichen Türmen und Palast der Herzöge de la Roca im Mudéjar-Stil erh.; festungsartige Kathedrale (15. Jh., Fassaden und Fenster im 16. Jh. plateresk umgestaltet; im Inneren 5 Gemälde von L. DE MORALES). Archäolog. Mus. (u. a. westgot. Stelen).

**Badajoz** [baðax'ɔθ], Juan de, span. Baumeister, tätig in der 1. H. des 16. Jh. v. a. in León, wo er als Oberbaumeister der Kathedrale den Kreuzgang mit der Treppe zum Kapitelsaal im reichen Platereskenstil schuf; 1549 vollendete er ebd. die Sakristei des Klosters S. Marcos, dessen mit reicher Ornamentik geschmückte Fassade, eines der bedeutendsten Beispiele der span. Renaissance-Architektur, erst im 18. Jh. nach seinen Entwürfen fertiggestellt wurde.

**Badạmi,** Stadt in Indien, im Staat Karnataka im Deccan; im 6.–8. Jh. zeitweilig Hauptstadt der Chalukya-Dynastie. Die neben mehreren Freibautempeln bedeutendste Kultanlage ist eine Gruppe von 4 Höhlentempeln (3 hinduist., 1 jinist.) mit ikonographisch vielfältigen Reliefs (18armiger tanzender Shiva, Vishnu als Varaha und Trivikrama u. a.). Die inschriftlich nach 578 n. Chr. datierte Höhle 3 enthält Reste von Wandmalerei im Stil der von Ajanta.

**Baden,** Stadt im schweizer. Kt. Aargau, an der Limmat, 14 000 Ew., das röm. **Aquae Helvẹticae;** Stadtkern mit ma. Gepräge; Stadttor (15. Jh.), spätgot. Rathaus mit Tagsatzungssaal (1497 erneuert), spätgot. Kath. Pfarrkirche (1457–60, barockisiert 17. Jh., klassizist. Inneres); Landvogteischloß (14./15. Jh.). Bäderbezirk v. a. mit Bauten des 19. Jh.

**Baden,** Kurstadt in NÖ, südlich von Wien, 28 200 Ew.; bereits röm. Bad **(Aquae),** im 10./11. Jh. neu gegr.; spätgot. Dekanatskirche (1477, mit roman. Resten), Pfarrkirche mit spätgot. Chor und barockem Langhaus, Hofkirche (mit Resten der ehem. Augustinerklosterkirche von 1285). Die Wahl B.s zur Sommerresidenz des Kaisers FRANZ II. leitete Anf. des 19. Jh. eine rege Bautätigkeit ein (Bäder und Villen um den Altstadtkern, die 1945 zerstörte klassizist. Weilburg u. a.).

**Baden-Baden,** Kurstadt röm. Ursprungs **(Aquae Aurẹliae)** im nordwestl. Schwarzwald, 49 700 Ew. In der ehem. Stiftskirche (spätgot. Halle von 1454) monumentales Kruzifix von N. GERHAERT VON LEYDEN (1467); grch.-orthodoxe Stourdza-Kapelle von L. v. KLENZE (1864–66). Neues Schloß (1479–1689 Residenz der Markgrafen von Baden), im wesentlichen 1573–75 in Renaissanceformen erbaut. Kurhaus von F. WEINBRENNER (1821–24); Trinkhallen von H. HÜBSCH (1839–42); Spielbank mit prachtvollen neubarocken Sälen. Zisterzienserinnenabtei **Lichtental** (1245 gegr., bis 1372 markgräfl. Grablege); in der Fürstenkapelle (1288 ff.) Flügelaltar des Lichtentaler Meisters (1496). Reichhaltige Kunstsamml. (15.–18. Jh.). Oberhalb der Stadt die Ruine **Hohenbaden** (12. Jh.).

**Badenweiler,** Kurort im südl. Schwarzwald, 3700 Ew., ehem. Sitz der Herrschaft Baden. Ausgrabungen des röm. Thermalbades (2./3. Jh.); Ruine der Zähringerburg (1122); Belvedere von F. WEINBRENNER (1811); Kuranlagen (1824–35); Badhaus (1851–53).

**Badia, 1)** [ital. aus lat. ecclesia abbatalis], Abteikirche, Abtei. **2)** [arab.], Wüstenschloß.

**Badoli,** Ort im Udaipur-Distrikt, Indien, mit einer shivait. Tempelgruppe des 9./10. Jhs. im Nagara-Stil Rajasthans.

**Baegert** [b'a:-], Derick, Maler, *Wesel(?) um 1440, ebd. 1476–1515 nachweisbar, arbeitete am Niederrhein und in Westfalen. In seinen mächtigen spätgot. Altartafeln bildete B. den Stil von D. BOUTS weiter.

**HW:** Kreuzigungsaltar (vor 1480; Dortmund, Propsteikirche); Die Eidesleistung (1493/94; Wesel, Rathaus, heute ebd., Niederrhein. Mus.); Passionsaltar (um 1500; Köln, St. Lorenz, heute München, Alte Pinakothek).

**Derick Baegert:** Reitergruppe mit würfelnden Kriegsknechten; Fragment einer Kreuzigungstafel (Castagnola, Sammlung Thyssen-Bornemisza)

**Baen** [ba:n], Jan de, holländ. Maler, *Haarlem 20. 2. 1633, begraben Den Haag 8. 3. 1702, malte elegante höf. Porträts im Stil von A. VAN DYCK und A. HANNEMAN.

**Baer,** Fritz, Maler, *München 18. 8. 1850, †Pasing (heute Teil von München) 20. 6. 1919, war, zunächst unter dem Einfluß der Schule von Barbizon (v. a. J. DUPRÉ, C. TROYON), dem →Paysage intime verpflichtet und schuf später monumentale Hochgebirgslandschaften.

**Baertling,** Olle, schwed. Maler und Bildhauer, *Halmstad 6. 12. 1911, malte zunächst Bilder im Bannkreis des Expressionismus und geriet unter den Einfluß der neoplastizist. Theorie P. MONDRIANS, die er in abstrakten Bildern und geometr. Eisen-, später Stahlkonstruktionen zu dynam., allseitig offenen Diagonalkompositionen weiterentwickelt.

**Baeza** [ba'eθa], Stadt in der span. Prov. Jaén, Andalusien, 15 100 Ew.; Stadtbild des 16. Jh. (der Blütezeit von B.), u.a. Rathaus (1559) mit reicher plateresker Fassade, Renaissancebrunnen (1564) in Form eines Triumphbogens, Palacio de Benavente mit Fassade in vollendetem Isabellinischen Stil, Casa del Pópulo (1540, platereske Fassade); Arco del Pópulo (16. Jh., Renaissance-Stadttor); Kathedrale (urspr. Moschee), nach der Reconquista erneuert (1567–93).

**Bafo,** ein zur Gruppe der Kossi gehörender Stamm im SW des →Kameruner Graslandes, von denen nur einige wenige Holzskulpturen bekannt sind. Die Masken sind in einem strengen, expressionist. Stil konzipiert.

**Baga,** Bantustamm im Küstengebiet der Rep. Guinea, Westafrika; bed. Werke der Holzschnitzkunst, die meist in den Riten des Geheimbundes ›Simo‹ eine Rolle spielen; so bes. die großen ›Nimba‹-Kultfiguren – als Schultermasken getragen (oft bis zu 60 kg schwer) –, die Fruchtbarkeitsgöttinnen darstellen; ferner Marionettenfiguren, große Trommeln, die von Mutterfiguren getragen werden, sowie die den Kopf eines Mischwesens darstellende Verkörperung des Hochgottes Kakilembe.

**Bagamojo, Bagamoyo,** Küstenstadt in Tansania, gegenüber Sansibar, rd. 5000 Ew.; war 1885–96 Hauptstadt von Dt.-Ostafrika. In der Altstadt (geschützt durch Bauveränderungssperre) Gebäude aus arab. Zeit (Fort) und dt. Kolonialzeit (Boma, Zollhaus, Wissmanns Blockhaus). Bei dem 5 km südöstlich gelegenen Kaole Ruinen von Moscheen und Grabreste aus dem 14./15. Jh.

**Bagdad, Baghdad,** Hauptstadt von Irak, am Tigris, 2,8 Mio. Ew. B., schon seit altbabylon. Zeit bekannt (früheste Erwähnung unter HAMMURAPI, 1792–1750 v. Chr.), wurde 762 vom Kalifen MANSUR zur Hauptstadt der Abbasiden erhoben und prächtig ausgebaut. Seine Blütezeit erlebte B. unter dem Kalifen HARUN-AR-RASCHID (786–809) und bis ins 13. Jh. (Herrschaft der Bujiden und Seldschuken). 1258 und erneut 1401 wurde es durch die Mongolen zerstört. Die 1066 gegr. Nisamijja, ehemals Hochburg sunnit. Gelehrsamkeit, ist durch mehrfache Zerstörungen untergegangen. Die 1233 gegr. Medrese Mustansirijja ist seit 1823 als Khan al-Ortma eine Karawanserei mit großem Innenhof und doppelstöckigen Arkaden. – Aus B.s Blütezeit ist wenig erh.: von der abbasid. Stadtmauer ein Torturm, eine Palastruine mit einem schönen Iwan (›Abbasidenpalast‹, erbaut 1179), die Marjan-Moschee (1356) mit einem prächtigen Portal, der Chan Marjan (1358), in dem sich heute das Arabisch-Islam. Mus. befindet, und das 1202 erbaute Mausoleum mit hoher Mukarnaskuppel, der Legende nach mit dem Grab der Zubaida, der Lieblingsfrau des Kalifen Harun ar-Raschid. Die ›Goldene Moschee‹ in der Vorstadt Kadhimain mit den Grabmälern des 5. und 6. Imams der Schiiten ist ein bed. Wallfahrtsort. Ihre Kuppeln und Minarette sind, wie die aller Gräber schiit. Imame, vergoldet. Im Irak-Mus. bed. Sammlungen, v. a. Funde der altoriental. Kultur.

**Bagh,** buddhist. Höhlenanlage im westl. Zentralindien aus dem 5.–6. Jh. Die ehem. zahlreichen, heute z. T. verfallenen Viharas enthalten Wandmalereien der Buddhalegende (v. a. Höhle 2 und 4) und einige Reliefplastiken (Höhle 2), ähnlich der Kunst von Ajanta.

**Baglione** [baʎ'o:ne], Giovanni, ital. Maler und Kunstschriftst., *Rom um 1573, †ebd. 1644, beeinflußt durch die Kunst CARAVAGGIOS, schuf Fresken und Altarbilder in röm. Kirchen; schrieb ein als Quellensamml. wichtiges Werk über die Künstler seiner Zeit (›Le Vite de' Pittori...‹, 1642).

**Baglioni** [baʎ'o:ni], Bartolomeo d'Agnolo B., gen. **Baccio d'Agnolo** [b'attʃo d'aɲolo], ital. Baumeister und Holzschnitzer, *Florenz 1462, †ebd. 1543, schuf Palast- und Villenbauten der florentin. Hochrenaissance (Palazzo Bartolini, 1520; Palazzo Ginori; Villa Castellani) sowie das Chorgestühl in S. Maria Novella (1491–96).

**Bagnaia** [baɲ'a:ja], Städtchen in Mittelitalien (PROV. Viterbo), mit der **Villa Lante** (seit 1566 von G. DA VIGNOLA umgebaut), bestehend aus zwei gleichartigen Gebäuden mit Loggien (Casino Gambara mit Fresken von A. TEMPESTA und Casino Montalto mit Fresken von CAVALIER D'ARPINO). Im geometrisch angelegten Garten die ›Fontana di Quadrato‹ (Brunnen von T. LANDINI, Ende 16. Jh.); hinter den Casinos u. a. die Wassertreppe (›Catena‹), Brunnen der Lichter (mit 70 Fontänen), der Delphine und der Giganten, Neptun- und Venusgrotte, Festtafel des Kardinals Gambara.

**Bahmani-Dynastie,** im 14. Jh. von ZAFAR KHAN gegr. islam. Dynastie im Deccan, Indien; →Bidar.

**Bahnhofsgebäude,** das Empfangsgebäude einer Bahnstation. Es besteht aus einem meist riegelartigen Baukörper mit Empfangshalle und Nebenräumen, an den sich die Halle mit den Bahnsteigen, meist in ingenieurmäßiger Konstruktion, anschließt. Das B. war im 19. Jh. ein einflußreicher städtebaul. Entwicklungsfaktor. Ab 1866 wurde der städt., klassizist. Bahnhofstyp, oft in Form einer Villa oder eines Landschlosses, abgelöst von großvolumigen Anlagen, die dem gestiegenen Verkehrsaufwand Rechnung trugen. Anstelle einer Halle traten mehrschiffige, oft basilikale Anlagen. Gegen Ende des 19. Jh. entstanden die großen Bahnhofsneubauten von Berlin, Frankfurt a. M., Köln und Hamburg. Bis zum Ende des 19. Jh. war ein Spannungsverhältnis zw. der Architektur der repräsentativen, dem Burgen- und Schloßbau verpflichteten Empfangsgebäude und den nüchternen ingenieurmäßigen Konstruktionen der Hallen festzustellen. Heute werden unter Verwendung von Stahl und Spannbeton Baulösungen angestrebt, die funktionellen, gestalter. und städtebaul. Anforderungen gerecht werden (Rom, Stazione Termini).

U. KRINGS: Dt. Großstadt-Bahnhöfe des Historismus (1981).

**Georg Bähr:** Grundriß der Frauenkirche in Dresden (lichte Weite der von acht Pfeilern getragenen Kuppel 23,5 m)

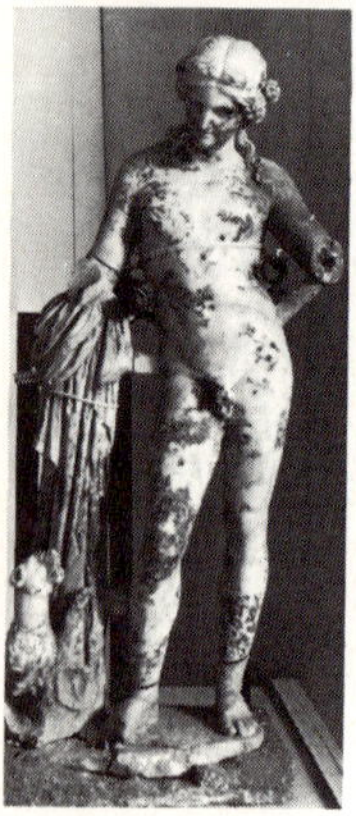

**Baia:** Statue des Dionysos; 1. Hälfte des 1. Jh. n. Chr.

**Bähr, Baehr,** George, Baumeister, *Fürstenwalde 15. 3. 1666, †Dresden 16. 3. 1738, schuf 1726–38 als Ratszimmermeister ebd. nach mehreren Vorstufen (Kirchen in Schmiedeberg, 1713–16, Forchheim bei Lengefeld/Erzgebirge, 1719–26, Hohnstein, 1725) als bedeutendste protestant. Predigtkirche in Dtl. die Dresdner Frauenkirche (1726–34; 1945 zerstört), ein Zentralbau mit Kuppel (völlig aus Stein), innen mit Emporen. Sie bildete das städtebaul. Wahrzeichen Dresdens und wurde 1945 zerstört. Unter B.s Profanbauten ragte das kraftvolle Palais de Saxe (um 1720, zerstört) hervor.

**Bahrain,** Inselgruppe im Pers. Golf mit bis ins 3. Jahrtsd. v. Chr. zurückreichender Besiedlung; B. stand in Kontakt mit Mesopotamien. In den letzten Jahren sind v. a. die Gräberfelder mit Tausenden von Tumuli, eigenständigem Kunsthandwerk und Keramik untersucht worden (→Tilmun, →Golf-Kultur).

**Baia,** Ort am Golf von Neapel, westlich von Pozzuoli (Italien), war in der Antike als **Baiae** Zentrum röm. Badelebens (Thermalquellen und Seebad) der frühen Kaiserzeit; erh. sind v.a. 3 Thermen-Kuppelsäle. Durch Ufersenkung liegt die Uferzone der Antike unter Wasser; dort Skulpturenfunde seit den 60er Jahren des 20.Jh., u.a. Figuren einer Polyphemgruppe, Statuen des Dionysos, der Antonia und der kindl. Octavia (Mutter und Tochter des Kaisers CLAUDIUS). 1954 wurden bei Freilegung einer Thermenanlage über 400 Fragmente röm. Gipsabgüsse grch. Skulpturen aus dem 5./4. Jh. v. Chr. gefunden.

**Bailly** [baj'i], David, holländ. Maler, *Leiden 1584, †ebd. 1657, reiste 1608–1613 durch Dtl. und Italien, schuf Bildnisse in scharfer physiognom. Charakteristik, Stilleben und sorgfältige Federzeichnungen.

**Bakema,** Jacob Berend, niederländ. Architekt, *Groningen 8. 3. 1914, †Rotterdam 20. 2. 1981, arbeitete seit 1948 zus. mit J. H. VAN DEN BROEK und war 1956 Gründungsmitgl. des →Team X.

**HW:** Wohnbauten in den Niederlanden, Berlin (West) und Hamburg, Stadt- und Regionalplanungen (Poldergebiet, Fußgängerbereich Lijnbaan in Rotterdam, 1946–55; Rathaus Marl, 1958–65).

J. JOEDICKE: Architektur u. Städtebau ... (1963); J. H. VAN DEN BROEK und J. B. B.: Architektur-Urbanismus (1976).

**Bakker Korff,** Alexander, niederländ. Maler, *Den Haag 31. 8. 1824, †Leiden 28. 1. 1882, malte zunächst bibl. und histor. Themen mit lebensgroßen Figuren, später kleinformatige, minuziöse Genrebilder (meist Damengesellschaften im Salon).

**Bakst,** Leon, eigtl. Lew Samojlowitsch **Rosenberg,** russ. Maler, Bühnenbildner und Regisseur, *St. Petersburg 10. 5. 1866, †Paris 28. 12. 1924, wurde von A. BENOIS in die Künstlergruppe →Mir Iskusstwa eingeführt. Nach seinem Parisaufenthalt 1893–96 wurde er zum Hofmaler für Wand- und Festdekorationen in St. Petersburg ernannt. Der Höhepunkt seiner raffinierten Bühnen- und Ballettausstattungen entstand in Zusammenarbeit mit dem Impresario S. DIAGHILEW zw. 1909 und 1914 in Paris für die ›Ballets Russes‹ (Entwürfe im Mus. d'Art Décoratif ebd.).

**baktrische Kunst,** die Kunst der hellenist. Staaten im heutigen Afghanistan und S-Usbekistan nach Befreiung von den Seleukiden im 3./2. Jh. v. Chr. Städte wie Baktra (→Balch) und →Ai Chanum mit Palast- und Tempelanlagen zeigen Vermischungen von grch. und iran. Elementen; relig. Einflüsse aus Indien führten zur frühesten Abbildung hinduist. Götter überhaupt. Auswirkungen der b. K. reichten bis nach Gandhara (Tempel von Jandial bei Taxila, Münzbilder der Saka-Dynastie und der Kushana-Dynastie).

**Baku,** Hauptstadt der Aserbaidschan. SSR, am Kasp. Meer, 1,03 Mio. Ew. Die Stadt von amphitheatraler Anlage mit Stadtmauern des 13. Jh. war seit dem 15. Jh. Residenz der Chane von Schirwan. In der Festung der Chanspalast (14.–15. Jh.), Mausoleen, Moschee und Synyk-Kala-Minarett (1078–79), Kys-Kalassy-Turm (12. Jh.). Die Türbe wurde um 1435 errichtet. Architekturmus., Aserbaidschan. histor. Mus., Staatl. Kunstmus.

**Balakrishna,** der als Knabe dargestellte Krishna in der ind. Kunst; bes. südind. Bronzen zeigen ihn tanzend und kniend.

**Balarama,** auch **Samkarshana,** hinduist. Gott, Ältester der Panchaviras und 8. Manifestation →Vishnus, wird als Verkörperung der mytholog. Weltenschlange Shesha mit einer Haube aus Schlangenleibern dargestellt. Seine Attribute sind Pflug (Hala), Mörserkeule und Weinbecher. Bereits um 175 v. Chr. wurde B. mit seinem jüngeren Bruder Vasudeva-Krishna auf Münzen von Ai Chanum abgebildet; eine Steinskulptur der Mathura-Kunst um 100 v. Chr. gilt als das älteste erh. Kultbild der hinduist. Kunst.

N. P. JOSHI: Iconography of B. (New Delhi 1979).

**Balawat,** Ruinenhügel der assyr. Stadt **Imgur-Enlil,** südöstlich von Mosul, Irak (KARTE Alter Orient). Teilweise ausgegraben wurde ein Palast aus neuassyr. Zeit und ein Tempel des Gottes Mamu. Bronzebänder (27 cm hoch) von 3 Toren geben in getriebener und geritzter Darstellung Kriegszüge und kult. Szenen aus der Regierungszeit des ASSURNASIRPAL II. (883–859 v. Chr.) und SALMANASSAR III. (858–824 v. Chr.) wieder (jetzt in London, Brit. Mus. und Mosul, Archäolog. Mus.).

**Balch, Balkh** [-x], heute **Wazirabad,** Stadt in N-Afghanistan, rd. 3000 Ew. In der Antike hatte B. große Bedeutung als Hauptstadt **(Baktra)** der hellenist. Königreiche Baktriens, im MA. unter den Abbasiden (Ruine einer Moschee, 9. Jh.) und Samaniden; erlitt große Zerstörungen durch die Mongolen unter DSCHINGIS CHAN, später durch TIMUR und erlangte unter dessen Nachfolgern eine neue Blüte: Mausoleum (1462) des Sufi-Heiligen ABU NASR PARSA, mit prächtiger blaugrüner Kuppel.

**Baldachin** [ital. baldacchino ›kostbarer Seidenstoff aus Bagdad‹] *der,* **1)** Traghimmel aus Stoff, der an 4 Stäben befestigt ist, zuerst bei oriental. Herrschern als

Schirmdach zum Zeichen ihrer Würde, dann auch bei hohen Würdenträgern. **2)** die Überdachung des Thrones. **3)** die seit roman. Zeit bekannte, von Säulen getragene Überdachung eines Altars (auch **Ciborium** oder **Tabernakel**) oder eines Grabmals **(B.-Grabmal),** ferner das in der Gotik übl. Schutzdach über einer Statue, das mit seinem Aufbau dieser einen eigenen Raum schafft (**Statuen-B.**; BILD Bamberg).

**Baldassare Estense,** ital. Maler aus Reggio Emilia, in der 2. H. des 15. Jh., bes. in Ferrara als Hofmaler der ESTE tätig; zu seinen Lebzeiten v. a. als Porträtmaler geschätzt; nur wenige seiner Werke sind bisher mit Sicherheit zu identifizieren.

**Baldovinetti,** Alessio, ital. Maler, *Florenz vermutlich 14. 10. 1425, †ebd. 28. oder 29. 8. 1499, beeinflußt von DOMENICO VENEZIANO und der florentin. Frührenaissance, malte Wand- und Tafelbilder von erlesenem Farbgeschmack und subtiler Linienführung.

**HW:** Verkündigung an Maria (1470; Florenz, Uffizien); Geburt Christi (Fresken, 1460–62; ebd., Vorhof der Santissima Annunziata); Dreieinigkeit mit 2 Heiligen (Altarbild, 1470–71; ebd., Gal. dell'Accademia).

**Balduccio** [bald'uttʃo], Giovanni di, ital. Bildhauer, →Giovanni di Balduccio.

**Baldung,** Hans, gen. **Grien,** Maler, Zeichner, Kupferstecher, *Schwäbisch Gmünd 1484/85, †Straßburg 1545, war 1504–07 Schüler A. DÜRERS in Nürnberg. 1509 erwarb B. das Bürgerrecht in Straßburg, arbeitete 1512–17 in Freiburg i. Br. (Hochaltar des Münsters)

**Hans Baldung:** Hexen; Hell-Dunkel-Holzschnitt; 1510

und lebte dann bis zu seinem Tod in Straßburg. – Sein Werk wird von der oberrhein. Tradition (M. SCHONGAUER) wie von Dürer bestimmt, seine allegor. und mytholog. Bilder sind jedoch im Kolorit leuchtender. In ihrer Sinnenfreude wird – jenseits der spätgot. Tradition – bereits die Weltoffenheit der Renaissance deutlich; andererseits zeigen sie z. T. auch eine dämon. Phantasie (Hexenszenen, Totentanz-Themen). Ein fast antikischer Schönheitssinn äußert sich v. a. in den gelösten Rhythmen seiner Zeichnungen. Seine ausdrucksvollen Holzschnitte (BILD) gehören in ihrer Formphantasie zu den bedeutenden Leistungen der dt. Graphik. Meisterhaft sind auch seine Porträts. In ihrem künstler. Rang sind die rd. 250 Zeichnungen und rd. 75 Einblattholzschnitte B.s nahezu mit den Werken Dürers vergleichbar.

**HW:** Dreikönigsaltar (1507; Halle(?), Stiftskirche, heute: Berlin-West, Staatl. Museen); Sebastiansaltar (1507; Halle(?), Stiftskirche, heute: Nürnberg, German. Nat.-Mus.; BILD Assistenzfiguren); Ruhe auf der Flucht (um 1513, 2 Fassungen: Wien, Gemäldegal. der Akad. der Bildenden Künste, und Nürnberg, German. Nat.-Mus.); Hochaltar mit Marienkrönung (1512–16; Freiburg i. Br., Münster); Beweinung Christi (um 1515; Berlin-West, Staatl. Museen); Der Tod und das Mädchen (1517; Basel, Kunstmus.); Der Tod und die Frau (1517; ebd.); Zwei Hexen (1523; Frankfurt a. M., Städelsches Kunstinstitut); Geburt Christi (1520; München, Alte Pinakothek); Allegorie der Musik (1529; ebd.); Allegorie der Eitelkeit (1529; ebd.); Herkules und Antäus (1531; Kassel, Staatl. Gemäldegal.); Adam und Eva (um 1528; Lugano, Sammlung Thyssen-Bornemisza); Kreuzigung Christi (1536; Aschaffenburg, Staatsgemäldesamml.); Noli me tangere (1539; Darmstadt, Hess. Landesmus.). – Porträts: Graf Ludwig zu Löwenstein (1513; Berlin-West, Staatl. Museen); Pfalzgraf Philipp (1517; München, Alte Pinakothek); Christoph I. von Baden (1515; ebd.). – Hexen (1510; Hell-Dunkel-Holzschnitt); Wilde Pferde (1534; 3 Holzschnitte).

H. B. G., Ausst.-Kat., Karlsruhe (1959); Meister um A. Dürer, Ausst.-Kat., Nürnberg (1961); M. OLDENBOURG: Die Buchholzschnitte des H. B. G. (1962, Bibl.); G. BUSSMANN: Manierismus im Spätwerk H. B.s (1966); M. MENDE: H. B. Das druckgraph. Werk (1978).

**Balen** [b'a:lə], Hendrik van, fläm. Maler, *Antwerpen 1575, †ebd. 17. 7. 1632, schuf Altargemälde und kleine vielfigurige Historienbilder im Stil des Romanismus, auch Staffagen in Bildern von J. BRUEGEL D. Ä., L. VAN UDEN, J. WILDENS u. a. B. war Lehrer von A. VAN DYCK.

**Balestra**, Antonio, ital. Maler und Kupferstecher, *Verona 12. 8. 1666, †ebd. 21. 4. 1740, von seinen Zeitgenossen als Maler wie als Lehrer hochgeschätzt; seine für zahlreiche Kirchen in Venetien gemalten Altarbilder weisen ihn als gewandten Eklektiker aus.

**balinesische Kunst,** →indonesische Kunst.

**Balke,** Peder, norweg. Maler, *Helgøy (Hedmark) 4. 11. 1804, †Oslo 15. 2. 1887, studierte in Stockholm, 1843–44 Schüler von J. C. DAHL, malte v. a. dramatisch gestimmte nordnorweg. Landschaften, die in ihrer dekorativen Wirkung an japan. Landschaftsschilderungen erinnern.

**Balkenkopf,** Baukunst: das in oder auf einer Wand aufliegende Balkenende. Im Fachwerk wird der B. meist durch Verzierung in Form von Schnitzereien und farbiger Fassung als schmückendes Element hervorgehoben.

**Balkon,** nicht überdeckte Auskragung in den Geschossen eines Hauses, die durch Konsolen abgefangen sein kann, auch im Innern von Gebäuden, z. B. in Sälen und Theatern, mit Geländer oder Brüstung an den freien Seiten. Wird seine Last durch Stützen oder Mauern zum Boden abgetragen, spricht man von einem →Altan. Der B. hat reine Nutzfunktion und ist ein gliedernder Bauteil in der Fassaden- oder Innenraumgestaltung. – B. aus dem 1. Jh. sind in Pompeji erhalten. Seit dem 11. Jh. begegnen sie an Burgen; in Dtl. wurden sie im 14. Jh. in den Wohnbau übernommen.

**Ball** [bɔːl], Thomas, amerikan. Bildhauer, *Charlestown (Massachusetts) 3. 6. 1819, †Montclair (New Jersey) 11. 12. 1911, lebte längere Zeit in Florenz, schuf v. a. Denkmäler (›Daniel Webster‹, 1876; New York, Central Park) und Porträtbüsten.

**Balla,** Giacomo, ital. Maler und Innenarchitekt, *Turin 18. 7. 1871, †Rom 1. 3. 1958, ältestes Mitgl. der futurist. Bewegung, begegnete 1900 in Paris dem Divisionismus und übernahm dessen Auflösung der Realität in Farbpunkte. B. war 1910 Mitunterzeichner des ›Futuristischen Manifests der Malerei‹, das ›die Schönheit der Geschwindigkeit‹ als Ausdruck der modernen Welt, die ›dynamische Empfindung selbst‹ zum Thema der Malerei machte. Das führte zur Zerlegung des Motivs in simultane Bewegungsabläufe (›Hund an der Leine‹, 1912; New York, Mus. of Modern Art), dann zu Bildern mit kosm. Strahlungen, die sich der reinen Abstraktion nähern (›Merkur zieht an der Sonne vorüber‹, 1914; Mailand, Samml. Mattioli). B., der das futurist. Prinzip der Bewegung, anders als U. BOCCIONI, als filmische Simultaneität verstand, hielt auch noch in den 1920er Jahren am Futurismus fest, bevor er um 1930 zur gegenständl. Malerei zurückkehrte.

G. B.-G. LISTA: B. Oeuvre-Kat. (Modena 1982).

**Balleisen, Drehmeißel, Flachmeißel,** Werkzeug für Holzbildnerarbeiten, →Bildhauereisen.

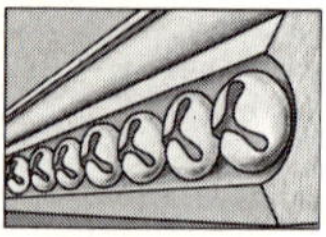

Ballenblume

**Ballenblume,** Baukunst: Ornamentform, bestehend aus perlartig in Hohlkehlen aneinandergereihten Knospen in Portalgewänden und Gesimsen des 14. Jh., v. a. in England.

**Ballenstedt,** Stadt am N-Rand des Unterharzes, Dt. Dem. Rep., 9900 Ew., 1765–1863 Residenz der Linie Anhalt-Bernburg; ehem. Benediktinerkloster (1123 bis 1525), in mehreren Abschnitten zum Schloß umgebaut (Hauptbauzeit 1. H. 18. Jh.), Westbau und Teile der Krypta im N-Flügel sowie Reste der roman. Klausur im W-Flügel des Schlosses erh.; spätgot. ehem. Amtshaus, spätgot. Nikolaikirche (um 1500).

**Ballhaus,** urspr. eine Halle für Ballspiele (Jeu de Paume, Vorläufer des Tennisspiels), bes. an Höfen und Univ.; seit dem späten 18. Jh. v. a. für große Festlichkeiten genutzt.

**Ballin** [bal'ɛ̃], Claude d. Ä., frz. Goldschmied, *Paris um 1615, †ebd. 22. 1. 1678, schuf zahlreiche Silberarbeiten (Tische, Tafelgerät, Degen und Brustharnisch) für LUDWIG XIV., die aber zum großen Teil zur Begleichung von Kriegskosten eingeschmolzen wurden. Bei den Arbeiten seines Neffen Claude d. J. (*1661, †1764) tritt das Ornament zugunsten des figürl. Schmucks zurück.

**Ballspielplätze** sind aus ganz Mesoamerika in unterschiedl. Gestaltung bekannt: I-förmige, T-förmige oder einfach rechteckige Flächen, die hohe steile, sanft ansteigende oder gar keine Seitenbegrenzungen haben können. Darstellungen der B. und der Spieler gibt es in den zentralmexikan. Bilderhandschriften, auf Maya-Keramik und auf Reliefs (z. B. El Tajín, Cozumalhuapa).

**Balsame** [hebr.], natürl. Gemische von ätherischen Ölen und →Harzen best. Nadelbäume; i. Ggs. zu den Gummen (→Gummi) sind sie nicht wasserlöslich. Als Zusatz zu Malölen beeinflussen sie Glanz und Verlauf der Malfarben.

**Baltard** [balt'a:r], Victor, frz. Architekt, Denkmalpfleger und Stadtbaumeister, *Paris 10. 6. 1805, †ebd. 13. 1. 1874, baute mit F.-E. CALLET (*1791, †1854) die Halles Centrales in Paris (1852–59), für die er zum ersten Mal bei einem Großbau Eisenkonstruktion verwendete. HW: Kirche St. Augustin in Paris (1860–71; Kuppeln mit Eisenkonstruktion).

**Balten** [b'altə], Pieter, fläm. Maler, *Antwerpen um 1525, †1598; seit 1540 in Antwerpen nachweisbar; war zunächst Vorläufer, später Nachahmer von P. BRUEGEL d. Ä.

**Balthus** [balt'ys], eigtl. Balthazar **Klossowski de Rola,** frz. Maler, *Paris 29. 2. 1908, begann, obgleich Sohn ei-

**Balthus:** Le Salon; 1941–43 (Minneapolis Institute of Arts, John R. Van Derlip and William Hood Dunwoody Funds)

ner Malerin, als Autodidakt. In den 1930er Jahren stand B. dem Surrealismus nahe und veröffentlichte Illustrationen für A. BRETONS Ztschr. ›Minotaure‹. Seine Bilder junger Mädchen, Darstellungen von hintergründiger Erotik und geheimnisvoller Poesie, machen ihn zu einem bed. Einzelgänger der figürl. Malerei im 20. Jh. Er entwarf auch Bühnenbilder und illustrierte einen Roman von EMILY BRONTË.

J. LEYMAIRIE: B. (1978).

**Baltimore** [b'ɔ:ltımɔ:], Stadt in Maryland, USA, an der Chesapeake Bay, 878 000 Ew., im 18. Jh. angelegt; Washington Monument in Form einer 54 m hohen dorischen Säule (1815–42). Die ›Walters Art Gal.‹ (1906) hat reiche Bestände aus allen Epochen und Erdteilen (Schwerpunkt: Kunstgewerbe, Porzellan), das ›B. Mus. of Art‹ reiche Samml., darunter europ. und amerikan. Malerei (u. a. Werke von REMBRANDT, A. VAN DYCK, CANALETTO, V. VAN GOGH, H. MATISSE). Die Basilica of the Assumption (1806–21 nach Plänen von B. H. LATROBE) war die erste kath. Kirche in den USA. Das 1813 von R. C. LONG gebaute Peale Mus. (1830–75 als Rathaus benutzt, seit 1931 als Mus. wiederhergestellt) ist eine der ältesten Kunstsamml. Amerikas.

**Baluschek,** Hans, Maler, Zeichner und Illustrator, *Breslau 9. 5. 1870, †Berlin 27. 9. 1935, war Gründungsmitgl. (und seit 1913 im Vorstand) der Berliner →Sezession, malte v. a. nach Motiven aus dem nüchternen Milieu der Berliner Vorstadt.

Balustrade

**Baluster** [frz.], Baukunst: gedrungenes, säulenartiges Stützglied an einer Brüstung oder einem Geländer aus Stein oder Holz von rundem oder polygonalem Querschnitt. Der hölzerne B. wird auch Docke gen. Mehrere B. ergeben die Balustrade.

**Balustrade** [frz.], Baukunst: Geländer an Treppen, Balkonen, Brücken, auch Dachabschluß, bestehend aus Balustern, oft durch Pfeiler rhythmisiert. Häufig in Renaissance und Barock, lebt sie im Historismus des 19. und 20. Jh. wieder auf.

**Bam,** Oasenstadt in S-Iran, rd. 20 000 Ew., von den Sassaniden (224–642) gegr.; 642 besetzten die Araber B. und errichteten um 650 die Hazrat-i-Rasul-Moschee, deren mit Gräbern übersäte Ruine noch steht. Die mehrfach im 10. Jh. erwähnte grandiose Festung muß in ihren Anfängen schon in der 2. H. des 9. Jh. (Saffariden) existiert haben. Aus dieser Zeit stammt auch die Arg-Moschee, deren Gewölbe zwar zerbrochen ist, die aber noch ihre Mauern und einen Bogen des alten Michrab besitzt. Die gesamte umwallte Stadt umfaßt ein Gebiet von 425 m (O–W) × 300 m (N–S).

**Bamako,** Hauptstadt der Rep. Mali, Westafrika, am Niger, 440 000 Ew., Nat.-Mus. (traditionelle afrikan. Kunst).

**Bambara:** hölzerner Maskenaufsatz in Antilopengestalt (Privatsammlung)

**Bambara, Banmana,** Volk am Oberlauf des Niger im SW der Rep. Mali um die Stadt Ségou, etwa 1 Mio. Menschen, zu den Mande gehörig. Die Kunstschöpfungen der B. zählen zu den bedeutendsten der westsudan. Stilregion, ihre →Eisenplastiken neben denen der

Dogon zu den wichtigsten Schwarzafrikas überhaupt. Die Holzschnitzkunst konzentriert sich v. a. auf Ahnenfiguren, versch. Maskentypen, die bei den Riten der insgesamt 6 Initiationsvereinigungen getragen werden, und auf die Antilopen-Tanzaufsätze (›Tjiwara‹), die abstrakt, naturalistisch und manieristisch gestaltet sein können. Daneben werden Marionettenfiguren und -köpfe sowie Kultfiguren (›Boli‹) in zoomorpher Gestalt aus einem mit Lehm, Honig und geronnenem Blut überzogenem Gerüst aus Peddigrohr gefertigt.

**Bamberg,** Stadt in Oberfranken, Bayern, 74100 Ew.; seit 1007 kath. Bischofssitz, eine der wertvollsten Kunststädte Dtl.s. Das ›bürgerliche‹ B. liegt auf einer Regnitz-Insel (›Klein-Venedig‹), das ›geistliche‹ B. erstreckt sich auf Höhen im W. Der spätstauf. Dom (1237 gew.), eine viertürmige, doppelchörige Gewölbebasilika, hat 3 qualitätvolle Portale (Gnaden-, Adams- und Fürstenpforte); die Bauplastik verweist auf Reims; im Innern berühmte Kunstwerke (Bamberger Reiter, Ecclesia und Synagoge, Grabmal des Bischofs Friedrich von Hohenlohe, †1352, vom WOLFSKEHLMEISTER, Hoch-

**Bamberg:** Bamberger Reiter, um 1230–40

grab des Kaiserpaares Heinrich II. und Kunigunde von T. RIEMENSCHNEIDER, Marienaltar des V. STOSS). Ehem. Benediktinerklosterkirche St. Michael (gegr. 1015, gew. 1121) mit bemerkenswerter Gewölbedekoration aus dem frühen 17. Jh. (Herbarium), Fassade und Klostergebäude barock. St. Jakob (gew. 1072 und 1109), frühroman. Säulenbasilika mit Barockfassade. Karmeliterkloster und -kirche St. Theodor (seit 1692 Barockumbau durch J. L. DIENTZENHOFER) mit Kreuzgang (2. H. 14. Jh.). Obere Pfarrkirche (1338 beg.) mit großartigem spätgot. Chor. St. Martin (1686–93 von G. und J. L. Dientzenhofer, Fresken von G. F. MARCHINI) mit Fassade im röm. Frühbarockstil. St. Stephan (17. Jh.); St. Gangolph (12.–18. Jh.). Alte Hofhaltung mit Resten der Königspfalz, maler. Fachwerkkomplex (spätgotisch/ Renaissance) mit Histor. Mus. (Kunst des Fürstbistums B.); Neue Residenz (1695–1784), ein HW von J. L. Dientzenhofer (Stilräume und Staatsgemäldegal.). Im 1730–33 von B. NEUMANN errichteten Kapitelhaus das Diözesanmus. mit Domschatz und ma. Gewändern (Kaisermäntel); zahlreiche Domherrenkurien, Klosterhöfe, Kapitel- und Spitalbauten (vorwiegend 18. Jh.), Brückenrathaus (15./18. Jh.) mit Fassadenmalerei; Wasserschloß Concordia (1715–22); Böttingerhaus (1713 voll.), das schönste Bürgerhaus des dt. Barock.

**Bamberger,** Fritz, Maler, *Würzburg 17. 10. 1814, †Neuenhain (heute Bad Soden) 13. 8. 1873, schuf, von C. ROTTMANN beeinflußt, effektvolle Darstellungen der span. Landschaft, die er auf mehreren Reisen studierte.

**Bamberger Apokalypse,** ma. Handschrift, HW der →Reichenauer Malerschule nach 1000 (Bamberg, Staatsbibl.). 1020 stiftete HEINRICH II. die B. A. dem Kollegiatkapitel St. Stephan (Dom) zur Kirchweihe. Die Hs. ist reich ausgestattet mit 50 z. T. ganzseitigen Miniaturen auf Goldgrund von großer stilist. Prägnanz und Einheitlichkeit. Die Bilder stehen in der Tradition der →Beatus-Apokalypsen und sind im spezif. Stil der Liuthar-Gruppe gehalten. Angebunden ist dem Werk

**Bamberger Apokalypse:** Der Engel mit dem Mühlstein, nach 1000, Reichenauer Malerschule (Bamberg, Staatsbibliothek)

ein Perikopenbuch, dem ein Kaiserbild Heinrichs II. vorangeht.

A. FAUSER: Die B. A. (Faks., 1958).

**Bambocciate** [-ttʃ'ate, ital.], **Bambocciade** *Mz.*, Bilder aus dem Volks- und Bauernleben, benannt nach dem Spottnamen **Bambọccio** (›Knirps‹) des holländ. Malers Pieter van →Laer, durch den Bilder dieser Art in Italien zuerst bekannt wurden.

**Bambus,** schnellwachsende, verholzende Grasgattung. In der chines. und japan. Malerei, bes. in der →Tuschmalerei, häufiges Motiv als Symbol für schlichte Schönheit und tugendhafte Beständigkeit.

**Bamiạn, Bamiyạn,** Stadt in Afghanistan, etwa 50000 Ew., im Hindukusch an der ehem. Handelsstraße von Indien nach Zentralasien, wohin die Kunst von B. ausstrahlte. B. war vom 3.–7. Jh. eine in ganz Asien bekannte buddhist. Klostersiedlung. In den senkrechten Felshang wurden im 5./6. Jh. zwei 53 und 35 m hohe Buddhastatuen als versenkte, fast rundplast. Reliefs eingemeißelt. Ihre Nischen sowie die zahlreichen Kult- und Wohnhöhlen für mehr als 1000 Mönche tragen Freskomalereien auf Lehmputz in indisch-iran. Stil. Einige Höhlen sind überkuppelt, andere zeigen Imitationen hölzerner Laternendecken.

**Bamilẹke,** die größte Stammesgruppe im →Kameruner Grasland, etwa 700000 Menschen. Die B. haben in ihrer Kunst einen bes. expressiven Stil entwickelt, der sich in Porträtstatuen, Zauberfiguren, Tier- und Menschenmasken sowie vielfältigem Kultgerät äußert und, bes. im W **(Bangwa-Gruppe),** über die Geheimbünde auch viele künstler. Beziehungen zu den nachbarl. Gruppen der Anyang, Ekoi, Keaka u. a. aufweist.

**Bamileke:** Männliche Porträtstatue aus schwarz-braun patiniertem Holz, 96 cm hoch (Privatsammlung)

**Bamum,** Stammesgruppe im →Kameruner Grasland, etwa 100000 Menschen. Trotz der Islamisierung haben sie ihre alten Glaubensvorstellungen weitgehend beibehalten; deren künstler. Äußerungen, v. a. in Form von Masken u. a. Kultgerät, sind eine Symbiose mit der höf. Kunst eingegangen, die sich bes. unter Sultan NJOYA reich entfalten konnte. →Njoya, der um 1900 lebte und die **Bamum-Schrift** entwickelte, zog zahlreiche Handwerker an seinen Hof in →Foumban, die neben Holzschnitzerei (Masken, Trommeln, Eingangspfosten, Hofmobiliar), Glasperlenarbeiten und Töpferei (Pfeifen, Gefäße) v. a. den Guß nach der ›verlorenen Form‹ (→Bildguß) pflegten (schon vor der Ankunft der Europäer bekannt). Njoya führte den im Grasland geübten Brauch ein, an Günstlinge kunstvolle Tabakspfeifen (aus Holz, Ton und Bronze, selten aus Stein) zu verschenken. (BILD S. 248; WEITERES BILD afrikanische Kunst)

**Banạsa,** Ruinenstadt in NW-Marokko, 65 km nordöstlich von Kenitra. Innerhalb der röm. Stadtmauer (1,1 km Umfang) 3 röm. und 3 vorröm. Bauschichten (3. Jh. v. Chr. – 3. Jh. n. Chr.); gepflastertes Forum, Kapitol mit 6 Cellae und Rednertribüne, Eingangstor der Basilika; mehrere gut erh. Thermenanlagen, u. a. W-Thermen mit großem Saal (weiße Marmorfliesen), Freskenthermen mit schönen Mosaikböden (geometr.

**Bamum:** Thron des Königs Njoya; Holz mit Perlen bezogen (Berlin-West, Museum für Völkerkunde)

und Akanthusornamente, Amoren, Trinkgefäße) auf Ziegelstützen; versch. Wohn- und Lädenviertel; Markthalle mit Mosaikböden in den Galerien.

**Banco,** Nanni di, ital. Bildhauer, →Nanni di Banco.

**Bande,** Ort in der nordwestspan. Prov. Orense, nahe der portug. Grenze; im Ortsteil **Baños de B.** [b'aɲɔs-] die Kirche S. Colombo, eine der seltenen westgot. Kirchen des 7. Jh. (kreuzförmige Anlage, 2 Kapitelle mit geometr. Muster erh.).

**Bandel,** Ernst von, Bildhauer, *Ansbach 17. 5. 1800, †Neudeck bei Donauwörth 25. 9. 1876, bildete sich in München zunächst als Architekt, seit 1820 als Maler und Bildhauer aus und war 1825–27 in Italien. In Berlin (seit 1834) nahm B. den Stil von G. SCHADOW und C. D. RAUCH auf. Sein ganzes Leben beschäftigte ihn der Gedanke eines monumentalen dt. Nationaldenkmals, das er im Hermannsdenkmal ausführte.

E. v. B., das Hermannsdenkmal u. a. Arbeiten, Ausst.-Kat., Hannover (1976, mit Beiheft: E. v. B., 1800–1876, Bildhauer in Hannover).

**Bandelwerk**

**Bandelwerk, Bandlwerk,** dt. Abart einer kurz vor 1700 in Frankreich (von J. BÉRAIN D. Ä.) entwickelten Ornamentform, die, vielfältig gebrochen und verschlungen, in Verbindung mit begleitenden Ranken als Flächenfüllung diente.

**Banderole** [ital.-frz.], →Spruchband.

**Bandinelli,** Baccio, ital. Bildhauer, *Florenz 12. 11. 1493, †ebd. 7. 2. 1560, bildete sich bes. nach MICHELANGELO, den er zu überbieten suchte. Seine manierist. Werke, z. T. unvollendet, sind von unterschiedl. Qualität. Am bedeutendsten war B. als Zeichner.

HW (alle in Florenz): Kolossalgruppe Herkules und Cacus vor dem Palazzo Vecchio (1530–34); 88 Marmorreliefs von Propheten, Aposteln u. Hl. an den Chorschranken des Doms; der tote Christus, gestützt v. Nikodemus, über dem Grab B.s in der Santissima Annunziata (1559); Bronzestatuetten (Bargello).

**Bandkeramik,** die Tonware der B.-Kultur, der ältesten landwirtschaftlichen Kultur in Mitteleuropa (5000–3000 v. Chr.). Die auf halbrunden und beutelförmigen Gefäßen angebrachten Verzierungen sind nach dem vorherrschenden bandförmigen Ornament benannt. Man unterscheidet Linearbandverzierung (Spiral-Mäander-Keramik) und Stichreihenverzierung (Stichbandkeramik), Ornamentformen, die zugleich eine chronolog. Reihenfolge bilden.

**Bandol,** fläm. Maler, →Bondol.

**Bandrippe,** Baukunst: Rippe in Form eines flachen, bandartigen Profils. 2 sich kreuzende B. eines Kreuzgratgewölbes ergeben das Bandrippengewölbe, die Urform des Kreuzrippengewölbes (Querhausgewölbe des Speyrer und Wormser Doms, Mitte des 12. Jh.).

**Bangaldar,** auch **Bengalisches Dach,** eine in Bengalen entwickelte Dachform mit geschwungenem, aufgewölbtem First und einer ebenso gebogenen Traufe.

Bangaldar

**Bangkok,** siames. **Krung Thep,** Hauptstadt von Thailand, am Menam 33 km oberhalb der Mündung, zusammen mit Thon Buri etwa 5 Mio. Ew. B. wurde nach der Zerstörung von Ayutthaya (1765) als Königsresidenz ausgebaut. Der ›Große Palast‹ ist im europäisch-thailänd. Mischstil erbaut. Sein Hauptbau (Dusit Maha Prasat) hat einen Grundriß in Form eines grch. Kreuzes. Im innersten Bezirk der königl. Tempel Wat Phra Keo, von einem Säulengang umgeben; Marmor, Fayence, Glasmosaik, Perlmutter und Vergoldung geben seinen Türmen, Toren, Wänden und Figuren ein farbenprächtiges, glanzvolles Aussehen. Der Smaragd-Buddha aus Nephrit (15. Jh.) wurde jeweils von einem zum nächsten Fürstensitz transportiert.

Das Wat Jetubon (volkstümlich Wat Po), als Wat Bodharam im 16. Jh. gegr. und bald nach der Ernennung B.s zur Hauptstadt restauriert, ist mit etwa 8 ha der größte und älteste Tempel von B. Die Wände der Gesamtanlage, Tempel, wie Wohn- und Verwaltungsbauten, waren mit Bildwerken und Texten (buddhist. und vishnuit. Mythologie, Astronomie, relig. und weltl. Hierarchie-Auflistungen usw.) versehen, die z. T. nicht mehr oder schlecht erh. sind. Im nördl. Hof befindet sich eine über einem Backsteinkern aus Stuck modellierte und vergoldete Kolossalfigur des liegenden Buddha (Parinirvana).

Der königl. Tempel Wat Sutat, um 1800 erbaut, hat bes. kunstvolle Dekorationen, teils chinesisch beeinflußt; Kolossal-Buddhafigur aus vergoldeter Bronze des 14./15. Jh. im Sukhothai-Stil.

Der jüngste künstlerisch bedeutende Tempel ist Wat Benchamopit, erbaut um 1900; in seinem Wandelgang sind Buddha-Figuren aus allen Kunstperioden Thailands aufgestellt (Originale und Repliken). Das National-Mus. zeigt Objekte aus allen Kunstepochen der thailänd. Kunst.

**Bang Pa-in,** Ort in S-Thailand, 50 km nördlich von Bangkok auf dem Weg nach Ayutthaya; Sommerpalast (17. Jh. erbaut) der thailänd. Könige; Ansammlung von Bauwerken in europ. und asiat. Stil (viktorianisch-got. Turm u. a.).

**Bangwa,** Volksstamm im Kameruner Grasland, gehört zu den westl. →Bamileke.

**Banks** [bæŋks], Thomas, engl. Bildhauer, *Lambeth (London) 22. 12. 1735, †London 2. 2. 1805, studierte 1772–79 in Rom, ging dann nach St. Petersburg; seit 1781 in London tätig; wurde 1785 Mitgl. der Royal Academy, in deren Gebäude auch seine Kolossalstatue ›Achilles, den Verlust der Briseis beklagend‹ steht. B. gilt als Vertreter des engl. Klassizismus.

**Baños de Cerrato** [b'aɲos ðe θɛrr'ato], span. Heilbad in der Prov. Palencia, nordwestlich von Valladolid, mit der dreischiffigen Kirche S. Juan (661), eine der seltenen westgot. Kirchen (11 m lang), mit 3 voneinander getrennten Apsiden flach abgeschlossen; hufeisenförmiger Torbogen an der W-Front; im Inneren Kapitelle und Friese mit Palmetten und geometr. Motiven.

**Banská Bystrica** [b'anska: b'istritsa], Stadt in der ČSSR, →Neusohl.

**Banská Štiavnica** [b'anska: ʃtj'aunjitsa], Stadt in der ČSSR, →Schemnitz.

**Banteay Srei,** kleines Shiva-Heiligtum (Ende 10. Jh.), etwa 20 km nördlich von Angkor im heutigen Kambodscha. Die bes. schöne, filigranartige Relief- und Ornament-Dekoration mit Anklängen an javan. Kunstwerke läßt den Tempel zu den HW der →Khmer-Kunst zählen. Eine im O und W von einem pavillonähnl. Torbau durchbrochene und von Wassergräben umgebene Mauer umfaßt einen Innenhof, in dessen Mitte sich 3 Türme auf gemeinsamem Sockel erheben.

**Bantu, Bantu-Völker,** eine große Anzahl von Völkern und Stämmen im südl. und mittleren Afrika, südlich der Linie Douala (Kamerun)-Tanamündung (Kenia), die verwandte Sprachen sprechen (Bantusprachen); insges. rd. 90 Mio. Menschen. Sie bilden keine ethn. Einheit. Die wichtigsten kunstschaffenden B.-Völker sind →Chokwe, →Kongo, →Kota, →Kuba, →Luba, →Pende, →Rotse, →Songe, →Teke, →Tetela.

**Bantzer,** Carl Ludwig, Maler, *Ziegenhain (heute Schwalmstadt) 6. 8. 1857, †Marburg 19. 12. 1941, hielt sich seit 1887 fast jährlich in der Malerkolonie →Willingshausen auf und war 1896–1918 Lehrer und Prof. an der Dresdener Akad. (Vors. der Sezession ebd.), 1918–23 Direktor der Akad. in Kassel. B. gilt als Maler der Bauernwelt in der hess. Schwalm, deren ländl. Harmonie er in stimmungshaftem Realismus wiedergab.

**Banz,** ehem. Benediktinerabtei in Oberfranken, am Main gegenüber von →Vierzehnheiligen; Kirche 1710 bis 1719 von J. DIENTZENHOFER, Ausstattung durch Bamberger Künstler. Prachtvolle schloßartige Klosteranlage (18. Jh.) unter beratender Mitwirkung von B. NEUMANN entstanden; Kaisersaal (1709).

**Baphuon,** einer der größten Tempelberge, fünfstufig, der →Khmer-Kunst (Anfang 11. Jh.) im heutigen Kambodscha, dessen Hauptheiligtum mit einem Tempelturm und 3 konzentr. Galerien ein Rechteck von 425 × 125 m bildet und von einer Mauer umgeben ist. Der Tempelberg war Zentrum einer Stadt von der Ausdehnung Angkor Thoms. In seine Steinblöcke waren als techn. Neuerung Holzbalken eingelassen, die, wie auch die Monsune und trop. Gewächse, den Verfall beschleunigten. An der Restaurierung wurde zumindest in den 70er Jahren des 20. Jh. noch gearbeitet.

Die Flachreliefs sind einfacher als die von Bantay Srei, während Hochreliefs und Rundplastik in großer Schönheit gearbeitet sind mit figurenreichen, lebhaften Darstellungen, v. a. aus der hinduistisch-mytholog. Tradition (Mahabharata und Ramayana u. a.).

**Baptisterium** des Domes von Ravenna, Mitte 5. Jh.

**Baptisterium** [grch. ›Tauchbecken‹], Raum oder Raumgruppe innerhalb einer Kirchenanlage (auch ein selbständiges Gebäude bei einer Kirche), in dem die Taufe vollzogen wurde. Die selbständigen B., v. a. Johannes d. T. geweiht, sind meist Zentralbauten mit runden, polygonalen, kreuzförmigen oder drei- oder vierpaßförmigen Grundrissen, z. T. mit Umgang. In der Mitte oder im Hauptraum befand sich die **Piscina** (lat. urspr. ›Fischbecken‹, nach der Form), ein im Boden eingelassenes oder auf den Boden gestelltes Wasserbekken mit Stufen, in dem der Täufling untergetaucht oder übergossen wurde. Angrenzende Räume oder Raumteile dienten der Taufvorbereitung und für Riten nach der Taufe. Während in der Frühzeit ein B. nur an der Bischofskirche begegnet, da die Taufe nur vom Bischof gespendet werden konnte, weisen schon im 5. Jh. Wallfahrtskirchen (in Kal'at Sim'an), Klosterkirchen (in Deir al-Abyad, Oktogonalraum) und später Pfarrkirchen ein B. auf. Italien hielt an dem Bau von B. sehr viel länger fest (Florenz, beg. 1059, Cremona, um 1167, Parma, beg. 1196, Pisa, beg. 1152) als der Norden, der, sobald das Untertauchen des Täuflings aufgegeben wurde, den →Taufstein in die Kirche aufnahm. Ausnahme ist die unregelmäßig polygonale Taufkapelle an St. Gereon in Köln (um 1227). Im modernen Kirchenbau tritt die kleine selbständige Taufkapelle wieder häufig auf (D. Böhm, J. Kramreiter u. a.).

**Bará, Arco de Bará,** an der Römerstraße Via Augusta (etwa 20 km nordöstlich der span. Stadt Tarragona) gelegener, gut erhaltener röm. Triumphbogen aus dem Anf. des 2. Jh. n. Chr. (fehlende Attika), Replik des Titusbogens in Rom.

**Barabar-Höhlen,** Felsgrotten in den Barabar-Hügeln in Bihar, Indien, durch Inschriften des 3. Jh. v. Chr. der Ajivika-Sekte zugeeignet. Anders als bei den späteren buddhist. Chaitya-Höhlen in Bhaja u. a. liegen die Längsachsen der aus runder, überdachter Cella und längl. Vorraum bestehenden Höhlen rechtwinklig zum Eingang. Die Wände sind ähnlich den Ashoka-Säulen hochglänzend poliert. Die Fassade der Lomas-Rishi-Höhle imitiert die Giebelkonstruktion hölzerner Freibauten. Der reliefierte Tympanonfries mit schreitenden Elefanten zw. Stupas scheint erst um Christi Geburt entstanden zu sein.

**Barahmasa** [Hindi ›12 Monate‹], in der →Rajput-Malerei und Poesie eine aus 12 Bildern und/oder Gedichten bestehende Sequenz, in der jedes Bild und Gedicht den psych. Zustand einer Frau während eines bestimmten Monats veranschaulichen soll, die ihren Liebhaber bittet, sie nicht zu verlassen.

**Baranów Sandomierski** [bar'anuf-], Ort in der Wwschaft Tarnobrzeg, Polen. Schloß der Leszczyński (später der Lubomirski), eine Vierflügelanlage mit Ecktürmen und Arkadenhof, 1591–1606 wohl von der Werkstatt des S. Gucci gebaut; 1695–1700 von T. van Gameren geringfügig verändert; Stuckarbeiten von G. B. Falconi (17. Jh.).

**Baray,** künstl. Seen in den Residenzstädten der Khmer im heutigen Kambodscha, in denen das Wasser des Monsunregens gespeichert wurde. Erstmalig wurde ein B. in Lolei (→Roluos) angelegt. (9. Jh.); die beiden größten B. liegen in der Region von Angkor.

**Barbakane** [ital. aus pers.] *die,* im ma. Befestigungswesen ein dem Burg- oder Stadttor vorgelegtes, oft halbrundes Außenwerk, auch Brückenkopf zur Abwehr von Angriffen auf den Zugang (Beispiele in Krakau, Warschau, Görlitz).

**Barbara,** legendäre Heilige, angeblich aus Nikomedien, †306; Tochter des Dioskoros, der sie in einem Turm gefangenhielt. Nach der Legende ließ sie in Abwesenheit des Vaters ihr Badezimmer in ein Baptisterium mit 3 Fenstern als Symbol der Trinität umwandeln, doch mußte sie bei seiner Rückkehr fliehen . Sie wurde entdeckt und vom eigenen Vater enthauptet. Sie wurde oft dargestellt (u.a. von MEISTER FRANCKE, J. RATGEB); ihr wohl schönstes Bild malte J. VAN EYCK- (1437; Antwerpen), in dem ihr Attribut, der Turm, als mächtiger, im Bau befindl. Kathedralturm mit 3 Fenstern erscheint; weitere Attribute: Kelch, Schwert.

**Barbari,** Jacopo de'B., ital. Maler und Graphiker, *Venedig um 1440, †Brüssel(?) vor 1515, lebte bis 1500 in Venedig, stand dann im Dienst mehrerer dt. Fürsten, war seit 1510 in Brüssel Hofmaler der Herzogin MARGARETE von Österreich. Er vermittelte zw. ital. und dt. Kunst und beeinflußte auch A. DÜRER. (BILD Stilleben)

**HW:** Ansicht von Venedig, Holzschnitt, hg. v. A. KOLB aus Nürnberg (fast 3 m breit, 1500; Venedig, Mus. Correr); Stilleben mit Rebhuhn, Eisenhandschuhen und Armbrustbolzen (1504; München, Alte Pinakothek).

**Barberini,** röm. Adelsgeschlecht, aus dem Papst URBAN VIII. (1623–44) stammt. Kardinal Francesco B. (*1597, †1679) ließ von C. MADERNO, F. BORROMINI und G. L. BERNINI den **Palazzo B.** (beg. 1628) erbauen, ein HW des röm. Palastbaus, das statt des geschlossenen Vierecks das offene Hufeisen einführte. Im Hauptsaal ein monumentales Deckengemälde von PIETRO DA CORTONA (1633–39). Seit der Palazzo B. 1949 in Staatsbesitz überging, sind dort Gemälde aus der 1895 gegr. Gal. Nazionale d'Arte Antica untergebracht. – Kronprinz LUDWIG VON BAYERN erwarb 1819 den Barberinischen Faun (3. Jh. v. Chr., von Bernini ergänzt) für die →Glyptothek, das Brit. Mus. die →Portlandvase. – Der Ausspruch ›Quod non fecerunt barbari fecerunt Barberini‹ (Was die Barbaren nicht getan, taten die B.) bezieht sich auf Urban VIII., der Bronzeteile des Parthenon abnehmen und daraus den Baldachin in der Peterskirche (Bernini) und Kanonen für die Engelsburg gießen ließ.

**Barbican Arts Centre** [b'ɑ:bɪkən 'ɑ:ts s'entə], Kulturzentrum im Barbican-Viertel der Londoner City nördlich von St. Paul's Cathedral, mit Musikhochschule, Theater, Konzertsaal, Kunsthalle, Skulpturenhof, Bibliothek, Gymnasium, City Univ., Wohnungen, Läden und Kinos, von der Architektenvereinigung ›Chamberlin, Powell and Bon‹ erbaut und im Frühjahr 1982 eingeweiht.

**Barbieri,** Giovanni Francesco, ital. Maler, →Guercino.

**Barbizon** [barbiz'ɔ̃], frz. Dorf am W-Rand des Waldes von Fontainebleau. Von der hier nach 1835 entstandenen Malerkolonie **(Schule von B.)** ging die frz. Malerei der ›intimen Landschaft‹ (Paysage intime) aus, der schlichten und stimmungserfüllten Darstellung eines malerisch gesehenen anspruchslosen Naturausschnitts. Die Maler der Schule von B. können hierin als Wegbereiter des Impressionismus gelten; die bedeutendsten waren: C. COROT, T. ROUSSEAU, J.-F. MILLET, J. DUPRÉ, N. DIAZ DE LA PEÑA, C.-F. DAUBIGNY, C. TROYON, H. HARPIGNIES und C. JACQUE.

**Barbotine** [frz. ›Wurmsamen‹], Bez. für eine Oberflächenverzierung von Tongefäßen; sie entsteht durch

Herauszupfen oder Auflegen von Nuppen oder einfachen Reliefs, gebräuchlich bes. in minoischer, grch. und röm. Zeit sowie im islam. Bereich.

**Barby/Elbe,** Stadt südöstlich von Magdeburg, Dt. Dem. Rep., 6300 Ew.; dreischiffige frühgot. Johanniskirche (ehem. Franziskaner-Klosterkirche, gegr. 1264) mit z.T. bemalten Grabmälern der Grafen von Barby (14.–16. Jh.), Mondsichelmadonna (Lindenholz, um 1510); Marienkirche, im Kern frühgotisch (2. H. 13. Jh.).

**Barcelona** [-θe-], Hauptstadt der autonomen Region Katalonien, 1,8 Mio. Ew.; Erzbischofssitz. Die Altstadt wird im SO durch das Meer und den Hafen, im O durch die röm. Mauern (4. Jh.) und den Barrio Gótico (ältester Kern B.s), im W durch die ma. Stadtmauer begrenzt. Der Barrio Gótico (›Gotisches Viertel‹) erstreckt sich rings um die Kathedrale mit zahlreichen, auf engstem Raum konzentrierten Baudenkmälern. Mittelpunkt der Baugruppe um die Plaza del Rey ist der Palacio Real (14.–18. Jh.); über dem von 6 Rundbogen überspannten Tinell-Saal (ehem. königl. Festsaal, 1359–70) befindet sich eine fünfgeschossige Gal. (›Mirador del Rey Martín‹). Der Palast ist mit der got. Königskapelle S. Águeda (Anf. 14. Jh., mit Altarretabel von J. HUGUET) verbunden. Ihr gegenüber erhebt sich die Rückfront des Palacio del Lugarteniente (1549–77, heute Archiv der Krone von Aragón mit kostbaren ma. Buchmalereien). An der Placa S. Jaime liegen der Palacio de la Diputación (15. Jh.; Sitz der Provinzverwaltung) mit spätgot. Kapelle S. Jorge und Orangenbaum-Hof und das Rathaus (14. Jh.). Der Bischöfl. Palast (im 18. Jh. erneuert) besitzt aus seiner Entstehungszeit einen Innenhof mit 2 roman. Rundbogengalerien. Die

**Barcelona:** A. Gaudí, ›Sagrada Familia‹; seit 1883

dreischiffige got. Kathedrale (1298 beg., Fassade 1892) hat qualitätvolles Baudekor an den Portalen (u. a. hölzernes Tympanon mit Passionssymbolen); in den Chorumgangskapellen zahlreiche Gemälde span. Meister; reich geschnitztes Chorgestühl mit Holzvertäfelungen (Ende 15. Jh.), in der Krypta Grabmal der Hl. Eulalia mit Marmorrelief (Anf. 14. Jh.); Kreuzgang (14. Jh.). Der Kirchenschatz wird in der Sakristei und im Diözesan-Mus. (Casa Canónica) aufbewahrt. Weitere Kirchen und Gebäude außerhalb des Barrio Gótico: S. Pablo del Campo (10.–13. Jh.), S. María del Pino (15. Jh.), S. María del Mar (1329–78, prächtige Fensterrose), Lonja (Börse; mit got. Schiff, 1386). Der bedeutendste moderne Sakralbau ist die von A. GAUDÍ in bizarren Formen entworfene Sagrada Familia (1883 ff., heute noch im Bau). Gaudí schuf außerdem eine Vielzahl von Wohnhäusern (u. a. Casa Milá) und den Park Güell (BILD Gaudí). Außerhalb der Altstadt liegt der Baukomplex des Hospitals Santa Creu (im ehem. Schlafsaal des 15. Jh. heute Bibl. von Katalonien; Casa de Convalecencia de S. Pablo, 1629–38, mit prächtiger Azulejosausstattung). Westlich von B. das Kloster von Pedralbes (Klosterkirche 1326 beg., am dreigeschossigen Kreuzgang die Capilla de S. Miguel mit bed. Freskenzyklus aus dem Leben Christi und Marias von FERRER BASSA, 1345–46).

Museen. Im Park von Montjuich befinden sich das Archäolog. Mus. (reiche Antikensamml. mit röm. und grch. Funden, u. a. die Marmorstatue des Äskulap und der Kopf der Aphrodite aus Ampurias), Mus. de Arte de Cataluña (eine der bedeutendsten Samml. roman. Malerei und Plastik, span. Malerei des 16.–18. Jh.), Keramikmus., Ethnolog. Mus. und das von J. MIRÓ gegr. Studienzentrum für zeitgenöss. Kunst. Im Palacio de la Virreina (1772–84) Mus. für Kunsthandwerk (reiche Keramiksamml.) und Samml. F. Cambó (v. a. ital. Malerei); im Palacio de la Ciudadela Mus. für Moderne Kunst (v. a. Werke katalan. Künstler nach 1850, u. a. J. Miró und S. DALÍ); im Kloster S. Clara das vom Bildhauer F. MARÉS (*1894) gegr. Mus. (Samml. relig. Skulpturen, v. a. des MA. und des Barock); Samml. Amatller (Glas, ma. Skulpturen und Tafelbilder); Picasso-Mus. (gegr. 1963; v. a. Werke der Blauen und Rosa Periode).

**Barcelos** [bars'ɛluʃ], portug. Stadt westlich von Braga, rd. 5000 Ew.; Kirche Bom Jesús da Cruz in ital. Barockstil (17. Jh.) mit reicher Innenausstattung; Kirche Igreja do Terço (14./18. Jh.) mit Azulejosausstattung und bemalter Holzkassettendecke; Adelspalast Solar dos Pinheiros (1448) im Emanuelstil. In den Ruinen des ehem. herzogl. Palastes (15./16. Jh.) das Archäolog. Mus. (Freilichtlapidarium), u. a. mit röm. Funden und dem got. Wegekreuz, auf dem das ›Hahnenwunder‹ von B. dargestellt ist; Keramik-Mus.

**Barczewo** [-tʃ'ɛvɔ], poln. Name für →Wartenburg in Ostpreußen.

**Bạrdejov,** Stadt in der ČSSR, →Bartfeld.

**Bardo-Museum,** tunes. Nat.-Mus. in Bardo, einem Vorort von Tunis; 1888 eröffnet. Die Samml. vorgeschichtl., grch., pun., röm., frühchristl., arab. und islam. Funde ist durch Ausgrabungen, private Stiftungen und Schenkungen zusammengetragen worden.

**Bardowick,** Gem. bei Lüneburg, Ndsachs., 4400 Ew., mit ›Dom‹ (romanisch-got. Stiftskirche, 13. bis 14. Jh.), einer doppeltürmigen, dreischiffigen Backsteinhalle; Hochaltar in der Nachfolge von MEISTER BERTRAM (um 1430) und hervorragendes Chorgestühl (1486/87).

**Barelli, Barella,** Agostino, ital. Baumeister, *Bologna 1627, †ebd. um 1687, erbaute 1663–75 die Theatinerkirche in München nach röm. und bolognes. Vorbildern (vollendet von E. ZUCCALLI und F. CUVILLIÉS D. J.) sowie den Mittelbau des Schlosses Nymphenburg, beide von maßgebl. Einfluß auf den süddt. Barock.

**Barfreston** [bɑ:fr'estən], Ort in Kent (England), nördlich von Dover; Pfarrkirche St. Nicholas: Saalbau des späten 12. Jh. mit eingezogenem Chor und einer äußeren, die Fenster einbeziehenden Blendarkatur; im Chorgiebel großes Radfenster mit Speichensäulen, umgeben von skulptierten Tierdarstellungen; Tympanon mit Christusdarstellung sowie die Archivolten des südl. Säulenportals in Flachrelief.

**Bargello** [bardʒ'ɛllo], **Palazzo del B.,** eigtl. **Palazzo del Podestà,** turmbekrönter Stadtpalast in Florenz, 1254–1346 errichtet. Urspr. Sitz des Capitano del Popolo (Volkshauptmann), seit 1861 des Podestà (Stadtvogt) u. a. Nach dem Auszug der Bargello-Behörde 1859 wurde hier das Nat.-Mus. eingerichtet, um Skulpturen und Kleinkunst aus den überfüllten Uffizien aufzunehmen, darunter die Hauptwerke der Florentiner Renaissanceplastik von DONATELLO, B. CELLINI und GIAMBOLOGNA, die im Innenhof Aufstellung fanden.

**Bargheer,** Eduard, Maler, *Hamburg 25. 12. 1901, † ebd. 1. 7. 1979, bereiste Frankreich und Italien, lebte seit 1939 auf Ischia. Er entwickelte seine vom Expressionismus ausgehende Malerei zu einem hellfarbigen, kristallin. Stil, der P. KLEE und W. GILLES nahesteht.

**Bari,** Hauptstadt Apuliens, Italien, 381 300 Ew., Erzbischofssitz. In der Altstadt zw. altem und neuem Hafen liegen die roman. Basilika S. Nicola (1087–1198; Fassade mit Skulpturenportalen; im Inneren u. a. Fresken, 14. Jh.; Tafelbild von B. VIVARINI u. a. Gemälde; Bischofsstuhl des Elia, um 1100), die Kathedrale (12. Jh., unter Verwendung älterer Teile; im Inneren u. a. Kanzel, 12. Jh.; Ciborium, 13. Jh.; in der Krypta byzantin. Madonna und Fresken, 13. Jh.), die Kirche S. Gregorio (11. Jh.) und das Kastell (urspr. normannisch; 1233–40 unter FRIEDRICH II. umgebaut; im 16. Jh. erweitert). In der Neustadt Pinakothek (u. a. Werke von TINTORETTO, A. und B. VIVARINI) und Archäolog. Mus. (Samml. griechisch-röm. Funde aus Apulien).

**Barilla** [-r'iʎa, span.], Asche aus Meeres- oder Salzsteppenpflanzen Spaniens u. a. Mittelmeerländer; wegen ihres Sodagehalts diente B. in der Renaissance als Alkali zur Glasherstellung.

**Barisanus von Trani,** südital. Bildhauer und Erzgießer der 2. H. des 12. Jh., schuf 3 Bronzetüren von je 2 Flügeln mit prachtvollen, byzantinisch beeinflußten Flachreliefs für die Kathedralen von Trani (um 1175), Ravello (1179 datiert) und Monreale (um 1186).

**Barlach,** Ernst, Bildhauer, Graphiker, Dichter, *Wedel (Holst.) 2. 1. 1870, †Rostock 24. 10. 1938, seit 1910 in Güstrow ansässig, empfing entscheidende Eindrücke 1906 in Rußland; von den nat.-soz. Machthabern als Vertreter entarteter Kunst verfemt. Seine streng geformten Bildwerke in Holz, das B. als erster seit dem Rokoko wieder ins Zentrum der Bildhauerkunst rückte, stehen dem norddt. Expressionismus nahe, ohne daß ihr vielschichtiger Sinngehalt darin aufgeht. Sie zeigen den Menschen in der Spannung zw. Erdgebundenheit und Spiritualität, als ›armen Vetter‹ Gottes, wie es ein bed. Drama von B. formuliert. Als Graphiker schuf er Holzschnitte und Lithographien, z. T. zu eigenen Dichtungen. – Das 1962 in Hamburg eröffnete E.-B.-Haus zeigt einen großen Teil seines Werkes (Stiftung von H. F. REEMTSMA).

**HW:** Berserker (1910; Hamburg E.-B.-Haus; BILD Expressionismus); Ehrenmal im Dom zu Güstrow (1927; eingeschmolzen, Neuguß nach dem Exemplar in der Kölner Antoniterkirche); Ehrenmal an der Universitätskirche in Kiel (1928); Singender Mann (1930); 3 Figuren für die Katharinenkirche in Lübeck (1930–33); Kruzifix in der Elisabethkirche, Marburg (1931); Kriegermal für den Magdeburger Dom (1931); Lesende Mönche (1932); Fries der Lauschenden (1935; Hamburg, E.-B.-Haus).

B. SCHUREK: B., Eine Bildbiogr. (1961); F. SCHULT: Werkverzeichnis, 3 Bde. (1960–71); C. D. CARLS: E. B. (1969); E. B., hg. v. H. SCHINDLER (1972); E. JANSEN: E. B. (1975).

**Ernst Barlach:**
Singender Mann;
Bronze, 1930

**Bar-le-Duc** [barləd'yk], frz. Stadt am Ornain, Dép. Meuse, 19200 Ew. Die Unterstadt, im 11. Jh. gegr., mit Resten der um 950 erbauten Burg ›Bar‹ und den Kirchen Notre-Dame (13.–14. Jh., Turm und Fassade 18. Jh.) und St. Antoine (einschiffig; 14.–15. Jh.), wuchs im 13. Jh. mit der neu angelegten Oberstadt zus. Die

Kirche St. Étienne (dreischiffige Halle, 15. und 16. Jh.) mit unvollendeter Doppelturmfassade birgt die Statue des Grabmals des Prinzen von Orange und eine Kreuzigungsgruppe (beide von L. RICHIER); in beiden Stadtteilen viele Häuser der Renaissance und des Barock (u. a. das Collège de Gilles de Trèves, 16. Jh., in der Unterstadt; Palais de Justice mit Mus. in der Oberstadt).

**Barletta,** Hafenstadt in der südital. Prov. Bari, 78600 Ew.; hier wurde im 13. Jh. von den Venezianern eine aus dem Orient stammende, 4,50 m hohe Bronzestatue eines oström. Kaisers zurückgelassen, der ›Koloß von B.‹, ein bed. Werk spätantiker Plastik (4. oder 5. Jh.), aufgestellt vor der frühgot. Kirche S. Sepolcro (reicher Kirchenschatz). Dom (12.–14. Jh.; im Inneren Ciborium, 13. Jh.; Kanzel auf Säulen, 13. Jh.); Hohenstaufenkastell (13. Jh.); Palazzo del Monte di Pietà (Ende 16. Jh.; angrenzend an die Jesuitenkirche, 1630); Palazzo della Marra (Ende 16. Jh.; reiche Barockverzierung). Im Mus. archäolog. Abteilung und Pinakothek (v. a. Gemälde des einheim. Malers G. DE NITTIS).

**Barlow** [b'ɑːləʊ], Francis, engl. Tiermaler, *Lincolnshire 1626, †London 1702, schuf Darstellungen bes. von Hunden, Pferden und Vögeln vor landschaftl. Hintergrund von großer Naturnähe; Illustrationen zu Fabeln des ÄSOP (1666).

**Barluenga,** Ort in der nordspan. Prov. Huesca. In der Kirche S. Miguel (12. Jh.) gut erhaltene Fresken des 13. Jh. (v. a. Szenen aus der Legende vom Monte Gargano im Übergangsstil von der Romanik zur Gotik); bemalte Balkendecke.

**Barma,** russ. Baumeister des 16. Jh. HW ist die 1555–60 zus. mit →Posnik erbaute Basilius-Kathedrale auf dem Roten Platz in Moskau.

**Barnaba da Modena,** ital. Maler, tätig 1364–83 in Modena, Pisa und Ligurien (bes. in Genua); zunächst von venezianisch-byzantin. Tradition ausgehend, wird sein Stil später von sienes. Einflüssen bestimmt; schuf u. a. Madonnenbilder (›Maria mit Kind‹, 1367; Frankfurt a. M., Städelsches Kunstinstitut) und Fresken (nur ›Jüngstes Gericht‹ in S. Agostino in Genua erh.).

**Barnack** [b'ɑːnæk], Ort in Northamptonshire, England, südöstlich von Peterborough; Pfarrkirche St. John Baptist mit zweigeschossigem Westturm (um 1100), der im 12. und 13. Jh. um Glockengeschoß und Spitzhelm erhöht wurde und durch Lisenen und breite Gesimsbänder gegliedert ist. Die Fenster des Obergeschosses sind nach byzantin. Vorbild mit Transennen (→Transenna) geschlossen.

**Barna da Siena,** ital. Maler, Mitte des 14. Jh., Schüler des SIMONE MARTINI, arbeitete v. a. in der Toskana. Die zarte Sensibilität seines Lehrers verkehrte sich bei ihm in eine derb realist. Malweise, die gleichwohl jene Monumentalität beibehält, wie sie v. a. für die Frühzeit der sienes. Wandmalerei charakteristisch ist.

**HW:** Freskenzyklus mit Szenen aus dem Leben Christi (um 1350; San Gimignano, Kollegiatskirche).

**Barocci(o)** [bar'ɔttʃi, -ʃo], eigtl. Federigo **Fiori,**

ital. Maler, *Urbino um 1528 oder um 1535, †ebd. 30. 9. oder 1. 10. 1612, schuf in enger Anlehnung an den Stil CORREGGIOS und beeinflußt von RAFFAEL und MICHELANGELO relig. Gemälde von lichter, pastellartiger Farbenschönheit, deren Stil vom reifen Manierismus zum Barock überleitet; auch zahlreiche Porträts (›Selbstbildnis‹, um 1590–95; Florenz, Uffizien) und Zeichnungen; schuf 1560 mit F. ZUCCARI Fresken im Vatikan (Casino, Belvedere).

**WW:** Kreuzabnahme (1569; Perugia, Dom); Madonna del Popolo (1579; Florenz, Uffizien); Rosenkranz-Madonna (1588–91; Senigallia, S. Rocco).

**Federigo Barocci(o):** Madonna del Popolo; 1579 (Florenz, Uffizien)

**Barock** *der* oder *das*, eine Ausdrucksform der bildenden Kunst, die gegen Ende des 16. Jh. im Anschluß an den Manierismus aufkam, im 17. Jh. vorherrschte und im beginnenden 18. Jh. vom Rokoko (seit etwa 1730) abgelöst wurde. Das Wort ›barroco‹, portugies. ›Steinchen‹, ›unregelmäßige, schiefrunde Perle‹, war zuerst Ausdruck im Juwelierhandwerk: frz. ›perle baroque‹ (16. Jh.), dt. Brockenperle. Der frz. Klassizismus machte das Wort zum allg. Kunstausdruck i. S. von ›absonderlich‹, ›schwülstig‹. Diese Abwertung erhielt sich bis in die 2. H. des 19. Jh. Seit J. BURCKHARDT (*1818, †1897) neigte man dazu, im Barocken die Spätform von Kunstentwicklungen überhaupt zu sehen. Im 20. Jh.

**Barock:** Peter Paul Rubens, ›Höllensturz der Verdammten‹; 1618–20 (München, Alte Pinakothek)

wurde die Bez. B. zum Epochenbegriff, der auch die Lit. und Musik des 17. Jh. umfaßte.

B. ist die Kunst der Gegenreformation und des Absolutismus; wie in der Renaissance waren Kirche und Aristokratie ihre wichtigsten Förderer. Das Streben beider nach Repräsentation verwirklichte sich v. a. in Größe und Pathos der Kunstwerke. Ausgehend von Rom kam die Kunst des B. v. a. in den kath. Ländern zur vollen Entfaltung. Bes. die Jesuiten brachten sie nach Norden und nach Lateinamerika (→Jesuitenbaukunst). In den prot. Gebieten gab es kein geschlossenes Mäzenatentum; es entstanden Einzelleistungen.

In der Baukunst sind erste Anzeichen eines barokken Stils bereits in der Hochrenaissance zu finden. Die Hauptkennzeichen sind: starke Bewegtheit in ge-

**Barock:** J. B. Neumann, Treppenhaus der Würzburger Residenz; seit 1737 (Deckengemälde von G. B. Tiepolo)

schwungenen Grund- und Aufrißformen, Unterordnung aller Einzelglieder unter das Ganze, Betonung der Kraft und der Spannung, gebrochene Giebel, reiches Schmuckwerk und maler. Gestaltung der Innenräume, die ein festl. Raumgefühl hervorrufen. Die Kirche Il Gesù in Rom, von G. DA VIGNOLA (BILD) 1568 begonnen, ist der erste B.-Bau. G. DELLA PORTA, der die Wölbung und Fassade von Il Gesù schuf, und bes. C. MADERNO sind die bed. Baumeister des Früh-B. Maßgebend für die europ. Entwicklung des neuen Stils waren die zum Hoch-B. (von etwa 1630 bis um 1680) gehörenden Bauten von G. L. BERNINI und F. BORROMINI in Rom. Die dynam. Bewegtheit der Bauten von Bernini (S. Andrea al Quirinale, Gestaltung des Petersplatzes) steigerte sich bei Borromini (BILD), dessen komplizierte Grund- und Aufrisse das Gefüge seiner Bauten in Bewegung brachten (S. Carlo alle Quattro Fontane). Neben ihnen wirkten C. RAINALDI und PIETRO DA CORTONA. Auch der Palastbau spielte eine bed. Rolle: Palazzo Barberini (Maderno, Bernini, Borromini), die Paläste Montecitorio und Propaganda Fide (Borromini), alle in Rom. Die bed. Vertreter des Spät-B. waren G. GUARINI und F. JUVARRA (BILD) in Turin. Eine mehr klassizist. Richtung knüpfte an die Bauten A. PALLADIOS (BILD) in Vicenza und Venedig an. Mit diesem Stil prägte u. a. I. JONES seit etwa 1620 in England die Profanarchitektur. – In Frankreich verhinderte die in allen Jh. herrschende klassizist. Tendenz die Entfaltung einer hochbarocken Architektur (→Classicisme, →Louis-quatorze). Es entstanden bes. Schloßbauten mit streng ausgerichteten Parkanlagen (Versailles) Die wichtigsten Baumeister dieser Zeit waren F. MANSART, L. LEVAU und J. HARDOUIN-MANSART, der führende Gartenarchitekt war A.

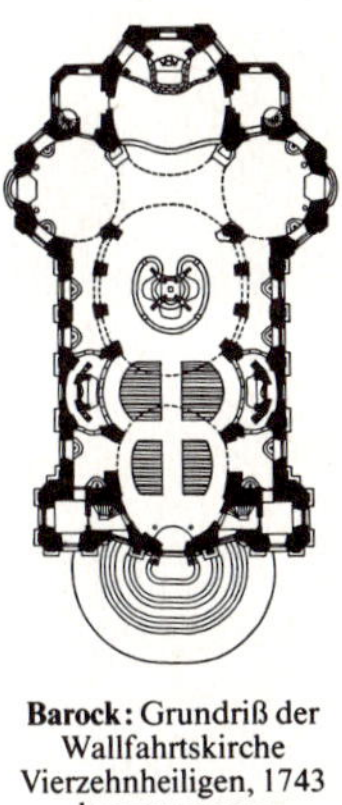

**Barock:** Grundriß der Wallfahrtskirche Vierzehnheiligen, 1743 begonnen von J. B. Neumann

LE NÔTRE. – In der span. B.-Baukunst setzte sich die von Borromini geprägte Form durch und nahm gelegentlich Elemente nichtchristl. Kunst aus Mittelamerika auf (Cartuja, Granada). Spätbarocke Bauten finden sich in ganz Spanien (u. a. Sakristei und Turm der Neuen Kathedrale in Salamanca).

In Dtl., wo sich, v. a. bedingt durch den Dreißigjährigen Krieg, die B.-Baukunst erst im Spät-B. (seit etwa 1700) voll ausbilden konnte, fand die europ. Entwicklung ihren glanzvollen Abschluß. In Österreich wirkten J. B. FISCHER V. ERLACH (BILD; Karlskirche, Wien 1716–37), L. V. HILDEBRANDT (BILD; Belvedere, Wien, voll. 1723) und der Klosterbaumeister J. PRANDTAUER (Melk, 1702–26), in Böhmen die auch in Franken tätigen Baumeister der Fam. DIENTZENHOFER (BILD J. Dientzenhofer). J. B. NEUMANN (BILD) wirkte in Würzburg (Residenz, beg. 1720), A. SCHLÜTER in Berlin (Berliner Schloß, seit 1699; 1950/51 in Berlin-Ost gesprengt), M. PÖPPELMANN (Zwinger, 1711–28; BILD Zwinger) und G. BÄHR (Frauenkirche, voll. 1743) in Dresden, die Brüder ASAM in Bayern. Die kurz vor Beginn des Klassizismus bes. in Bayern entstandenen Bauten werden vielfach

**Barock:** Apotheose des Hl. Ignatius, Deckenfresko von A. Pozzo; um 1685, Ausschnitt (Rom, S. Ignazio)

**Barock:** Michelangelo da Caravaggio, ›Die Bekehrung des Saulus‹; 1600 (Rom, Santa Maria del Popolo)

dem Rokoko zugerechnet, für das bes. in bezug auf die dt. Baukunst auch der Begriff Spät-B. üblich ist.

Das B. war das große Zeitalter der Stadtbaukunst. Nicht nur geschlossene Platzanlagen entstanden (Rom: Petersplatz, Piazza Navona, Piazza del Popolo; Paris: Place des Vosges; Turin: Piazza S. Carlo), auch ganze Stadtanlagen wurden nach großen Achsen hin orientiert oder in dieser Art gegründet (u. a. London, Amsterdam, Nancy, Mannheim, Kassel, Erlangen).

In Rußland entstanden durch die Gründung von St. Petersburg (1703) Bauaufgaben für ausländ. Künstler (A. Schlüter, Vater und Sohn RASTRELLI). Letzterer entwickelte z. T. in riesigen Palastbauten (Winterpalais in Leningrad, 1754–57) auf ital. Grundlage eine russ. Sonderform des Spätbarocks mit rhythmisch-plast. Gliederung der Außenfronten und großer Prachtentfaltung im Inneren. In seinen Kirchenbauten versuchte er, den spätbarocken Turm-Kuppelbau dem altruss. Kultbau anzunähern (Smolnyj-Kloster, Leningrad 1748–54; Andreas-Kirche in Kiew, 1747–52). Eine Sonderform bildete der →Naryschkin-Barock.

Die Architektur bildete, wie in der Gotik, den Rahmen für das Gesamtkunstwerk. Skulpturen G. L. BERNINIS (BILD), B. PERMOSERS (BILD) sind in den architekton. Rahmen hineinkomponiert, für den sie geschaffen wurden, ebenso wie barocke Deckenmalereien (PIETRO DA CORTONA, Rom, Palazzo Barberini; A. POZZO, Rom, S. Ignazio; G. B. TIEPOLO, Treppenhaus der Würzburger Residenz; BILD Tiepolo).

Kennzeichnend für die Bildhauerkunst des B. ist ihre freie und maler., meist stark bewegte Art der Gestaltung, die sich ins Ekstatische steigern kann. Reiche Gestik und wie vom Sturm aufgebauschte Gewänder veranschaulichen die beabsichtigte Dramatik. Vollen-

**Barock:** A. Schlüter, Fenster-Kartusche mit dem Kopf eines sterbenden Kriegers

dete Marmorbearbeitung mit wie Politur glänzender Oberfläche unterstrich die Sinnlichkeit der üppig gestalteten Körper. In der Plastik führten A. Vittoria in Venedig, P. Bernini (seit etwa 1605) in Rom und F. Mochi in Piacenza (Reiterdenkmäler) zum neuen Stil. Der weithin wirkende Schöpfer war G. L. Bernini in Rom (frühe Plastiken in der Villa Borghese; Ausstattung in St. Peter; Brunnen: Vier-Ströme, Il Moro, Fontana Tritone). Von ihm beeinflußt sind noch die Bildhauer des 18. Jh., bis sich gegen Ende des Jh. mit A. Canova der Klassizismus durchsetzte. Neben Bernini wirkten bes. A. Algardi und F. Duquesnoy. In Frankreich, dessen Bildhauer eine maßvollere Haltung wahrten, war P. Puget (Bild) Bernini am nächsten. Die frz. Bildhauer standen meist im Dienst des Königshofs. Außer Bildwerken zur Ausstattung der Schlösser, Grabmälern, Porträtbüsten des Adels, Statuen und Reiterstandbildern zur Verherrlichung des Monarchen entstanden v. a. Figuren für Parkanlagen mit oft mytholog.

**Barock:** Guarino Guarini, Entwurf zu S. Filippo Neri, Turin; Kupferstich aus Architettura civile, 1686

Thematik, bes. von A. COYSEVOX und F. GIRARDON in Versailles.

Die Plastik des dt. B., für deren Entwicklung J. GLESCKER von entscheidender Bedeutung war (Kreuzigungsgruppe, Bamberger Dom, 1648–53), bildete sich auch erst in der Spätzeit des Stils seit der Wende zum 18. Jh. voll aus. Bed. Bildhauer waren A. SCHLÜTER in Berlin (Reiterdenkmal des Großen Kurfürsten, seit 1696; BILD Schlüter), B. PERMOSER (Skulpturenschmuck des Dresdener Zwingers) und der dem Klassizismus näherstehende G. R. DONNER (Brunnen auf dem Neuen Markt, Wien, 1737–39). Außerdem wirkten M. GUGGENBICHLER in OÖ sowie P. EGELL (BILD), E. Q. ASAM und J. A. FEUCHTMAYER in SW- und S-Dtl., die sich alle bereits dem Rokoko näherten.

In der Malerei des B. traten neben relig. Bildern weltl. Darstellungen, wie Genrebilder und Landschaften, stärker hervor. Der Begründer des neuen Stils war CARAVAGGIO, dessen realist. Helldunkel-Malerei in ganz Europa einflußreich war (→Caravaggisten). Neben ihm war in Rom ANNIBALE CARRACCI (BILD) tätig, der bes. die mehr akadem. Richtung der B.-Malerei beeinflußte. Bedeutung erlangten außerdem die ital. Maler DOMENICHINO, GUERCINO (BILD), G. RENI, G. LAFRANCO, PIETRO DA CORTONA und A. POZZO. Im Mittelpunkt der fläm. Malerei stand P. P. RUBENS (BILD), der nach mehrjährigem Italienaufenthalt 1608 nach Antwerpen zurückgekehrt war. Neben ihm sind bes. A. VAN DYCK (BILD) und J. JORDAENS (BILD) zu nennen. In Holland wirkten neben REMBRANDT (BILD), der gleich große Bedeutung als Maler, Zeichner und Radierer hatte, F. HALS (BILD), VERMEER VAN DELFT (BILD), J. RUISDAEL. Die Hauptmeister Spaniens waren VELÁZQUEZ (BILD), B. E. MURILLO (BILD) und F. DE ZURBARÁN (BILD). Die Franzosen N. POUSSIN (BILD), der Meister der ›heroischen‹, und CLAUDE LORRAIN (BILD), der Meister der ›idyllischen Landschaft‹, lebten in Rom. In Italien tätig waren auch die beiden bedeutendsten dt. Maler des Früh-B. A. ELSHEIMER (BILD) in Rom und J. LISS (BILD) in Venedig. Bed. Werke brachte die dt. Malerei dann wieder im Spät-B. hervor, als ihr die Baukunst große Aufgaben für →Deckenmalerei bot (C. D. ASAM, M. GÜNTHER, F. A. MAULBERTSCH, J. B. ZIMMERMANN).

J. POPE-HENESSY: Italian high Renaissance and Baroque sculpture (London 1963); R. WITTKOWER: Art and architecture in Italy 1600 bis 1750 (Hammondsworth, Illinois, ²1967); W. HAGER: B. Skulptur und Malerei (1969, Nachdr. 1980); ders.: B.-Architektur (1969, Nachdr. 1979); E. HUBALA: Die Kunst des 17. Jh. (1970); ders.: B. und Rokoko (1978); A. PIGLER: Barockthemen, 2 Bde. (²1974); C. NORBERG-SCHULZ: Die Architektur des B. (1975); A. BLUNT u. W. SWANN: Kunst und Kultur des B. und Rokoko (a. d. Engl., 1979).

**Barockgotik,** →Santini.

**Baroda,** Stadt in Indien, →Vadodara.

**Barong,** Ritualspiele mag. Charakters auf Java und Bali unter Benutzung von (Tier-)Masken; benannt nach der Hauptfigur B., dem Vertreter des ›guten‹ Prinzips als Gegenspieler der Hexe Rangda (→Maske).

**Barracco,** Giovanni Baron, ital. Politiker und Kunstsammler, *Cotrone 29. 4. 1829, †Rom 14. 1. 1914, schenkte seine Samml. antiker Kunst 1902 der

**Barock:** G. L. Bernini, Apoll und Daphne (Rom, Villa Borghese)

Stadt Rom, die 1905 im Palazzetto Regis das **Mus. B. di Scultura Antica** einrichtete.

**Barry** [b'ærɪ], **1)** Sir (1852) Charles, engl. Baumeister, *London 23. 5. 1795, †ebd. 12. 5. 1860; nach Studien in Italien, Griechenland und dem Vorderen Orient Bauten in histor. Stilen. Errichtete unter Mitwirkung von A. PUGIN das Londoner Parlamentsgebäude (1840 bis 1865) in neugot. Stil, das von seinem Sohn Edward Middleton (*1830, †1880) voll. wurde.

**2)** James, engl. Maler, *Cork (Irland) 11. 10. 1741, †London 22. 2. 1806, schuf nach Ausbildung in Dublin und Rom Historienbilder in klassizist. Stil, u. a. einen großen Zyklus von Wandbildern im Saal der Royal Society of Arts in London (1777–83).

**3)** Robert, amerikan. Künstler, *Bronx (New York) 9. 3. 1936, malte Mitte der 1960er Jahre streng serielle Bilder und fertigte Skulpturen aus Nylonfäden; nach 1969 konsequentester Vertreter der →Concept Art.

**Barsinghausen,** Stadt bei Hannover (Ndsachs.), 32900 Ew., mit ehem. Augustiner-Doppelkloster (1193 gegr.), jetzt evang. Damenstift; Kirche in romanisch-got. Übergangsstil (1. H. 13. Jh.), Langhaus unvollendet. Barocke Klostergebäude (1704).

**Bartels,** Hans von, Maler, *Hamburg 25. 12. 1856, †München 5. 10. 1913, malte in impulsiven Bildern die Nordsee und ihre Menschen; bed. als Aquarellist.

**Bartfeld,** slowak. **Bardejov,** Stadt im Ostslowak. Kreis, ČSSR, am S-Rand der Beskiden, 22800 Ew. Die unregelmäßig trapezförmige Anlage mit regelmäßigem Straßennetz steht unter Denkmalschutz. Am großen Stadtplatz (14. Jh.) got. Bürgerhäuser mit Laubengängen, got. Rathaus (mit Renaissance-Erker und -Decke, 1505–11, seit 1905 Mus.); got. Ägidiuskirche (um 1450, anstelle einer Zisterzienserkirche des 13. Jh.), Gymnasium (1508). Die Stadtbefestigung des 14. Jh. ist vollständig erhalten.

**Barthel,** Melchior, Bildhauer, *Dresden 10. 12. 1625, †ebd. 12. 11. 1672, arbeitete in S-Dtl., Venedig (17 Jahre), Rom und Dresden (seit 1670); seine plast. Werke zeigen den Einfluß von G. L. BERNINI. In seinen Elfenbeinwerken bildete B. auch antike Skulpturen nach.

**HW:** Grabmal des Dogen G. Pesaro (1669 voll.; Venedig, S. Maria de' Frari); Statue Johannes d. T. (Venedig, S. Maria in Nazaret, Oratorium).

**Bartholdi,** Frédéric-Auguste, frz. Bildhauer, *Colmar 2. 4. 1834, †Paris 4. 10. 1904, schuf Bildnisse und Monumentaldenkmäler, so den Löwen von Belfort (1878, in Fels gehauen, 22 m lang) und die Freiheitsstatue im Hafen von New York (1886, in Kupfer getrieben, 46 m hoch).

**Bartholomäus,** einer der 12 Apostel Jesu. – Frühe Darstellungen finden sich in Ravenna (S. Vitale, 6. Jh.) und Rom (S. Maria Antiqua, 8. Jh.), als Attribute (Hinweise auf sein Martyrium, die Schindung der Haut), Messer (seit dem 12. Jh., Kathedralplastik und auf Glasfenstern) und Haut (1352; Frankfurt a. M., Dom,

Holzrelief einer Chorstuhlwange). Im Manierismus wird B. als Muskelmann mit umgehängter Haut dargestellt. MICHELANGELO hat sein verzerrtes Selbstporträt auf die als abgezogen dargestellte Haut des B. gemalt (um 1540; Vatikan, Sixtin. Kapelle, Fresko des Jüngsten Gerichts an der Altarwand).

**Bartholomäus|altar,** →Meister des Bartholomäusaltars.

**Bartholomé,** Paul Albert, frz. Bildhauer, Maler, * Thiverval 29. 8. 1848, † Paris 2. 11. 1928, malte sozialkrit. Genrebilder und wandte sich 1886 als Autodidakt der Bildhauerei zu. Sentimentale Empfindungen und naturalist. Form kennzeichnen seine Werke.

**HW:** Monument aux morts, Paris, Friedhof Père-Lachaise (enthüllt 1899).

**Bartlett** [b'ɑ:tlət], Paul Wayland, amerikan. Bildhauer, *New Haven (Connecticut) 24. 1. 1865, †Paris 20. 9. 1925, studierte ebd. u. a. bei E. FRÉMIET. B. schuf Tierplastiken, Statuen (›Michelangelo‹; Washington, Library of Congress) und Reiterstatuen (›Lafayette‹, 1899–1908; Paris, Tuileriengarten).

**Bartmannskrug,** Henkelkrug aus braun glasiertem rhein. Steinzeug mit bärtiger Maske unter dem Ausguß. B., schon im MA. bekannt, wurden bes. im 16.–18. Jh. in Köln, Frechen, Raeren und Siegburg hergestellt.

**Bartmannskrug:** rhein. Steinzeug aus Frechen, hellbraun, 26 cm hoch, 16. Jh. (München, Bayer. Nationalmuseum)

**Bartning,** Otto, Architekt, *Karlsruhe 12. 4. 1883, †Darmstadt 20. 2. 1959, war 1926–30 Direktor der Hochschule für Handwerk und Baukunst in Weimar, 1955–59 städtebaul. Berater in Berlin (West). B. arbeitete bes. auf dem Gebiet des Kirchenbaues, dessen Raumgliederung er zu reformieren suchte.

**HW:** Sternkirche (Entwurf 1922); Stahlkirche auf der Pressa in Köln (1928); Auferstehungskirche Essen (1929–30); 48 Notkirchen (Entwurf 1947); Krankenhäuser in Berlin-Wilmersdorf (1930/31), Luxemburg (1933–35), Darmstadt (1955).

**Bartolo di Fredi,** ital. Maler, * Siena um 1330, † ebd. um 1410, Vertreter der sienes. Malerschule in der 2. H. des 14. Jh. in der Nachfolge SIMONE MARTINIS und der Brüder LORENZETTI.

**HW:** Triptychon Krönung Mariä (1338; Mittelteil in Montalcino bei Siena, Mus., 2 Seitenflügel in Siena, Pinakothek).

**Bartolom(m)eo, Fra B.,** eigtl. **Baccio della Porta** [b'attʃo-], ital. Maler, * Florenz 28. 3. 1472(?), † Pian di Mugnone(?) Oktober 1517, Anhänger G. SAVONAROLAS (Porträt in Florenz, Mus. di S. Marco), trat nach dessen Tod in das Dominikanerkloster S. Marco in Florenz ein. Angeregt von der Kunst LEONARDO DA VINCIS, malte er Altar- und Andachtsbilder, deren feierlich strenger und klarer Stil von starkem Einfluß auf RAFFAEL war. Einige seiner Bilder sind in Werkstattgemeinschaft mit M. ALBERTINELLI entstanden. (BILD S. 268)

**HW:** Vision des Hl. Bernhard (1504–07; Florenz, Gal. dell'Accademia); Thronende Madonna mit Heiligen (1509; ebd. Kloster S. Marco); Vermählung der Hl. Katharina (1511; Paris, Louvre); Predigt des Hl. Vinzenz Ferrer (1514; Florenz, Gal. dell'Accademia); Madonna della Misericordia (1515; Lucca, Pinakothek); Beweinung Christi (1516; Florenz, Palazzo Pitti).

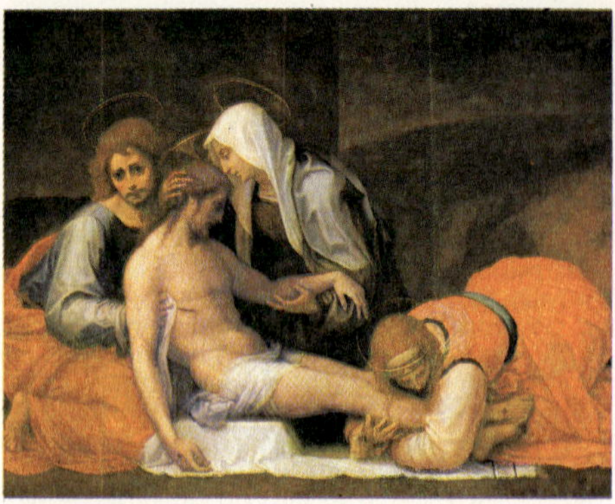

**Fra Bartolomeo:**
Beweinung Christi; 1516
(Florenz, Palazzo Pitti)

**Bartolom(m)eo Veneto,** ital. Maler, *Cremona, tätig in Venedig, Ferrara und wahrscheinlich in Bergamo und Mailand zw. 1502 und 1531 (zuletzt in Turin), meist als Bildnismaler (›Kurtisane‹; Frankfurt a.M., Städelsches Kunstinstitut). Schüler von GIOVANNI BELLINI; später in seiner farbigen Vortragsweise von TIZIAN beeinflußt; bes. kennzeichnend ist seine Vorliebe für eine präzise Wiedergabe des Details.

**Bartolozzi,** Francesco, ital. Kupferstecher, *Florenz 21. 9. 1727, †Lissabon 7. 3. 1815, seit 1764 in London tätig, seit 1802 Direktor der Akad. Lissabon. B. entwickelte eine virtuose Punktiermanier, mit der er pastellhafte Wirkungen erzielte; Stiche nach ital. Malern des 17. Jh., engl. Bildnismalern des 18. Jh. u. a.

**Barton upon Humber** [b'ɑ:tn əp'ɔn h'ʌmbə], ehem. bed. Hafenplatz an der Trichtermündung des Humber, Lincolnshire (England), südwestlich von Hull. Von den beiden ma. Kirchen des Orts besitzt St. Peter einen aus dem späten 10. Jh. erhaltenen, das quadrat. Schiff aufnehmenden Turm mit westl. Annexraum und urspr. Rechteckchor, im späten 13. Jh. durch eine dreischiffige Basilika erweitert.

**Bartsch,** Johann Adam Ritter von (1812), Kupferstecher und Kunstschriftst., *Wien 17. 8. 1757, †ebd. 21. 8. 1821, stellte in ›Le Peintre-Graveur‹ (21 Bde., 1803–21) für die wissenschaftl. Erforschung des Kupferstichs grundlegende Werkverz. zusammen.

**Baruth,** Stadt in Brandenburg, Dt. Dem. Rep., südlich von Berlin; got. Pfarrkirche St. Sebastian (1346 gew., nach Brand erneuert 1595 und 1671), Herrschaftslaube mit Maßwerkgiebel; schlichtes Barockschloß (18. Jh.), Schloßpark nach Plan von P. J. LENNÉ (1838).

**Barye** [bar'i], Antoine-Louis, frz. Bildhauer und Maler, *Paris 24. 9. 1796, †ebd. 25. 6. 1875, wurde 1868 Akademie-Mitglied, schuf Tierplastiken von vitaler Ausdruckskraft in Anwendung des herrschenden Akademiestils, hervorragend auch in der Bronzebearbeitung. Bei ihm verbindet sich romant. Schwung mit realist. Erfassung. B. schuf auch Landschaftsaquarelle und Tierzeichnungen.

**Basa,** nach ihrem größten Ort auch **Yabassi** genannt, Stamm im S des Kameruner Graslandes. Von den abstrakt-expressiv gestalteten Masken und Figuren (aus Holz) sind nur wenige Exemplare erhalten.

**Basaiti,** Marco, ital. Maler wahrscheinlich grch. Herkunft, tätig in Venedig seit etwa 1496, †ebd. nach 1530, beeinflußt von GIOVANNI BELLINI und GIORGIONE; schuf v. a. Bildnisse, Altarbilder.

HW (in Venedig, Gal. dell'Accademia): Berufung der Söhne des Zebedäus (1510); Christus am Ölberg (1516).

**Basaldella,** ital. Maler, →Afro.

**Basalt** [lat. basamites] *der,* dunkles Eruptivgestein (schwarz oder grün), das relativ zäh und fest ist.

In Ägypten wurden Statuen aus B. gearbeitet, u. a. die 2 m hohe Statue des Königs THUTMOSIS III., um 1450 v. Chr., aus Karnak, und die Osirisstatue von Medinet Habu aus der ägypt. Spätzeit, 26. Dynastie, um 630 v. Chr. (beide Werke in Kairo, Ägypt. Mus.).

Im Alten Orient wurde B. oft für Reibeplatten (Mühlen) und Gefäße, als Türangelstein und (seltener) Baumaterial verwendet; bes. in N-Syrien auch für Orthostaten, Siegesstelen und Monumentalplastiken.

In Mesoamerika spielte B. eine hervorragende Rolle bei den Olmeken, die daraus ihre Kolossalköpfe herstellten. Aus B. sind auch die Atlanten in →Tula und viele Skulpturen der Azteken (BILD).

**Basaltware,** engl. **basaltes(ware)** [bəs'ɔ:lti:z-(weə)], hartes, feinkörniges, unglasiertes Steinzeug, in den 60er Jahren des 18. Jh. von J. →Wedgwood entwickelt, bes. für Vasen, Büsten und Teegeschirr verwendet.

**Basar, Bazar** [pers.], **Suk** [arab.], das Marktviertel der islam. Stadt. Charakteristisch ist das Nebeneinander versch. Baugruppen: Ladenzeilen entlang überdachter, überwölbter oder offener Gassen, mehrstöckige Handelsgebäude mit großem Innenhof und überwölbte oder überkuppelte Stützenhallen.

**Baschang,** Hans, Zeichner, *Karlsruhe 15. 4. 1937, Prof. an der Akad. in München, stellt in großformatigen Figurenzeichnungen Wachstumsgebilde dar, bei denen Bildgesetze die anatom. Richtigkeit überstimmen. Ziel der Wiedergabe ist nicht der Torso, sondern die Aktion der Gesamtgestalt im Bild.

**Baschenis** [bask'ɛ:nis], Evaristo, ital. Maler, *Bergamo 4. 12. 1617 (oder 1607), †ebd. 5. oder 15. 3. 1677, schuf Stilleben und spezialisierte sich auf Darstellungen von Musikinstrumenten (Mailand, Brera, und Bergamo, Gal. dell'Accademia Carrara), die er mit Teppichen, Blumen und Früchten anordnete; malte auch Bildnisse musizierender Personen.

**Baschenow, Baženov** [-ʒ-], Wassilij Iwanowitsch, russ. Baumeister, *Dolskoje (Gouv. Kaluga) 12. 3. 1737, †St. Petersburg 13. 8. 1799, schuf im Auftrag KATHARINAS II. ein spätbarock-klassizist. Projekt zur Umgestaltung des Moskauer Kreml (1767–75, Modell erh.), eine Schloß- und Parkanlage in Zarizyno bei Moskau in ›russischer Gotik‹ (1776–85, unvoll., z. T. abgerissen), Paläste in Moskau (u. a. Paschkow-Haus, das alte Gebäude der heutigen Leninbibl.) und St. Petersburg. B. gab ein Werk zur Geschichte der russ. Architektur heraus.

**Basel,** frz. **Bâle** [ba:l], Hauptstadt des schweizer. Halbkantons Basel-Stadt, 192 800 Ew., rechtsrheinisch **Kleinbasel,** linksrheinisch **Großbasel.** Aus dem Römerlager **Basilia** hervorgegangen, war das ma. Basel bis ins 14. Jh. bischöflich, dann Reichsstadt bis zum Eintritt (1501) in die Eidgenossenschaft. Im Kern der ma. Stadt liegt das spätroman. Münster (um 1225 voll.), nach dem Erdbeben von 1356 gotisch überarbeitet. Die roman. ›Galluspforte‹ am N-Querhaus ist eines der ältesten Figurenportale im deutschsprachigen Raum; weitere bed. Bauplastik: spätroman. Kapitelle in Langhaus und Chorumgang, 2 Reiterfiguren (St. Georg, St. Martin) an der Westfassade; got. Westportal mit den Stifterfiguren (Kaiser HEINRICH II. und KUNIGUNDE); reich geschnitztes Chorgestühl (1432). Die ehem. Barfüßerkirche (1. H. 14. Jh.) mit prächtigem hochgot. Chor war die monumentalste Franziskanerkirche der Schweiz; seit 1894 Histor. Mus. Die St. Leonhardskirche ist ein spätgot. Neubau an Stelle einer 1356 zerstörten Kirche (neben älteren erh. Teilen im wesentl. 1356–88 und seit 1489). St. Alban (1304 voll.), Kirche des 1083 gegr. Cluniazenserklosters, erlebte zahlreiche Umbauten, doch ist der Chor, das reichste Werk der Gotik in Basel, weitgehend erh. Von der ehem. Kartause St. Margarethental (15./16. Jh.) in Klein-B. sind Mönchschor, Lettner und Kleiner Kreuzgang, vom prachtvollen Ausbau des Klosters Anf. 16. Jh. das bes. bemerkenswerte Zschekkenbürli-Zimmer (1509) erh. Unter den Profanbauten ragt das Rathaus heraus (älteste Teile 1504–14), in dessen Fassade sich stilist. Merkmale der Gotik und Renaissance harmonisch verbinden; bes. bemerkenswert der Regierungsratssaal mit geschnitzter Decke (1512 bis 1514) und Tür (1595). Ma. Wohnbauten v. a. in den Gassen um das Münster. Unter den erh. Toren ist das Spalentor (Ende 14. Jh.) das schönste der Schweiz. Zahlreiche Museen, bes. wichtig das Kunstmus. (altdt. Malerei, bes. K. WITZ und H. HOLBEIN D. J., fläm. Malerei des 16./17. Jh., schweizer., dt., frz. Malerei des 19. Jh., Kunst des 20. Jh., bes. Kubisten); Mus. für Gegenwartskunst (1980 eröffnet); Mus. für Völkerkunde.

**Baselitz,** Georg, eigtl. Hans-Georg **Kern,** Maler, Graphiker, *Deutschbaselitz (Sachsen) 23. 1. 1938, lebt seit 1975 in Derneberg (Ndsachs.). B. malte expressiv deformierte Bilder mit erot. Motiven, bis sich 1963/64 seine emotionsgeladene Malweise zu einem breitflächigen →Neoexpressionismus beruhigte. Seit 1969 stellt B. seine Motive auf den Kopf, um die Eigengesetzlichkeit der Bildfläche zu betonen. 1979/80 schuf er seine erste Holzskulptur.

G. B., Ausst.-Kat., Braunschweig (1981).

**Basilika** [grch. basilikos ›königlich‹], *Mz.* **Basiliken,** ein im Röm. Reich spätestens Anfang des 2. Jh. v. Chr.

1

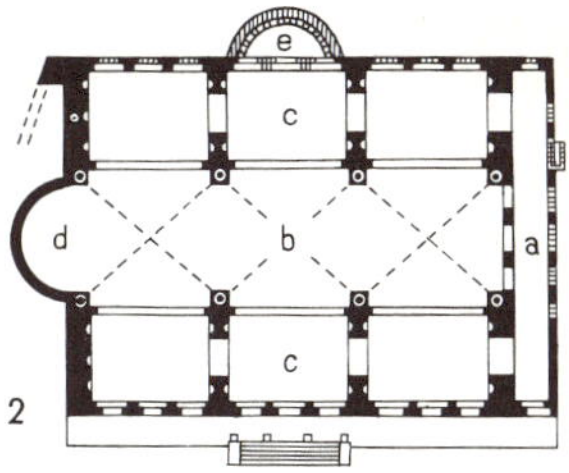


2

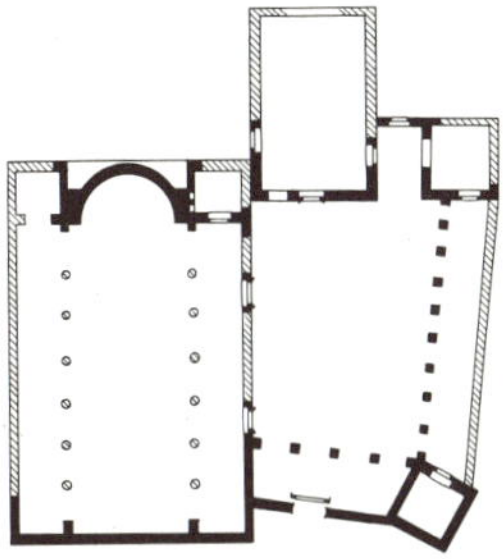

3

4

**Basilika:** **1** Gewölbebasilika des Maxentius in Rom (von Konstantin verändert). **2** Grundriß der B. des Maxentius in Rom: a Vorhalle, b Mittelschiff mit drei Kreuzgewölben, c die um die Hälfte niedrigeren Seitenschiffe mit je drei Tonnengewölben, d halbrunde Apsis, e zur Zeit Konstantins hinzugefügte Apsis. **3** Grundriß einer B. mit seitl. Eingängen und seitl. Hof, Babiska, Syrien. **4** B. mit Turmfassade, Turmanin, Syrien; um 500.

entstandener Bautypus. Seine Herleitung von östl. Vorbildern ist trotz seines Namens unwahrscheinlich.

Die B. diente dem Markt- und Börsenverkehr, auch Gerichtsverhandlungen u. a. Die antike Basilika ist eine Halle mit oft überhöhtem Mittelschiff und ringsumlaufenden oder nur an den Langseiten befindl., durch Säulen oder Pfeiler vom Hauptraum getrennten Seitenschiffen. Sie konnte flachgedeckt, mit offenem Dachstuhl oder, wie öfter in der Kaiserzeit, eingewölbt sein. Der Haupteingang lag meist an der Schmalseite. Ihm gegenüber befand sich oft eine Apsis als bevorzugter Platz des Richters oder Herrschers oder auch zur Aufstellung eines Bildwerks. Die Bauart (Lang- oder Breitbau, Zahl der Apsiden, Gestaltung von Emporen und Obergaden), auch die Schmuckformen waren sehr mannigfaltig. Zu den größten und am reichsten ausgestatteten B. gehörten die B. Ulpia auf dem Trajansforum und die Konstantins-B., beide in Rom. Zahlreich sind die meist kaiserzeitl. B. im Röm. Reich, auch seinen westl. Provinzen und in Nordafrika (Leptis Magna), seltener im Osten. Basilikale Räume finden sich vereinzelt auch in Privathäusern und als Repräsentationssäle in den Kaiserpalästen, so im Flavierpalast

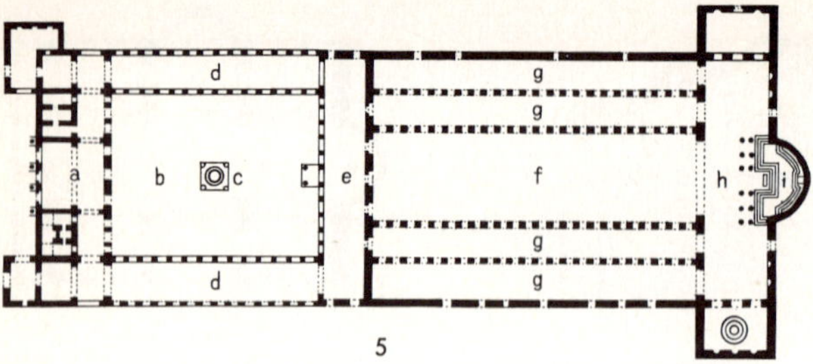


5

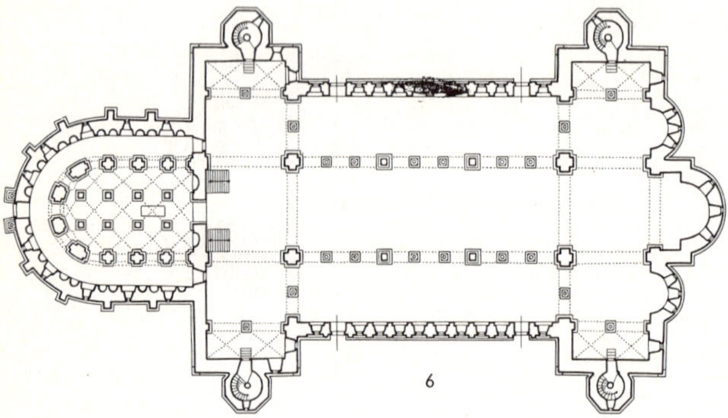

6

**Basilika: 5** Grundriß der frühchristl. B. S. Peter in Rom: a Antiportikus, b äußerer Vorhof (Atrium), c Reinigungsbrunnen, d Peristyl (Gang), e innere Vorhalle (Narthex), f Mittelschiff, g Seitenschiffe, h Querschiff, i Apsis mit Altar und Bischofsstuhl. **6** Grundriß der sechstürmigen roman. B. St. Michael in Hildesheim. **7** St. Michael in Hildesheim von Südosten (1010–33)

7

auf dem Palatin und den Kaiserpalästen der Spätantike (Trier).

Die christl. Basilika. Das Christentum übernahm seit dem 4. Jh. in modifizierter Form die Anlage der profanen B.: Zur Mehrschiffigkeit, Erhöhung des Mittelschiffs und Betonung der Achse durch eine Apsis trat die Aufteilung des Innenraums in einen Bezirk für den Klerus (Presbyterium, Sanktuarium) und einen Versammlungsraum für die Gemeinde hinzu. Die christl. B. wurde damit zu einem orientierten Richtungsbau; sie folgte (in reduzierter Form) den Bauten der Baumeister unter KONSTANTIN D. GR. (Lateranskirche, Alt-St. Peter in Rom, 4. Jh.): Das Mittelschiff endete in der

Apsis mit Priesterbank, Bischofsstuhl und Altar, unter der Apsis lag zuweilen eine →Krypta. Dem Haupteingang im W waren oft eine quergerichtete Vorhalle (Narthex) sowie ein Vorhof (Atrium) vorgelagert. Die Schiffe wurden zunächst durch Säulen mit geradem Gebälk (in Rom noch im 12. Jh.) getrennt. – Eine Sonderform der röm. B., bei der die Seitenschiffe um die Apsis herumgeführt waren (röm. Coemeterialbasiliken S. Sebastiano, SS. Marcellino e Pietro, S. Lorenzo, S. Agnese), blieb ohne Nachfolge. Abweichende Bauformen, B. mit Emporen, entstanden in Aquileja, Mailand, Konstantinopel wie überhaupt im grch. Sprachraum. – Östl. Baugewohnheiten folgend stand die B. oft frei in einem Temenos (Hof); ihr Zugang war durch Propyläen betont (Apostoleion Konstantins). Die ältere syr. Kirche ordnete Hof und Zugänge seitlich der Kirche an. Später setzte sich auch hier die Längsorientierung mit zuletzt turmartig ausgebauter Vorhalle (ohne Atrium) durch; auch begegnet die Lage frei in einem Temenos mit Zugängen an allen Seiten. Allg. beschränkte sich die Einrichtung auf den Platz des Bischofs, Bänke für das Presbyterium in der Apsis und den Altar. Aus den in das Schiff hineinreichenden Schranken entwickelte sich der Vorchor. Nebenräume neben der Apsis v. a. für den Märtyrerkult begegnen seit dem 4. Jh. in Syrien; sie verbreiteten sich von hier über Konstantinopel bis nach Ravenna.

Während sich im grch. und slaw. Raum seit dem frühen MA. mit wenigen Ausnahmen der Zentralbau (Kreuzkuppelkirche) durchsetzte, blieb die altchristl. B. im Westen die bevorzugte Grundform des ma. Kirchenbaus. Sie wurde vergrößert durch Querhaus, Chor-, Kapellen- und Turmanbauten; ihr wesentl. Grundzug blieb die Belichtung des mittleren Hauptraums durch hoch über den Seitenschiffen oder -kapellen angeordnete Fenster.

**Basilisk** [grch. ›kleiner König‹], Fabeltier (Mischwesen zw. Drache und Hahn, mit tödl. Blick), in der roman. Bauplastik häufig Symbol für den Tod oder den Teufel. (→Christusbild)

**Basilius der Große,** Kirchenlehrer, *Caesarea im Pontus (türk. Kayseri) um 330, †ebd. 1. 1. 379, Erzbischof von Caesarea; oft dargestellt: im O in liturg. Gewand (Ikonen des Sinai, 7.–9. Jh.), im W als lat. Bischof, Einsiedler mit Büchern und Totenkopf – auch unter den Kirchenvätern.

**Basis** [grch.], Baukunst: Standglied einer Säule oder eines Pfeilers, das den Druck der Stütze auf eine etwas größere Fläche verteilt (→Säulenordnung).

**Baskerville** [b'æskəvıl], John, engl. Schriftgießer und Buckdrucker, *Wolverly (Worcestershire) 28. 1. 1706, †Birmingham 8. 1. 1775, schuf neben Schrifttypen v. a. Lackarbeiten mit polychromem Dekor auf Mahagoni- und Schildpattuntergrund.

**Basohli,** Malschule der →Rajput-Malerei, nach dem Entstehungsort B. zw. Jammu und Himachal Pradesh in Indien, entstand um 1670 und zeichnet sich in seiner Frühphase durch in die Malereien eingearbeitete, schillernde Käferflügel, ein intensives Gelb und ein leuchtendes Rot in der Bildumrandung aus.

**Basrelief** [barəlj'ɛf, frz.], flaches →Relief.

**Bassa,** span. Maler, →Ferrer Bassa.

**Bassa,** Stammesgruppe an der Küste Liberias, Westafrika. Ihre Wohnlage zw. den Kultureinflüssen der Mende und Vai im NW und denen der Kru, Grebo und Dan im O spiegelt sich in der Gestaltung ihrer Masken wider (Figuren sind nur wenige bekannt); ihre Helmmasken erinnern an den Bundu-Stil der →Mende, ihre Gesichtsmasken an den Porro-Stil der →Dan.

**Bassa Ferrer,** span. Maler, Miniaturmaler, *Tortosa um 1285, †Barcelona 1348, seit 1316 tätig im Dienst des aragones. Königshauses. Er verarbeitete toskan. (GIOTTO) und sienes. (SIMONE MARTINI) Einflüsse, wurde so Wegbereiter der ital. Trecentokunst in Spanien.

**HW:** Freskenzyklus mit Szenen aus dem Leben Christi und Mariae in der Capilla de S. Miguel des Klosters in Pedralbes bei Barcelona (1345–46).

**Bassai** [ngrch. v'asɛ], lat. **Bassae,** antiker Ort, der zu der befestigten Stadt Phigalia in Arkadien (W-Peloponnes) gehörte; in der Nähe bes. gut erhaltener Tempel des Apollon (Ende 5. Jh. v. Chr.), angeblich von IKTINOS erbaut. Entgegen der Regel ist der Tempel nach N (sonst O) orientiert; er hat einen zweiteiligen Innenraum mit stark variierten Säulenstellungen. Hier war ein Cellafries von hoher künstler. Qualität angebracht (jetzt im British Mus., London), der Amazonen- und Kentaurenkämpfe in auffallend unklass. Erregung wiedergibt.

**Bassano,** Jacopo, eigtl. J. **Da Ponte,** ital. Maler, *Bassano del Grappa um 1517/18, †ebd. 13. 2. 1592, beeinflußt von BONIFAZIO DE' PITATI, TIZIAN und L. LOTTO, malte relig. Bilder in satten Farben und mit kühnen Lichtwirkungen, in denen Darstellungen von Herden, Hirten und Bauern vorherrschen. Von seinen 4 Söhnen setzten bes. Francesco (*1549, †1592) und Leandro (*1557, †1622) die Kunst des Vaters fort.

**Bassano del Grappa,** Stadt in der ital. Prov. Vicenza, 36 500 Ew., an der Brenta gelegen (gedeckte Holzbrücke, urspr. aus dem MA., im 16. Jh. nach Plänen A. PALLADIOS erneuert), mit altem Stadtbild (v. a. Häuser und Paläste aus Renaissance und Barock, z. T. mit Fassadenmalereien und Laubengängen). An der Piazza Libertà die Kirche S. Giovanni Battista (1747–85 umgebaut; Fassade in die Platzfront einbezogen; reich ausgestattete Sakramentskapelle); an der Piazza Garibaldi (mit dem ma. Torre di Ezzelino) die Kirche S. Francesco (13. Jh., mit baldachinartiger Vorhalle). Dom (16. und 18. Jh.; im Inneren Gemälde); Städt. Mus. mit Gemälden von J. BASSANO und Zeichnungen von A. CANOVA.

**Basselissestuhl** [basl'is-, frz.], Flachwebstuhl mit horizontal geführter Kette, im Unterschied zum **Hautelissestuhl** [o:tl'is-, Hochwebstuhl] mit senkrechter Kette. Die horizontal geführte Kette kennzeichnet die Gewebeherstellung der alten Ägypter und heute noch der

›Naturvölker‹. Völker, die im Freien weben konnten, spannten die Kette i. d. R. flach über den Erdboden.

**Bassenheimer Reiter,** Sandsteinrelief des Hl. Martin, um 1240 vom Naumburger Meister für den Martinsaltar des Mainzer Doms geschaffen, seit etwa 1700 in Bassenheim (Kr. Mayen-Koblenz).

**Basse-taille-Emaillierung,** frz. **Émail translucide de basse taille** [em'aj trãslys'id də bast'aj], Tiefschnittschmelz, →Emailkunst.

**Bassum,** Stadt südlich von Bremen, Ndsachs., 14 800 Ew., mit ehem. Kanonissenstift (um 860 gegr.), jetzt weltl. Damenstift. Romanisch-got. Backsteinhallenkirche (13./14. Jh.); bemerkenswerter Kapitelsaal im Äbtissinnenhaus (18. Jh.).

**Bastam,** Ruine der urartäischen Festung und Stadt **Rusai Uru. Tur,** etwa 70 km nördlich des Urmia-Sees (KARTE Alter Orient). Durch Grabungen wurde auf dem Hügel eine doppelte Befestigungsmauer mit starkem Tor aus dem 7. Jh. v. Chr. freigelegt, ferner ein Tempel des Gottes Haldi und zahlreiche Wohnhäuser.

**Bastet,** ägypt. Göttin der Freude und Liebe, in Menschengestalt mit Katzenkopf dargestellt, seit der 18. Dynastie (1552–1306 v. Chr.) meist ganz als Katze.

**Bastien-Lepage** [bastj'ɛ̃ ləp'a:ʒ], Jules, frz. Maler, *Damvillers (Dép. Meuse) 1. 11. 1848, †Paris 10. 12. 1884, malte, von J.-F. MILLET und später vom Impressionismus beeinflußt, Bilder aus dem ländl. Leben.

**Bastion** [frz.], **Bastei,** vorspringendes Bollwerk einer Festung zur Aufstellung von Geschützen. Anfangs in runder Form, später spitzwinkelig, mit eingezogenen Flanken zum optimalen Bestreichen des Vorfelds. Die B. war schon im 15./16. Jh. Bestandteil der ital. Festungsbaukunst und wurde im Absolutismus in Frankreich vervollkommnet.

**Baststoffe,** Stoffe aus dem Bast von Papiermaulbeer-, Brotfrucht- und Feigenbäumen, in Afrika aus Hibiscus- und Palmenarten (→Raphia); von vielen ›Naturvölkern‹ durch Klopfen mit gerillten Schlegeln hergestellt, vielfach ornamentiert und zu Kleidung, Dekken oder Masken verarbeitet. Ihren Höhepunkt erreichte die künstler. Gestaltung von B. in Polynesien (→Tapa).

Für Afrika liegt der früheste Nachweis aus Igbo-Ukwu (SO-Nigeria) vor (9./10. Jh.); Zentrum der Herstellung ist das zentrale Hochland von Madagaskar (bei den Tanala, Merina und Betsileo) sowie das südl. Nigeria mit den Yoruba-Stämmen Owe (Zentrum: Kabba) und Igbirra (Zentrum: Okene; der Bast wird hier mit Baumwolle gemischt). B. dienen in Afrika nur noch äußerst selten profanen Zwecken; sie werden vielmehr für bestimmte Maskengewänder innerhalb des Ahnenkults und als wertvolle Leichentücher verwendet.

**Batak,** zu den Altvölkern Indonesiens gehörendes Volk in N-Sumatra, um den Toba-See. Die Holzhäuser der B. mit hoch aufragenden, vorn überstehenden Dächern sind mit Schnitzereien geschmückt, bes. die der Toba-B. (Schnitzerei eines stark ornamental aufgelö-

**Batak:** Pulverhorn mit Holzschnitzereien (Stuttgart, Linden-Museum)

sten Tierkopfes am Giebel). Skulpturen sind vorwiegend aus Holz geschnitzt und dienen ritualen und magischen Zwecken (v. a. Abwehrzauber). Auch die Zauberstäbe der Priester, im oberen Teil mehrere menschl. und tier. Figuren aufeinanderreitend darstellend, bis etwa 250 cm lang, sind äußerst kunstvoll skulptiert. Als einzige Ahnenbilder werden die jeweil. Stammeltern zum Schutz des Stammes in Holz hergestellt und im Häuptlingshaus aufbewahrt. Die B. stellen auch qualitätvolle Batiken her, vielfach unter Verwendung von Indigo.

**Batalha** [bat'aʎa], portug. Ort im Distrikt Leiria, rd. 7000 Ew. Zur Erinnerung an die siegreiche Schlacht (batalha) über die Kastilier (1385) gründete König Johann I. (João I.) hier das Kloster S. Maria da Vitória (heute portug. Nat.-Monument). Die turmlose dreischiffige Klosterkirche ist ein Meisterwerk der Hochgotik; am südl. Seitenschiff die Grabkapelle des Stifters (Capela do Fundador, 1424 beg.) mit Doppelsarkophag des Königs und seiner Gemahlin und zahlreichen weiteren bed. Königsgrabmälern des 15. Jh.; an der O-Seite in Verlängerung des Chors die als königl. Mausoleum geplanten großartigen Capelas Imperfeitas (seit 1490 von M. Fernandes d. Ä. und d. J. erbaut, auf achteckigem Grundriß 7 größere und 6 kleinere Kapellen umschließend; unvoll.). Hier, v. a. am Eingangsportal zu den Kapellen und an der Loggia von J. de Castilho (1528–33), wie auch in den beiden Kreuzgängen, bes. im von D. Boytac gestalteten Claustro Real (1509 ff.), gelangt der Emanuelstil in seiner überreichen Ornamentik zu höchster Vollendung: Das Netz- und Gitterwerk überspannt die Konstruktion und überhöht die Gesamtheit unter Verwendung von exot. Dekor (Blu-

**Batalha:** Brunnenhaus im Kloster

menmotive, Ranken, Muscheln u. v. m.) zu einer Phantasie von Licht und Schatten.

**Batara,** javan. Bez. für Gottheit. B. Bromo entspricht Brahma, B. Guru entspricht Shiva; B. Tunggal, die autochthone höchste Wesenheit, wurde später Shiva gleichgesetzt.

**Bath** [bɑ:θ], Stadt in der Cty. Avon im südwestl. England, 84300 Ew. Von den Thermenanlagen des röm. Badeorts **Aquae Sulis** wurden in den letzten 2 Jh. Teile ausgegraben und zugänglich gemacht. Im MA. war B. ein bed. Marktort des engl. Tuchhandels. Die Kirche des seit 781 bekannten Kollegiatstifts wurde ab 1499 als dreischiffige Basilika mit Vierungsturm und Fächergewölben im →Perpendicular Style erneuert, war im 16. Jh. bei Auflösung des Stifts aber noch unvollendet. Das Langhaus wurde im frühen 17. Jh. ausgebaut und 1864 durch G. G. Scott gewölbt; W-Fassade mit Darstellung der Himmelsleiter. Im 18. Jh. großzügige Stadtplanung mit regelmäßigen Platzanlagen und vereinheitlichten Fassaden mit Kolossalordnung im Stil des engl. →Palladianismus, v. a. durch J. Wood: der quadrat. ›Queen Square‹ (1729–36), der kreisförmige ›Circus‹ (1754 ff.) und der als Halboval zum Park geöffnete ›Royal Crescent‹ (1764–74), verbunden durch geradlinige Straßenzüge. Es entstand ein Stadtbild von einzigartiger Geschlossenheit.

Südlich der Stadt das Landhaus **Prior Park,** erbaut ab 1735 von J. Wood mit sechssäuligem Portikus; seit 1830 kath. College; im Park ›Palladian Bridge‹ von I. Jones (1750), 1844–82 wurde die Kirche St. Paul's westlich des Prior Park als tonnengewölbte Halle mit korinth. Säulen erbaut.

**Bathykles,** grch. Baumeister aus Magnesia am Mäander, errichtete Ende des 6. Jh. v. Chr. den Amykläischen Thron (→Amyklä).

**Batignolles** [batiɲ'ɔl], **Gruppe von B.,** zeitgenöss. Bez. für jene Gruppe früher frz. Impressionisten, die sich unter Führung von É. Manet im Pariser Stadtteil ›Les B.‹ im Café Guerbois zusammenfanden. Einer von ihnen, H. Fantin-Latour, hat sie 1870 auf seinem Bild ›Atelier in B.‹ dargestellt: É. Manet, O. Scholderer, A. Renoir, Z. Astruc, J.-F. Bazille, C. Monet u. a. (im Mus. d'Orsay, Paris).

**Batik** [javan. ›gesprenkelt‹] *der,* v. a. in Java und Indien entwickeltes Verfahren, um auf Baumwollstoff oder Seide farbige Muster zu erzielen. Bei der heute noch verwendeten Technik wird das Gewebe mit Wachs überzogen, getrocknet und geknittert. Durch die feinen Risse in der Wachsschicht dringt beim anschließenden Färben der Farbstoff. Bei einer anderen Arbeitsweise wird das Gewebe stellenweise durch Wachs abgedeckt und anschließend in Farblösung eingetaucht. Nach Entfernen des Wachses läßt sich dieses Verfahren mehrfach wiederholen, so daß eine vielfarbige Musterung wie beim Stoffdruck ermöglicht wird. Durch Bruchstellen in der Wachsreservierung entsteht beim Färben ein Netz z. T. feinster farbiger Linien, die für die B.-Technik kennzeichnend sind.

Die Ursprünge des B.-Verfahrens sind nicht geklärt (indones. Erfindung oder aus Indien eingeführt). B.-Tücher aus Java werden bereits in einer Hs. aus dem Anf. des 16. Jh. erwähnt. Die künstler. hochstehendsten Beispiele stammen aus der 2. H. des 16. und des 17. Jh. Die Dessins dieser Brust- und Hüfttücher hatten magischen und kult. Charakter. (BILD indonesische Kunst)

**Batoni,** Pompeo, ital. Maler, *Lucca 25. 1. 1708, †Rom 4. 2. 1787, der letzte bed. Vertreter des röm. Spätbarock; suchte dessen dekorative Oberflächlichkeit durch engeren Anschluß an RAFFAEL und die Antike zu steuern, wobei er zu einem Wegbereiter des Klassizismus wurde. B. schuf gewissenhaft durchgeführte Altargemälde, relig. und mytholog. Darstellungen (›Büßende Magdalena‹, um 1750; ehem. Dresden, Gemäldegal.; 1945 verbrannt). Als Bildnismaler (über 200 Werke erh.) genoß er europ. Ruf (›Joseph II. und Leopold von Toskana‹, 1769; Wien, Kunsthistor. Mus.).

P. B., Ausst.-Kat., Kenwood-House (London 1982).

**Batschkowo, Bačkovo,** Kloster im Rhodope-Gebirge, rd. 30 km südöstlich von Plowdiw, Bulgarien. Als georg. Kloster 1083 von GRIGORIJ BAKURIANI gegr., war es seit dem 14. Jh. ein geistiges Zentrum der Bulgaren; zweigeschossiges Beinhaus mit Malereien vom Ende des 11. und aus dem 14. Jh.; im übrigen zur Zeit der Osmanenherrschaft stark zerstört und im 16./17. Jh. z. T. neu errichtet.

**Batschkowo:** Fresko im B.-Kloster mit Darstellung des 3. Konzils in Konstantinopel; Ausschnitt, um 1100

**Battersea** [b'ætəsı], südl. Stadtteil von London. – Im 17./18. Jh. war B. Hauptort des engl. Maleremails

(→Emailkunst) mit auf weißen Grund eingebrannten Kupferstichdekorationen in vergoldeten Ranken.

**Battistello,** ital. Maler, →Caracciolo.

**Battke,** Heinz, Maler, Zeichner, *Berlin 28. 11. 1900, †Frankfurt a. M. 15. 1. 1966, lebte seit 1935 in Florenz und seit 1956 in Frankfurt a. M., wo er Prof. an der Städelschule war. B. entwickelte in surrealen Strichzeichnungen einen eigenwilligen, durch bizarre Gegenstandsdeformationen gekennzeichneten Stil.

**Schriften:** Aufzeichnungen eines Malers (1951); Gesch. des Ringes (1953).

**Bauchant** [boʃ'ã], André, frz. Maler, *Château-Renault (Indre-et-Loire) 24. 4. 1873, †Montoire (Loir-et-Cher) 12. 8. 1958, urspr. Baumschulgärtner, kam erst mit 47 Jahren zur Malerei. Erfolge hatte er zuerst 1921 im Salon d'Automne, später bei den ›Surindépendants‹ und in großen Galerien. B. schuf auf naive Art phantast. Landschaften mit Staffage, Tier- und Blumenbilder, 1927 auch Ballettdekorationen für S. DIAGHILEW.

**Baudekoration, Baudekor,** verallgemeinernder Begriff für Zierrat oder Schmuck am Bau, bes. im Sprachgebrauch der Handwerker. Die B. besteht häufig aus der dekorativen Anwendung von versch. Materialien und Techniken, so schon in der ma. europ. Architektur (z. B. beim toskan. Inkrustationsstil). Eine bes. akzentuierte Form der B. bildet die Bauornamentik (→Bauornament). In ihrer bildner. Gestaltung wird die B. meist als →Bauplastik bezeichnet, welche für die europ. Architektur größere Bedeutung hat als die B.

In den außereurop. Kulturen bildet die B. ein wesentl. Element orientalisch-islam. Architektur, bes. nach Zusammentreffen traditioneller Bauweise in Ziegel, Lehm, Löß mit der bereits orientalisierten römisch-byzantin. Baukunst. Außen- wie Innenflächen, Kapitelle und Balken wurden mit geschnittenem und geformtem Stuck, mit glasierten Fliesen und Fayencemosaik und mit zu Mustern versetzten Ziegeln meist ihrer Funktion gemäß verkleidet, jedoch bestand die Tendenz zum Überspielen der tekton. Gliederung; Inschriften als B. gewannen monumentale Bedeutung. Lokal wurden aus byzantinischer Tradition Glasmosaik, Steinintarsie, Hausteinrelief übernommen. Figürliche Wandmalerei schmückte die Bäder, repräsentative und mytholog. Kompositionen die Paläste, ornamentales Dekor die Moscheen.

Im vorkolumb. Amerika wurde B. an Fassaden, als spezielle Dachkonstruktionen (Dachkämme in Palenque und Yaxchilán) und bei Treppenaufgängen (Copán, Kohunlich, Uaxactún) angebracht. Die Fassadendekoration ist im Hoch- oder Flachrelief (Chan Chan, Tiahuanaco), als aufgesetzte Stuckverzierung (Palenque) oder als Steinmosaik (Mitla; Bauten im Puuc-Stil wie Uxmal) ausgeführt. – In Ozeanien hat die B. v. a. in Neuseeland (→Maori) und Melanesien große Bedeutung: mit Schnitzereien kunstvoll gestaltete Hauspfosten, Tür- und seltener Fenstergewände, geschnitzte und bemalte Balken im Innern und an den Giebeln, mit bemalten Palmblattscheiden und zu Ornamenten arrangiertem Blattmaterial verkleidete Giebel der Männer- und Kulthäuser. In Mikronesien bilden eine Ausnahme die →Palau-Inseln mit ihren kunstvoll gestalteten Männerhäusern.

**Bau|denkmal,** ein →Kunstdenkmal aus dem Bereich der Architektur.

**Baudry** [bodr'i], Paul Jacques Aimée, frz. Maler, *La-Roche-sur-Yon 7. 11. 1828, †Paris 17. 1. 1886, malte Bilder mit mytholog. und allegor. Inhalt und vorzügl. Bildnisse, die dem eklektizist. Geschmack des 2. Kaiserreiches entsprachen und sich bes. an der ital. Hochrenaissance orientierten.

**Bauer** [b'ɔuwər], Marius Alexander Jacques, holländ. Maler und Radierer, *Den Haag 25. 1. 1867, †Amsterdam 18. 7. 1932, stellte das Leben des Orients in phantasievollen Bildern und Radierungen (Illustrationen zu ›1001 Nacht‹) dar.

**Bauernhaus,** die Wohn- und Wirtschaftsstätte des Bauern, i. Ggs. zum städt. →Bürgerhaus.

Das Baumaterial des B. war v. a. von klimat. und darauf bezogenen Vegetationsverhältnissen abhängig. In Nadelwaldgebieten bot sich Holz zum **Blockbau** an. Die Dächer waren meist mit Schindeln gedeckt. – Wo in den mittleren Breiten einst Laubwälder mit Eichenbeständen vorherrschten, setzte sich das B. aus **Fachwerk** durch: Ständer aus Eichenholz, Gefache aus Lehmflechtwerk u. a. Material, die Dachhaut bei genügendem Getreidebau aus Stroh. In den Übergangsbereichen vom Nadel- zum Laubwald zeigt sich häufig der **Bohlenständerbau,** bei dem die Gefache aus waagerechten Bohlen bestehen. Der **Stabbau** mit senkrechten Bohlen, deren beide Enden in einen Rahmen eingenutet sind, steht zw. Blockbau und Fachwerk (bes. in Norwegen, urspr. auch in Schweden). – In den durch die Kulturentwicklung waldarm gewordenen Gebieten wurde schon früh Gestein (meist Bruchstein) genutzt, durch Mörtel verbunden und u. U. mit Putz versehen. – Bei relativ geringen Niederschlägen dient Lehm als Baumaterial, mitunter als luftgetrockneter Ziegel (→Adobe), wie im Innern der Iber. Halbinsel, den oriental. Oasenländern, im mittleren und nördl. China und entsprechenden Bezirken Amerikas.

Auch Form und Konstruktion des Daches sind von physikal. Gegebenheiten und der jeweils entwickelten Technik abhängig. In regenarmen Gebieten sind Kuppel- und Flachdach verbreitet, bei höheren Niederschlägen flaches oder steiles Satteldach. Bei den auf Viehzucht abgestellten Häusern der Alpenländer oder der nördl. Gebiete wird das flachgeneigte Dach, beim Schwarzwaldhaus dagegen steile Dachneigung bevorzugt. In Nordwest-Dtl. setzte die Entwicklung zum Sparren- oder Kehlbalkendach voraussichtlich im 5. bis 8. Jh. ein (steile Dachneigungen). Damit war es möglich, die Gebäude unabhängig von inneren Firstsäulen in die Breite zu dehnen und den Dachboden für die Bergung der Ernte zu nutzen.

Bei der Raumaufteilung der B. können Wohn- und Wirtschaftsgebäude in getrennten Gebäuden untergebracht oder in einem Gebäude vereinigt sein. Fehlt für die Anordnung der einzelnen Gebäude eine besondere

Regel, handelt es sich um **Haufenhöfe** (Alpen, nördl. Gebiete, auch Normandie); mitunter auch eine Anordnung der Gebäude um 2 Höfe (Wohnhof mit Wohnhaus, Küche, Speicher; Viehhof mit Ställen u. a.), was **Zwie-, Paar-** oder **Ringhof** gen. wird. Von den Haufenhöfen heben sich die geregelten **Hofanlagen** ab, die in Form von **Zweiseit-, Dreiseit-** oder **Vierseithöfen** erscheinen.

Den Hofanlagen aus mehreren Gebäuden steht der **Mehrzweckbau** oder das **Einheitshaus, auch Einhaus,** gegenüber (Mehrzahl der Wohn- und Wirtschaftsräume unter einem Dach). Sie treten zunächst mit 2 Ständerreihen auf, die das Dach tragen; zw. Ständern und Wand befinden sich die Kübbungen, die zum Aufstallen des Viehs dienen **(Kübbungshaus).** Im oberen Wesergebiet erscheint das längsgeteilte Einheitshaus als **Vierständerhaus.**

Als Sonderform hat sich im 16. Jh. in den niederdt. Marschen das **Gulfhaus** oder der **Haubarg** entwickelt. Bei ihm ist die frühere Mitteldiele in ein Seitenschiff verwiesen. Ihr einstiger Raum dient der Stapelung der Ernte.

T. GEBHARD: Alte Bauernhäuser von den Halligen bis zu den Alpen (1979); V. GLÄNTZER: Ländliches Wohnen vor der Industrialisierung (1980).

**Bauernmalerei,** Bez. des Expressionismus bes. für volkstüml. Hinterglasmalerei, Votivbilder, bemalte Bauernmöbel u. a.

**Bauernmöbel,** volkstüml. Gebrauchsstücke des dörfl. Tischlerhandwerks. Sie beharrten oft längere Zeit in dem einmal entwickelten Stil und bildeten landschaftstyp. Erscheinungen aus, z. B. Renaissance- und

**Bauernmöbel:** Schrank aus dem Inntal; bemalt mit Gleichnissen Jesu, 1788 (München, Bayer. Nationalmuseum)

Barockformen in Nieder-Dtl. oder Rokokoformen in Süd-Dtl. Bei den Harthölzern herrscht Schnitzdekor vor (Schweiz, Rheinland, Nieder-Dtl.), häufig flächige Bemalung beim Weichholz (Franken, Schwaben, Bayern, Österreich). In Hessen betont die Bemalung die geometrisch-ornamentale Schnitzerei. Die volkstüml. Möbelmalerei des 18. und 19. Jh. setzt die Furnier- und Einlegearbeiten des 16.–18. Jh. und die Darstellung des Kirchenbarocks voraus.

**Baugin** [boʒ'ɛ̃], Lubin, frz. Maler, *Pithiviers (Loiret) um 1610/12, †Paris 11. 7. 1663, schuf kleinformatige, v. a. von G. Reni beeinflußte relig. Gemälde; zugeschrieben werden ihm 3 subtile Stilleben, die zu den qualitätvollsten seines Zeitalters gehören (›Die 5 Sinne‹, Louvre; ›Dessert mit Waffeln‹, ebd.; ›Stilleben mit Leuchter‹, Rom, Gal. Spada).

**Bauhaus, Staatliches B.**, von W. Gropius 1919 in Weimar durch Zusammenschluß der dortigen Hochschule für Bildende Kunst mit der Kunstgewerbeschule gegr. Schule mit Werkstätten für gestaltendes Handwerk, Architektur und bildende Künste. In dem gleichzeitig veröffentlichten Manifest forderte Gropius die Einheit aller bildenden Künste unter Führung der Baukunst und erklärte das handwerklich techn. Können als unerläßl. Grundlage des künstler. Schaffens. Der Vorlehre (von J. Itten geleitet), die eine Einführung in die künstler. Gestaltungsmittel war, folgten die erweiterte Formlehre und die eigtl. Mitarbeit in den Werkstätten. Die anfänglich vertretene These der Einheit von Kunst und Handwerk wurde durch Einbeziehung der Technik erweitert und somit der Weg zur industriellen Formgebung geöffnet (→Industrie-Design). Als Mitarbeiter begannen unter Gropius 1919: L. Feininger, J. Itten, G. Marcks, Adolf Meyer; 1920: G. Muche; 1921: P. Klee und O. Schlemmer; 1922: W. Kandinsky; 1923: L. Moholy-Nagy. – 1925 siedelte das B. als **Hochschule für Gestaltung** nach Dessau über, wo Gropius die Werkstätten-, Lehr- und Wohngebäude schuf. Hier setzte sich, bes. nachdem 1928 Hannes Meyer sein Nachfolger geworden war, zunehmend ein reiner Funktionalismus durch. Erst als 1930 L. Mies van der

**Bauhaus** in Dessau von W. Gropius; 1925/26

ROHE die Leitung übernommen hatte, gewann die Wesenseigentümlichkeit der Künste wieder größeren Spielraum. L. HILBERSEIMER lehrte am B. seit 1929. Zu den einstigen Schülern, die am B. Lehrer wurden, gehören J. ALBERS, H. BAYER, M. BREUER. 1932 wurde das B. geschlossen. Weitergeführt wurde es kurze Zeit in Berlin, wo es 1933 aufgelöst wurde.

Vom B. sind stärkste Wirkungen auf das dt. und internat. künstler. Leben ausgegangen. Die Vorlehre, die Itten begründete, ist heute an den meisten Kunstschulen Vorbild für die künstler. Grundausbildung. – 1961 wurde ein →Bauhaus-Archiv in Darmstadt eröffnet, seit 1971 in Berlin (West). – Weiteres →moderne Architektur; ferner die Artikel über die gen. Künstler.

Das Staatl. B. Weimar 1919–23 (1923); Bauhausbücher, 1–14 (1925–30); Vierteljahresschr. ›bauhaus‹ (seit 1926); H. BAYER, W. u. ISE GROPIUS: B. 1919–28 ([3]1955); H. M. WINGLER: Das B. 1919 bis 1933. Weimar, Dessau, Berlin und die Nachfolge in Chicago seit 1937 ([3]1975); B.-Archiv Berlin, Sammlungs-Kat., hg. v. dems. ([2]1982); ders.: Die künstler. Graphik des B. (1982); E. ROTERS: Maler am B. (1965); K. H. HUETER: Das B. in Weimar (1976); B., hg. v. W. HERZOGENRATH (1982).

**Bauhaus-Archiv,** Mus. für Gestaltung in Berlin (West), dokumentiert das künstler. und kulturpolit. Programm des 1919 von W. GROPIUS gegr. →Bauhauses. Das B.-A. wurde 1960 auf Initiative von H. M. WINGLER in Darmstadt gegr. und 1961 eröffnet; nach dem Umzug 1971 nach Berlin konnte 1978 der noch urspr. für Darmstadt geplante Neubau am Landwehrkanal, ein Spätwerk von Gropius, bezogen werden.

**Bauhütte,** ma. Werkstattverband der an einem Kirchenbau arbeitenden Bauleute, bes. der Steinmetze und Maurer, auch der Werkleute der Klöster, eine straff organisierte Brüderschaft, die seit dem 12. Jh. einen starken Aufschwung nahm. Die B. sollte die Einheitlichkeit von Architektur und Plastik im Entwurf und in der Ausführung gewährleisten. Der Ursprung der B. ist dunkel. Vorläufer waren seit dem 7. Jh. die Bautrupps der →Comasken, seit dem 8. Jh. der Lombarden, ab 10. Jh. der Laienbrüder des Benediktinerordens. Im 12. Jh. gab es in S-Frankreich die **Baubrüderschaft** der ›Hüttenjungen des lieben Herrgotts‹. 1459 wurde auf der Hüttentagung in Regensburg unter Führung der Straßburger B. eine Ordnung beschworen, die die B. von Wien, Zürich und Köln vereinigen und die die ›gute Gewohnheit‹ und das ›alte Herkommen‹ wiederherstellen sollten; sie galt der Rechtsstellung der B., ihrer inneren Verfassung und dem Werkgeheimnis. Im Vordergrund standen fachl. Ausbildung und geregelte Beschäftigung. Die Lehrzeit betrug mindestens 4 Jahre. Die B.-Angehörigen waren i. Ggs. zu den Zunftangehörigen frei von allen bürgerl. Verpflichtungen gegenüber der Gemeinde, in der sie arbeiteten; sie waren nur an den Bau gebunden. Auf Grund techn. Kenntnisse unentbehrlich geworden, errang die B. oft eine monopolähnl. Unabhängigkeit von Kirche und Staat. An der Spitze einer B. stand der **Hüttenmeister,** auch **Baumeister,** den der **Parlier** vertrat, der als Obermeister auch Gerichtsherr und Sprecher war. Dazu kamen die Gesellen und Lehrlinge. Nach dt. Vorbild entstanden B. in anderen Ländern, u. a. in England.

Der Regensburger Reorganisationsversuch von 1459 konnte den Verfall der B. nicht aufhalten. Die Reformation überstanden sie nur sehr geschwächt, zumal seit 1550 ›welsche‹ (frz.) Baumeister die dt. verdrängten. Doch waren die B. noch bis 1618 so angesehen, daß Standespersonen, Angehörige freier Berufe, Künstler, Schreiber und Lehrer um Aufnahme nachsuchten. Kaiser RUDOLF II. soll Mitgl. gewesen sein. Seit dem 16. Jh. nahmen die Brüderschaften den Charakter von Zünften an. Förmlich aufgelöst wurden die B. erst durch den Reichsabschied von 1731; ihre Bräuche und Sinnbilder übernahmen z. T. (nach 1782) die Freimaurer. – Über das aus dem 13. Jh. erhaltene Bauhüttenbuch →Villard de Honnecourt.

C. HEIDELOFF: Die B. des MA. (1844); A. GROTE: Der vollkommene Architectus. Baumeister u. Baubetrieb bis zum Anfang der Neuzeit (1959); J. SCHAUBERG: Allgemeine äußere und innere Gesch. der B. (Nachdr. 1974).

**Baukeramik,** aus dekorativen und nicht nur konstruktiven Gründen mit einem Bauwerk verbundene Keramik, die als Fliese, Relief oder vollplast. Dekoration Wand- und Fußbodenflächen deckt oder Portale, Dächer und Fenster schmückt.

Geschichte. Die ältesten Beispiele von B. sind aus Ägypten bekannt (schon im Alten Reich glasierte Kacheln). In Assyrien kommen Fayenceplatten und ornamentierte Kacheln als Wandschmuck vor, in Babylonien plastisch geformte Ziegelsteine als Fassade (Uruk). Farbige Reliefziegel wurden im Neubabylon. Reich (Palastwände und Prozessionsstraße NEBUKADNEZARS in Babylon) und bei den Perserkönigen in Susa verwendet. In Griechenland und Etrurien gingen ke-

**Baukeramik:** Bogenschützen, Relief aus glasierten Ziegeln von einem Palast in Susa, um 400 v. Chr. (Paris, Louvre)

**Baukeramik:** Joan Miró, ›Le mur de la lune‹ am UNESCO-Gebäude in Paris, 1955–58 (Ausschnitt)

ram. Firstziegel, Traufplatten und Metopen der Marmorausführung voraus.

Im islam. Persien spielten lüstrierte Fliesen aus Fayence eine bed. Rolle. Die Araber brachten diese Art von Wandverkleidung nach Spanien (→Azulejos).

Die Entwicklung der B. des MA. war mit dem got. Backsteinbau der nördl. Länder, bes. des Ostseegebietes und des preuß. Ordenslandes, verbunden. Waren es in roman. Zeit nur einfach gebrannte Formsteine, so finden sich seit dem 13. Jh. auch farbig glasierte für Kapitelle und bes. zur Flächenverzierung. In Nord- und Süd-Dtl. kommt auch figürl. B. bes. an Portalen vor. In Italien äußerte sich die Freude der Renaissance an plast. Gestaltung in farbig glasiertem Reliefschmuck von Altären, Friesen, Tympanen (→Robbia). Zu den hervorragendsten Werken in Dtl. gehört die mit Terrakotta-Pilastern und einem Medaillonfries gegliederte Fassade des Fürstenhofes in Wismar (Mitte 16. Jh.). Als Wandverkleidung durch Fliesen erreichte die B. noch eine späte Blüte im 17. und 18. Jh. in den Niederlanden.

Im 19. Jh. kommt die B. am Außen- und Innenbau wieder vielfältig zur Geltung. Fabrikmäßig hergestellte Terrakotta-Dekorteile wie Kapitelle, Baluster, Reliefplatten, Karyatiden u. a. sind in ihrer Reproduzierbarkeit ein Grundzug der Architektur des Historismus. Im 20. Jh. wird B. zur Fassadenverkleidung verwendet.

In ganz Ostasien waren glasierte Dachziegel und geisterabwehrende Fabelwesen als First- und Rippenkrönungen verbreitet. Im China der Ming- und Ch'ing-Zeit waren farbige, reich ornamentierte und reliefierte Fliesenfelder als Giebelzone, Türsturz, Gesims- und Brüstungsfries, Fensterumrahmung, Sockelzone an P'ailou und Pagoden verbreitet. (→Terrakotta, →Ziegel)

ANNE BERENDSON u. a.: Fliesen (1964).

**Baukunst,** →Architektur.

**Baule,** zu den →Akan gehörender Stamm, im 18. Jh. aus dem Gebiet des heutigen Ghana zur Elfenbeinküste gewandert, wo er sich z. T. mit den dort wohnenden →Senufo vermischt hat. Die Figuren und Masken der B., meist in einem ästhetisierenden Naturalismus gestaltet, gehören zu den begehrtesten Kunstwerken Westafrikas. Aus dem Ashanti-Reich haben die B. eine hochentwickelte Metallgußtechnik mitgebracht (Gold,

**Baule:** Maske mit Schmucknarben, 30 cm hoch (München, Privatsammlung)

Bronze, Messing), die (ebenso wie die Blattvergoldung) bei Kultgeräten, Würde- und Rangabzeichen sowie →Goldgewichten angewendet wird. Elfenbeinarbeiten (Kämme u. a.) sind selten, jedoch von hervorragender künstler. Qualität. Die B. sind gute Töpfer und Weber; sie schufen kunstvolle Webrollenhalter.

**Baum,** Ortsteil von Bückeburg, Ndsachs., mit ehem. Lustschloß des Grafen WILHELM VON SCHAUMBURG-LIPPE (1760/61). Im Park an einer Grottenanlage 2 manierist. Portale (um 1604/06), vermutlich aus dem Bückeburger Schloß hierher versetzt.

**Baum, 1)** Otto, Bildhauer, *Leonberg (Württ.) 22. 1. 1900, 1946 Prof. an der Kunstakad. Stuttgart. B. sucht in starker, fast abstrakter Vereinfachung Urformen der plast. Erscheinung zu geben.

F. ROH: O. B. (1950, mit Werkverz.)

**2)** Paul, Maler, *Meißen 22. 9. 1859, † San Gimignano 18. 5. 1932, malte anfangs stimmungshafte Landschaften und fand nach 1890 unter dem Einfluß von P. SIGNAC zu einer eigenen, dt. Variante des →Neoimpressionismus.

**Baumeister,** Leiter der Durchführung eines Bauvorhabens. Urspr. umfaßte seine Tätigkeit den Entwurf der Planskizze wie die Überwachung und prakt. Mitarbeit beim Bau bis zur Fertigstellung. (→Bauhütte, →Architekt)

**Baumeister,** Willi, Maler, *Stuttgart 22. 1. 1889, †ebd. 31. 8. 1955, dort Schüler von A. HOELZEL, seit 1946 Prof. an der Akad. B. gehört zu den führenden

**Willi Baumeister:** Eidos V; 1939 (München, Staatsgal. moderner Kunst)

Malern der abstrakten Kunst. Seine Arbeit entwickelte sich in Werkserien, die best. formale oder themat. Motive abwandeln. Er begann mit den konstruktivist. ›Mauerbildern‹ (seit 1919), die ihm Anerkennung und Freundschaft der französischen Maler A. OZENFANT und F. LÉGER einbrachten, wandte sich seit 1930 immer entschiedener freien Wachstumsformen zu (›Ideogramme‹, 1937/38, ›Eidosbilder‹, ab 1938), nahm seit etwa 1942 in steigendem Maße archaische und exot. Anregungen auf (›Gilgamesch‹) und gelangte schließlich über die ›metaphys. Landschaften‹ (1944–54) zu den visionären Bildern seiner letzten Jahre (›Monturi‹, ›Montaru‹ u.a.). Auch zur Theorie der abstrakten Malerei leistete er mit Schriften und Vorträgen wichtige Beiträge. B. schrieb: ›Das Unbekannte in der Kunst‹ (1947, [2]1960).

W. GROHMANN: W. B. ([2]1963); B., Dokumente, Texte, Gemälde, hg. v. G. ADRIANI, Ausst.-Kat., Tübingen (1971); W. B., Zeichnungen und Gouachen, Ausst.-Kat., Berlin-West, Nat.-Gal. (1972).

**Baumgartenberg,** Dorf bei Perg im Mühlviertel, OÖ, mit ehem. Zisterzienserkloster (1141 gegr.). Die Stiftskirche (1243 gew.) wurde nach Brand umgebaut (1436–46, got. Hallenchor, gew. 1443). Die barocke Umgestaltung durch C. A. CARLONE (um 1697) schuf eine großartige Raumwirkung.

**Baumgartner,** Johann Wolfgang, Maler, *Kufstein 1712, †Augsburg 1761, war ebd. seit 1746 Bürger und schuf dort für Kirchen sowie für den bischöfl. Palast in Meersburg von gemalten Rocaillen eingefaßte Fresken, auch zahlreiche Zeichnungen für Kupferstecher.

**Baumheiligtum,** in Indien urspr. Kultstätte volkstüml. Gottheiten (→Yaksha, →Shalabhanjika), ausgestattet mit Altären und Umzäunung. Im Buddhismus wurde der →Bodhi-Baum als Symbol der Erleuchtung verehrt und tempelartig umbaut (→Bodhigriha).

J. FERGUSSON: Tree and serpent worship (Nachdruck, Delhi 1971).

**Baumschlag,** bei der bildl. Darstellung von Bäumen die Wiedergabe des Laubes, für die versch., bes. im Zeichenunterricht des 18. und 19. Jh. gelehrte Methoden ausgebildet wurden.

**Bau|naht,** sichtbare Stelle im Mauerwerk, an der versch. Bauperioden aneinanderstoßen. Wichtiges Hilfsmittel in der Bauforschung zur Datierung und Feststellung von Vorzuständen von Bauten.

**Bau|ornament,** schmückende Gliederung eines Bauwerks durch plast. Gestaltung, Materialwahl und -wechsel oder farbige Fassung (→Farbigkeit der Architektur). B. können urspr. prakt. Funktion besessen haben, z. B. die Tropfenplatten am Gebälk des grch. Tempels, oder aus dem Kunsthandwerk übernommen sein wie Einlegearbeiten oder Ornamente der Buchmalerei und Textilkunst. Das B., das seit Anbeginn die Architektur begleitet, ist nach seinen Übersteigerungen im Historismus, Jugendstil und Art Déco durch den →Funktionalismus in Frage gestellt worden.

A. LOOS: Ornament und Verbrechen (1908); MICHAEL MÜLLER: Die Verdrängung des Ornaments... (1977); F. u. HELGA MÖBIUS: B. im MA. ([2]1978).

**Bauperiode,** zeitlich definierbarer Abschnitt innerhalb der Entstehungsgeschichte eines Baues, der sich nicht mit einer Stilperiode deckt.

**Bauplastik,** der im Zusammenhang mit einem Bauwerk geschaffene, v. a. figürl. Schmuck, sowohl für den Außenbau als auch den Innenraum. Die B. zeigt weit über das Dekorative hinaus Sinn und Zweck des Bauwerks und seiner Teile: Wand, tragende Glieder, Giebelraum, Portale, Nischen. In Ägypten waren es v.a. Flachreliefs, die, aus Granit oder Sandstein, in Innenräumen meist aus Stuck, Tempelwände, Grabkammern, Obelisken, Felswände bedeckten. Im Alten Orient war B. bes. in 2 Typen vertreten: Götter- und Symbolfiguren aus vorgeformten Ziegeln an Tempelwänden (Uruk, um 1450 v. Chr., Susa, 12. Jh. v. Chr.), die später in sehr flachem Relief (teilweise glasiert) an babylon. und iran. Bauten (Babylon, Susa, 6./5. Jh. v. Chr.) weiterwirkten, und Reliefs mit apotropäischen Figuren (Löwen, Sphingen, Mischwesen, Lamassu), die den Eingangsbereich von Tempeln und Palästen bewachten. Diese zuerst an altbabylon. Bauten nachzuweisende B. fand ihre monumentalste Ausprägung in den Torlaibungsstieren assyr. Paläste (Kalach, Dur-Scharrukin, 9./8. Jh. v. Chr.). Die B. der grch. Tempel fügt sich in straffer Ordnung dem architekton. System der Metopen- und Giebelfelder ein. Die großartigsten B. finden sich an spätarchaischen und klass. Tempeln Griechenlands (Ägina, Olympia, Akropolisbauten von Athen, Bassai); auch aufwendige Grabbauten (Xanthos, Halikarnassos) und Altäre (Pergamon) tragen B. In röm. Zeit gehört die B. v.a. zum Schmuck von Triumphbögen und -säulen; auch die zahlreichen Statuen in den mehrstöckigen Fassaden von Nymphäen, Theatern o.ä. sind der B. im weitesten Sinne zuzurechnen.

In der Romanik gewinnt die B. wieder an Bedeutung, zuerst in Mittel- und S-Frankreich, wo sie sich am Außenbau reich entfaltet, in Dtl. bes. in Innenräumen. In der Gotik kommt der B. mit der bildhaften Darstellung theolog. Inhalte eine zentrale Funktion zu. Mit dem Bilderverbot der Reformation verliert die B. im sakralen Bereich an Bedeutung. – In Renaissance und Barock bietet sich der B. eine Hauptaufgabe in der Gestaltung von Fassaden und Innenräumen der Schlösser und Paläste. Im Historismus des 19. Jh. erlebt die B. mit allen ihren Spielarten eine Wiederaufnahme.

**Bause,** Johann Friedrich, Kupferstecher, *Halle 3. 1. 1738, †Weimar 5. 1. 1814, wurde 1766 Lehrer an der Kunstakad. in Leipzig. B. stand in nahen Beziehungen zu F. A. OESER und A. GRAFF, deren Porträts bed. Zeitgenossen (C. F. GELLERT, C. M. WIELAND, J. J. WINCKELMANN u. a.) er in virtuoser Manier stach.

**Bausymbolik,** →Architektur.

**Bautasteine** [altnord.], freistehende, unbearbeitete Steinpfeiler in Skandinavien, urspr. (seit der Bronzezeit) wohl als Gedenk- und Kultsteine an Wegen und auf Gräberfeldern errichtet. Die Bez. B. ist heute auf inschriftlose Steindenkmäler Skandinaviens beschränkt.

**Bautzen,** Stadt in der Oberlausitz, Dt. Dem. Rep., 46300 Ew. Keimzelle von B. ist die Ortenburg (um

1000, spätgot. Neubau 1483–86, 2. H. 17. Jh. ausgebaut), Hauptgebäude mit Zwerchhäusern (1698), Audienzsaal mit reicher Stuckdecke (1662). Der got. Dom St. Peter (1293–1303 und 2. H. 15. Jh., 1497 voll.), eine dreischiffige Halle mit Netzgewölben, im S des Langhauses 4. Schiff (1456–63) mit Sterngewölben und prächtigen Maßwerkfenstern, ist seit 1524 Simultankirche (evang. Langhaus, kath. Chor). Michaeliskirche (nach 1429 beg.) mit skulptiertem Taufstein (1597); got. Mönchskirche (um 1300 beg., seit 1598 Ruine); spätgot. Nikolaikirche (15. Jh., seit 1634 Ruine). Barockes Rathaus (1729–32), zahlreiche barocke Bürgerhäuser; am klassizist. Stadttheater (1795) seit 1905 das Giebelrelief der 1869 abgebrannten ersten Dresdener Oper von G. SEMPER.

**Bauweise, 1)** im →Städtebau die Art der Bebauung: offene, geschlossene und gemischte B. Bei der offenen B. stehen die Häuser allseitig frei und sind durch einen Zwischenraum (Bauwich) voneinander getrennt. Bei der geschlossenen B. sind die Häuser an der Brandmauer verbunden und bilden geschlossene Häuserzeilen. Bei der gemischten B. sind einzelne Häuser zu geschlossenen Gruppen zusammengefaßt, die aber untereinander durch einen Wich getrennt sind.

**2)** Verfahren, Methode der Bauausführung.

**Bavaria,** lat. Name für Bayern, auch die (weibl.) Personifikation Bayerns; Bronze-Kolossalstandbild (Höhe einschl. Sockel: 30 m) an der Theresienwiese in München, nach dem Modell von L. v. SCHWANTHALER (gegossen 1840–50 von F. v. MILLER).

**Bawian,** Ort in N-Irak (KARTE Alter Orient); in seiner Nähe Felsreliefs des assyr. Königs SANHERIB (8,50 m hoch, 9 m breit), die in symmetr. Darstellung den König einmal vor der Göttin Ischtar, einmal vor dem Gott Assur in betender Haltung zeigen.

**Bayer,** Herbert, österr.-amerikan. Maler, Gebrauchsgraphiker, Photograph und Architekt, *Haag (Österreich) 5. 4. 1900, †Montecito (Calif.) 30. 9. 1985, Schüler am Bauhaus in Weimar, 1925–28 Meister für Typographie am Bauhaus in Dessau (dort Leiter der Werkstatt für Druck und Reklame), emigrierte 1938 nach New York; seit 1946 in Aspen (Colorado, USA), wurde Gestaltungsberater des dortigen Kunstzentrums. Seine plastischen Arbeiten in der Landschaft (Earth mound, 1955) nehmen die Land Art vorweg.

h. b. visuelle kommunikation, architektur, malerei. Das Werk des Künstlers in Europa und USA (a. d. Amerikan., 1967; mit Bibliogr.); H. B., das künstler. Werk 1918–1938, Ausst.-Kat., Berlin-West (1982).

**Bayeux** [baj'ø], nordfrz. Stadt mit 14500 Ew., in der Aure-Ebene, Dép. Calvados; ehem. Bischofssitz mit der got. Kathedrale Notre-Dame (12.–13. Jh., 80 m hoher Vierungsturm des 15. Jh.), einem bed. Beispiel normann. Baukunst in Frankreich (Chor mit Gittern des 17. und 18. Jh.). Im Mus. de la Reine Mathilde hängt der älteste erhaltene Wandteppich des MA. (spätes 11. Jh.); auf Leinengewebe (70 m lang, rd. 50 cm breit) sind Szenen von der Überfahrt des Normannenkönigs

Teppich von **Bayeux**; Ausschnitt, Ende 11. Jh. (Bayeux, Musée de la Reine Mathilde)

WILHELM DES EROBERERS nach England und des Sieges über König HAROLD II. in der Schlacht bei Hastings (1066) gestickt. Zahlreiche histor. Häuser, u. a. die Bauten der ehem. Bischofsresidenz (13.–16. Jh.) und das Rathaus (18. Jh.).

ANNA M. CETTO: Der Wandteppich von B. (1980).

**Bayeu y Subías,** Francisco, span. Maler, *Saragossa 9. 3. 1734, †Madrid 4. 8. 1795, Schwager von F. GOYA; wurde durch A. R. MENGS an den Madrider Hof berufen, wo er an der Ausschmückung (Wand- und Deckengemälde) der königl. Schlösser (Madrid, El Pardo, S. Ildefonso, Aranjuez) arbeitete; schuf Fresken in der Kathedrale von Saragossa und im Kreuzgang der Kathedrale von Toledo; Entwürfe für die königl. Teppichmanufaktur; seine Porträts und Ölskizzen befinden sich im Prado, Madrid.

**Bayon,** riesiger buddhist. Tempelberg im Zentrum von →Angkor Thom in Kambodscha, um 1200 errich-

**Bayon:** Grundriß des Pyramidentempels B. in Angkor Thom

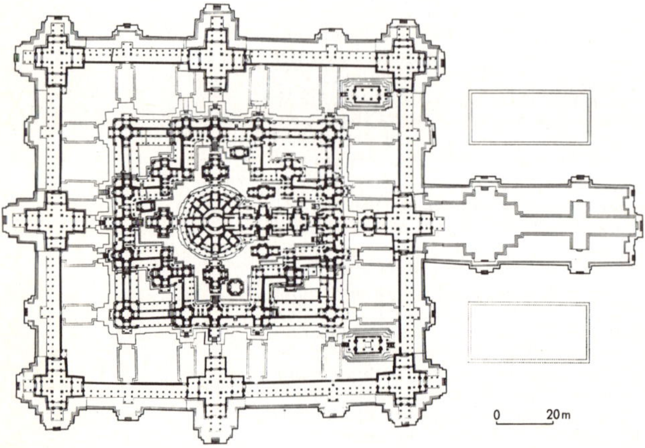

tet. Der B. war urspr. als Flachtempel geplant und ist das letzte große Bauwerk der →Khmer-Kunst. Das runde Zentralheiligtum, 42 m hoch, ist von 8 strahlenförmig umgebenden Nebenkapellen umrundet. Hervorstechendste Eigenart des Zentralbaus sind die Gesichtertürme. 16 Ecktürme und Gopurams an der Galerie und 54 Nebentürme im Zentrum des Heiligtums weisen je 4 riesige Gesichter zu den 4 Himmelsrichtungen auf, jeweils den König JAYAVARMAN VII. als Bodhisattva symbolisierend. Die Anlage wird von 2 quadrat. Umfassungsmauern umgeben, in die viele Höfe einbeschrieben sind. Die dem zentralen Innenhof mit kreuzförmigem Grundriß zugewandten Wände sind mit Reliefs geschmückt. Die Reliefs der ersten Umfassungsmauer zeigen Szenen aus der hinduist. Mythologie, die der zweiten histor. und alltäglich-volkstüml. Ereignisse der Zeit um 1200.

**Bayonne** [baj'ɔn], Stadt und Bischofssitz in S-Frankreich, 42600 Ew. Maler. Innenstadt u.a. mit Resten der ma. Wälle, Kathedrale Ste. Marie (13.–16. Jh.; Turmspitzen 19. Jh.; Kreuzgang 13. Jh.) und ma. Château Vieux. Im Mus. Bonnat u.a. Gemälde aus dem Nachlaß des Künstlers.

**Bayreuth,** Stadt in Oberfranken, 69300 Ew.; seit 1603 Residenz der Markgrafen von Ansbach-B. Spätgot. Stadtpfarrkirche (14./15. Jh.); Schloßkirche (bemerkenswerte Stukkaturen von G. B. PEDROZZI 1756); Altes Schloß (16./17. Jh.); Neues Schloß (1753–64, mit vorzügl. Innendekorationen des ›Bayreuther Rokoko‹, Staatsgal. und Stadtmus.); Markgräfl. Opernhaus (1745–48 von G. und C. GALLI DA BIBIENA); Ordensschloß St. Georgen und Sophienkirche (18. Jh.); Gravenreuther Stift (1741–44); Eremitage mit Altem (1715–18) und Neuem Schloß (1749–53); Richard-Wagner-Festspielhaus (1872–76). Nahe B. die Barockschlösser Colmdorf (1754), Thiergarten (1715–20), Fantaisie (1754/55). – 1714–1835 befand sich in B. eine Fayencemanufaktur. Zu den hier beschäftigten Malern gehörten A. F. LÖWENFINCK und J. P. DANNHOFFER.

**Bazaine** [baz'ɛːn], Jean, frz. Maler, *Paris 21. 12. 1904, entwickelte, ausgehend vom Kubismus, seine von der Leuchtkraft sehr lichthaltiger Farben bestimmte Bildwelt, die zunehmend abstrakter wurde, im Motiv jedoch auf die erlebte Welt bezogen bleibt. Seine lyrisch empfundenen Bilder leben bes. von den Klängen rhythmisch bewegter, farbiger Formen. Mit A. MANESSIER, G. SINGIER, R. BISSIÈRE u.a. bildete er 1941 die Gruppe der ›Peintres de Tradition Française‹, die sich gegen jede Art von Expressionismus und Surrealismus zu den Grundelementen einer die frz. Tradition fortsetzenden Bildauffassung bekennen. B. schuf auch Wandbilder, Mosaiken und Glasfenster (für die Kirchen in Assy, 1944–46, und Audincourt, 1948–51, für das UNESCO-Gebäude in Paris, 1958). BILD S. 292

A. MAEGHT: J. B. (Paris 1953).

**Bäzäklik,** →Bezeklik.

**Bazar,** →Basar.

**Bazille** [baz'ij], Frédéric, frz. Maler, *Montpellier 6. 12. 1841, †(gefallen) bei Beaune-la-Rolande (Dép.

**Jean Bazaine:**
Vent de mer; 1949
(Paris, Centre
Pompidou)

Loiret) 28. oder 29. 11. 1870; Schüler von C. GLEYRE, begann mit Stilleben und Bildnissen in der Art von G. COURBET und schloß sich dann É. MANET und C. MONET an. Seine stimmungsvollen Bilder sind wirklichkeitsnah und streng komponiert; gehörte zur Gruppe von →Batignolles.

**Baziotes** [bæzɪ'əʊti:z], William, amerikan. Maler, *Pittsburgh 11. 6. 1912, †Reading (Pennsylvania) 6. 6. 1963, nahm 1942 an der internat. Surrealisten-Ausst. in New York teil, gründete 1948 mit R. MOTHERWELL, B. NEWMAN und M. ROTHKO ebd. eine Kunstschule, die entscheidend zur Entwicklung der abstrakten Malerei in den USA beitrug. B.s Bilder zeigen biomorphe Urbilder in einem häufig dämmrigen Raum.

**Bazzani,** Giuseppe, ital. Maler, *Mantua 23. 9. 1690, †ebd. 17. 8. 1769, letzter Hofmaler in Mantua, seit 1767 Direktor der dortigen Akad., schuf in einer nervösen, an P. P. RUBENS, D. FETTI und der venezian. Malerei geschulten Manier Andachts- und Historienbilder.

**BDA,** →Bund Deutscher Architekten e. V.

**Beardsley** [b'ɪədzlɪ], Aubrey, engl. Zeichner und Illustrator, *Brighton 21. 8. 1872, †Mentone 16. 3. 1898, fand, angeregt von japan. Holzschnitten und unter dem Einfluß der Präraffaeliten, früh zu einem eigenen Stil mit starken Schwarzweißkontrasten in sparsamer, sensibler Linienführung. Er arbeitete für die Ztschr. ›The Yellow Book‹ und ›The Savoy‹, außerdem illustrierte er O. WILDES ›Salome‹ (1894), A. POPES ›The rape of the lock‹ (1896) und B. JONSONS ›Volpone‹. (BILD S. 293)

B. READE: A. B. (a. d. Engl., Neuaufl. 1980); S. WEINTRAUB: A. B. (London 1972).

**Beatus-Apokalypsen,** große und reich illuminierte span. Hss.-Gruppe (2. Viertel 10. Jh.–13. Jh.), der der Apokalypsen-Kommentar des Mönches BEATUS VON LIÉBANA (730–789) zugrunde liegt. Innerhalb dieser Gruppe erlangten bes. Bedeutung die Miniaturisten der Schule von Léon. Die Visionen der →Apokalypse wurden auf höchst originelle Weise umgesetzt in einen bild-

**Aubrey Beardsley:** Zeichnung zu O. Wildes ›Salome‹; 1894.

wirksamen, stark farbigen und mit phantast. Elementen durchsetzten Flächenstil, in den antike, westgot. und mozarab. Einflüsse eingingen. B.-A. liegen u. a. im Kathedral-Archiv in Léon (10. Jh.), im Kloster Gerona (um 975) und in der Nat.-Bibl., Paris (Mitte 11. Jh.; urspr. Kloster St. Sever).

P. K. KLEIN: Der ältere Beatus-Kodex VI tr. 14–1 der Bibl. Nacional zu Madrid, 2 Bde. (1976).

**Beaubourg** [bob'u:r], Stadtviertel von Paris; über das **Centre B.** [sãtr-], →Centre National d'Art et de Culture Georges Pompidou.

**Beaune** [bo:n], frz. Stadt in Burgund, 19000 Ew., mit vielen ma. Bauten. Das Hôtel-Dieu (1443–51; ehem. Hospital mit Krankensaal, Apotheke, Küche und Kapelle) mit Innenhof (Gal., bunt gedecktes Ziegeldach) beherbergt im Inneren ein Mus. (Altarwerk ›Weltgericht‹ von ROGIER VAN DER WEYDEN, um 1445). Église Notre-Dame (12. Jh., Vorhalle 13. und 14. Jh.) im Stil der Burgund. Bauschule, Rathaus (1697; ehem. Kloster) mit 2 Mus., Église St. Nicolas (13. Jh.; Glokkenturm 12. Jh.).

**Beauneveu** [bonəv'ø], André, frz. Maler, Buchmaler und Bildhauer, *Valenciennes, tätig etwa zw. 1360 und 1403/13, arbeitete im Auftrag von König KARL V. (dessen Grabmal in St. Denis er schuf) und stand im Dienst des Herzogs JEAN DE BERRY (Mitarbeit an der Ste. Chapelle in Bourges, nach 1391). Realismus und Monumentalität zeichnen seine Werke aus, u. a. den ›Psalter des Jean de Berry‹ (um 1386; Paris, Nat.-Bibl.).

**Beauregard** [borəg'a:r], frz. Schloß (1545 beg., Nebenflügel 1638 voll.) an der Loire, bei Blois; im Inneren Gal. mit 363 histor. Porträts und Fußboden aus Delfter Kacheln mit der Darstellung einer Armee z. Z. der Herrschaft von LUDWIG XIII.

**Beauvais** [bov 'ɛ], frz. Stadt und Bischofssitz in der Picardie, 53800 Ew.; Kathedrale St. Pierre (beg. 1215), geplant als größte Kirche der Christenheit, durch mehrere Einstürze jedoch als Gesamtwerk nicht zustande gekommen (1284 Einsturz des Chores; Wiederaufbau 1324 beendet; Querhaus 1549; 153 m hoher Vierungsturm von 1569, 1573 eingestürzt). Der Chor (48 m hoch), gestützt von mächtigen doppelten Strebepfeilern, ist ein Meisterwerk ma. Bautechnik. Das Langhaus wurde nicht mehr errichtet. Im Inneren die größte astronom. Uhr der Erde (1866); am Querhaus die ›Basse-Œuvre‹ (urspr. Kathedrale des 10. Jh.). Ehem. Bischofspalais (14. Jh.). – 1664 wurde unter dem frz. Staatsmann J.-B. COLBERT (*1619, †1683) eine königl. Wandteppich-Manufaktur gegr., die unter der Leitung von J.-B. OUDRY und F. BOUCHER ihre künstler. Blüte erlebte.

**Bebenhausen,** Stadtteil von Tübingen, Bad.-Württ., mit ehem. Zisterzienserabtei (um 1185 gegr.); Kirche (1188–1227) mit turmartigem Dachreiter; bemerkenswert v. a. Kapitelsaal, Parlatorium, Brüderhalle (1. H. 13. Jh.), Sommerrefektorium (1335) und spätgot. Kreuzgang (1471–96) von MEISTER HANS VON B.

**Beber,** javan. Rollbilder, auf Stoff oder papierähnl. Material gemalte waagrechte Bildfolgen mit Darstellungen javan. Dramen (→Wayang), bes. des Panji- und Damar-Wulan-Zyklus. Stilistisch ähnlich den Figuren des Wayang-Kelitik und Wayang-Kulit mit charakterist. überlangen Nasen und Armen und grotesken Gestalten.

**Beccafụmi,** Domenico, ital. Maler und Bildhauer, *bei Siena um 1486, †Siena 1551, entwickelte, ausgehend von SODOMA und RAFFAEL, eine sensible Formgebung und sublime Farbigkeit, die ihn zu einem Hauptmeister des Manierismus machen; zw. 1510 und 1512 in Rom; in späteren Jahren auch in Genua und Pisa tätig. In Siena schuf er neben Fresken (Palazzo Pubblico und Dom) für den Dom 8 Bronzeengel und die Entwürfe mit Szenen aus dem A. T. für den Marmorboden.

WW (alle in Siena, Pinakothek): Stigmatisation der Hl. Katharina v. Siena (um 1514); Der Hl. Michael vertreibt die gestürzten Engel (vor 1535); Christus in der Vorhölle (um 1535); Geburt Mariä (1543).

**Becher,** Trinkgefäß in Form eines Zylinders oder umgekehrten Kegels (Sturz-B.), meist ohne Schaft und Fuß. B. aus Bronze sind schon in vorgeschichtl. Zeit nachweisbar. Frühformen finden sich in S-Europa in myken. und grch. Keramik (Kantharos) und aus Gold. Röm. B. sind meist aus Glas und Edelmetall; aus mlat. ›bicarium‹ bürgerte sich das Wort ›B.‹ seit 500 ein. An die röm. Tradition schließt im 9. Jh. die rhein. Glasindustrie an und hält dem Werkstoff Ton noch im 16. Jh. die Waage. Z. Z. der Kreuzzüge fanden kostbare B. aus Syrien und Ägypten, im 14. Jh. solche aus Burgund weite Verbreitung. Das ma. Bürgertum benutzte meist große B. aus Ton oder Holz; doch selbst an den Fürstenhöfen waren aus Maserholz gedrechselte B. beliebt, die mit Gold, Edelsteinen und Email verziert sein konnten. Einfache Holz- und Irden-B. waren jahrhundertelang das volkstüml. Trinkgefäß. Renaissance und Barock entwickelten spieler. Formen (reiche Goldornamentik, auch Schnitzwerk aus Horn und Elfenbein, in bes.

prächtiger Form **Pokal** oder **Kelch** gen.). Der aufwendigere, aus Metall getriebene B. war z. B. Prunkstück von Zünften (→Willkomm); der einfache Silber-B. wurde bes. im 16./17. Jh. Honoratioren als Zeichen der Verehrung überreicht. Im 18. Jh. wurde der B. als Trinkgefäß durch die Tasse aus Porzellan verdrängt; vom 19. Jh. an wuchs die Beliebtheit des silbernen B. als Patengeschenk.

W. DEXEL: Das Hausgerät Mitteleuropas (1962).

**Becher,** Bernhard, Photograph, *Siegen 20. 8. 1931, und seine Frau Hilla, *Potsdam 2. 9. 1934, erstellen seit 1959 eine photograph. Dokumentation der Industriearchitektur des 19. Jh. im Ruhrgebiet und im Siegerland, 1966/67 in England, 1968 in den USA. Diese Zusammenfassungen in dokumentar. Typologien lassen die Bauten als ›anonyme Skulpturen‹ wirken, deren Ästhetik ihrer Funktionalität entspringt.

**Veröffentlichungen:** Anonyme Skulpturen (1970); Industriearchitektur des 19. Jh. (1970); Fachwerkhäuser des Siegener Industriegebietes (1977).

**Bechtejew,** Wladimir von, russ. Maler, Bildhauer, Graphiker, Illustrator, *Moskau 16. 4. 1878, †ebd. 21. 6. 1971, studierte in München, 1909–14 Mitgl. der Neuen Künstlervereinigung ebd., kehrte 1914 nach Rußland zurück, wandte sich später dem Realismus zu.

**Bechtheim,** Gem. im Kr. Alzey-Worms, Rheinl.-Pf., seit dem 8. Jh. im Besitz des Hochstifts Lüttich; roman. Lambertuskirche (11./12. Jh.), unter Wormser Einfluß (Dom, St. Andreas, Synagoge) erbaut.

**Bechtolsheim,** Gem. im Kr. Alzey-Worms, Rheinl.-Pf.; die Simultankirche wurde 1482–87 von bayer. Steinmetzen als dreischiffige Halle erbaut, einzigartig das mit Flachschnitzerei verzierte Gestühl (1496) von ERHART FALKENER.

**Beck,** Leonard, Maler und Zeichner für den Holzschnitt, *Augsburg um 1480, †ebd. 1542, arbeitete urspr. in der Werkstatt von H. HOLBEIN D. Ä. und nahm 1512–18 an der Arbeit für die im Auftrag von MAXIMILIAN I. veröffentlichten Holzschnittbücher teil (77 Blätter für den ›Theuerdank‹, 120 für den ›Weißkunig‹). Seine Gemälde zeigen den Einfluß von H. BURGKMAIR d. Ä.

**Tafelbilder:** Szenen aus dem Leben der Hl. Margareta (1510; St. Florian, Chorherrenstift); Anbetung der Könige (um 1525; Augsburg, Städt. Kunstsammlungen); Drachenkampf des Hl. Georg (Wien, Kunsthistor. Mus.).
Augsburger Renaissance, Ausst.-Kat., Augsburg (1955).

**Becker, 1)** Carl, Maler, *Berlin 18. 12. 1820, †ebd. 20. 12. 1900, in seinen Bildern (nach Renaissance- und Rokoko-Motiven) virtuose Wiedergabe der Stofflichkeit. B. war ein Hauptvertreter der Berliner Historienmalerei.

**2)** Curt Georg, Maler, *Singen (Hohentwiel) 26. 2. 1904, †ebd. 29. 12. 1972, Schüler von H. NAUEN in Düsseldorf, tätig auf Ischia, im Tessin und am Bodensee. B. malte südländisch geprägte, stark abstrahierte Landschaften, Stilleben und Figurenbilder.

**3)** Jakob, Maler, Radierer und Lithograph, *Dittelsheim bei Worms 15. 3. 1810, †Frankfurt a. M. 22. 12. 1872, Schüler von W. SCHADOW in Düsseldorf, 1841–72 Lehrer am Städelschen Kunstinstitut in Frankfurt a. M.; malte v. a. bäuerl. Genrebilder. Sein Stil beeinflußte die Mitgl. der →Kronberger Malerkolonie.

**4)** Peter, Maler und Lithograph, *Frankfurt a. M. 10. 11. 1828, †Soest 18. 8. 1904, schuf Städtebilder und Ansichten alter Baudenkmäler aus Hessen und der Rhein-Main-Gegend (bes. aquarellierte Kohlezeichnungen).

**Becker-Gundahl,** Carl Johann, Maler und Illustrator, *Ballweiler 4. 4. 1856, †München 16. 11. 1925, war Mitbegründer der Münchner Sezession. B. zeichnete für die ›Fliegenden Blätter‹ und malte später Fresken in Münchner, Augsburger und Nürnberger Kirchen.

**Becker-Modersohn,** Paula, →Modersohn.

**Beckmann,** Max, Maler, Graphiker, *Leipzig 12. 2. 1884, †New York 27. 12. 1950. B. war seit 1925 Prof. an der Städelschule in Frankfurt a. M. und wurde 1933 entlassen. Er emigrierte 1937 nach Amsterdam, lehrte ab 1947 an der Univ. von St. Louis (USA) und seit 1949 als Prof. am Brooklyn Mus. in New York. B. malte zunächst in der Art von L. CORINTH Landschaften und Figurenkompositionen. Während des 1. Weltkrieges wandte er sich dem Expressionismus zu (BILD Expressionismus). Mit gedrängten Kompositionen grotesker Gestalten suchte er den Zwiespalt der modernen Existenz in grimmig iron. Gleichnissen auszudrücken. Gegen 1926 wurden seine Farben unter dem Einfluß der frz. Moderne reiner und leuchtender, seine Zeichnung freier. Seit 1930 mehrten sich die Bilder, in denen B. mytholog. Motive, polit. Ereignisse und autobiograph. Erlebnisse zum ›gemalten Welttheater‹ des ›zeitgenöss. Mythos‹ vereinte. Seine 9 Triptychen, die zw. 1930 und 1950 entstanden, sind HW zeitkrit. Kunst des 20. Jh. Der Bildaufbau seiner späteren Werke ist von monumentaler Einfachheit, der Rhythmus wuchtig, schlagend, hart; zartere Töne klingen nur mit. Als Graphiker schuf B. außer zahlreichen Einzelblättern auch Illustrationen und Zyklen. (BILD S. 297)

**Max Beckmann:** Selbstporträt, Holzschnitt, 1922

**Graphische Folgen:** Gesichter (1919), Die Hölle (1919), Berliner Reise (1922), Die Apokalypse (1943). – Illustrationen zu Goethes Faust, 2. Teil (1957). Tagebücher 1940–50 (1955); Briefe im Kriege ([2]1955).

F. W. FISCHER: M. B. (1972); M. B., Kat. der Gemälde, 2 Bde., hg. v. H. M. v. ERFFA (1977); S. LACKNER: M. B. (1978); M. B., die Triptychen, Ausst.-Kat., Frankfurt a. M. (1981); M. B., die frühen Bilder, Ausst.-Kat., Bielefeld (1982).

**Beckum,** Stadt im südöstl. Münsterland, NRW, 38900 Ew.; Kirche St. Stephanus (14.–16. Jh.) mit roman. Taufstein und Prudentiaschrein (um 1230), dem schönsten ma. Schrein Westfalens; Rathaus (um 1500). Bei B. wurde 1959 in einem Gräberfeld des 7.–8. Jh. ein Fürstengrab (um 600) mit reichen Beigaben entdeckt.

**Bedburg,** Stadt im Erftkreis, NRW, 19600 Ew. Wasserschloß (Kern um 1340), Vierflügelanlage mit Arkadeninnenhof in rein ital. Renaissance (einzigartig im Rheinland). In **B.-Frauweiler** ehem. Franziskanerinnenklosterkirche (1484–88) mit Barockausstattung.

**Max Beckmann:** Abfahrt; 1932–33 (New York, Museum of Modern Art)

**Bedsa,** buddhist. Chaityahöhle in W-Maharashtra, Indien, aus der Mitte des 1. Jh. v. Chr., mit säulengetragenem Vorbau. Der Stupa in der Cella weist eine doppelte Trommelbasis auf.

**Beechey** [b'i:tʃɪ], Sir (1798) William, engl. Maler, *Burford 12. 12. 1753, †Hampstead 28. 1. 1839, studierte bei J. ZOFFANY; seit 1798 Mitgl. der Royal Academy; als Porträtist zu seiner Zeit sehr geschätzt.

**Beer,** Baumeisterfamilie des 17. und 18. Jh. aus Vorarlberg, die – wie die Familie THUMB und K. MOOSBRUGGER – im süddt. Kirchenbau das röm. Barockschema zu eigenständiger Bauform weiterbildete (→Vorarlberger Bauschule).

**1)** Franz **B. von Bleichten,** Sohn von 4), *Au (Vorarlberg) 1. 4. 1660, †Bezau 21. 1. 1726, fand nach den Bauten der Kirchen in Obermarchtal (1686–92, mit M. u. C. THUMB) und Kloster Irsee (1699–1704) mit der Klosterkirche zu Rheinau/Schweiz (1704–11) zu der ihn kennzeichnenden Bauweise, in der durch Rücknahme der Emporen, die im Innenraum die Wandvorsprünge zu Kapellen verbinden, die Vertikalen betont werden. Von ihm stammt ferner der Bau der Kirche des Zisterzienserklosters St. Urban (Kt. Luzern; 1711–15), der Entwurf zum Bau der Kirche des Benediktinerklosters Weingarten (1715–23) und der Bau der Kirche des Prämonstratenserklosters Weissenau bei Ravensburg (1717–24).

**2)** Johann Ferdinand, *Au (Vorarlberg) 19. 10. 1731, †ebd. 1789, war Stiftsbaumeister von St. Gallen, baute die Neue Pfalz ebd. und das Benediktinerstift Bregenz-Mehrerau (1779–81).

**3)** Johann Michael, Sohn von 1), *Au 20. 5. 1696, †Bildstein (Vorarlberg) 3. 7. 1780, leitete den Bau der O-Fassade und des Mönchschors der Stiftskirche von St. Gallen.

**4)** Michael, Vater von 1), *Au (Vorarlberg) um 1605, †ebd. 30. 5. 1666, baute 1651–54 die Kirche des Benediktinerstifts St. Lorenz in Kempten und leitete den Umbau der Schlösser in Haigerloch und Sigmaringen.

**Beer, Behr,** Georg, Baumeister, *Bönningheim, †Stuttgart 15. oder 17. 7. 1600, seit 1575 württemberg. Hofbaumeister, baute um 1581–93 das Neue Lusthaus in Stuttgart, einen reich ausgeschmückten zweistöckigen Saalbau mit Laubenumgang, ein HW des dt. Renaissance-Palastbaus (abgerissen 1845; erhaltene Teile im Stuttgarter Schloßpark), ferner u. a. das ›Collegium illustre‹ in Tübingen (1588–92, heute kath. Konvikt).

**Beerscheba, Beersheba,** Stadt in Israel am N-Rand der Wüste Negev, 107 000 Ew., mit dem 1953 errichteten Negev-Mus. (Funde aus B. und seiner Umgebung). – Die Besiedlung des bibl. B. (rd. 5 km östlich der Stadt an der Stelle des heutigen Tell es-Seba) seit prähistor. Zeit ist durch Ausgrabungen bezeugt. Erhalten sind Reste einer israelit. Königsburg mit Magazinen.

**Beerstraaten** [-tə], **1)** Anthonie, holländ. Maler, tätig in Amsterdam 1639–65, malte Winterlandschaften mit Architekturansichten.

**2)** Jan Abrahamsz., holländ. Maler, getauft Amsterdam 31. 5. 1622, †ebd. 1. 7. 1666, schuf Seestücke, Architekturbilder mit Amsterdamer Motiven und ital. Seehäfen.

**Beeskow** [-ko:], Stadt an der Spree, südwestlich von Frankfurt (Oder), Dt. Dem. Rep., 7500 Ew.; die spätgot. Marienkirche (15. Jh.) ist seit 1945 Ruine (Sakristei mit spätgot. Wandgemälden wiederaufgebaut).

**Beffroi** [bɛfrw'a, frz. aus mhd. Belfried] *der,* **Belfried,** Turm, bes. der freistehende oder mit dem Rathaus verbundene Glockenturm; als Wahrzeichen städt. Macht v. a. in flandr. Städten des MA. und der Renaissance (Gent, Brügge, Ypern).

**Bega** [b'e:xa], Cornelis Pietersz, holländ. Maler, getauft Haarlem 15. 11. 1620, †ebd. 27. 8. 1664, malte Bauernszenen in der Art seines Lehrers A. VAN OSTADE (aber in gröberen Formen und weniger detailreich), zunächst in warmen, später in Grau gebrochenen Tönen; auch Radierungen.

**Begarelli,** Antonio, ital. Bildhauer, *Modena Ende 15. Jh., †ebd. 28. 12. 1565, schuf, anknüpfend an eine in der Landschaft Emilia verbreitete Tradition, realist. Terrakottagruppen der Geburt Christi, der Kreuzabnahme und der Beweinung.

HW (alle in Modena): Krippe (1527, Dom), Kreuzabnahme (S. Francesco), Beweinung Christi (S. Pietro).

**Begas,** Künstlerfamilie, **1)** Karl, Vater von 2) und 3), Maler, *Heinsberg bei Aachen 30. 9. 1794, †Berlin 23. 11. 1854. Sein Schaffen spiegelt die künstler. Strömungen der 1. H. des 19. Jh. wieder: Von der romant. Historienmalerei in der Nachfolge von A. J. GROS wandte er sich in Italien (1822) den Nazarenern zu, seit 1830 der dt. Romantik, um 1840 dem Realismus. B. schuf Historien- und Genrebilder sowie Porträts.

**2)** Karl, Sohn von 1), Bildhauer, *Berlin 23. 11. 1845, †Köthen (Anhalt) 21. 2. 1916, nach Aufenthalt in Rom (1869) Lehrer an der Kunstakad. in Kassel. B. gehört zum →Neubarock. (→Berliner Bildhauerschule)

**Werke:** Silen mit Bacchusknaben (1876; Berlin-Ost, Nat.-Gal.); Die Geschwister (1878; ebd.). – 2 Denkmäler für die Siegesallee in Berlin: Markgraf Otto mit dem Pfeil (1899), König Friedrich Wilhelm V. (1901).

**3)** Reinhold, Sohn von 1), Bildhauer, *Berlin 15. 7. 1831, †ebd. 3. 8. 1911, nach Ausbildung an der Berliner Akad. seit 1848 im Atelier von C. D. RAUCH, wurde nach Aufenthalt in Rom (1856–58) 1861 an die Kunstschule in Weimar berufen und kehrte 1865 nach Berlin zurück. Anerkannt war B. seit seinem in Rom entstandenen Werk ›Pan, die verlassene Psyche tröstend‹ (1857). Sein Schiller-Denkmal (enthüllt 1871) gilt als das erste öffentlich errichtete neubarocke Werk im Spätklassizismus. B. war der Hauptvertreter des →Neubarock. (→Berliner Bildhauerschule)

**WW:** Neptunbrunnen (1886–91; ehem. vor dem Berliner Stadtschloß, heute zw. Rotem Rathaus und Marienkirche in Berlin-Ost); Nationaldenkmal Wilhelm I. (1892–97; ehem. Berlin, Alte Schloßfreiheit, 1949–50 mit dem Stadtschloß abgetragen); Bismarck-Denkmal (1901; ehem. Berlin, vor dem Reichstag, heute Berlin-West, am Großen Stern).

**Beginenhöfe,** von den Beginen (Mitgl. weibl. klosterähnl. Gemeinschaften; Blütezeit im 13. und 14. Jh. in den Niederlanden, Frankreich und Dtl.) bewohnte ummauerte Wohnsiedlungen mit Innenhöfen; B. sind heute v. a. in den Niederlanden (Amsterdam, Breda) und Belgien (Gent, Brügge) erhalten.

**Begram,** Grabungsplatz in N-Afghanistan, die Residenzstadt Kapishi der Kushana-Dynastie, um 241 n. Chr. von den Sassaniden zerstört. Hervorragend reliefierte Elfenbeinplatten mit bewegten Frauenfiguren in Architekturumrahmung zeigen Einflüsse der Mathura-Kunst des 2. Jh. Kunsthandwerkl. Funde (Gläser, Lackarbeiten u. a.) belegen regen Handelsverkehr zw. dem röm. Imperium und dem China der Han-Zeit.

**Beham, 1)** Barthel, Maler, Kupferstecher, Bruder von 2), *Nürnberg 1502, †Bologna 1540, bildete sich am Stil von A. Dürer. Wie sein Bruder wurde er 1525 wegen Sympathie mit dem Theologen T. Münzer aus Nürnberg verbannt. Seit 1527 war B. Hofmaler Herzog Wilhelms IV. in München. Hier schuf er Fürstenporträts und 92 technisch vollendete Kupferstiche.

**Gemälde** (München, Alte Pinakothek): Kreuzauffindung (1530); Herzog Wilhelm IV. von Bayern (1533); Pfalzgraf Ottheinrich (1535).

J. Müller: B. B., Krit. Kat. seiner Kupferstiche, Radierungen und Holzschnitte (1958).

**2)** Hans Sebald, Maler, Kupferstecher, Radierer und Zeichner für den Holzschnitt, Bruder von 1), *Nürnberg 1500, †Frankfurt a. M. 22. 11. 1550, war Schüler von A. Dürer in Nürnberg. Seine Werke zeigen auch den Einfluß von A. Altdorfer und H. Holbein d. J. Seit 1531 war B. in Frankfurt a. M. tätig und wurde hier 1540 Bürger. Er war der vielseitigste der Nürnberger →Kleinmeister (über 1300 Blätter).

**Werke:** Holzschnitte für Bibeln und Chroniken, Kupferstiche mit antikisch-mytholog. Szenen, Kupferstiche aus dem Bauernleben u. a.; Ornamentblätter.

**Behem-Codex,** Sammel-Hs. mit Privilegien und Statuten der Stadt Krakau, zusammengestellt und geschrieben vom Stadtschreiber Baltazar Behem (†1508), 1505 dem Stadtrat geschenkt. Von Behem selbst stammen wohl nur einfarbige Initialen und Zeichnungen auf den Einbänden. 25 Miniaturen zeigen die versch. Zünfte bei ihren charakterist. Arbeiten. Sie zeichnen sich durch z. T. sehr lebendige und mit karikierenden Elementen durchsetzte Darstellungen aus. Die Miniaturen werden einer Krakauer Werkstatt zugeschrieben, die offen für Einflüsse der dt. Graphik und der fläm. Buchmalerei war.

**Behistun,** →Bisutun.

**Behmer,** Marcus, Zeichner, Radierer, *Weimar 1. 10. 1879, †Berlin (Ost) 16. 9. 1958. Zunächst beeinflußt von A. Beardsley (66 Zeichnungen für die ›Insel‹, 1899–1901; Illustrationen zu O. Wildes ›Salome‹, 1903), dann von irischen Ornamenten und pers. Miniaturen, fand er seinen eigenen Stil in kleinformatigen Radierungen für Exlibris und v. a. Illustrationen (zu Voltaires ›Zadig‹, 1912, P. O. Runges ›Von dem Fischer und syner Fru‹, 1914, u. a.). Er war auch Buchgestalter und schuf Entwürfe für Druckschriften und Einbände.

**Behnisch,** Günter, Architekt, *Lockwitz bei Dresden 12. 6. 1922, leistete durch die konsequente Anwendung der Vorfertigung von Bauteilen Pionierarbeit; seit 1952 Partnerschaft mit F. AUER (*1933), W. BÜXEL (*1928), M. SABATKE (*1938), E. TRÄNKNER (*1929) und K. WEBER (*1934). Internat. wurde B. v.a. durch die Sportbauten für die Olymp. Spiele in München bekannt.

**HW:** Fachhochschule Ulm (1961–63); Olympiapark, München (1967–72); Bundesbauten, Bonn, Projekt (1973/74); Alten- und Pflegeheim, Reutlingen (1973–76).
B. & Partner, Bauten u. Entwürfe (1975).

**Behr,** Georg, Baumeister, →Beer.

**Behrens,** Peter, Architekt, *Hamburg 14. 4. 1868, †Berlin 27. 2. 1940, urspr. Maler, seit 1891 auch als Kunstgewerbler in München tätig, seit 1899 Mitgl. der →Darmstädter Künstlerkolonie, hier erstmals als Architekt tätig (Haus B. 1901); 1907 wurde er als künstler.

**Peter Behrens:** Halle des Verwaltungsgebäudes der Farbwerke Hoechst; 1920–24

Beirat und Architekt der AEG nach Berlin berufen. B. hat bahnbrechend für eine neue Gesinnung in Architektur und Kunsthandwerk gewirkt (Industrieformgestaltung). In seinem Büro arbeiteten LE CORBUSIER, W. GROPIUS und L. MIES VAN DER ROHE.

**HW:** Turbinenhalle der AEG, Berlin-West (1909); Landhaus Cuno, Hagen (1910); Verwaltungsgebäude Mannesmann, Düsseldorf (1911/12); Dt. Botschaft, Petersburg (1911/12); Verwaltungsgebäude Farbwerke Hoechst (1920–24); Gutehoffnungshütte Oberhausen (1925); Wohnhaus in der Weißenhofsiedlung, Stuttgart (1927); Staatl. Tabakfabrik, Linz (1933).

T. BUDDENSIEG und H. ROGGE: P. B. und die AEG 1907–14 ([2]1981); A. WINDSOR: P. B. Architect and designer (London 1981).

**Behsad, Bihsad,** bedeutendster pers. Maler, * etwa 1450/60, †1536, lebte als Leiter des Hofateliers in Herat und später in Täbris. Die Tatsache, daß er Mitarbeiter gehabt und Schüler ausgebildet hat, sowie die Fülle der aufgrund seines Ruhms erfolgten Zuschreibungen, v. a. aber die oriental. Auffassung von Meisterschaft als vollkommener Beherrschung des künstler. Erbes und nicht als Originalität, machen die Abgrenzung seines Werkes schwer. Nur einige Miniaturen in wenigen Hss. (z. B. in einer 1488 datierten Hs. des Versromans ›Bustan‹ des pers. Dichters Sa'di; Kairo, Ägypt. Bibl.) können als eigenhändig gelten. (BILD Miniaturmalerei 1)

**Beichtstuhl,** der Sitz des kath. Geistlichen beim Hören der Beichte, urspr. ein offener Stuhl ohne bestimmten Platz in der Kirche, erst seit der Gegenreformation in der heute typ. Form (dreiteiliges Gehäuse mit halboffenem Mittelteil und Gittern gegen die Seitenteile, in denen die Beichtenden knien). V. a. im Barock wurde der B. mit Schnitzwerk und Bildschmuck (Thematik meist zum Sakrament der Buße) aufwendig ausgestattet und bildete mit Taufstein, Altar u. a. eine stilist. Einheit (Weltenburg, um 1735; Zwiefalten und Ottobeuren, um 1750). – In der luther. Kirche lebte mit der Beichte auch der B. bis in das 19. Jh. fort. In norddt. Kirchen sind für die früher dort übl. Gruppenbeichten sogenannte Beichtkammern erhalten, in denen bis zu 30 Personen Platz finden konnten.

**Beierlein, Beuerlein, Peuerlein,** Hans, Bildhauer, *um 1450, †Augsburg um 1508 (ebd. seit 1470 nachweisbar), schuf Rotmarmor-Grabdenkmäler in Augsburg, Eichstätt, Freising, Moosburg und Roggenburg in spätgot. Stil.

**Beijing** [beɪdʒɪŋ], Hauptstadt von China, →Peking.

**Beilstein,** Gem. im Kr. Cochem-Zell, Rheinl.-Pf.; der besterhaltene Fachwerkort an der Mosel; Karmeliterkloster und -kirche (1686–1738) mit schönem Barockinventar. Über dem Ort **Burg Metternich** (seit 1689 Ruine), eine ausgedehnte Wehranlage.

**Bein|arbeiten,** Werke aus tierischen, ausgelaugten und an der Sonne gebleichten Knochen, Geweihen und Zähnen (→Elfenbeinschnitzerei). Im Alten Orient sind B. schon seit dem Neolithikum v. a. als Gerät (Nadeln, Stichel, Schaber usw.) bezeugt; gelegentlich diente Bein auch als Rohmaterial für Rollsiegel, Schmuck- und Einlageplättchen; menschl. Figuren sind auf das Orontes-Tal und auf die 1. H. des 1. Jahrtsd. v. Chr. beschränkt.

Aus Amerika sind B. von versch. Kulturen Mesoamerikas überliefert, so z. B. von den Mixteken und Maya. Relativ kleine Knochen (um 20 cm lang) sind bei den Mixteken mit Schnitzereien von Kalenderdaten versehen. Die bes. schönen, mit geschnitzten szen. Darstellungen und Hieroglypheninschriften versehenen B. der Maya stammen v. a. aus dem Grab eines Tempels von

Tikal. Aus dem andinen Bereich sind B. von der Chavín-Kultur bekannt.

**Beinglas,** mit Knochenasche getrübtes Glas, das v.a. in Thüringen und Böhmen seit der 2. H. des 18. Jh. hergestellt wurde.

**Beinhaus,** →Karner.

**Beinschwarz, Elfenbeinschwarz,** Pigment aus verkohlten Knochen (Bein) oder Elfenbein hergestellt.

**Beirut, Beyrouth,** Hauptstadt des Libanon mit 1,2 Mio. Ew. – Urspr. eine phönik. Seestadt, unter AUGUSTUS nach Zerstörung wiederaufgebaut, nach arab. Eroberung (635 n.Chr.) Hafenplatz von Damaskus, 1110 und 1197 von den Kreuzfahrern eingenommen, 1763–1918 türkisch.

Die Moscheen von B. stehen meist auf den Resten christl. Kirchen, so v.a. die Große Moschee, das bedeutendste roman. Bauwerk des Nahen Ostens. Im 1920 gegr. Nat.-Mus. Funde aus Byblos und Tyros, bes. der Stein-Sarkophag des Königs Ahiram aus Byblos mit der ältesten bisher entdeckten Form des Alphabets und die schönen Bronzestatuetten aus dem Obeliskentempel von Byblos, 18. Jh. v. Chr.

**Beischlag, Wolen, Wanderung,** seit dem MA. in den Niederlanden Werk- und Lagerplatz zw. Hausfront und Fahrstraße; im 15./16. Jh., oft markiert durch kunstvolle Wangelsteine, über Nord-Dtl. bis ins Baltikum verbreitet; seit der Renaissance bes. in Danzig und Elbing als erhöhte Terrasse bis Mitte 17. Jh. voll entwikkelt, später in Stein- und Eisenarbeit oft kunstreich gestaltet.

**Beit Eddine, Bait ad-Din,** Anf. 19. Jh. von dem Drusen-Emir BESCHIR II. als Residenz erbautes Schloß 45 km südöstlich von Beirut (Libanon), eine Palastanlage in historisierendem Stil mit nach Damaszener Art ausgestatteten, um Innenhöfe angeordneten Räumen.

**Beize,** Maltechnik: **1)** Farbstofflösung zur Färbung von Hölzern, Textilien u.a., wobei der Farbstoff durch die B. (meist Metallsalze) fest mit der Faser verbunden wird; **2)** mit trocknungsbeschleunigenden Pigmenten hochgefülltes Öl zum Anlegen (→Anschießen) von Blattgold oder Silber in der ma. Malerei.

**Beja** [b'ɛʒa], Distriktshauptstadt und Bischofssitz in S-Portugal, 19200 Ew. Vom Kastell (um 1300) ist der aus weißem Marmor und Granit erbaute Bergfried (1310) mit Rittersaal und Burgkapelle erhalten. Misericórdia-Kirche (16. Jh.); ehem. Kloster Nossa Senhora da Conceição (1459–etwa 1506) mit Klosterkirche und Kreuzgang im Emanuelstil; in den Klostergebäuden heute Mus. (Gemälde, ma. Plastik); einschiffige got. Wehrkirche Ermida de Santo André (12./13. Jh.).

**Béjar** [b'ɛxar], westspan. Stadt in der Prov. Salamanca, rd. 19000 Ew.; gut erhaltenes Herzogsschloß des 16. Jh. mit Innenhof und Monumentaltreppe im Südflügel (1569); Kirchen Santa María (13. Jh.) und San Juan (13./14. Jh.); alte Patrizierhäuser.

**Bejsce** [b'ɛjstsɛ], Ort in der Wwschaft Kielce, Polen.

Got. Pfarrkirche (um 1400) mit angebauter Kapelle der Familie FIRLEJ, einem Kuppelbau mit Grabmälern (1595–1601) und Alabaster-Altar (um 1600); klassizist. Badeni-Palast (1802).

**Bekrönung,** schmückender oberer Abschluß eines Bauteils; z. B. →Akroter, →Attika, →Balustrade, auch Fenster- oder Portal-B.

**Belạhan** [javan.], Badeanlage am W-Abhang des →Penanggungan, O-Java, mit einem Bestattungsbassin, teils in den Felsen gehauen, teils aus Ziegel. Eine 190 cm große Skulptur von Vishnu auf Garuda soll König AIRLANGGA darstellen (datiert 1042, heute im Mus. in Jakarta).

**Bélapátfalva** [b'e:lɔpa:tfɔlvɔ], ehem. Zisterzienserabtei bei Miskolc, Ungarn; erh. ist die 1232 nach dem Typus von Clairvaux beg. spätroman. Kirche, frühgotisch in der 2. H. des 13. Jh. beendet; seit dem 16. Jh. verfallen, ab 1730 wiederhergestellt, 1953–66 restauriert.

**Belém** [bel'ɛ̃j], **1)** westl. Wohnstadtviertel von Lissabon, Portugal, mit einem Wachtturm (Torre de B.), den EMANUEL I. 1515–19 zu Ehren von Vasco da Gama errichten ließ, und dem Hieronymitenkloster (um 1496 bis 1572), einem HW des Emanuelstils (nach Entwürfen von D. BOYTAC, seit 1517 unter Leitung von J. DE CASTILHO erbaut). Der Chor der dreischiffigen Hallenkirche wurde von D. DE TORRALVA und J. DE ROUÃO voll. und birgt die Königssarkophage. Allen Reichtum des emanuelin. Formengutes bieten das S-Portal (1517–22, von de Castilho), das W-Portal (1517 beg., von N. CHANTEREINE) und v. a. der Kreuzgang, dessen Skulpturen und der wie Schnitzwerk anmutende Steinschmuck ihn zum märchenhaften Prachtwerk des Emanuelstils erheben. Das Mus. im Dormitorium präsentiert archäolog. und ethnolog. Sammlungen. – Weitere Museen in B.: Mus. Nacional dos Coches (Prachtkarossen des 17.–19. Jh.); Mus. Nacional de Arte Popular (portug. Volkskunst).

**Belém 1):** Kreuzgang des Hieronymiten-Klosters; um 1496–1572

**2)** Hauptstadt des Staates Pará, Brasilien, wichtigster Hafen im Mündungsgebiet des Amazonas, 900 000 Ew., 1616 gegr.; mehrere Kirchen der Kolonialzeit sind erhalten, u. a. die älteste, Nossa Senhora das Mercês

(17. Jh., später umgebaut) mit Marmorsäulen und Holzschnitzereien; Kathedrale (18. Jh., 1887 restauriert) mit Seitenkapellen und vergoldeten Holzschnitzereien; in der Basilika Nossa Senhora de Nazaré (1909) bemerkenswerte bunte Glasfenster; Teatro da Paz (Ende 19. Jh., neoklassizistisch).

**Beletage** [bɛlet'a:ʒ, frz. ›schönes Geschoß‹], ital. **piano nobile** [›edles Geschoß‹], meist das 1. Obergeschoß eines Gebäudes mit den Repräsentationsräumen.

**Belfast** [b'elfɑ:st], Hauptstadt Nordirlands, 374 000 Ew., im 19. Jh. Entwicklung zur bed. Industriestadt. Das Rathaus wurde 1898–1906 von B. THOMAS als kuppelbekrönter Neubarockbau errichtet. Die Kathedrale St. Anne wurde 1899 von T. DREW, Queen's Univ. 1894 von J. LANYON in Formen der Tudor-Gotik erbaut.

**Belfort** [bɛf'ɔ:r, bɛlf'ɔ:r], frz. Stadt am S-Rand der Vogesen, 54 500 Ew.; 1687 von S. VAUBAN zur Festung ausgebaut, zu ihren Füßen das Denkmal des ›Löwen von B.‹ von F.-A. →Bartholdi.

**Belfried** *der*, →Beffroi.

**Belgard (Persante),** poln. **Białogard,** Stadt an der Persante in Pommern, in der poln. Wwschaft Koszalin (Köslin), 22 400 Ew. Die Pfarrkirche, eine Ziegelbasilika aus der Zeit um 1310 (erneuert 1838–40), wurde nach 1945 restauriert. Reste der Stadtumwallung (14. Jh.).

**Belgrad,** serbokroat. **Beograd,** Hauptstadt Jugoslawiens und der Rep. Serbien, an der Mündung der Save in die Donau, 770 000 Ew. B. hat nur wenige histor. Bauten: Bajrakli-Moschee (17. Jh.); Festung Kalemegdan (im wesentl. 1717–39), Erzengel-Michael-Kathedrale (1837–45) mit Fürstengräbern und Ikonensamml., ehem. königl. Schloß (1882). Ein Hauptgewicht liegt bei Bauten des Historismus. Dem Jugendstil entstammt das 1908 errichtete Offizierskaufhaus, ein früher Stahlbetonbau. Unter den zahlreichen Museen ragen bes. das Nat.-Mus. und das Freskenmus. mit Originalen und Kopien aus serb. Kirchen und Klöstern hervor.

**Bella,** Stefano della, in Frankreich Étienne **de la Belle,** ital. Radierer, *Florenz 18. 5. 1610, †ebd. 12. 7. 1664, wirkte 1633–39 in Rom, später lange in Paris, wo er 1641 im Auftrag Kardinal RICHELIEUS die Belagerung von Arras, 1646 die Ansicht des Pont Neuf radierte; seit 1649 wieder in Florenz. Als Zeichner und Stecher knüpfte er an J. CALLOT an; ahmte auch REMBRANDTS Radierstil nach.

**Bellange** [bɛl'ãʒ], Jacques, frz. Maler und Radierer, tätig in Nancy 1600–17, führte meist Aufträge für Herzog KARL III. von Lothringen aus. Sein Werk verkörpert die Spätform des europ. Manierismus in der Nachfolge der Schule von Fontainebleau und fläm. Tradition. Seine Wirkung auf die lothring. Kunst des 17. Jh. war groß.

**Bellapais** [aus frz. Abbaie de la Pais], Ort auf Zypern

nahe Kyrenia mit Resten einer im 13./14. Jh. im Stil der frz. Gotik erbauten Prämonstratenser-Abtei. Kirche, Refektorium und Kreuzgang sind erhalten.

**Bellechose** [bɛlʃ'o:z], Henri, brabant. Maler, †Dijon zw. 1440 und 1444, Hofmaler der burgund. Herzöge, arbeitete an der Ausmalung der Chartreuse de Champmol bei Dijon (Altarwerk mit Dionysiuslegende, 1416 voll., wahrscheinlich von J. MALOUEL beg.; heute Paris, Louvre).

**Bellegambe** [bɛlg'ãb], Jean, niederländ. Maler *um 1470, †Douai um 1534, unter dem Einfluß der Brüsseler und Antwerpener Kunst v. a. als Maler relig. Themen in Douai tätig.

**HW:** Flügelaltar mit der Anbetung der Trinität und des Kreuzes (etwa zw. 1509 und 1513; Douai, Mus.); Verkündigung Mariae (1517/18; Leningrad, Eremitage).

**Bellerophon,** grch. Heros, der im Mythos mit Athenas Hilfe das Flügelroß Pegasus bändigte. Verleumdung zwang ihn, die Chimäre und viele Feinde zu töten. Bei dem überhebl. Versuch, mit Pegasus zum Olymp zu fliegen, stürzten ihn die Götter hinab und straften ihn mit Schwermut. – Wie B., meist zus. mit Pegasus, die Chimäre besiegt, war in der Antike seit dem 7. Jh. v. Chr. (grch. Vasen und Reliefs, röm. Wandbilder und Sarkophage) beliebtes Thema, im 6. Jh. v. Chr. erweitert um die Bändigung des Pegasus und den übrigen Sagenkreis. MA. und Neuzeit stellten den Mythos seltener dar. (BILD Bertoldi di Giovanni)

**Bellevue** [bɛlv'y:, frz. ›schöne Aussicht‹], beliebter Name von Lustschlössern, seit dem Barock, z. B. das Palais B. in Kassel (1714 von P. DU RY) oder Schloß B. in Berlin am Tiergarten (1785–89).

**Belli, Balli,** Ort in Tunesien, 46 km südöstlich von Tunis, um 1610 von span. Mauren gegr. Große Moschee (maur. Stilelemente) mit 25 Kuppeln, die in den beidseitigen 5 Jochen auf antiken, z. T. kannelierten Säulen ruhen.

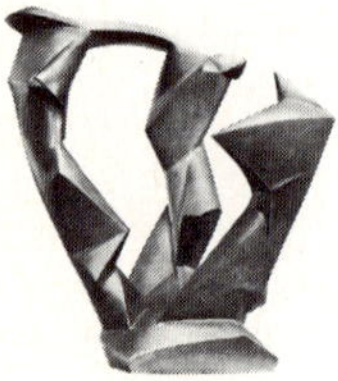

**Rudolf Belling:** Dreiklang, Bronze; 1919 (Saarbrücken, Saarlandmuseum)

**Belling,** Rudolf, Bildhauer, *Berlin 26. 8. 1886, †München 9. 6. 1972, tätig in Berlin, emigrierte 1937 nach Istanbul, wo er 1952–65 lehrte; 1966 Rückkehr nach Dtl. B. war schon vor 1914 auf das plast. Problem der Durchbrüche und Zwischenräume gestoßen und schuf daraus stark stilisierte, vehement rhythmische, dem Expressionismus nahestehende Skulpturen, in denen sich Voll- und Hohlform verzahnen. Der ›Dreiklang‹ (1919) gehört zu den Frühwerken der abstrakten Plastik. Neben großformatigen Gebilden entstanden dem metall. Charakter des Materials formentsprechende Köpfe und Reliefs.

W. NERDINGER: R. B. (mit Werkverzeichnis, 1980).

**Bellini,** ital. Malerfamilie in Venedig:

**1)** Gentile, älterer Sohn von 3), *Venedig 1429, †ebd. 23. 2. 1507, Schüler und langjähriger Mitarbeiter seines Vaters, 1479–81 in Konstantinopel für Sultan MOHAMMED (MEHMED) II. tätig. Er schuf vielfigurige Legenden- und Zeremonienbilder und war bes. auch Porträtmaler und Zeichner.

**Gentile Bellini:** Wunder des hl. Kreuzes; um 1500 (Venedig, Gal. dell' Accademia)

**HW:** Porträt Mohammeds II. (1480; London, Nat.-Gal.); Prozession auf dem Markusplatz (1496; Venedig, Gal. dell'Accademia); Wunder des hl. Kreuzes (um 1500; ebd.).

**2)** Giovanni, gen. **Giambellino,** jüngerer Sohn von 3), *Venedig 1427 oder 1430, †ebd. 29. 11. 1516, Schüler seines Vaters und seines Schwagers A. MANTEGNA in Padua, von dessen plastisch-zeichner. Stil er ausging. In seinen reifen Werken verbindet sich formklare Gestaltung mit malerisch-weicher Harmonie der Farbe. Er schuf Altarwerke, bes. in dem von ihm zu klass. Vollendung entwickelten Typus der Santa Conversazione, ferner viele kleinere Andachtstafeln (bes. Madonnenbilder und Bildnisse). Er war der Hauptmeister der venezian. Malerei der Frührenaissance, aus dessen Werkstatt viele Schüler hervorgingen. (BILD S. 308)

**HW:** Beweinung (um 1470; Mailand, Brera); Verklärung Christi (um 1480; Neapel, Gal. Nazionale di Capodimonte); Altarwerk (1488; Venedig, Frari-Kirche); 5 Allegorien (1490; Venedig Gal. dell' Accademia); Doge Leonardo Loredan (um 1501–05; London, Nat.-Gal.); Santa Conversazione (1505; Venedig, S. Zaccaria); Götterbacchanal (1514; Washington, Nat.-Gal.).

J. V. FLEMING: G. B. (Princeton, New Jersey, 1982).

**3)** Jacopo, *Venedig kurz nach 1400, †ebd. um 1470/71, Schüler von GENTILE DA FABRIANO, erhalten sind von ihm Gemälde: Christus am Kreuz (Verona, Mus.); Madonnenbilder (Florenz, Uffizien; Mailand, Brera, 1448, u. a.) und Handzeichnungen (z. T. wohl auch von seinen Söhnen): etwa 230 Blatt in zwei Sammelbänden (London, Brit. Mus.; Paris, Louvre), darunter viele Architekturdarstellungen.

**Bellinzona,** Hauptstadt des schweizer. Kt. Tessin, 17 700 Ew., bis 1798 unter der Herrschaft der 3 Inneren

**Giovanni Bellini:** Doge Leonardo Loredan; um 1501–05 (London, National Gallery)

Orte, die hier Burgen unterhielten: Castello Grande (Uri, 12. Jh., Ausbau 1242), Castello Montebello (Schwyz, 2. H. 15. Jh., heute Museo civico mit archäolog. Samml.), Castello di Sasso Corbaro (Unterwalden, 1479). Kirche S. Biagio (13. Jh.), roman. Pfeilerbasilika mit Wandmalereien; SS. Pietro e Stefano (16./17. Jh.); S. Maria delle Grazie, Kirche eines ehem. Franziskanerklosters (1495 voll.), mit Kreuzgang.

**Bellmer,** Hans, dt.-frz. Graphiker, Plastiker, *Kattowitz 13. 3. 1902, †Paris 24. 2. 1975, besuchte 1923–24 die TH Berlin, war befreundet mit G. GROSZ, J. HEARTFIELD und R. SCHLICHTER, lebte seit 1938 in Paris. B. begann 1933 mit der Konstruktion einer fetischartigen Plastik, der ›Puppe‹. Seine Zeichnungen und Plastiken von wuchernden Gliedern oder Köpfen mit exzessiver erot. Thematik stehen dem Surrealismus nahe.

H. B., Ausst.-Kat., Hannover (1969); A. P. DE MANDIARGUES: H. B., das graph. Werk (1973).

**Bellotto,** Bernardo, ital. Maler, →Canaletto 2).

**Bellows** [b'eləʊz], George Wesley, amerikan. Maler, *Columbus (Ohio) 12. 8. 1882, †New York 8. 1. 1925, als Schüler von R. HENRI gehörte er zu den Malern der Ashcan School; er suchte Themen im städt. Alltag, bes. von New York, schilderte in kräftigem Farbauftrag Spannung und Brutalität des amerikan. Sportbetriebs; satir. Graphiken.

**Bellpuig** [bɛlp'udʒ], span. Stadt in der katalon. Prov. Lérida, rd. 3500 Ew.; in der Pfarrkirche das prächtig skulptierte Marmormonument des Vizekönigs von Neapel, DON RAMÓN FOLCH DE CARDONA (†1522), wohl von GIOVANNI MERLIANO DA NOLA (1525). Convento del Jesús mit dreigeschossigem Kreuzgang des 17. Jh. auf imposanten, spiralförmig gewundenen Pfeilern.

**Belluno,** ital. Stadt in Venetien, am Piave, 36300 Ew., Bischofssitz. Am Domplatz die dreischiffige Kathedrale (von T. LOMBARDO, 16. Jh.; Glockenturm von F. JUVARRA, 18. Jh.) mit barocker Innenausstattung (Altargemälde u. a. von A. SCHIAVONE, J. BASSANO; Marmorstatuen, 16. Jh.) und der Palazzo dei Rettori (1491 beg., mit Arkadenfenstern nach venezian. Vorbild). Weitere Kirchen: S. Stefano (1480–97, in got. Formen; reiche Innenausstattung), S. Rocco (1561 gew.), S. Pietro (1326, um 1750 barockisiert). An der Piazza del Mercato Renaissancegebäude des 16. Jh.

**Belmonte,** span. Stadt in der neukastil. Prov. Cuenca, rd. 3600 Ew.; gut erhaltenes, sternförmig mit Rundtürmen angelegtes Kastell (1456), Innenhof mit doppelter Arkaden-Gal. und got. Springbrunnen, prächtige Artesonado-Decken in den Innenräumen; Pfarrkirche S. Bartolomé (15. Jh.) mit qualitätvollen Grabmälern.

**Belœil** [bɛl'œj], Schloß in der belg. Prov. Hennegau, eine Vierflügelanlage des 17. Jh. (Flügel 1687–95, Mitteltrakt nach Brand 1900 wiederhergestellt); wertvolle Sammlungen (Teppiche, Gemälde, Kunstgewerbe). Der frz. Park wird dem Schöpfer des Parks von Versailles A. LE NÔTRE zugeschrieben.

**Belo Horizonte** [b'ɛloriz'onti], Hauptstadt des Staates Minas Gerais, Brasilien, 1,8 Mio. Ew. Im Vorort **Pampulha** [-ʎa] an einem See die halbkreisförmige Kirche S. Francisco von O. NIEMEYER (1943 fertiggestellt), mit wellenförmiger Dachkonstruktion aus Beton, Glasportal; Fassade aus blauen und weißen Azulejos; im Innern des Altarraums Fresken von C. PORTINARI. Auf der anderen Seeseite Mus. für Moderne Kunst (1942).

**Belp,** Gem. bei der schweizer. Bundesstadt Bern; in der Kirche (12./13. Jh.) wurden 1914 bed. Wandmalereien entdeckt (Bilderzyklus im Schiff um 1455–60, Reste im Chor um 1500); Schloß (16./17. Jh.).

**Belton House** [b'eltən haʊs], Herrenhaus bei Grantham, Lincolnshire (England), nach dem Vorbild von C. WRENS Clarendon House in London von W. STANTON 1684–86 für Sir J. BROWNLOW erbaut in klaren Umrißlinien mit einem durch Dreiecksgiebel bekrönten Mittelrisalit und seitlich vortretenden kurzen Eckflügeln, 1777 verändert; Innenausstattung von G. GIBBONS.

**Belur,** Stadt in Karnataka, S-Indien, ehem. Hauptstadt der Hoyshala-Dynastie mit einem Vishnu-Tempel aus dem 12. Jh. Horizontale Friese und Reliefs von äußerster Feinheit bedecken die Außenwände; das Mahamandapa ist kreuzförmig angelegt, seine 28 durchbrochenen Fenster zeigen unterschiedl. Dekor. Abweichend von üblichen Tempelentwürfen in Indien, hat die Cella sternförmigen Grundriß (→Vesara-Stil).

**Belvedere** [ital. ›schöner Blick‹], Aussichtspunkte oder Gebäude mit schöner Fernsicht; so auch der an höher gelegener Stelle des Vatikans im 15. Jh. errichtete Bau, der dann von BRAMANTE umgestaltet wurde; in ihm wurden Skulpturen aufgestellt (Apollo von B., Belveder. Torso, Laokoon u. a.). Das erste B. nördlich der Alpen ist das Lustschloß in Prag (1536), das bekannteste das 1721–23 von J. L. VON HILDEBRANDT für den Prinzen EUGEN erbaute Gartenpalais in Wien (›Oberes B.‹, jetzt Mus., wie auch das Untere B. am tiefer gelegenen Ende des Parks). Im 18. Jh. blieb kaum ein dt. Fürstensitz ohne B. Auch erhöhte Austritte und Dachterrassen in Wohnhäusern und Villen heißen B.

**Belvederischer Torso,** antiker überlebensgroßer Marmortorso eines sitzenden Mannes (Herakles?) im Belvedere des Vatikan, Werk des athen. Bildhauers APOLLONIOS; von MICHELANGELO und J. J. WINCKELMANN aufs höchste bewundert.

**Belvoir** [bɛlvw'a:r, frz. ›gute (Aus)sicht‹], Ruinenstätte über dem Jordantal, 16 km südlich von Tiberias am See Genezareth, Überrest einer im 12. Jh. vom Johanniterorden erbauten (Kreuzfahrer-)Festung. In dem auf quadrat. Grundriß errichteten Schloß im Innenhof sind Küche, Refektorium und Kapelle erhalten.

**Belzig,** Stadt im Bez. Potsdam, Dt. Dem. Rep., 7300 Ew.; vom 1. Bau der **Burg Eisenhardt** ist nur der Bergfried (13. Jh.) erh., von 2. Bauperiode die Ringmauer mit Rundtürmen (15. Jh.) und das Hauptgebäude (um 1500); frühgot. Pfarrkirche (13. Jh.), Renaissance-Rathaus (17. Jh.).

**Bema** [grch. ›Stufe‹, ›Thron‹], im antiken Griechenland die Rednertribüne; in byzantin. Kirchen der (bisweilen erhöhte) Altarraum (Presbyterium, Sanktuarium), in nordsyr. Kirchen des 5./6. Jh. auch eine in das Mittelschiff vorgeschobene Tribüne; ähnlich in Synagogen die erhöhte Tribüne des ›Almemor‹, von der aus die Thora verlesen wird.

**Bemba, Wemba, Wabemba,** Stammesgruppe südlich des Tanganjika-Sees in NO-Sambia, deren künstler. Äußerungen (einige wenige Holzfiguren sind bekannt: Mus. für Völkerkunde Berlin, Wien) dem Einflußbereich der →Luba zugerechnet werden können.

**Bembe 1):** Zauberfigur mit Raphia-Lendenschurz; 27 cm hoch (Schweiz, Privatsammlung)

**Bembe, 1) Babembe,** kleiner zu den Sundi gehörender Stamm westlich von Brazzaville, Rep. Kongo. Die B. fertigen kleine (seltener mittelgroße) Holzplastiken in sorgfältiger naturalist. Gestaltung, neben Ahnenfiguren auch Zauberfiguren. Daneben stellen die B. große anthropomorphe Signalhörner her, die nur rituell verwendet werden.

**2) Wabembe, Balembe,** Untergruppe der →Rega in O-Zaire, entlang dem mittleren Tanganjika-See. Die B. waren früher bed. Holzschnitzer (Aufsatz- und Gesichtsmasken, Figuren), heute lassen sie jedoch bei den südlich benachbarten Buye arbeiten, von denen sie auch eine Reihe kult. Institutionen übernommen haben.

**Bena Kanioka,** Volksstamm in Zaire, →Kanyoka.

**Bena Lulua,** Volksstamm in Zaire, →Lulua.

**Benares,** heilige Stadt der Hindus, →Varanasi.

**Benasque** [-ke], Ort in der nordspan. Prov. Huesca, in den Pyrenäen, reich an Bauten des 13.–15. Jh., u. a. die einschiffige roman. Kirche (13. Jh.) mit romanisch-got. Kruzifix (13. Jh.) und Statue des Hl. Martin von Tours (13. Jh.); Adelshäuser.

**Benavente** [-β'ente], Stadt in der westspan. Prov. Zamora, am Esla, rd. 11000 Ew.; gut erhaltener Schneckenturm (um 1520) der Schloßruine; Kirche S. María del Azoque (12./13. Jh., 16. Jh.), dreischiffig mit Fünfapsidenchor (12. Jh.); roman. Kirche S. Juan del

Mercado (1182), N-Portal mit reichem Baudekor (Perlreihen, Zickzackformen und Rosetten), S-Portal mit Anbetung der Könige im Tympanon (1190).

**Bendel,** Ehrgott Bernhard, Bildhauer, *Pfarrkirchen (Niederbayern) um 1660, †Augsburg 31. 1. 1738, entstammte einer urspr. oberschwäb. Bildhauerfamilie, kam über Böhmen und Wien 1684 nach Augsburg, arbeitete in Stein, Holz, Bronze, Elfenbein. Sein HW sind die lebensgroßen, farbig gefaßten Holzfiguren der vier Evangelisten und des Hl. Paulus für St. Georg in Augsburg (1697; Nürnberg, German. Nat.-Mus.). B. war der bedeutendste Meister der spätbarocken Plastik in Augsburg.

WW: Silbergetriebene Figur des Hl. Sebastian (1714/15; Neuburg a. D., St. Peter); Apostelfiguren mit Maria und Johannes (um 1719; Augsburg, St. Moritz); Kanzel und Altäre (um 1725; Holzen, Klosterkirche); Figuren in den Auszügen der Choraltäre (nach 1736; Diessen, ehem. Klosterkirche).

Augsburger Barock, Ausst.-Kat., Augsburg (1968); MARITA STALLKNECHT: E. B. B. (1978).

**E. B. Bendel:** Evangelist Lukas; 1697 (Nürnberg, German. Nationalmuseum)

**Bendemann,** Eduard, Historienmaler, *Berlin 3. 12. 1811, †Düsseldorf 27. 12. 1889, war ebd. 1859 bis 1867 Direktor der Akad. und gehörte als Maler zur →Düsseldorfer Schule. – Gegenüber B.s unprätentiösen Porträts sind seine Gemälde nach alttestamentar. Motiven von heroischer Sentimentalität bestimmt.

**Bendorf,** Stadt am Rhein unterhalb von Koblenz, Rheinl.-Pf., 16600 Ew. Originelle Baugruppe aus evang. Medarduskirche (1204) und kath. Reichardsmünster (1230), die rechtwinklig aufeinanderstoßen. Im Ortsteil **Sayn** Kirche der ehem. Prämonstratenserabtei (1202 gegr.); im westl. Kreuzgangsflügel roman. Brunnen (um 1230). Die Gießhalle der 1769 gegr. Eisenhütte ist der erste gußeiserne Industriehallenbau Europas (1830 in Form einer got. Basilika errichtet). Burg Sayn (um 1200, seit 1633 Ruine).

**Benedetto da Maiano,** ital. Bildhauer und Baumeister, Bruder von GIULIANO DA MAIANO, *Maiano (bei Florenz) 1442, †Florenz 27. 5. 1497, griff zunächst den Reliefstil L. GHIBERTIS und die verfeinerte, dekorative Linienführung von DESIDERIO DA SETTIGNANO auf (Marmorkanzel in S. Croce, Florenz, 1470/75), schuf realist. Porträtbüsten (P. MELLINI, 1474, Florenz, Bargello; F. STROZZI, 1491, Paris, Louvre) und gelangte in seinem Spätwerk zu einer neuen Verdichtung der plast. Kräfte, die ihn zum wichtigsten Wegbereiter MICHELANGELOS machte (Altar in der Mastrogiudicekapelle in S. Anna dei Lombardi, Neapel, 1489 voll.; Marmoraltar in S. Agostino, San Gimignano, 1494; unvollendete Marmorfiguren der Thronenden Madonna und des Hl. Sebastian in der Misericordia, Florenz, 1497). Als Baumeister plante er den Palazzo Strozzi in Florenz (1489 von ihm beg., fortgeführt von CRONACA).

**Benediktbeuern,** Gem. nördlich des Kochelsees (Oberbayern), 2500 Ew. Die Benediktinerabtei (um 740 gegr.) war die bedeutendste Süd-Dtl.s; Kirche 1680–86 mit ital. Stuckdekor, nördlich angebaut wurde 1751–58 die Anastasiakapelle von J. M. FISCHER. In den Klostergebäuden barocke Prunkräume.

**Benemann,** Johann Wilhelm (Jean Guilleaume), Kunsttischler, 1784–1804 in Paris tätig, 1785 ›Maître ébéniste‹, löste H. RIESENER in der Gunst des Hofes ab; er schuf signierte Möbel für das Schloß St.-Cloud bei Paris mit ziselierten und vergoldeten Bronzebeschlägen und Einlagen aus Sèvres-Porzellan-Platten.

**Benevẹnt,** ital. **Benevẹnto,** Stadt und Bischofssitz in Kampanien, S-Italien, 61 500 Ew. Unter den röm. Bauresten ragen der Trajansbogen (114 n. Chr.; mit gut erhaltenen Reliefs, die Siege des Kaisers darstellend) und das röm. Theater (2. Jh.; Anf. 3. Jh. erweitert auf 20 000 Plätze) hervor. Dom (gegr. im 7. Jh., urspr. Bau 9. und 12. Jh., 1943 z. T. zerstört; erh. die Bronzetür mit Kassettenreliefs, 13. Jh.); Kirche S. Sofia (8. Jh., im byzantin. Stil; Portal, 13. Jh.; Kreuzgang, 12. Jh.); mit Samnit. Mus. im Kloster.

**Beni-e,** auch **beni-ye** [›Rot-Bild‹], Bez. für handkolorierte japan. Holzschnitte vor Erfindung des →Farbholzschnittes.

**Beni Hạsan,** Dorf in Oberägypten (KARTE ägyptische Kunst), mit bed. Felsgräbern des Mittleren Reiches (21.–19. Jh. v. Chr.), deren Wandmalereien sich durch außerordentl. Motivreichtum auszeichnen: Szenen vom Sport (Ringer-Szenen), Tanz, Spiel, Handwerk und von der Jagd. Im Grab des Gaufürsten CHNUMHOTEP u. a. eine Karawane von Semiten, die mit dem Gaufürsten Handel treiben wollten. Im Neuen Reich errichteten HATSCHEPSUT und THUTMOSIS III. den als Speos Artemidos (›Grotte der Artemis‹) bekannten Felstempel für die löwengestaltige Göttin Pachet.

**Benin:** Brustschmuck der Könige von B., Elfenbein mit Korallen verziert, 19,5 cm hoch, Anfang 16. Jh. (Stuttgart, Linden-Museum)

**Benịn,** ehem. sakrales Kgr. der Bini in W-Afrika, im Gebiet des heutigen SW-Nigeria um die Residenzstadt Benin (heute →Benin City), gegr. etwa im 13. Jh. in der Tradition der →Yoruba (geistl. Oberhaupt: der Oni von →Ife), reichte auf dem Höhepunkt seiner Macht (17. Jh.) vom Nigerdelta bis in die Gegend von Lagos, verfügte über eine hochentwickelte höf. Kunst, v. a. Metallguß nach dem Wachsausschmelzverfahren (›verlorene Form‹, →Bildguß).

Die frühesten Beispiele der Kunst von B. sind dünnwandige, bestens gearbeitete Bronzeköpfe, die um 1500 entstanden sein dürften und auf der Tradition der Bronzekunst von Ife basieren. In diese Frühzeit der B.-Kunst (bis Ende des 16. Jh.) fallen auch Elfenbeinmasken sowie (aus Bronze) Zwergenfiguren (königl. Gaukler) und die ersten der ›Königinnenköpfe‹, die eine bemerkenswert einheitl. Kopfform mit hornähnl. Kopfschmuck aufweisen. Am Ende dieser Periode sind einige hervorragende Köpfe mit ungewöhnl. Prognathie (vorstehender Unterkiefer) entstanden, gekennzeichnet durch eine starke Entfaltung der Perlenornamentik (Kopfputz, Halsketten aus Korallenperlen). Alle Köpfe dieser frühen Periode haben rechteckige, vertikal eingesetzte Bandeinlagen aus Eisen auf der Stirn.

Die mittlere Periode (›Periode der Bronzeplatten‹), etwa Mitte 16. bis Ende 17. Jh., ist benannt nach den rechteckigen reliefierten Bronzeplatten, die auf die den Palast umgebenden Säulen montiert waren und der Macht des Hofes Ausdruck verleihen sollten. Ihre

**Benin:**
Krieger; Bronzerelief (Zürich, Museum Rietberg, Sammlung v. d. Heydt)

rechteckige Form ist wohl europ. Einfluß zuzuschreiben. Dargestellt sind u. a. Hofzeremonien, Jagden, sowie Portugiesen in der Tracht des 17. Jh.

Der Beginn dieser mittleren Periode ist durch eine bed. Gewichtszunahme der Kunstwerke gekennzeichnet, vermutlich auf die Einfuhr europ. Zinn-Bronze (bis dahin war Messing die Grundlage des Bronzegusses) durch die Portugiesen zurückzuführen. Dadurch ging allerdings auch die techn. Virtuosität der frühen Periode, in der die Bronze kaum mehr als 1 mm dick ist, verloren, und das größere Gewicht bedingte mehr Monumentalität. Gegenüber den Köpfen der frühen Periode bleibt nur noch ein kleines Rechteck für Augen, Nase und Mund frei; der ganze Unterteil des Kopfes wird von immer höher werdenden Perlenkragen eingenommen. Durch das größere Gewicht konnten die Köpfe nun als Sockel für große beschnitzte Elfenbeinzähne dienen, die man in ein oben am Schädel angebrachtes Loch steckte. Alle Köpfe zeichnen sich durch Einheitlichkeit in Stil und Ikonographie aus.

Die Spätzeit der B.-Kunst, seit der 2. Hälfte des 18. Jh., äußert sich in einer zunehmenden Degeneration der künstler. Konzeption und einer Abnahme der techn. Leistung, deren Ursache im allmähl. Verfall des Reiches gesehen wird. Lediglich die Werke aus Elfenbein, deren Schnitzer in Zünften organisiert waren und z. T. auch im Stammesstil arbeiteten, zeigen noch bis zum Ende des 19. Jh. eine fast gleichbleibende Qualität (BILD Elfenbeinschnitzerei). Neben beschnitzten Zähnen für die Ahnenaltäre sind dies v. a. Gürtelmasken, Kultglocken, Würdeabzeichen, Dosen sowie ein Leopardenpaar, das heute zum Schatz des brit. Königshauses gehört (BILD afrikanische Kunst).

F. v. LUSCHAN: Altertümer von B. (1919); ANNEMARIE SCHWEEGER-HEFEL: Afrikan. Bronzen (1948); W. B. FORMAN und P. DARK: Die Kunst von B. (Prag 1960).

**Benin City** [b'enın s'ıtı], Stadt im Regenwald Süd-

Nigerias, 121 700 Ew.; Sitz des Nachfolgers der Edo-Herrscher (Oba); Mus. (Benin-Kunst, Bronzeköpfe 16./17. Jh.). Im Viertel der Bronzegießer wird die alte Gießtechnik nachgeahmt. An der Fronttür des Gebäudes der Regionalverwaltung modernes Schnitzrelief.

**Bening,** Simon, Buch- und Tafelmaler, *Gent 1483, †Brügge 1561, Sohn des Buchmalers Alexander B. (†1519). Vater und Sohn sind mit G. Horenbout die Miniaturisten des →Breviarium Grimani. B.s Miniaturen haben Tafelbildcharakter und zeigen realist. Landschafts- und Menschendarstellungen.

**WW:** ›Heures de Henessy‹ und ›Genealogie‹ (beide London, Brit. Mus.).

**Beni-zuri-e** [japan. ›Rot-Druck‹], Bez. für Zweifarbendrucke im →Ukiyo-e mit Rot als Hauptton und hinzugefügtem Grün oder Gelb (→Farbholzschnitt). Zuerst von OKUMURA MASANOBU (*1686, †1764) verwendet.

**Benkert, Benckert,** Johann Peter, Bildhauer, *Neustadt a. d. Saale 11. 9. 1709, †Potsdam 1769, nach Lehrzeit in Eichstätt und München Bildhauer meist kirchl., aber auch höf. Skulpturen in Bamberg. Für FRIEDRICH D. GR. schuf B. später in Potsdam dekorative Plastik, so die vergoldeten Steinfiguren am chines. Haus im Park zu Sanssouci.

A. KRAUSE: Das Chines. Teehaus im Park von Sanssouci (1963).

**Benlliure y Gil** [benʎ'iure i xil], **1)** José, span. Maler, *Cañamelas 1. 10. 1855, †Valencia 30. 9. 1936, seit 1878 Direktor der Span. Akad. in Rom; Maler histor. Themen und von Genreszenen aus dem Volksleben.

**2)** Mariano, span. Bildhauer und Maler, *Valencia 8. 9. 1862, †1947, ausgebildet an der Span. Akad. in Rom, schuf Bronzestandbilder, Marmorstatuen, Büsten und reizvolle Stierkampf-Aquarelle.

**Bennewitz von Loefen,** Karl d. Ä., Landschaftsmaler, *Thorn 15. 11. 1826, †Eutin 31. 8. 1895, Schüler von F. W. SCHIRMER, lebte seit 1856 meist in Berlin. Bedeutender als seine frühen Gebirgsbilder sind seine der frz. Freilichtmalerei verpflichteten Darstellungen schlichter Motive.

**Benninghausen,** Stadtteil von Lippstadt, NRW, mit ehem. Zisterzienserinnenkloster; die Kirche ist ein spätgot. Saalbau (1514) mit roman. Westturm; kostbares Kruzifix in der Nachfolge des Gerokruzifixus im Kölner Dom (Ende 11. Jh.).

**Benois** [bənw'a], russ. **Benua, 1)** Aleksandr Nikolajewitsch, russ. Maler und Kunstkritiker, Bruder von 2), *St. Petersburg 3. 5. 1870, †Paris 9. 2. 1960, lebte seit 1926 in Paris. Sohn des Architekten Nikolaj Leontjewitsch B. (*1813, †1898). B. war Hauptvertreter der Bewegung →Mir Iskusstwa, schuf historisierende Phantasiebilder in Rokokokostümen und Illustrationen zu Werken von A. PUSCHKIN. Er gab als erster russ. Kunsthistoriker eine ›Geschichte der russ. Malerei‹ (1912–17, unvoll.) heraus.

**Schrift:** Memoirs, 1 (London 1960), 2 (ebd. 1964).
M. ETKIND: A. N. B. (Moskau 1965).

**2)** Leontij Nikolajewitsch, russ. Architekt, *St. Petersburg 23. 8. 1856, †Leningrad 8. 2. 1928, erbaute u. a. die russisch-orthodoxen Kirchen in Darmstadt und Bad Homburg v. d. H.

**Benrath,** Stadtteil von Düsseldorf, NRW, mit Lustschloß des Kurfürsten KARL THEODOR VON DER PFALZ, 1755–69 von N. DE PIGAGE im frz. Rokokostil erbaut. Erlesene Innenausstattung im Stil Louis XVI. (Mus.).

**Bensberg,** seit 1975 Teil von Bergisch Gladbach, NRW. G. BÖHM bezog von der Alten Burg der Grafen von Berg (12./13. Jh.) 3 Türme in seinen Beton-Rathauskomplex ein (1962–67). Jagdschloß des Kurfürsten JOHANN WILHELM VON PFALZ-NEUBURG, eine großzügige Anlage aus (urspr. weiß getünchtem) Backstein (1703–10).

**Bensheim,** Stadt an der hess. Bergstraße, 32 600 Ew.; klassizist. Georgskirche (1824–30), ein HW von G. MOLLER; viele Fachwerkhäuser und Adelshöfe. Oberhalb des Ortsteils **Auerbach** mächtige Burgruine (13./14. Jh.); östlich das ab 1767 angelegte Fürstenlager, Sommer- und Kuraufenthalt des Hessen-Darmstädter Hofes inmitten eines Landschaftsparks.

**Benson,** Ambrosius, niederländ. Maler lombard. Herkunft, tätig in Brügge seit 1519, begraben ebd. 12. 1. 1550, malte, von älteren und zeitgenöss. niederländ. Meistern beeinflußt, relig. Darstellungen, Genreszenen (musizierende Gesellschaften) und Bildnisse.

**Benten,** auch **Benzaiten,** Skt. **Sarasvati,** eine der 7 japan. Glücksgottheiten (→Shichi-fukujin), sitzend dargestellt, mit einem Juwelendiadem, eine Laute spielend. Sie verkörpert die Musik, die Literatur, die Beredsamkeit und die Liebe.

**Bentheim,** Stadt im Kr. Gfsch. B., Ndsachs., nahe der niederländ. Grenze, 13 700 Ew. Das maler. Schloß (13.–19. Jh.), größte Anlage in Ndsachs., war Sitz der Grafen von B. und Idealvorbild für viele niederländ. Maler. Im Burghof der ›Herrgott von B.‹, ein bekleidetes roman. Sandsteinkruzifix des 12. Jh. Nördlich des Schlosses großes barockes Gartenparterre und das klassizist. Bad B. Zwei Johanniskirchen des 17. Jh. (kath. und reformiert), beide mit wertvoller Ausstattung.

**Benvenuti,** Pietro, ital. Maler, *Arezzo 18. 1. 1769, †Florenz 3. 2. 1844; schuf in einem von J. L. DAVID beeinflußten, klassizist. Stil Porträts, Historien-, Andachtsbilder sowie Fresken, u. a. im Palazzo Pitti zu Florenz, wo er Akad.-Direktor war.

**Benzaiten,** japan. Göttin, →Benten.

**Benzo|e** [über ital. aus arab. luban gawi ›javan. Weihrauch‹], Maltechnik: Harz eines hinterind. Strauches, das in Weingeist gelöst zu Firnissen gebraucht wurde.

**Bérain** [ber'ɛ̃], Jean d. Ä., frz. Architekt, Zeichner und Ornamentstecher, *St. Mihiel (Lothringen) 28. 10. 1637, †Paris 25. 1. 1711, wurde 1674 Kammer- und Kabinettzeichner LUDWIGS XIV., für den er Trauer-, Theater- und Festdekorationen, auch Kostüme entwarf. Sein Ornamentstil leitet zum →Bandelwerk über. B.s Sohn Jean d. J. (*Paris 1678, †ebd. 3. 7. 1726) schloß sich dessen Stil an (HW: Ornamente der Apollo-Gal. des Louvre in Paris, 1710).

**Berạt,** Stadt in Albanien, etwa 25 000 Ew.; wegen seiner vielen erhaltenen mittelalterl. Bauten (Kirche Shën-Mëri, 14. Jh., mit Fresken und Ikonenmalerei; Moschee des Königs, 16. Jh., Grundriß mit grch. Kreuz, Bau in byzantin. Tradition) zur ›Museumsstadt‹ erklärt.

**Berber,** ethnische Gruppen in Nordafrika, etwa 7 Mio. Menschen. Die archaischen Grundformen in der heutigen B.-Kunst entstammen einer vorpunischen autochthonen Kultur, deren Wurzeln im Übergreifen babylonisch-sumerisch-akkadischer Kulturen auf nordafrikanisch-altmediterrane Kulturen liegen. Alle späteren Einflußnahmen konnten akkulturiert werden, und obwohl die B. seit dem 7. Jh. unter arabo-islam. Einfluß stehen, ist ihre originale Kunst deutlich von der städtisch geprägten islam. Kunst abgrenzbar. Sie ist gekennzeichnet durch Abstraktion (keine Naturimitation, keine Arabeskenelemente), spontane Kreativität, Tradition und Nicht-Evolution, aber erstaunl. Vitalität. Sie ist eine ausgesprochen ländl. Gebrauchskunst der Seßhaften wie auch der Halbnomaden.

Zwar weist die Kunst der B. in manchen Bereichen (Baukunst, Keramik) spezif. Formgebung auf, doch ist ihre elementargeometr. Ornamentik mit oft magischer Bedeutung durchweg auffälliger. Ihre raum-zeitlich konstanten, komplexen Kombinationen von Einzelelementen zu Reihen- und Flächenmotiven, die in zonalsukzessiver Gesetzmäßigkeit die typisch berber. Ornamentstruktur bilden, sind schon in der nordafrikan. Megalithkeramik feststellbar. Die besondere Vitalität der heutigen Kunst der B. zeigt sich im Einverleiben moderner Kunstströmungen, etwa der Konkreten Kunst der Op Art (V. Vasarély), im Wand- und Flächendekor.

Baukunst. Die typ. Stampflehm- und Lehmziegelarchitektur der B. tritt bei →Kasbas, →Ksars, und Wehrdörfern am S-Rand des Hohen Atlas auf (v. a. im →Dadès-Tal, →Dra-Tal, →Todgha-Tal, Ziz-Tal). Ihre kubischen Formen, die konische Verjüngung der rechteckigen Ecktürme, funktionale Stockwerksgliederung, Licht-Luft-Funktion des Innenhofs, Gestaltung der Torbogen, Umfassungsmauern, Zinnentreppung und Gebäudegruppierung werden als Rest-Bauformen babylonisch-assyr. Herkunft gedeutet, die sonst nur noch in S-Arabien (→San'a, →Shibam) vorkommen und die sich von den Rundformen der südsaharisch-sudanes. Lehmbauweise unterscheiden. Der Islam hat den Stil der B.-Baukunst nicht wesensmäßig beeinflußt, sondern nur in der geometr. Lehmziegelornamentik der oberen Stockwerke Einzelelemente (z. B. getreppte

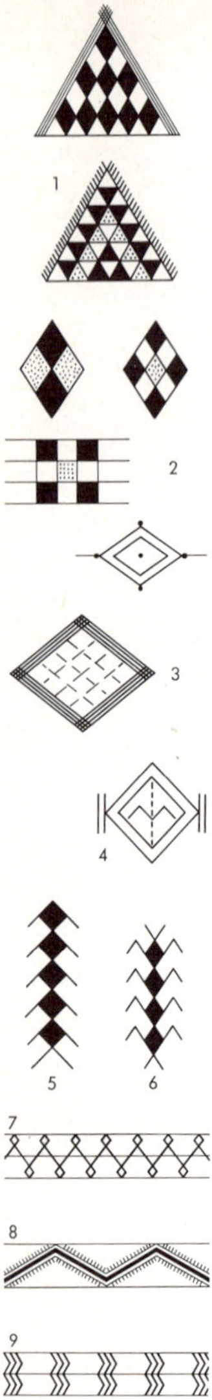


**Berber**

**Berber:** Bei den Ornamentbezeichnungen sind zu ursprünglich abstrakten Dekorelementen nachträglich reale Bilder assoziiert worden. **1** ›Fibel‹, für das Füllornament ›Schachbrett‹; **2** ›Auge des Rebhuhns‹; **3** ›Viereck‹ oder ›Honigkuchen‹; **4** ›Eichenblatt‹; **5** ›Skelett der Schlange‹; **6** ›Baum‹ oder ›Tausendfüßler‹; **7** ›Schlange‹; **8** ›Zickzack‹ oder ›Rücken der Schlange‹; **9** ›Rücken‹ oder ›Seite der Schlange‹

Blendarkaden) und urbane Innendekormotive hinzugefügt. Die organ. Funktionalität der berber. Hochhausarchitektur findet heute starke städtebaul. Beachtung. Die erhaltenen Haustein-Grabdenkmäler der numidischen B. (→Medracen, →Es-Souna, →Kbor Roumia) zeigen eigenständige Verarbeitung altägypt. und dorischer Elemente.

In der Webkunst (grobe Stoffe aus Wolle und Ziegenhaar) dominieren ähnl. Ornamente wie in der Architektur, gestützt durch kontrastreiche Farbwechsel (bei einem Vorwiegen von Rot, Schwarz, Blau, Braun), und variieren nach Stammestraditionen. Der flidj-Typ zeigt eine Abfolge langer Vertikal- oder Horizontalbänder, wobei breitere Streifen mit Serien von Füllornamenten jeweils durch schmalere Bänder mit Einzelmotiv getrennt sind. Dem tâg- oder draga-Typ liegt diagonale Band- und Rautenstruktur mit Füllornamentik zugrunde, die auch die Grundlage des originalen B.-Teppichs bildet. Beide Grundtypen gehen vermutlich, ebenso wie die Teppichknüpftechnik, auf altsyr. Nomadentradition zurück.

Die handmodellierte, ländl. Keramik (Zentren: Kabylei, Aurès, Zentral- und S-Tunesien, Rif) wird traditionsgemäß allein von der Frau für private Zwecke hergestellt und ist bis heute nicht kommerzialisiert. Als techn. Merkmale gelten Wulsttechnik, offener Feldbrand, Bemalung mit Mineralfarben, Pflanzensäften und Harzen, Politur und Formelemente wie gerader Boden, Brücken- und Ausgußhenkel sowie Mehrfachgefäßkombination. Auch hier dominiert das Dekor, gebildet von geometr. Reihen- und Flächenornamentik in mono- bis polychromer Ausführung und zonaler Anordnung. Auf flachen Rundformen erscheinen auch stilisierte Stern- und Rayon-Blattornamente.

In Verbindung mit der Bearbeitung von Leder, Holz und Metall (nur Silber, Kupfer und Messing) in Schneide-, Gravur- und Intarsientechnik dominiert ebenfalls das reliefungebundene, zonal gefelderte flächenfüllende Dekor mit geometr. Schmuckmotiven: gleichschenkliges Dreieck, Schachbrett, Rauten, Zickzack, Zähnelung, Chevron, aber auch stilisierte Schlange, Eidechse, Skorpion, Baum, Sonne, Mond, Sterne oder die ›Brauen des Teufels‹.

In der Schmuckherstellung (Silber, Kupfer, Messing), die vorwiegend in den Händen männl. Spezialisten liegt, werden die abstrakt-geometr. Motive als Einzelstücke gefertigt und zu langen Kettenreihen verbunden. Die unverschleierte B.-Frau trägt nach wie vor prachtvoll gearbeiteten Kopf-, Haar- und Brustschmuck sowie Armbänder, Schmuckgürtel und Schmuckspangen (Fibel-Form). Allerdings zeigt sich in der Einarbeitung von Schmucksteinen, Emailgemmen und Münzen hier stärkerer städtisch-islam. Einfluß.

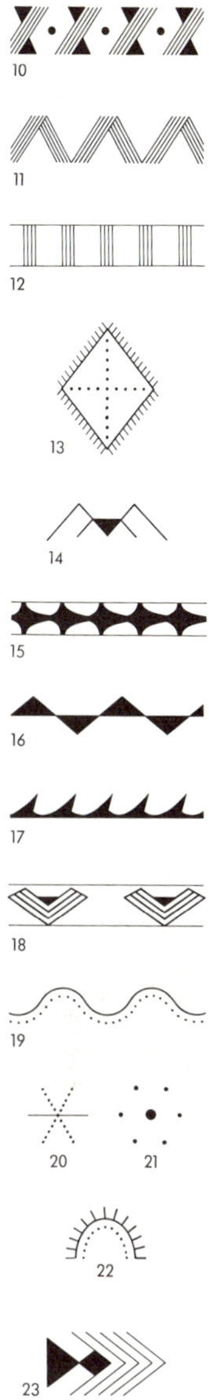


Berber

**Berber: 10** ›Ameisen‹; **11** ›Zöpfe‹; **12** ›Gürtel‹; **13** ›Ohrschmuck‹; **14** ›Skorpion‹; **15** ›Kette aus Gewürznelken‹; **16** ›eine Hand nimmt die andere‹; **17** ›Kalbszähne‹; **18** ›Chevron‹; **19** ›Weg‹; **20** ›Stern‹; **21** ›Mond mit Sternen‹ oder ›Blume‹; **22** ›Rebhuhn‹; **23** ›Fisch‹

**Berchem** [-xəm], Nicolaes Pietersz, holländ. Maler, getauft Haarlem 1. 10. 1620, †Amsterdam 18. 2. 1683, Sohn des Stillebenmalers P. CLAESZ; neben J. BOTH und J. ASSELIJN Hauptvertreter de italianisierenden Landschaftsmalerei in Holland, schuf Landschaften mit Hirten und Vieh, auch Radierungen (60 Blätter).

**Berching,** Stadt in der Oberpfalz; 912–1802 zum Hochstift Eichstätt gehörig. Einheitl. spätma. Stadtbild mit vollständig erhaltener Stadtmauer samt Tortürmen (15. Jh.); frühgot. Stadtpfarrkirche, 1757/58 einfühlsam barockisiert.

**Berchtesgaden,** Markt in Oberbayern, 8500 Ew., mit ehem. Augustinerchorherrenstift (um 1108 gegr.), später in eine Fürstpropstei umgewandelt; Stiftskirche (12.–16. Jh.) mit spätroman. Kreuzgang; die Stiftsgebäude jetzt Schloßmus. (Kunst des MA. und Barock). In der für MAXIMILIAN II. VON BAYERN 1849 erbauten Königl. Villa das Dt. Wappen-Mus.

**Berckheyde** [-hɛjdə], **1)** Gerrit Adriaensz, holländ. Maler, Bruder von 2) getauft Haarlem 6. 6. 1638, †ebd. 14. 6. 1698; malte hellfarbige holländ. Straßen- und Platzansichten, auch Veduten dt. Städte.

**2)** Job Adriaensz, holländ. Maler, Bruder von 1), getauft Haarlem 27. 1. 1630, begraben ebd. 23. 11. 1693, schuf Architekturbilder (bes. Innenansichten von Kirchen in feinem, kühlem Helldunkel), Stadtansichten und Genredarstellungen.

**Berend-Corinth,** Charlotte, Malerin, Lithographin, *Berlin 25. 5. 1880, †New York 10. 1. 1967, seit 1901 Schülerin von LOVIS CORINTH, den sie 1904 heiratete. In den 30er Jahren gründete sie in New York eine eigene Malschule. Sie schuf Porträts (Poelzig, Fritzi Massary), Stilleben, Illustrationen (Maupassant).

Mein Leben mit Lovis Corinth (1948).
MONTY SCHULTZMANN: Die Malerin C. B.-C. (1966).

**Berenson,** Bernard, Kunstkenner und Sammler, *Butrimanzy bei Wilna 26. 6. 1865, †Settignano bei Florenz 6. 10. 1959, lebte seit 1888 in Florenz. Als Kenner der ital. Renaissancemalerei war er entscheidend am Aufbau amerikan. Privat-Samml. beteiligt (I. STUART GARDNER, S. KRESS, H. WALTERS, WIDENER, R. LEHMAN). Er veröffentlichte zahlreiche Standardwerke zur Gesch. der ital. Kunst; seine Villa ›I Tatti‹ bei Florenz ist heute das ›Harvard Univ. Center for Italian Renaissance Studies‹.

DAVID A. BROWN: B. and the connoisseurship of Italian painting (Washington, D.C., 1979).

**Claus Berg:** Bartholomäus (aus der Apostelgruppe im Dom zu Güstrow); nach 1532

**Berg, 1)** Claus, Bildschnitzer, *Lübeck um 1475, †ebd.(?) um 1535, arbeitete etwa 1504–32 im Dienst des dän. Hofes. In der lübischen Plastik vertritt B. neben B. DREYER die barock-bewegte Richtung der ausgehenden Spätgotik.

**HW:** Allerheiligen-Altar für die Franziskanerkirche (seit 1885 in der Knudskirche) zu Odense auf Fünen, mit den Stifterfiguren der dän. Königsfamilie (1517–22); Altar in Tistrup (1522); Kruzifix in Sorø (1527); Apostel im Dom zu Güstrow (nach 1532).

**2)** Magnus, norweg. Elfenbeinschnitzer, *Hedemarken (Norwegen) 28. 11. 1666, †Kopenhagen 31. 3.

1739, Schüler des dän. Hofmalers P. ANDERSEN.

**HW:** Elfenbeinhochreliefs und Medaillonbildnisse in Schloß Rosenborg (Kopenhagen).

**3)** Max, Architekt, *Stettin 17. 4. 1870, †Baden-Baden 22. 1. 1947; war Stadtbaurat von Breslau.

**HW:** Jahrhunderthalle in Breslau (1912/13, erste Stahlbetonrippenkuppel, Ø 65 m, Höhe 40 m).

**4)** Werner, österr. Maler, Holzschneider, *Elberfeld 11. 4. 1904, †bei St. Veit im Jauntal (Kärnten) 7. 9. 1981, siedelte sich 1930/31 auf dem Rutarhof in Unterkärnten an. B. ging vom dt. Expressionismus aus. Seine Ölbilder und Holzschnitte konzentrieren sich auf streng umrissene, typisierte Formen (Landschaften, Figurengruppen, Porträts).

K. SOTRIFFER: W. B., Die Holzschnitte (1973; mit Werkkatalog 1929–1972).

**Bergamo,** ital. Stadt und Bischofssitz in der Lombardei, 128900 Ew. In der Oberstadt Bauwerke des MA. und der Renaissance, so v.a. an der Piazza del Duomo die Kirche S. Maria Maggiore (1137 beg.; N-Portal mit baldachinartiger Vorhalle von G. DA CAMPIONE; reiche Innenausstattung), Baptisterium (14. Jh.), Colleoni-Kapelle (um 1472–77; Mausoleum für B. COLLEONI; von G. A. AMADEO erbaut und mit Marmordekorationen, v.a. an der Fassade, ausgestattet; Fresken von G. B. TIEPOLO, 1733) und Dom (1459–1650); an der Piazza Vecchia der Stadtturm (Torre del Comune, 12. Jh.), got. Palazzo della Ragione (Ende 12. Jh.), Palazzo Nuovo (Anf. 17. Jh., Entwurf von V. SCAMOZZI). In der Unterstadt die Kirchen S. Spirito (14. Jh.; Gemälde), S. Alessandro della Croce (17. Jh.; Fresken und Gemälde), S. Bernardino (16. Jh.; Gemälde von L. LOTTO) und die Accademia Carrara mit einer der wichtigsten Gemäldesamml. N-Italiens (v.a. Gemälde des 15. und 16. Jh.). Weitere Museen in der Rocca (rechteckige Befestigungsanlage des 14. Jh.; heute Risorgimento-Mus.) und Cittadella (Festung des 14. Jh.; heute u.a. Archäolog. Mus.).

**Bergander,** Rudolf, Maler, *Meißen 22. 5. 1909, †Dresden 10. 4. 1970, studierte u.a. bei O. DIX, wurde nach 1945 ein wichtiger Vertreter des Sozialist. Realismus (beispielhaft ›Das Hausfriedenskomitee‹, 1952). Die Begegnung mit den alten Meistern bei einem Italienaufenthalt (1955/56) wirkte auf die Technik seiner späteren Porträts, Landschaften und Stilleben.

**Bergblau,** →Azurit.

**Bergen, 1)** Stadt auf der Insel Rügen, Dt. Dem. Rep., 13200 Ew.; Stadtkirche St. Marien, Hallenkirche, beg. um 1180, Langhaus 14. Jh., Fresken in Chor und Querschiff (Anf. 13. Jh.), Taufstein (14. Jh.).

**2)** Stadt in W-Norwegen, 213400 Ew., vom 14. bis 16. Jh. wichtiger Handelsplatz der Hanse, deren Niederlassung ›Dt. Brücke‹ (›Bryggen‹) am nördl. Hafenkai z.T. erh. ist. An der Hafeneinfahrt die Festung Bergenhus (17. Jh.), in die Teile des ma. Königshofs einbezogen wurden, so die Håkonshalle (13. Jh., in englisch beeinflußter Gotik), der einzige erh. nord. Saalbau, und der Rosenkrantzturm (1562–68 um ma. Kern). Roman. Marienkirche (12. Jh.), eine dreischiffige Basilika mit got. Chor und prächtiger Barockkanzel; Dom (13. Jh.), im wesentlichen gotisch. – Gemälde-Gal. (norweg. Maler des 19./20. Jh.); Rasmus-Meyers-Samml.; Kunstgewerbemus.

**3)** [b'ɛrxə], fläm. Name von →Mons.

**Bergen-op-Zoom** [b'ɛrxə ɔp zo:m], Stadt in der niederländ. Prov. Nordbrabant, 40200 Ew. Von der einst starken Befestigung der häufig umkämpften Stadt ist das zweitürmige Liebfrauentor (1. H. 14. Jh.) erh. St. Geertruidskirche im Stil der Brabanter Gotik (beg. 1443), nach Brand von 1747 erneuert, mit Grabmälern (16.–18. Jh.); klassizist. Himmelfahrtskirche (1827 bis 1829). Im spätgot. Palast Markiezenhof (1485–1511) städt. Mus. (Gemälde und Skulpturen seit 15. Jh., Kunstgewerbe).

**Bergère** [bɛrʒ'ɛ:r, frz.] *die,* gepolsterter Lehnstuhl (Fauteuil) mit geschlossenen Armlehnen, oft mit losen Sitzkissen. Die B. kam um 1735 in Frankreich auf.

**Bergfried,** Hauptturm einer →Burg ohne Wohnfunktion, freistehend im Inneren der Burg oder an die Burgmauer gelehnt.

**Berggott,** in Bergkulten verehrte Gottheit, wobei der in den Himmel reichende, von Wolken verhüllte Berg als Region der Götter angesehen wurde; häufig im Alten Orient; Darstellungen mit Hörnerkrone und schuppenartigem, die Berggipfel schematisierenden Rock. Auf späthethit. Reliefs hält der B. oft die geflügelte Sonnenscheibe, d.h. den Himmel, empor – Zeus als ›Göttervater‹ der grch. Religion wohnt auf dem Olymp und schleudert von dort seine Blitze; Darstellungen in der altgrch. Kunst.

**Berggrün,** →Malachit.

**Bergh** [bærj], **1)** Johan Edward, schwed. Maler, Vater von 2), *Stockholm 29. 3. 1828, †Storängen (bei Stockholm) 23. 9. 1880, malte nach Studien in Düsseldorf (H. GUDE) und Genf (A. CALAME) realist. Stimmungsbilder der heimatl. Landschaft.

**2)** Sven Richard, schwed. Maler und Kunstschriftsteller, Sohn von 1), *Stockholm 28. 12. 1858, †Storängen (bei Stockholm) 29. 1. 1919, studierte in Paris, begann im Sinn des Realismus, prägte später die nat. Romantik. Seine Stärke waren Porträts.

**Bergkristall,** sehr reine Form von Quarz, ein heller, durchsichtiger Schmuckstein, kommt bes. schön in Brasilien, Madagaskar und in den Alpen vor. B. wurde schon in der Antike, so auf Kreta seit etwa 2000 v. Chr., verwendet, in Griechenland wegen seiner Klarheit und Reinheit sehr geschätzt (und oft auch für Diamant gehalten). Man schnitt Siegelsteine aus B. und verarbeitete ihn zu Bechern und Weinkrügen u.a. Im arab. Ägypten wurden unter der Dynastie der Fatimiden geschliffene Gefäße (Ampullen, Becher, Flaschen, Kannen) aus B. mit Ranken, Tieren und Inschriften verziert, in großer Zahl hergestellt. Als Reliquienbehälter gelangten solche Gefäße in die Schatzkammern abendländ. Kirchen. – B. wird noch heute zu Petschaften, Gemmen, Tierfiguren, Dosen, Briolets verarbeitet.

**Bergognone** [-ɲ'oːne], **Borgognone,** Ambrogio **da Fossano,** gen. **il B.,** ital. Maler, *um 1455, †1523(?), tätig in Mailand und der Lombardei zw. 1481 und 1522, schuf unter fläm. Einfluß, Fresken, Altar- und Tafelbilder relig. Inhalts (Madonnendarstellungen u. a. in Mailand, Brera) in schlichter, etwas schwerer Form- und Farbgebung, u. a. in der Certosa di Pavia (1488–95).

**Bergzabern, Bad B.,** Stadt am Ostrand des Pfälzer Waldes, Rheinl.-Pf., 5800 Ew.; ehem. Schloß der Herzöge von Zweibrücken (16.–18. Jh.); der ›Gasthof zum Engel‹ (ehem. Adelshof, um 1600) gilt als schönster Renaissancebau der Pfalz.

**Berke,** Hubert, abstrakter Maler, *Buer (Westf.) 22. 1. 1908; †Köln 29. 11. 1979, 1932–33 Schüler von P. KLEE in Düsseldorf, Mitgl. der Gruppe →Zen. Seine Malerei, aus vitalem Instinkt für opt. Werte entwickelt, wirkt durch rhythmisch bewegte Farbstrukturen.

H. B., Ausst.-Kat., Aachen (1981).

**Berkeley** [b'əːklɪ], **1)** Stadt in Kalifornien, USA, an der NO-Küste der San Francisco Bay, 103 300 Ew., mit bemerkenswerten Bauten der Univ. von Kalifornien. Ein epochemachender Bau ist die Christian-Science-Kirche (1910) von B. R. MAYBECK.

**2)** Ort in Gloucestershire (England), nordöstlich von Bristol. Von der im 12. Jh. der Abtei Bristol übertragenen Kirche eines früh-ma. Klosters ist ein roman. Portal erhalten. Im 2. Viertel des 13. Jh. entstand der Neubau des dreischiffigen Langhauses mit hochgot. Blattkapitellen, die Westfront mit ansteigender Fünfergruppe von schlanken Rundbogenfenstern. Der von einem neunbahnigen Maßwerkfenster des 15. Jh. beleuchtete Chor im Inneren ist durch eine hölzerne Chorschranke abgetrennt. – **Berkeley Castle** [-kɑːsl], nach der normann. Eroberung von 1066 errichteter Keep, wurde 1340–50 durch THOMAS, LORD OF BERKELEY (†1361, sein Grabdenkmal in der Kirche) zu einem spät-ma. Adelssitz umgebaut, die Great Hall von einem offenen Dachstuhl überspannt.

**Berlage** [-xə], Hendrik Petrus, niederländ. Architekt, *Amsterdam 21. 2. 1856, †Den Haag 12. 8. 1934, baute in Amsterdam 1898–1903 die Börse, mit der er sich vom Historismus löste und eine moderne ›sachl. Architekturauffassung‹ entwickelte; ferner die städtebaul. Planung für Amsterdam-S (1915; ausgeführt von den Architekten der Gruppe ›Wendingen‹), das Holland House in London (1914) und das Gemeindemus. in Den Haag (voll. 1935).

P. SINGELBERG: H. P. B., Idea and style (Utrecht 1972).

**Berlin,** die Hauptstadt des 1871 gegr. Deutschen Reiches, heute die in B-West und B.-Ost geteilte Stadt. B. wurde 1244 erstmals urkundlich erwähnt; seit 1359 Hansestadt. Aufstieg unter dem Großen Kurfürsten FRIEDRICH WILHELM (1640–88); in der Rokokozeit glanzvolle Residenz, seit der Gründung des Dt. Reiches 1871 dessen Hauptstadt. Nach der Kapitulation 1945 Spaltung der Stadt, 1961 Errichtung der Trennmauer zw. Ost und West (B.-West 1,95 Mio. Ew., B.-Ost 1,1

Mio.). Im Westteil der Stadt haben sich außer dem Charlottenburger Schloß (→Charlottenburg) nur wenige histor. Bauwerke erhalten. Aus der Renaissance stammen das Jagdschloß Grunewald (1542, Mus.) und die Zitadelle Spandau (1560 als Festung nach ital. System errichtet). Im Klassizismus entstanden die Bauten auf der Pfaueninsel (Schloß als künstl. Ruine 1797 voll., ferner Meierei, Kavaliershaus mit 1826 von K. F. SCHINKEL vorgeblendeter Fassade eines spätgot. Danziger Bürgerhauses, Luisentempel, Rinderstall usw.), das Schloß Bellevue (1785–89, heute Berliner Residenz des Bundespräsidenten), Schloß Tegel (1820–24 von Schinkel, Humboldt-Mus.), Schloß Kleinglienicke (1826 von Schinkel) und das gotisierende Kreuzbergdenkmal (von Schinkel entworfenes gußeisernes Nationaldenkmal für die Befreiungskriege 1813–15). An hervorragenden Monumenten ist das 19. Jh. nur noch mit der Siegessäule auf dem Großen Stern im Tiergarten (1869–73) und dem Reichstagsgebäude in prunkvollem Neurenaissancestil (1884–94 von P. WALLOT) vertreten. Dagegen weist das 20. Jh. viele Beispiele moderner Architektur auf: Haus des Rundfunks (1930 von H. POELZIG), Shellhaus (1928–31 von E. FAHRENKAMP), Luftbrückendenkmal vor dem Tempelhofer Flughafen (1951), Corbusier-Haus (1957), Kongreßhalle (1957 von dem amerikan. Architekten H. A. STUBBINS erbaut, 1980 eingestürzt, 1987 wiederhergestellt), Kirche Maria Regina Martyrum (mit Fresko von G. MEISTERMANN) und die Philharmonie (1960–63 von H. SCHAROUN). Großsiedlungen für je 50000 Ew. sind die ›Gropiusstadt‹ im SO und das ›Märkische Viertel‹ im N. Das ›Hansa-Viertel‹ am Tiergarten ist ein 1955–60 von 48 Architekten aus aller Welt erbautes Wohnviertel (u. a. W. GROPIUS, O. NIEMEYER). Aus der Fülle von Museen ragen heraus: Bauhaus-Archiv, Berlin-Mus., Berlinische Gal., Brücke-Mus., Gemälde-Gal. Dahlem, Mus. für Indische, Ostasiat. und Islam. Kunst. Mus. für Völkerkunde, Museumsdorf Düppel, Nat.-Gal., Samml. Bröhan (Kunst der Jahrhundertwende).

Der weitaus größere Teil histor. Bausubstanz befindet sich im Ostteil der Stadt, wenngleich hier der größte Verlust, das Berliner Schloß (1698–1713 von A. SCHLÜTER und EOSANDER V. GÖTHE, 1950/51 gesprengt), zu beklagen ist. An seiner Stelle wurde der Marx-Engels-Platz angelegt und in das Staatsratsgebäude (1962–64, Stahlskelettbau) als letzter Rest des Schlosses ein zweigeschossiges Barockportal eingefügt. Der Dom am Lustgarten entstand 1894–1904 im Neubarockstil; in der Gruft Hohenzollern-Grablege mit Prunksarkophagen von Schlüter. Das Ribbeckhaus (1624) ist das einzige erhaltene Bürgerhaus der Spätrenaissance in B. Die eindrucksvollsten Gebäude befinden sich entlang der 1647 nach holländ. Vorbild angelegten Prachtallee Unter den Linden: Schloßbrücke (1819–24 von Schinkel), Kronprinzenpalais (17.–19. Jh.), Prinzessinnenpalais (1733–37, jetzt Operncafé), davor 4 Feldherrendenkmale von C. D. RAUCH (1819 ff.), Friedrichwerdersche Kirche (1824–30 von Schinkel in neugot. Stil erbaut), Zeughaus (1695–1706; die 22 Masken sterbender Krieger von Schlüter sind ein Höhepunkt der dt. Barockplastik), Neue Wache (1816–18 von Schinkel), Singakademie (klassizist. Bau der Schinkel-Schule 1825–27, heute Maxim-Gorki-Theater) und Brandenburger Tor (1788 bis 1791 von C. G. LANGHANS nach dem Vorbild der Propyläen auf der Athener Akropolis errichtet; Quadriga mit der Siegesgöttin 1794 von G. SCHADOW). Das Lindenforum besteht aus Alter Bibliothek (1774–80 nach dem Vorbild des Michaelertrakts der Wiener Hofburg erbaut), Prinz-Heinrich-Palais (1748–66, barocke Dreiflügelanlage nach Plänen von G. W. v. KNOBELSDORFF, seit 1810 Sitz der Univ.), Staatsoper (1741–43 von Knobelsdorff, nach Brand 1843 von C. F. LANGHANS erneuert) und Hedwigskathedrale (1747–73 nach dem Vorbild des röm. Pantheons, innen modern wiederaufgebaut). Einheitlichstes Bauensemble B.s ist der Platz der Akad. (früher Gendarmenmarkt) mit Schinkels Schauspielhaus (1818–21), flankiert vom Dt. und Frz. Dom (1701–08, die Kuppeltürme 1780–85 von K. v. GONTARD), als Pendants konzipiert. Eine einmalige Zusammenstellung bietet die Museumsinsel mit Altem Museum (1822–30 von Schinkel, mit grch. Tempelfront und zentraler Kuppelrotunde; Kupferstichkabinett), Nat.-Gal. (1866–76, v.a. 19./20. Jh.), Pergamon-Mus. (1909–30, Antiken-Samml., Asiatica) und Bode-Mus. (1897–1904, u.a. Ägypt. Abteilung, Gemälde-Gal., Plastik). Im Zentrum liegen die got. Marienkirche (13./15. Jh., Backsteinhalle mit Totentanzfresko um 1485 und barocker Marmorkanzel von Schlüter 1703), das Rote Rathaus (1861–69 im Neurenaissancestil) mit 74 m hohem Turm, der Fernsehturm (1965–69, mit 365 m zweithöchstes Bauwerk Europas nach dem Moskauer Fernsehturm mit 518 m), die ehem. Franziskanerklosterkirche (um 1300, frühgot. Backsteinbau, Ruine), die Parochialkirche (1695–1703, barocker Zentralbau), die Nikolaikirche (1470 voll. spätgot. Halle, Ruine) und das Märkische Mus. (größtes kulturgeschichtl. Heimatmus. der Dt. Dem. Rep.). Die Bebauung des Alexanderplatzes stammt bis auf das Berolinahaus und das Warenhaus ›Centrum‹ (1929 und 1932 von P. BEHRENS) aus den Jahren nach 1971. Schloß Niederschönhausen (Pankow) ist ein 1704 von Eosander v. Göthe barock umgestaltetes Rittergut mit reichen Rokoko-Dekorationen (1764); Schloß Köpenick (1681–85 in niederländ. Barockstil erbaut) beherbergt das Kunstgewerbemus. und eine Schloßkapelle (1684/85) mit bemerkenswerter Ausstattung.

L. HILBERSEIMER: Berliner Architektur der 20er Jahre (1967); EVA BÖRSCH-SUPAN: Berliner Baukunst nach Schinkel 1840–1870 (1977); J. F. GEIST und K. KÜRVERS: Das Berliner Mietshaus, 1: 1740–1862 ([2]1981); B. und seine Bauten, neu hg. v. K.-R. SCHÜTZE (Nachdr. 1982); B. von der Residenzstadt zur Industriemetropole, Ausst.-Kat., B., 3 Bde. (1982); R. BORRMANN: Die Bau- und Kunstdenkmäler von B. (1983).

**Berliner Bildhauerschule,** ein Kreis von rd. 400 Bildhauern im Berlin des 19. Jh. Von ihnen waren G. SCHADOW, R. BEGAS, L. TUAILLON in Berlin geboren; in Berlin lernten C. D. RAUCH, F. DRAKE, F. SCHAPER, G. EBERLEIN, A. GAUL, E. RIETSCHEL. Eine 1. Periode der B. B. begann mit Schadow, der den Stil seines Lehrers J.-P.-A. TASSAERT zu einem Realismus im Sinn des frz. Bildhauers J.-A. HOUDON entwickelte.

Mit Rauch, dem bedeutendsten seiner Schüler (ferner F. TIECK, K. und L. WICHMANN, R. SCHADOW, E. WOLFF) begann eine 2. Periode. Zeigte dessen Frühwerk noch Schadows Formensprache, so wurde er schließlich mit einem naturalist. Klassizismus zum Künstler des öffentl. Denkmals, seine Schule zum Inbegriff des Spätklassizismus, der Idealität mit Elementen eines nüchternen Naturalismus verband. Eine 1. Generation dieser Schule folgte der konservativen Richtung des Spätklassizismus (G. BLAESER), eine 2. verband bewegte Thematik (A. KISS) mit maler. Stil (A. WOLFF, R. BEGAS), die 3. Generation schließlich (G. EBERLEIN, E. HERTER, W. SCHOTT) wurde von der neubarocken Formensprache Begas' bestimmt.

Mit ihm setzte die 3. Periode der B. B. ein. In ihr mündeten unter dem Einfluß A. BÖCKLINS und A. FEUERBACHS die maler. Tendenzen der späten Rauch-Schule in den Neubarock, der unter Kaiser WILHELM II. (seit 1888) zum Staatsstil wurde und Ende des Jh. in übersteigertem Pathos endete. Zur gleichen Zeit entstand parallel zu dem Werk von H. v. MARÉES mit A. v. HILDEBRAND ein Neoklassizismus, der in Rückgriff auf die Archaik Inhalt und Form reduzierte (L. TUAILLON, P. BREUER, A. GAUL, F. KLIMSCH).

P. BLOCH u. W. GRZIMEK: Das klass. Berlin. Die B. B. im 19. Jh. (1978); P. BLOCH: Die Berliner Bildhauerei des 19. Jh. und die Antike, in: Berlin und die Antike, Aufsätze (1979).

**Berliner Blau,** →Preußisch Blau.

**Berliner Maler,** einer der qualitätvollsten attischen Vasenmaler des rotfigurig-spätarchaischen Stils (500 bis 470 v. Chr.), nach einer Amphore der Berliner Museen benannt. In seinen meist myth. Gestalten vereint sich kräftige Statur mit kontemplativer Hoheit; er besitzt einen außerordentlich festen Malstil und bevorzugt freistehende Figuren und rahmenlose Bilder.

**Berliner Porzellan,** Erzeugnisse von Porzellanmanufakturen, deren erste 1751 in Berlin von dem Kaufmann W. C. WEGELY gegr. wurde; sie bestand bis 1757. Der Bankier J. E. GOTZKOWSKY gründete 1761 erneut eine Manufaktur, die 1763 FRIEDRICH D. GR. erwarb (Königl. Porzellan-Manufaktur, KPM). Unter ihren Erzeugnissen ragen v. a. Rokokoservice hervor. 1880 brachte die Erfindung des Segerporzellans (ein nach dem Keramiker H. SEGER, *1839, †1893, benanntes, bei niedriger Temperatur hergestelltes Hartporzellan) erneut eine Blütezeit. Die seit 1918 staatl. Manufaktur wurde im 2. Weltkrieg zerstört, arbeitete vorübergehend in Selb (Oberfranken) und ist seit 1955 wieder in Berlin (West) tätig.

E. KÖLLMANN: B. P., 2 Bde. (1966).

**Berlinghieri** [berliŋgi'ɛ:ri], Berlinghiero, ital. Maler, *um 1190, †Lucca um 1242, tätig in Lucca. Sein HW ist das Kruzifix in der Pinakothek in Lucca. Von seinen 3 Söhnen Barone, Bonaventura und Marco war der mittlere der bedeutendste (†nach 1274). Von ihm stammt die Altartafel des Hl. Franziskus in Pescia (S. Francesco; datiert 1235).

**Berlọcke** [frz. breloque] *die,* zierl. Anhänger aus Metall, Schmuckstein, Elfenbein u.a. (z.B. Petschaft, Riechflacon), seit der 2. H. des 18. Jh. bis um 1900 von Frauen und Männern meist an der Uhrkette getragen.

**Bermejo** [-xo], Bartolomé, eigtl. B. **de Cárdenas,** auch **B. Rubens,** span. Maler, *Córdoba um 1430, †nach 1496, seit 1474 in Aragón, 1486–96 in Katalonien tätig. B. vereint span. Tradition mit Einflüssen der niederländ. Ölmalereitechnik.

**HW:** S. Engracia (um 1477–80; Isabella Stuart Gardner-Mus., Boston, Massachusetts); Santo Domingo de Silos (zw. 1474 und 1477; Prado, Madrid); Pietà Desplá (1490; Barcelona, Kathedrale); Höllenfahrt Christi (ebd., Mus. für Katalon. Kunst).

**Bern,** Bundesstadt der Schweiz und Hauptstadt des Kt. B., 148 500 Ew. Die Altstadt in einer Flußschlinge der Aare hat mit ihren Lauben, alten Brunnen (Gerechtigkeits-, Schützen-, Kindlifresserbrunnen und zahlreichen anderen) und Türmen (Zeitglockenturm, das erste Westtor, im Kern um 1191; Käfigturm) und mit ihren stattl. barocken Zunft- und Bürgerhäusern ganz den Charakter einer wohlhabenden alten oberdt. Stadt bewahrt. Sie wird überragt vom Münster, an Stelle einer Kirche des 13. Jh. 1421 von MATTHÄUS ENSINGER beg., dreischiffig, ohne Querhaus, Chor mit prachtvollem Netzgewölbe (1517, bes. bemerkenswert die 87 bemalten, mit Figuren verzierten Schlußsteine und die z.T. erh. Fenster des 15. Jh.), Turm erst Ende 19. Jh. voll., reiche Bauplastik am Außenbau, bes. Hauptportal (mit 234 Figuren) und Schultheißenpforte. Die Heiliggeistkirche (1726 beg.) gilt als schönste Barockkirche der Schweiz; einzigartiger rechteckiger Raum, von 14 Säulen beherrscht, Deckenstuck von J. A. FEUCHTMAYER. Älteste erh. Kirche B.s ist die Frz. (Dominikaner-)Kirche (um 1330, 1753 modernisiert). Das spätgot. Rathaus (1406–17, 1940–42 erneuert) wurde als weltl. Gegenstück zum Münster an der N-Seite der Altstadt errichtet. Als repräsentatives Kaffeehaus mit Tanz- und Konzertsaal entstand das Hôtel de Musique (1767). Nach Erhebung B.s zur Bundesstadt (1848) wurde das Bundesratshaus erbaut (1852–57, Erweiterungsbau 1888–1902). – Im Bernischen Histor. Mus. u.a. Textil-, Glasgemälde- und Keramiksamml.; bed. Kunstmus. (u.a. große P. Klee-Samml.).

**Bernard** [bɛrn'a:r], Émile, frz. Maler, Graphiker, Schriftsteller, *Lille 28. 4. 1868, †Paris 16. 4. 1941. B. wirkte durch seinen in Gemeinschaft mit L. ANQUETIN entwickelten konturierten Flächenstil (→Cloisonismus) in den 1880er Jahren anregend auf seine Freunde P. GAUGUIN und V. VAN GOGH. Seit 1886 hielt er sich wiederholt in der Bretagne auf, 1893–1904 in Italien, Ägypten, Spanien. Als Mitarbeiter und Hg. von Kunst-Ztschr. vertrat er in seiner Jugend zukunftweisende, später konventionelle Theorien. Sein Spätwerk, das an den Meistern der Renaissance orientiert ist, kreist um feierlich aufgefaßte relig. Themen. (BILD S. 326)

**Schrift:** Souvenirs sur Paul Cézanne (1917). – E. B., Ausst.-Kat., Bremen (1967).

**Bernatzik,** Wilhelm, Maler, *Mistelbach (NÖ) 18. 5. 1853, †Hinterbrühl bei Wien 25. 11. 1906, war 1897 Gründungsmitgl., 1902/03 Präsident der Wiener →Se-

**Émile Bernard:** Stilleben; 1887 (Paris, Musée d'Orsay)

zession, die er 1905 mit der Gruppe um G. KLIMT verließ. – Mit ihren gedankl. Motiven und der dekorativen Farbgebung sind die Bilder B.s dem Symbolismus und dem Jugendstil verpflichtet.

**Bernau bei Berlin,** Stadt in der Dt. Dem. Rep., 16200 Ew.; Pfarrkirche St. Marien (im wesentl. Ende 15. Jh.), eine spätgot. Backstein-Hallenkirche mit reicher Ausstattung: spätgot. Hochaltar mit 6 Flügeln (um 1520, der Werkstatt L. CRANACHS D. Ä. zugeschrieben), Sakramentshaus (gegen 1500), Triumphkreuzgruppe (um 1520), Gestühl (16./17. Jh.); die Stadtmauer mit Pulverturm und Steintor, ein spätgot. Backsteinbau, ist größtenteils erh.; klassizist. Rathaus (1805).

**Bernburg,** Stadt an der Saale, Dt. Dem. Rep., 43900 Ew. Das Schloß in der ›Bergstadt‹, ehem. Sitz der Fürsten von Anhalt-B., ist eine unregelmäßige Renaissanceanlage um großen Hof (Hauptbauzeit 16. Jh. unter Verwendung älterer Teile). In der ›Talstadt‹ spätgot. Marienkirche (14. Jh., 2. H. 15. Jh.) mit prächtigem Chor im Schönen Stil; St. Nikolai (13. Jh., im 15. Jh. Umgestaltung zur Hallenkirche, nicht voll.).

**Berner,** Bernd, Maler, Graphiker, *Hamburg 24. 9. 1930, kam 1959 zu einer komplexen Farbfeldmalerei, deren Thema die Räumlichkeit der Farbe ist. Nach 1965 teilt er den geometr. Ornamentalismus der Gruppe ›SYN‹, die er mitbegründete. Danach kehrte B. zu monochromen ›Flächenraum‹-Bildern zurück.

Druckgraphik, mit Werkverz. Druckgraphik B. B., hg. v. JULIANE ROH (1974).

**Bernhard,** Franz, Bildhauer, *Neuhäuser (Böhmen) 17. 1. 1934, seit 1946 in der Bundesrep. Dtl., verband seit 1964 rissige Kanthölzer zu Reliefs, die er durch Eisen verklammerte. Ende der 60er Jahre entwikkelte er daraus kombinierte Holz- und Eisenobjekte, die an menschl. Haltungen erinnern. 1976 konstruierte B. auch große Skulpturen aus Corten-Stahl (→Stahlplastik) für den Außenraum.

B. HOLECZEK, G. RUMP: F. B. (1980).

**Bernini,** **1)** Gian Lorenzo, ital. Baumeister, Bildhauer und Maler, *Neapel 7. 12. 1598, †Rom 28. 11. 1680, Sohn von 2), hat auf Skulptur und Architektur des 17. und 18. Jh. in Italien, Spanien und den Ländern nördlich der Alpen großen Einfluß ausgeübt und das barocke Rom maßgebend gestaltet. Dort vollendete B. seit 1629 den Palazzo Barberini, wurde gleichzeitig leitender Architekt an St. Peter, schuf den Palazzo Montecitorio (1650), seit 1656 die Kolonnaden des Petersplatzes, 1658–70 S. Andrea al Quirinale, 1663–66 die Scala Regia im Vatikan und den Palazzo Chigi-Odescalchi (1665). 1665 arbeitete B. für LUDWIG XIV. in Paris an Umbauplänen für den Louvre (denen später die Entwürfe C. PERRAULTS vorgezogen wurden). – I. Ggs. zu F. BORROMINI vertrat B. als Architekt die klass. Komponente des Barock.

Als bedeutendster europ. Bildhauer nach MICHELANGELO war B. in allen Bereichen der Skulptur tätig. In seiner Jugendzeit schuf er Einzelgruppen, die suggestiv Bewegungsabläufe veranschaulichen: David, Pluto und Proserpina, Apoll und Daphne (alle Rom, Gal. Borghese). Er verschmolz erstmals in dem Bronzebaldachin für den Papstaltar der Peterskirche (1624–33) Architektur und Plastik, wie später in der Cappella Cornaro an S. Maria della Vittoria in Rom mit der Verzükkung der Hl. Teresa (1646–52) und im Hochaltar für die Cathedra Sancti Petri in der →Peterskirche (1656–66). Von den monumentalen Grabdenkmälern ist das für Papst URBAN VIII. das bedeutendste (1628–47, St. Peter). B. schuf den Typ des hochbarocken Brunnens wie den 4-Ströme-Brunnen (Rom, Piazza Navona, beg. 1647). – Porträtbüsten begleiten sein ganzes Schaffen: u. a. Kardinal Scipione Borghese (Rom, Gal. Borghese), Richelieu (Paris, Louvre), Ludwig XIV. (Versailles).

Während seine umfangreiche maler. Produktion unbedeutend war, gehört B. zu den größten Zeichnern der abendländ. Kunst.

R. WITTKOWER: G. L. B. (London ²1966); H. KAUFFMANN: G. L. B. (1970); F. BORSI: G. L. B. (a. d. Ital., 1983).

**2)** Pietro, ital. Bildhauer, *Sestro bei Florenz 6. 5. 1562, †Rom 29. 8. 1629, Vater und Lehrer von 1), war 1584 bis etwa 1605 in Neapel tätig, wurde von Papst PAUL V. zur Ausschmückung seiner Grabkapelle in S. Maria Maggiore nach Rom berufen, wo er einer der wichtigsten Bildhauer des Frühbarock war. Seine Spätwerke nähern sich stilistisch den Erstlingswerken des Sohnes.

HW (in Rom): Stehende Madonna (Palazzo Spada); Johannes der Täufer (S. Andrea della Valle); Relief der Himmelfahrt Mariae (S. Maria Maggiore, Neue Sakristei).

**Bernkastel-Kues** [-ku:s], Stadt an der Mosel, Rheinl.-Pf., 6900 Ew. Prächtige Bürgerhäuser am Markt aus der Blütezeit der Stadt im 16./17. Jh. Das Cusanusstift (Hospital), eine Gründung (1447) des in Kues 1401 geborenen Philosophen NIKOLAUS VON KUES, ist mit sehenswerten Innenräumen erh. Über der Stadt die Burgruine Landshut (um 1320 voll.).

**Bernolákovo,** dt. **Landschütz,** Ort im Westslowak.

**Gian Lorenzo Bernini:** Selbstporträt (Windsor, Königl. Bibliothek)

**Gian Lorenzo Bernini:** David, 1623 (Rom, Galleria Borghese)

Kreis, ČSSR, 4800 Ew.; monumentale barocke Schloßanlage der ESTERHÁZY (1714–22).

**Bernstein** [eigtl. ›Brennstein‹], fossiles Harz von gelbbrauner Farbe, kommt v. a. an der Ostseeküste, bes. in Ostpreußen, vor. Schnitzereien aus B. treten in Form von Perlen und Anhängern schon in spätpaläolith. Kulturschichten auf (Höhle Isturitz, im frz. Dép. Basses-Pyrénées). Meso- und neolith. B.-Skulpturen sind aus Dänemark (Woldenberg) und aus dem Kurischen Haff (Schwarzort) bekannt. Die Phöniker fertigten Ketten und Armbänder aus B., von ihnen übernahmen die Griechen die Art der Verwendung. Auch in der röm. Kaiserzeit wurde B. geschätzt (Halsketten, Einlagen in Gewandschließen, Anhänger). Er wurde auch als Amulett getragen. Im MA. fertigte man aus B. bes. Rosenkränze. Im 16. Jh. wurden Porträtmedaillen, Pokale, Schalen, Kirchenleuchter hergestellt, auch Einlagen an Brettspielen. Seit der 2. H. des 17. Jh. wurde die B.-Inkrustation angewendet. Das bedeutendste Werk dieser Technik war das **B.-Zimmer** (russ. Jantarnaja komnata), dessen reich ornamentierte Wandverkleidung aus B. geschnitten war. Es wurde Anf. des 18. Jh. von dt. Künstlern (vielleicht unter Mitwirkung A. SCHLÜTERS) für König FRIEDRICH I. in Berlin geschaffen, 1717 von König FRIEDRICH WILHELM I. dem russ. Zaren PETER D. GR. geschenkt, 1755–60 durch Spiegel vergrößert, in das Schloß von Zarskoje Selo bei St. Petersburg (heute Puschkin) eingebaut und 1942 nach Königsberg (Preußen) verlagert; seit 1944 gilt es als verschollen. – Eine intensive Verwendung des B. als Schmuck setzte erst im 20. Jh. wieder ein.

K. ANDRÉE: Der B. (1951); GISELA REINEKING V. BOCK: B. – das Gold der Ostsee (1981).

**Bernsteinfirnis,** Malöl, in dem Bernstein verkocht ist; unübertroffen in Haltbarkeit, Glanz und schneller Trocknung, seit dem MA. sehr geschätzt.

**Bernwardskunst:** Silberleuchter (Hildesheim, Magdalenenkirche)

**Bernwardskunst,** unter Bischof BERNWARD von Hildesheim (*um 960, †1022) in den beiden ersten Jahrzehnten des 11. Jh. in Ndsachs. entstandene Kunstwerke. Der als Erzieher Kaiser OTTOS III. weitgereiste und hochgebildete Bischof machte Hildesheim zu einem Kunstzentrum der Jahrtausendwende. Er berief Bauleute, legte Kunstwerkstätten an und war nach seinem Biographen THANGMAR selbst künstlerisch tätig. Es entstanden für St. Michael (BILD Hildesheim) die 4,72 m hohen bronzenen Türflügel (1015; BILD Türzieher), die in je 8 Relieffeldern den Sündenfall und die Erlösung darstellen (seit 1030/33 im Dom), und die bronzene Säule (um 1120), die auf einem nach röm. Muster spiralig laufenden Relief Evangelienszenen darstellt (jetzt im Dom). Unter den Silberarbeiten ist ein auf der Rückseite als sein Werk bezeichnetes Kruzifix (um 1007; Hildesheim, Domschatz) erhalten und das mit Ranken, Tieren und menschl. Figuren geschmückte Leuchterpaar (Hildesheim, Magdalenenkirche), von dem die Inschrift bezeugt, daß es unter seiner Aufsicht gearbeitet worden ist. Auch Buchmalereien und Skulpturen (Bernward-Evangeliar und thronende Muttergottes im

Hildesheimer Domschatz) lassen sich der B. zuweisen. (→ottonische Kunst)

H. JANTZEN: Otton. Kunst (1947); H. BESELER und H. ROGGENKAMP: Die Michaeliskirche in Hildesheim (1954); R. WESENBERG: Bernwardin. Plastik (1955); K. ALGERMISSEN; Bernward und Godehard von Hildesheim (1960); V. ELBERN u.a.: Der Hildesheimer Dom ([2]1976); J. SOMMER: St. Michael zu Hildesheim (1978).

**Beromünster,** Gem. im schweizer. Kt. Luzern, 1700 Ew.; frühroman. Stiftskirche, deren Anlage trotz barokker Umgestaltung (1691–93) noch gut kenntlich ist, im Innern Rokoko-Stukkaturen und Gemälde (1773–75); die frühroman. Krypta ist im urspr. Zustand erh.; wertvoller Stiftsschatz mit Werken seit dem 7. Jh.

**Berrettini,** Pietro, ital. Maler, Baumeister, →Pietro da Cortona.

**Berruguete** [-ɣ'ete], **1)** Alonso, span. Bildhauer, Maler, Sohn von 2), *Paredes de Nava 1489(?), †Toledo Sept. 1561, war seit 1504 in Italien (Florenz und Rom), wo er sich an MICHELANGELOS Werken bildete, seit etwa 1517 wieder in Spanien (v. a. Saragossa, Valladolid und Toledo) tätig, wo er Hofbildhauer und -maler KARLS V. wurde. Sein maler. Werk, dem Manierismus verpflichtet, ist im Vergleich zu seinem bildhauer. Schaffen weniger bed. B.s Altarwerke, meist Aufbauten mit Gemälden, Statuen und Reliefs, verkörpern in ihrer reichen Ornamentik den Platereskenstil der 1. H. des 16. Jh., weisen aber zugleich in der wilden Bewegtheit und Ekstase der Skulpturen auf den Barock.

**HW:** Altäre für S. Benito, Valladolid (1527–32; heute ebd., Skulpturenmus.), Colegio de los Irlandeses, Salamanca (1529–32), Kirche Santiago, Valladolid (1537 beg.); Teile des Chorgestühls der Kathedrale in Toledo (1539–43; in Zusammenarbeit mit F. VIGARNY); Alabastergruppe ›Verklärung Christi‹, ebd.; Grabmal Kardinal Taveras, Hospital S. Juan Bautista de Afuera, ebd. (ab 1554).

**2)** Pedro, span. Maler, Vater von 1), *Paredes de Nava um 1450, †Ávila(?) vor dem 6. 1. 1504, war seit 1477 in Urbino am Hof des FEDERICO MONTEFELTRO tätig (Doppelporträt des Herzogs mit Sohn, 1480, ebd. Palazzo Ducale), 1483 wieder in Spanien. B. verband in seinem Werk die Kenntnis altniederländ. Maltechnik mit ital. Erfahrungen und span. Elementen und leitete damit die Renaissancemalerei in Spanien ein.

**WW:** Hochaltar für S. Tomás, Ávila (um 1500); Teile des Hauptaltars der Kathedrale, ebd. (1499 beg.); Nebenaltäre für S. Tomás, ebd. (um 1500; Madrid, Prado); Marienaltar für S. Eulalia, Paredes de Nava.

**Berry** [bɛr'i], Jean I., Herzog von B., *Vincennes 30. 11. 1340, †Paris 15. 6. 1416, Bruder König KARLS V. von Frankreich und Herzog PHILIPPS II. von Burgund, einer der ersten Sammler und Kunstliebhaber im neuzeitl. Sinn, gab die nach ihm benannten Stundenbücher, die ›Très belles heures‹ (Brüssel, Bibl. Royale) und die ›Très riches heures‹ (Chantilly, Mus. Condé), HW der franko-fläm. →Buchmalerei, in Auftrag.

U. THOMAS: Buchmalereien aus der Zeit des J. d. B. (1979); Die Très Riches Heures des Jean Duc de B., hg. v. M. MEISS ([4]1981).

**Bertem,** Ort in der belg. Prov. Brabant; roman. Kirche (10.–11. Jh.) mit befestigtem Turm, Apsis mit Muschelgewölbe.

**Bertoldo di Giovanni:** Pegasus von Bellerophon gebändigt; Bronzestatuette, nach 1480 (Wien, Kunsthistor. Museum)

**Bertoldo di Giovanni** [-dʒo-], ital. Bronzebildhauer der Frührenaissance, * Florenz um 1420, † Poggio a Caiano bei Florenz 28. 12. 1491, Schüler des DONATELLO, im Unterschied zu diesem fast nur auf dem Gebiet der Kleinkunst tätig. Er war vermutlich der erste Lehrer MICHELANGELOS in der Bildhauerei.

**Bertram, Meister B. von Minden,** Maler, *Minden(?) um 1340, †Hamburg 1414 oder 1415, lernte vermutlich im Umkreis der →Böhmischen Malerschule, die ihm die Kenntnis der ital. Malerei (v.a. GIOTTOS) vermittelte. So verbinden sich in seinem Werk Formelemente westeurop. und ital. Malerei mit einer eigenwüchsigen, naiv-anschaul. Erzählergabe. Mit Sicherheit stammen von ihm der ›Grabower Altar‹, urspr. der Hochaltar der Petrikirche in Hamburg, der 1731 an die

**Meister Bertram:** Erschaffung der Tiere, Tafel vom Grabower Altar; 1379 (Hamburg, Kunsthalle)

Kirche in Grabow/Mecklenburg verkauft wurde (1379; Hamburg, Kunsthalle) und der Passionsaltar (1394?; Hannover, Niedersächs. Landesgal.).

**Beruẹte,** Aureliano de, span. Maler und Kunstschriftst., *Madrid 27. 9. 1845, †ebd. 5. 1. 1912, malte Landschaften im Stil der frz. Impressionisten (Werke im Mus. für Moderne Kunst, Madrid).

**Bervịc,** Charles-Clément, frz. Kupferstecher, *Paris 23. 5. 1756, †ebd. 23. 3. 1822. Von ihm sind nur 19 Blätter bekannt, doch alle von hoher techn. Meisterschaft.

**Bes** aus dem Serapeum in Sakkara; um 600 v. Chr. (Paris, Louvre)

**Bes,** Gruppe von zwergenhaften ägypt., dann auch (als **Besas**) von den Griechen verehrten Schutzgottheiten, die in den Händen Schlangen, Schwert und Trompete (Abwehr des Bösen) halten; dargestellt mit breitem, halbtier. Gesicht, Federkrone und Löwenfell.

**Besalụ́,** span. Ort in der katalon. Prov. Gerona, mit der nur teilweise erhaltenen dreischiffigen Kirche S. María (11. Jh.), ein bed. frühroman. Bau (qualitätvolle Kapitelle und Tympanon); 2 weitere roman. Kirchen mit gutem Baudekor (S. Pedro, S. Vicente).

**Besançon** [bəzãs'ɔ̃], frz. Stadt (126000 Ew.) und Erzbischofssitz, am Doubs, Hauptstadt der Franche-Comté mit zahlreichen Bauten aus dem 16.–18. Jh., von Befestigungswällen umgeben und von der Zitadelle des 17. Jh. überragt. Hauptachse der Stadt ist seit röm. Zeit die Grande Rue mit Palais Granvelle (1534 beg., heute histor. Mus.), Square Archéologique Castan mit Resten eines röm. Theaters, Porte Noire (röm. Bogen) und die Kathedrale St. Jean mit auf roman. Bogen des 12. Jh. errichtetem got. Schiff des 13. Jh. (im Inneren Mariengemälde FRA BARTOLOMEOS von 1518).

**Beschauzeichen:** Nürnberger B. und Meisterzeichen von Albrecht Preißensin, 2. Hälfte des 16. Jh.

**Beschauzeichen, Schaumarke, Punze,** Gütestempel mit Meisterzeichen, der zur Bestätigung des Feingehalts in kunsthandwerkl. Arbeiten aus Edelmetall von den Goldschmiedezünften, später von staatl. Stellen, eingeschlagen wurde.

**Beschläge,** bei Fenstern, Türen und Möbeln die Glieder, die die bewegl. Teile miteinander verbinden, gangbar und schließbar machen.

Eiserne und bronzene B. kannte die röm. Möbelkunst (Pompeji). In Dtl. finden sich früheste Beispiele künstler. Gestaltung seit 1000 n. Chr. Aus roman. Zeit sind bes. schmiedeeiserne Türbänder, aus der Gotik reichverzierte B. für Portale, Schranktüren und Truhen aus Schmiedeeisen bekannt. Die B. dienten als Angelbänder, aber auch als Zierrat, der sich in verschiedener Gestaltung über die Fläche zog. Im späten MA. wurden die B. stark naturalistisch gestaltet. Die Spätrenaissance brachte v. a. kunstvolle Schloß-B. an Möbeln an. Vergoldete Bronze-B. (Vermeil) wurden v. a. in Frankreich hergestellt, wo sie an den Boulle-Möbeln einen wichtigen Bestandteil bildeten und für die Kunsttischlerei des Rokoko immer eleganter ziseliert wurden. Nach der Empirezeit ließ die Freude an den Möbelbeschlägen nach. Gegen Ende des 19. Jh. hat die Reform des

Beschlagwerk

Kunsthandwerks die künstler. Gestaltung von B. (einfache, zweckmäßige Formen) wieder belebt.

G. EGGER: B. und Schlösser auf alten Möbeln ([2]1982).

**Beschlagwerk,** flache, symmetrisch angeordnete Ornamentform der niederländ. und dt. Spätrenaissance, um 1560 von dem Niederländer H. VREDEMAN DE VRIES entwickelt., durch Vorlagenbücher bald weit verbreitet. Urspr. für Holzvertäfelungen in der Innendekoration gedacht, wurde das B. in Stein bald zum gängigsten Architekturornament der Spätrenaissance. Der Begriff B. wurde zuerst im 19. Jh. auf Grund der Ähnlichkeit zu Eisenbeschlägen gebraucht. Das B. verwendete man bis um 1620; es wurde durch das Ohrmuschel- und Knorpelwerk abgelöst.

**Beschneidung Christi,** →Darstellung Christi im Tempel.

**Besigheim,** altertüml. Stadt nördlich von Ludwigsburg, Bad.-Württ., 8100 Ew.; in der evang. Stadtkirche Flügelaltar aus der Werkstatt CHRISTOPHS VON URACH (um 1520), qualitätvolles Schnitzwerk der Spätgotik.

**Bẹsnagar,** Stadt in Zentralindien nahe Bhopal. Von der altind. Stadt **Vịdisha** sind im Stadtbereich von B. Reste einer Kultstätte Vasudeva-Krishnas vom Ende des 2. Jh. v. Chr. erh. Ein grch. Gesandter aus Taxila (Heliodoros) ließ hier eine Kultsäule (Garudadhvaja) errichten, die ihn als Anhänger des frühen Vishnu-Kults ausweist.

**Bestạm,** Stadt in der Prov. Chorasan, O-Iran, relig. Zentrum durch Grabstätte des Hl. Abu Jasid al-Bistami (†875?); sein Grabmal, ein kegelförmiger Turm (1313), ist erhalten, ebenso eine Moschee aus der Seldschukenzeit mit üppig verziertem Ziegelminarett (1120).

**Bestiaire** [bɛstj'ɛ: r], altfrz. Tierbuch, nach einem lat. Bestiarium (→Physiologus) um 1130 von dem anglonormann. Geistlichen PHILIPPE DE THAON verfaßt; es enthält symbol. Deutungen von Tieren und edlen Steinen in bezug auf Christus, Teufel, Menschen und Heilslehre. Diese wurden in Miniaturen dargestellt, die den Themenkreis der got. Buchmalerei erweitern.

**Besti|ensäule,** Baukunst: Freistütze, deren Schaft mit Leibern von miteinander oder mit Menschen kämpfenden Tieren bedeckt ist. B. wurden in der Romanik als Türpfeiler (Frankreich) und in Fassadengalerien (Italien) mit in die Baudekoration einbezogen. In Dtl. läßt sich nur die B. in der Krypta des Freisinger Domes (1164) nachweisen. Die genaue Deutung der B. ist bis heute umstritten.

**Betanzos** [bet'anθɔs], westspan. Stadt in Galicien, Prov. La Coruña, rd. 12000 Ew.; mehrere romanisch-got. Kirchen, u. a. S. Francisco (1387) mit qualitätvollen Portalskulpturen und Kapitellen, im Inneren das reich skulptierte Grabmal des Fernán Pérez de Andrade (†1397).

**Bete,** Stammesgruppe in der westl. Elfenbeinküste östlich des Sassandra. Ihre künstler. Aktivität konzentriert sich im wesentl. auf die Herstellung von Masken.

Die männl. Gesichtsmasken erwecken durch die zoomorphen Attribute (Hauer und Hörner), die sich stark abstrahiert vor dem Gesicht treffen, den Eindruck eines ma. Ritterhelms mit herabgelassenem Visier. I. Ggs. dazu zeichnen sich die weibl. Masken, ebenso wie die Webrollenhalter, durch harmon., fast naturalist. Züge aus; sie tragen, ähnlich wie bei den benachbarten Dan, eine Schmucknarbe an der Stirn.

**Beterstatuetten,** rundplast. Bildwerke von Betern beiderlei Geschlechts, die im Alten Orient in frühdynast. Zeit (etwa 2800–2300 v. Chr.) von Mesopotamien bis N-Syrien verbreitet waren (BILD sumerische Kunst). Die B. sollten die Stifter im dauernden Gebet vor der Gottheit vertreten. Die meist aus Stein gearbeiteten Statuetten (zw. 7 cm und 1,14 m groß) stellen die Beter stehend oder sitzend (auch paarweise) dar. Die Stilentwicklung geht von einer steifen, sehr ausdrucksstark wirkenden Form (Kopf überproportional vergrößert) zu einer ausgeglicheneren, im Detail sehr sorgfältigen, aber auch sehr komprimierten Darstellung.

**Beth Alpha,** Kibbuz rd. 15 km nordwestlich von Beth Schean (Israel); Ruinen einer Synagoge mit gut erhaltenem Fußbodenmosaik des 6. Jh.: bildl. Darstellung der Bundeslade, der Tierkreiszeichen als Symbol des kult. Jahres und der göttl. Ordnung und der Opferung Isaaks (trotz des mosaischen Bilderverbotes).

**Bet|haus,** in kath. Ländern ein seit Ende des 17. Jh. für nicht privilegierte Bekenntnisse bestimmtes Gotteshaus ohne Turm und Glocke, in dem nur Gebet und Predigt erlaubt waren.

**Bethel** [hebr. beth-el ›Haus Gottes‹], heute **Beitin,** 17 km nördlich von Jerusalem, im A. T. Ort des Jakobstraumes und alter Kultort. Nach Ausgrabungsfunden lag B. an der alten Weihrauch-Straße aus Arabien. In byzantin. Zeit war hier eine aus den Steinen der bronzezeitl. Bauten errichtete Stadt mit einer Kirche, über deren Resten die Moschee des heutigen Ortes steht.

**Beth Jerash,** Ruinenstätte am Ausfluß des Jordans aus dem See Genezareth; Ruinenhügel mit bronzezeitl. Funden, daneben Überreste der hellenistisch-röm. Stadt **Philotereja:** rechteckige Befestigung, Bad; im Innern der Festung Reste einer Synagoge mit Mosaikfußboden des 6. Jh.; nördlich davon Überreste einer byzantin. Kirche (529).

**Bethlehem** [hebr. ›Tempel der Göttin Lahama‹], Stadt 10 km südlich von Jerusalem mit 24 100 Ew., gilt als Heimat Davids und Geburtsort Jesu. Über der Geburtsgrotte erbaute KONSTANTIN D. GR. 326 ein Oktogon mit anschließender fünfschiffiger Kirche (Mosaikfußboden z. T. erhalten); an die Stelle des Oktogons setzte JUSTINIAN (540) eine dreifache Apsis. Die Kirche überstand als einziger christl. Kultbau den Perserstrum des Jahres 614. Vor dem Zugang zur Grotte steht ein (Kreuzfahrer-) Portal mit Bronzebildern aus der Zeit Justinians; ma. Kreuzgang der angebauten lat. Kirche.

**Bethlehemitischer Kindermord,** nach Mt. 2, 13 bis 18 die (legendäre) Ermordung aller Knaben unter 2 Jahren in und um Bethlehem durch HERODES D. GR., der mit dieser Maßnahme den Jesusknaben habe aus der Welt schaffen wollen. – Die Darstellung des B. K. ist in frühchristl. Zeit selten (Rom, S. Maria Maggiore, Mosaiken); er wird im MA. in den Zyklus des Lebens Jesu miteinbezogen (Padua, Giotto-Fresken u. a.). Einzelbilder des B. K. finden sich auch in Renaissance und Barock (A. ALTDORFER, P. P. RUBENS).

**Beth Schean, Bet Shean,** arab. **Beisan,** Stadt in Israel, im Jordantal, 11 900 Ew. Der seit 700 v. Chr. verlassene Ort wurde erst in ptolemäischer Zeit als **Skythopolis** wieder besiedelt und war seit 63 v. Chr. in röm. Hand; erhalten u. a. ein röm. Theater für 8000 Zuschauer, ein Hippodrom, ferner Mosaikarbeiten aus byzantin. Zeit, bes. in einer Synagoge (508/09 n. Chr.).

**Beth Schearim, Bet Shearim,** Ort in NW-Israel, südöstlich von Haifa, in spätantiker Zeit (2.–4. Jh.) jüd. Ort mit dem Grab des Rabbi Juda und einer es umgebenden jüd. Nekropole mit 30 Katakomben, in denen sich fromme Juden auch aus weiter entfernten Gebieten begraben ließen. Sie enthalten zahlreiche Sarkophage des 3. und 4. Jh., deren Stil römisch beeinflußt ist.

**Beth Schemesch** [hebr. ›Sonnenhaus‹], Ruinenstätte 31 km von Jerusalem an der Straße Jerusalem–Abu Gosh, früher Grenzstadt von Juda, Anfang des 8. Jh. v. Chr. von den Philistern erobert. – Im **Tell er-Rumeileh,** dem Ort des alten B. S., fanden sich 6 Siedlungsschichten, die älteste aus der frühen Bronzezeit; aus der Mittelbronzezeit Reste einer Befestigung mit Stadttor; Nachweis einer gewaltsamen Zerstörung Ende des 16. Jh. v. Chr., danach Aufbau und Wohlstand in Salomon. Zeit.

**Betnuß, Gebetsnuß,** aufklappbare, bis 6 cm große Kapsel aus Hartholz (meist Buchsbaum), Elfenbein oder Metall, innen mit winzigen relig. Reliefschnitzereien; als Anhänger am Rosenkranz bes. im 15./16. Jh. getragen.

**Beton** [betˈɔ̃, n. lat. bitumen], formbare Mischung von Bindemitteln (meist Zement), Zuschlagstoffen und Wasser, die zu künstl. Stein erhärtet. Die Vorstufe zum B.-Bau ist das Gußmauerwerk (opus incertum) der röm. Antike (Kalk mit hydraul. Eigenschaften), mit dem selbst komplizierte, stark belastbare Gewölbe herstellbar waren. Im 19. Jh. wurde der B.-Bau für ingenieursmäßige Bauaufgaben ›wiederentdeckt‹. Mit der Erfindung des **Eisen-B.** durch J. MONIER (*1823, †1906) wurde die Entwicklung des B. zum universellen Baustoff eingeleitet. Durch den mit Rundeisen bewehrten **Stahl-B.** ist es möglich, die auf Zug belasteten Teile schmal und leicht zu halten. Beim **Spann-B.** ist durch vorgespannte Drähte die Belastbarkeit noch höher, die Querschnitte können weiter verringert werden.

**Betsäule,** →Bildstock.

**Bettelordenskirchen, Predigerkirchen, Minoritenkirchen,** Klosterkirchen der Bettelorden der Franziskaner (Minoriten) und Dominikaner (Prediger) u. a. kleinerer Orden, denen keine formulierte Bauordnung zugrunde liegt. Die B. übernahmen Bauformen der bürgerl. Pfarrkirche (Hallenkirchen). Bezeichnend für die B. ist der Verzicht auf Prunk und Dekor; keine Türme, nur kleine Dachreiter. Das überhöhende Element der basilikalen Kathedrale wurde zugunsten eines einfachen Predigtraumes mit mehreren kleinen Altarnischen am Chorhaupt zurückgedrängt.

**Beuckelaer** [b'ø:kəla:r], Joachim, niederländ. Maler, *Antwerpen um 1533, †ebd. um 1573/74; schuf Stilleben, Kücheninterieurs und Genredarstellungen im Stil und in der Nachfolge von P. AERTSEN. Seine Marktbilder zeigen häufig Szenen aus dem NT.

K. P. F. MOXEY: Pieter Aertsen, J. B. and the rise of secular painting in the context of the Reformation (New York 1977).

**Beuron,** Wallfahrtsort im oberen Donautal, Bad.-Württ., 1200 Ew.; Benediktiner-Erzabtei (1075 gegr.), Kirche im Vorarlberger System mit guter Spätbarockdekoration (1732–38).

**Beuroner Kunstschule,** von dem Maler und Bildhauer P. LENZ (P. Desiderius OSB) in Beuron 1868 begr. Kunstschule, die mit der Rückwendung zu altchristl. und formstrengen Stilformen den Realismus des 19. Jh. zu überwinden suchte (bed. Mitgl. der Gründerzeit: J. WÜGER/P. Gabriel OSB und F. STEINER/P. Lucas OSB). Sie war über J. VERKADE (P. Willibrord OSB) und P. SÉRUSIER mit den frz. Nabis verbunden. Zu den HW der B. K. gehören, neben der Ausmalung der Maurus-Kapelle bei Beuron (1868–70), die Mosaiken in der Unterkapelle von Monte Cassino (1900–13) am Grab des Ordensstifters Benedikt von Nursia.

**Beuys** [bɔis], Joseph, Plastiker, Zeichner, Aktionskünstler, *Kleve 12. 5. 1921, †Düsseldorf 23. 1. 1986, studierte 1947–51 an der Düsseldorfer Akad. bei E. MATARÉ. In den 1950er Jahren lag der Schwerpunkt auf Zeichnungen, die Lebensprozessen und -ordnungen nachspüren (weibl. Archetypen, Biene, Elch, Hirsch). Gleichzeitig begründete B. seinen ›erweiterten Plastikbegriff‹, der von einem grundlegenden Gegensatz von Wärme und Kälte, Evolution und Erstarrung, Kreativität und Rationalisierung ausgeht und diesen durch Materialien wie Fett (Wärmeenergie), Filz (Isolation), Kupfer (Leiter) in Objekte und große Environments umsetzt (Straßenbahnhaltestelle, 1976; Honigpumpe am Arbeitsplatz, 1974–1977). In den 1960er Jahren kamen, zeitweise im Umkreis der Fluxus-Bewegung, rituelle Aktionen hinzu, deren Relikte in die Objektplastik eingingen (Eurasien, 1966; Koyote, 1974). In den 1970er Jahren betonte B. v. a. seine Theorie der ›allgemeinen Kreativität‹, verbunden mit polit. und wissenschaftl. Alternativideen, die zur ›sozialen Plastik‹ der Gesellschaft beitragen sollen (Büros für direkte Demokratie; Freie Internat. Hochschule für Kreativität und interdisziplinäre Forschung, erstmals auf der documenta 6, 1977). Sämtl. Äußerungen von B. liegt die Suche nach dem verlorenen ›ganzen‹ Menschen zugrunde, in dem Natur und Kultur, Mythos und Wissenschaft wieder eins werden (Aktion 7000 Eichen, documenta 7, 1982). BILD Aktionskunst

J. B., Zeichnungen, Ausst.-Kat., Berlin-West (1980); J. B., Ölfarben-Oilcolors 1936–1965 (1981); J. B., Arbeiten aus Münchner Pri-

**Joseph Beuys:** Szene aus der Hirschjagd; 1961 (ehem. Samml. Karl Ströher)

vatbesitz, Ausst.-Kat., München (1981); G. ADRIANI u. a.: J. B. ([2]1981); W. BOJESCUL: Zum Kunstbegriff des J. B. (1981); Zirkulationszeit, Radierungen (1982).

**Beverley** [b'evəlı], Stadt in Yorkshire (England), nordwestlich von Kingston, 17 100 Ew. Die um 690 gegr. Kirche (Minster) wurde nach Zerstörung um 935 als Kollegiatsstift erneuert; das Langhaus entstand im 14. Jh., nach 1400 das spätgot. Ostfenster und die westl. Zweiturmfront. Das kreuzrippengewölbte Innere mit dreigeschossigem Wandaufriß ist im Stil des →Early English gestaltet. Die 1450 voll. Turmfassade ist mit Perpendicular-Maßwerk und eingefügten Statuen überzogen. Das ›Percy Tomb‹ im Chor (nach 1339) mit aufwendigem Baldachinaufbau ist ein HW des →Decorated Style. Die Pfarrkirche St. Mary wurde im 14. Jh. im Decorated Style erweitert (Querhaus Mitte 15. Jh.) der Mittelteil der turmlosen Westfassade ist von oktogonalen Treppentürmen eingefaßt.

**Beverly Hills** [b'evelı hılz], Stadt in Kalifornien, USA, 33 400 Ew., von der Stadt Los Angeles umschlossen; exklusives Wohngebiet mit Villen, u. a. ›Pickfair‹ (1919, von MARY PICKFORD u. D. FAIRBANKS) und das von F. L. WRIGHT erbaute ›Greystone Mansion‹.

**Bevern,** Gem. bei Holzminden, Ndsachs. Das mächtige, vierflügelige Schloß (1603–12), ein HW der Weserrenaissance, war 1667–1773 Residenz der Herzöge von Braunschweig-B.

**Beverwijk** [-w'ɛjk], Gem. in der niederländ. Prov. Nordholland, 38 000 Ew.; got. dreischiffige Hallenkirche (14./15. Jh.), Turm mit Renaissanceportal (1631),

Ausstattung des 17. und 18. Jh.; Herrenhaus ›Huis Scheybeek‹ mit Rokokostukkaturen (Mus.).

**Beweinung Christi,** eines der Hauptthemen der christl. Kunst seit dem 12. Jh. In der Passionsfolge ist sie das bewegende Ereignis zw. Kreuzabnahme und Grablegung; beide wirken deshalb oft auf die Darstellung ein. Die epochemachende abendländ. Komposition wurde zu Anfang des 14. Jh. von GIOTTO in der Arena-Kapelle in Padua geschaffen. Seitdem wuchs die Zahl der Darstellungen außerordentlich. Die bedeutendsten stammen im Norden von A. DÜRER, M. GRÜNEWALD, H. BALDUNG, T. RIEMENSCHNEIDER, in Italien von DONATELLO (Londoner Relief), A. MANTEGNA mit seinem kühn verkürzten Christus (Mailand; BILD Mantegna), S. BOTTICELLI (München), G. MAZZONI (Tongruppen), FRA BARTOLOMEO (Florenz).

**Bewick** [bj'u:ɪk], Thomas, engl. Graphiker, *Cherryburn (Ovingham, Northumberland) 12. 8. 1753, †Gateshead (Durham) 8. 11. 1828, entwickelte die Technik des →Holzstichs. B. arbeitete 1785–90 an der ›General history of quadrupeds‹, in den Jahren 1797–1804 schuf er die ›History of British birds‹.

S. ROSCOE: T. B., A bibliography raisonné... (London 1973).

**Beycesultan** [bɛjdʒɛ-], Ruinenhügel in W-Anatolien (KARTE Alter Orient). Die Architektur (Megaronhaus) und eine bestimmte schwarzpolierte Keramik lassen Zusammenhänge mit der Ägäis, Griechenland und dem Balkan in spätchalkolith. Zeit erkennen; Reste eines großen Palastes aus dem 19./18. Jh. v. Chr. (Fachwerkbau).

**Beyeler,** Ernst, schweizer. Kunsthändler, *Basel 16. 7. 1921. Zunächst als Buch- und Kunstantiquar tätig, gründete B. 1951 eine Galerie, deren Ausstellungen aus B.s eigenen umfangreichen Beständen ihren Schwerpunkt in der klass. Moderne haben; daneben Herausgabe von Kunstbüchern.

**Beyer, 1)** August von, Baumeister, *Künzelsau 30. 4. 1834, †Ulm 18. 4. 1899, war ebd. (1880–90) und in Bern Baumeister und leitete am Münster beider Städte den Ausbau des Hauptturms (in Ulm nach alten Rissen, in Bern nach Plänen von M. ENSINGER), ferner in Heilbronn die Wiedererrichtung der Kilianskirche (1888 bis 1895).

**2)** Johann Christian Wilhelm, Bildhauer, Porzellanmodelleur, Gartenarchitekt, *Gotha 27. 12. 1725, †Schönbrunn (heute zu Wien) 23. 3. 1806, stand in Rom J. J. WINCKELMANN nahe, war seit etwa 1760 Modellmeister der Porzellanmanufaktur Ludwigsburg und ging 1767 nach Wien. In seinen Porzellanfiguren wird wie in den späteren Skulpturen für den Garten von Schönbrunn (1773–80) ein noch vom Rokoko belebter Klassizismus spürbar. Seine Werke bildete B. z. T. auch in Kupferstich-Werken ab (›Österreichs Merkwürdigkeiten‹, 1779, und ›Die neue Muse oder der Nat.-Garten‹, 1784).

P. LAHNSTEIN und MECHTHILD LANDENBERGER: Das Ludwigsburger Porzellan und seine Zeit (1978); Klassizismus in Wien. Architektur und Plastik, Ausst.-Kat., Wien (1978).

**Beyeren** [b'ɛjərə], Abraham van, holländ. Maler,

*Den Haag um 1620/21, †Overschie 15. 3. 1690, malte dekorativ-üppige Stilleben (Fische, Frühstückstische, Blumen) und Marinebilder mit stark bewegter See.

**Beyşehir** [bɛjʃɛh'ir], türk. Stadt am SO-Ufer des Sees B. gölü (Prov. Konya); Moschee (Eşrefoğlu Camii, 1298, mit Türbe des Stifters; hölzerne Dachstützen mit geschnitzten Mukarnas-(Stalaktit-)Kapitellen; am W-Ufer des Sees Ruinen eines seldschuk. Palastes (Kubat Abad).

**Bezeklik, Bäzäklik,** Ruinenstätte in der Oase →Turfan (Ostturkestan, KARTE zentralasiatische Kunst) bei Murtuq an den Uferklippen des gleichnamigen Flusses. Die buddhist. Kultbauten lassen sich in 3 Bautypen einteilen: 1. freistehende Halle, 2. Höhlentempel, 3. Verbindung beider, d.h. vor einem Höhlentempel befindet sich eine aus ungebrannten Ziegeln errichtete Vorhalle. Eine chines. Bauinschrift auf einer Steinplatte läßt eine Datierung der Tempelgruppe in das 9. Jh. n. Chr. zu. Prachtvolle, großformatige Malereien chines. Stils und buddhist. Inhalts waren an den Tempelwänden angebracht (in den Mus. von Berlin-West und Delhi).

**Bhadgaon,** Stadt in Nepal, →Bhaktapur.

**Bhagavata Purana,** alter ind. Text, der wie alle Puranas die myth. Entstehung und Vernichtung der Welt, deren Zeitalter, Genealogien und Gottheiten beschreibt. Im 10. Buch des B. P. wird das Leben Krishnas erzählt, das v.a. die →Rajput-Malerei inspirierte, wovon viele Hss. Zeugnis geben.

**Bhairava,** grimmige Erscheinungsform (Aspekt) des hinduist. Gottes Shiva, von roter oder schwarzer Farbe. Aus seinem Mund ragen Eckzähne, seine Attribute sind Dreizack, Schädelschale (Kapala) und Schlangen, sein Symboltier ist der Hund.

**Bhaja** [-dʒa], buddhist. Höhlenanlage in W-Maharashtra, Indien. Große Chaitya-Halle (2. Jh. v. Chr.) mit geripptem Tonnengewölbe; Fassade mit mehrstöckigen Galerien mit Scheinarchitektur und Resten figürl. Darstellungen. Benachbart liegen mehrere Viharas, deren größte in der Veranda 2 Felsreliefs der buddhist. Mandhata-Legende sowie Wächterfiguren aufweist.

**Bhaktapur,** auch **Bhadgaon,** Stadt im Katmandu-Tal, Nepal; im 9. Jh. gegr., im 15.–17. Jh. unter der Malla-Dynastie mit Palast- und Tempelanlagen ausgebaut. Der Staatstempel Yaksheshvara mit einem →Chaturmukhalinga als Kultbild (um 1460) hat als Vorbild den →Pashupatinath von Deopatan. Beim Stadtzentrum Taumadhi Tole liegen der Bhairava-Tempel und der Nyatapola-Tempel, der als einziger Ziegeltempel Nepals 5 abgestufte Dächer trägt (um 1700). Kult. Mittelpunkt für die überwiegend hinduist. Bevölkerung ist das Taleju-Heiligtum im Mul Chowk des Palastes. (BILD nepalesische Kunst)

**Bharhut,** Ort in Zentralindien, Fundort des ältesten reliefierten Steinzaunes eines (nicht erhaltenen) buddhist. Stupas (um 100–75 v. Chr.). An den Zaunpfeilern Yaksha- und Naga-Figuren, an den Deckbalken Szenenfriese (Jatakas). Der archaische Stil von B. zeichnet sich durch flächige Körperformen und bisweilen starre Haltung der Figuren, andererseits durch Detailreichtum des Dekors und Konzentration auf die wesentl. Bildelemente der Legendenszenen aus.

B. BARUA: B., 3 Bde. (Kalkutta 1934–37, engl.).

**Bheraghat,** hinduist. Tempelstätte bei Jabalpur, Zentralindien. Der den 64 Yoginis geweihte Tempel (10. Jh.) besteht aus einem Kranz von 81 überdachten Nischen der Kultfiguren um einen offenen Hof mit kleinem, rechteckigem Schrein Shiva-Parvatis.

**Bhitargaon,** Dorf in N-Indien mit einem hinduist. Ziegeltempel (5. Jh. n. Chr.). Der hohe Turm über dem quadrat., von einem echten Gewölbe gedeckten Cellabau gilt als Vorläufer des Shikhara im Nagara-Stil. In den Nischen der Außenwände sind Reste von Terrakotta-Reliefplatten mit Götterfiguren erhalten.

**Bhringin,** ind. Mythologie: Asket im Gefolge von Shiva, Beifigur des Nataraja, Ardhanarishvara u. a. mit skelettartigem Körper.

**Bhubanesvar,** Hauptstadt des ind. Bundesstaates Orissa, bed. hinduist. Tempel- und Wallfahrtsstätte mit zahlreichen Sandsteintempeln im mittelalterl. →Nagara-Stil: Parashurameshvara-Tempel (750), Mukteshvara-Tempel (10. Jh.), Rajarani- und Lingaraja-Tempel (um 1000), der das Hauptheiligtum bildet. Grazile Relieffiguren des hinduist. Pantheons aus dem 10.–12. Jh., Mithunas und Surasundaris in bisweilen manierierten Posen, bilden den Tempelschmuck. (BILD indische Kunst)

**Bhubanesvar:** Mukteshvara-Tempel; 10. Jh.

**Bhudevi,** auch **Prithivi,** ind. Mythologie: im Vishnuismus Erdgöttin, die vom Varaha aus den Urwassern emporgehoben wird. Sie wird auch als Halbfigur auf dem Sockel von Vishnufiguren oder als dessen 2. Frau neben ihm stehend dargestellt.

**Bhumara,** Tempelstätte des Gottes Shiva in Zentralindien, mit Resten eines der frühesten Steintempel (6. Jh., von einem Umwandlungsgang umgeben). Teile von Dachaufbauten lassen Frühformen von Shikharas des Nagara-Stils vermuten.

**Bhumisparshamudra** [Skt.], Geste der Erdberührung des Buddha bei seiner Meditation in Bodh Gaya (→Mudra).

**Białogard,** poln. Name für →Belgard (Persante).

**Białystok,** Hauptstadt der Wwschaft B. im nördl. Podlachien, NO-Polen, 218 000 Ew.; im 14. Jh. gegr., seit 1665 im Besitz der Magnatenfamilie Branicki, die das Schloß ab 1697 (oder 1691) durch T. VAN GAMEREN zur großen Residenz umbauen ließ. Die Anlage wurde 1728–58 durch J. S. DEYBEL und J. H. KLEMM spätbarock verändert; nach 1945 teilweise rekonstruiert. Frz. Park (hauptsächlich 1728–58) mit 2 Rokoko-Pavillons; Rathaus (1745–46).

**Bianco,** auch **Bianchi** [bi'aŋki], Bartolomeo, ital. Baumeister, *Como vor 1590, †Genua 1657; baute in Genua die Paläste Balbi-Senarega, Balbi-Durazzo u. a., wobei er die durch G. ALESSI begr. Tradition fortführte, ferner Befestigungen, Hafenanlagen, Jesuitenkollegium.

**Biard** [bja:r], Pierre d. Ä., frz. Bildhauer, Architekt, *Paris 1559, †ebd. 17. 9. 1609, verband fläm. Realismus mit manierist. Stil, den er in Italien kennengelernt hatte (Bronzegestalt der Ruhmesgöttin, von einem zerstörten Grabmal; Louvre). Sein Sohn Pierre d. J., *Paris 1592, †ebd. 28. 5. 1661, ebenfalls in Italien ausgebildet, schuf 1638 das bronzene Reiterstandbild Ludwigs XIII. für die Place Royale (heute Place des Vosges) in Paris (1793 zerstört).

**Biban el-Harim** [arab. ›Gräber der Königinnen‹], heutiger Name für das Tal der Königinnen (→Tal der Könige und Tal der Königinnen) in Ägypten.

**Biban el-Moluk** [arab. ›Gräber der Könige‹], heutiger Name für das Tal der Könige (→Tal der Könige und Tal der Königinnen) in Ägypten.

**Bibel** [grch. ta biblia ›die Bücher‹], die Schriften des A. T. und N. T., überliefert v. a. in Hss., die in Schriftbild wie Illumination oft kunstreich ausgeschmückt wurden. Kostbare vollständige B.-Ausgaben waren etwa die →Bibel von S. Paolo fuori le mura und die →Floreffe-Bibel. Ausgaben best. B.-Teile (Evangeliare, Psalterien, Apokalypsen u. a.) waren die Hauptaufgabe bed. Schreibschulen (Skriptorien): →Codex Aureus, →Rabula-Evangeliar, →Utrecht-Psalter, die Evangeliare von Durrow, Kells und Lindisfarne (→insulare Buchmalerei), u. a. – Über Ausgaben mit vorwiegender oder ausschließl. Bebilderung für nicht Lesekundige: →Bibles moralisées, →Biblia pauperum, →Bilderbibeln; über Ausgaben in großem Format: →Riesenbibeln.

⇒ Bucheinband · Buchillustration · Buchmalerei.

**Bibel von S. Paolo fuori le mura,** großformatige Bibel, um 870 für KARL D. KAHLEN (in Reims?) geschrieben, anläßlich seiner Kaiserkrönung (875) in die Kirche S. Paolo fuori le mura in Rom gelangt. Mit 37 Zierseiten, reichem Initialschmuck und 24 Miniaturen übertrifft sie an prachtvoller Entfaltung alle karoling. Bibeln. In den Darstellungen aus A. T. und N. T. ist der Zyklus der Bibeln der Schule von →Tours verarbeitet. Stil und Ornamentik lassen an Einwirkung der →Reimser Schule denken.

**Bibelots** [bibl'o, frz.] *Mz.*, kleinere kunsthandwerkl. Gegenstände, oft von Liebhabern gesammelt.

**Biberach an der Riß,** Stadt in Südwürttemberg, ehem. freie Reichsstadt, 28800 Ew.; im Stadtbezirk mehrere ehem. Klöster und Klosterhöfe; spätgot. Pfarrkirche (1746/47 durch JOHANN ZICK barockisiert); Marktplatz mit typisch schwäb. Bürgerhäusern (massives Untergeschoß, vorspringender Fachwerkaufsatz, breiter Giebel); Neues Rathaus (1503); Metzig (1432, 1650 als Komödienhaus umgebaut); im Hl.-Geist-Spital (15./16. Jh.) das Braith-Mali-Mus., eine der größten Gemäldesamml. in Bad.-Württ. (u. a. JOHANN und JANUARIUS ZICK).

**Biberschwanz,** Baukunst: Flachziegel mit halbrundem oder stichbogenförmigem Ende. (→Ziegel)

**Bibiena, Bibbiena, Galli da B.,** Familie ital. Baumeister und Maler, gewann europ. Bedeutung in der Theaterarchitektur und Bühnendekoration des Barock.

**1)** Alessandro, Sohn von 3), *Parma 1687, †vor 1769, erbaute die Jesuitenkirche und den rechten Flügel des Schlosses in Mannheim.

**2)** Antonio, Sohn von 3), *Parma 16. 1. 1700, †Mailand 1774, schuf Theaterbauten, Szenerien u. a. in Bologna (Teatro Comunale 1756–63), Siena, Florenz und Wien, ferner kirchliche Dekorationen.

**3)** Ferdinando, *Bologna 18. 8. 1657, †ebd. 3. 1. 1743, baute das Theater in Mantua (1731), schuf Theater- und Festszenerien (u. a. Parma, Barcelona, 1714 Wien).

**4)** Giuseppe, Sohn von 3), *Parma 5. 1. 1696, †Berlin 1756, erfand die transportable Bühnenszenerie; schuf 1748 mit seinem Sohn Carlo die Innenausstattung des Theaters in Bayreuth. Er hinterließ das Kupferstichwerk ›Architetture e prospettive...‹ (1740).

**Bibles moralisées** [bibl mɔraliz'e, frz.], Bilderbibeln mit stark didakt. und moralisierender Tendenz, seit Anf. 13. Jh. in Frankreich nachweisbar; sie wurden für das höf. Milieu des Königs angefertigt. Sehr reiche Illustrationsfolgen mit nur sparsamem Text (z. T. über 5000 Bilder) stellen Szenen des A. T. und des N. T. in typolog. Bezug. Auf jeder Seite wurde das Schema zweier senkrechter Reihen mit Miniaturen in Medaillons eingehalten (starke Anklänge an die gleichzeitige Glasmalerei). In der Nachfolge der B. m. steht die →Biblia pauperum.

B. m., Faks.-Ausg. des Cod. Vindobonensis, mit Kommentar v. R. HAUSHERR (1973).

**Biblia pauperum** [lat.], **Armenbibel,** ein Ende des

13. Jh. entstandenes bibl. Bilderbuch für die Armen, denen das Bild die unverstandene Schrift ersetzen sollte, oder für arme Geistliche, die sich die teuren Bibel-Ausgaben nicht leisten konnten; evtl. auch als Kampfbuch gegen die ›Pauperes Christi‹ (lat. ›Arme Christi‹) genannten Katharer (relig. Bewegung) zu verstehen. Auf jeder Seite ist eine Begebenheit aus dem N. T. dargestellt, umgeben von 4 Prophetenfiguren und 2 Szenen aus dem A. T., die mit diesem in heilsgeschichtl. Zusammenhang stehen.

**Biblioteca Medicea Laurenziana** [-meditʃ'e:a-], →Medici.

**Bibliotheca Hertziana,** kurz **Hertziana,** kunsthistor. Bibliothek und Forschungsstätte der Max-Planck-Gesellschaft in Rom; 1913 im Palazzo Zuccari eröffnet, der 1912 durch eine Stiftung der dt. Kunstsammlerin Henriette Hertz (*1846, †1913) an die Kaiser-Wilhelm-Gesellschaft übergegangen war. Hauptforschungsgebiete sind die nachantike klass. Kunst in Italien und die kulturhistor. Wechselbeziehungen zw. Dtl. und Italien. 1963 wurde der angrenzende Palazzo Stroganow hinzuerworben.

**Bibliothek** [grch.], Raum zur Aufbewahrung und zum Studium von Schrifttum. In der Antike bestanden die B. aus einem Saal mit Wandnischen zur Verwahrung der Schriftrollen, bis im 5. Jh. n. Chr. das gefaltete Buch, der Codex, die Rolle ersetzte. Die B. des MA. und der Renaissance, langgestreckte Säle, waren bestimmt durch Reihen von Bücherpulten mit Regalen, die durch einen Mittelgang getrennt waren und rechtwinklig auf die Wand liefen (Florenz; B. im Kloster S. Marco von Michelozzo, voll. 1446; ›Biblioteca Medicea Laurenziana‹ im Kloster S. Lorenzo, von Michelangelo). In den engl. Colleges des 16./17. Jh. erhielten die B. durch Anordnung der Bücher übereinander Magazinform. Die **Saal-B.** des Barock, vorgebildet im →Escorial und in der →Ambrosiana in Mailand, erfuhr ihre reiche und prunkvolle Ausbildung in den süddt. Klöstern (Admont, Melk, Schussenried). Die zunehmende Zahl der Bücher brachte im 19. Jh. die Magazinierung auf eisernen Repositorien, die durch Leitern oder Galerien zugänglich waren (Ste. Geneviève in Paris, von H. Labrouste; B. des Brit. Mus., London, 1854).

**Bibra,** Gem. im Kr. Meinigen, Dt. Dem. Rep.; spätgot. Dorfkirche (beg. 1492), u. a. mit spätgot. Kirchenväteraltar, Schutzfigur St. Kilian, Grabstein des Hans von Bibra (alle um 1500 aus der Riemenschneider-Werkstatt); Renaissance-Schloß (1580).

**Biburg,** Gem. im Kr. Kelheim, Niederbayern, mit ehem. Benediktinerkloster (1125 gegr.), dessen roman., der Hirsauer Bauschule folgende Kirche (12. Jh.) ihre urspr. Gestalt sehr gut bewahrt hat.

**Bichara,** Ort in N-Algerien, in der Nähe die Ruinenstadt →Kal'at Beni Hammad.

**Bidar,** ehem. Hauptstadt und Festung der Bahmani-Dynastie in NO-Karnataka, S-Indien, 50700 Ew. Die

Moscheen, Koranschulen, Grabmäler, Badehäuser und Paläste, vornehmlich aus dem 15. Jh., waren vielfach mit farbig glasierten Kacheln verkleidet. Im Stil erinnern diese Gebäude, heute vorwiegend Ruinen, an die pers. Architektur aus vergleichbarer Zeit.

**Bidjọgo, Bidyogo, Bijugo,** kleine Volksgruppe auf den Bissagos-Inseln, Guinea-Bissau. Die B. sind bed. Bildhauer, die Fruchtbarkeitspuppen, Kultgeräte, Ahnenfiguren und Seelenbehälter für die Ahnen (in halbfigürl. Büstenform) herstellen; von den Masken sind v. a. die meist sehr naturalistisch gestalteten Büffelmasken, die zusammen mit anderen Tiermasken (Vogel, Nilpferd) in den ›rites de passage‹ (Tänze beim Übergang von einer Altersklasse in die andere) getragen werden, hervorzuheben. Büffelköpfe aus Holz, oft mit echten Hörnern versehen, schmückten früher auch den Bug der königl. Kriegsboote.

**Biecz** [bjɛtʃ], Stadt in der Wwschaft Tarnów, Polen, mit z. T. erhaltenen Befestigungsanlagen aus der Zeit vor 1399. Die Pfarrkirche, eine spätgot. Halle mit Seitenkapellen und Staffelgiebel (voll. 1521), hat eine reiche Ausstattung, bes. Grabmäler, der Spätrenaissance und einen befestigten Glockenturm mit Sgraffiti (16. Jh.). Hl.-Geist-Spital (1487); Franziskanerkloster mit Kirche (1645–63); Rathaus mit spätgot. Kern (1569–81, 1830 klassizistisch umgebaut).

**Biedermeier, Biedermaier,** treuherziger, aber spießbürgerl. Mensch; urspr. ein Pseudonym, unter dem L. EICHRODT und A. KUSSMAUL in den ›Fliegenden Blättern‹ 1855–57 Gedichte veröffentlichten; danach Bez. für die **Biedermeierzeit** (1815–48). Die bei aller Behaglichkeit bescheidene bürgerl. Lebenshaltung verwirklichte sich v. a. in der Wohnkultur, die in ihrer Schlichtheit und Ornamentlosigkeit von der bürgerl. Kunst Englands zu Ende des 18. Jh. ausging und den Empirestil zu nüchterner Strenge und sachl. Zweckmäßigkeit abwandelte. Ihre Möbel sind klar gebaut und doch zierlich. Besonderes Gewicht wurde auf gutes Material und handwerkl. Arbeit gelegt. Als Dekorationsmuster verwendete man die Blume, bes. als Streumuster.

In der Malerei, die zeitlich zw. Romantik und Stimmungsrealismus der 50er und 60er Jahre liegt, läßt sich eine deutl. Reaktion gegen den subjektivist. Charakter der Zeit um 1800 beobachten. Sowohl der lyrische Pantheismus eines C. D. FRIEDRICH als auch die anspruchsvolle Porträtkunst eines P. O. RUNGE traten wieder in den Hintergrund. Die Kunst wurde durch Selbstbescheidung, durch das Intime und Eng-Behagliche bestimmt. Vorherrschende Ausdrucksform war ein porträtgetreuer Realismus, mit anfangs zeichner., seit etwa 1830 mehr maler. Gepräge. Weitgehend epigonenhaft blieb man bei Historienbildern und relig. Szenen. In der Genremalerei, v. a. der Düsseldorfer Schule, bekam das Enge und Kleinbürgerliche oft einen rührend-sentimentalen Ausdruck. Besser sind die humoristisch gefärbten Genreszenen, wie sie C. SPITZWEG, A. SCHRÖDTER und J. P. HASENCLEVER malten. Doch sind die eigtl. Leistungen der B.-Malerei die Porträts und Landschaften von F. KRÜGER, E. GÄRTNER und T. HOSEMANN in Berlin, G. F. KERSTING in Dresden, J. OLDACH, F. WASMANN und O. SPECKTER in Hamburg, F. WALDMÜLLER, F. EYBL, P. FENDI und J. DANHAUSER in Wien. Über die Grenzen des B. hinaus ging F. v. RAYSKI, der auf malerisch freie Art v. a. Porträts schuf, ebenso F. X. WINTERHALTER als Porträtist der europ. Gesellschaft. Als Illustrator tat sich L. RICHTER hervor.

**Biedermeier:** Georg Friedrich Kersting, ›Am Stickrahmen‹; 1827 (Kiel, Kunsthalle)

**Bièfve** [bjɛ:f], Édouard de, belg. Maler, *Brüssel 4. 12. 1808, †ebd. 7. 2. 1882, neben L. GALLAIT und G. WAPPERS ein Hauptvertreter der romant. Historienmalerei in Belgien.

**Biel,** frz. **Bienne** [bjɛn], Stadt im schweizer. Kt. Bern, 58 000 Ew., am Bieler See. Die Oberstadt hat noch ma. Gepräge; 3 Wehrtürme (nach 1405), Rathaus im Flamboyant-Stil (1530–34), Zunfthaus zu Waldleuten (1559–61), spätgot. Zeughaus (1589–91); spätgot. Pfarrkirche (1451–58) mit bemerkenswertem Fenster im Chor (1457).

**Bielefeld,** Stadt am Teutoburger Wald, NRW, 315 300 Ew.; im MA. Hansestadt. Nachdem fast die gesamte Innenstadt im 2. Weltkrieg zerstört worden war, wurden die Altstädter Nikolaikirche (Anf. 14. Jh., mit großartigem Antwerpener Schnitzaltar, um 1520), und die Neustädter Marienkirche (um 1300) wiederhergestellt. Crüwellhaus (1530); Stadttheater (1904) mit Jugendstilfassade; Oetkerhalle (1929/30); frühe Industriebauten im Stil engl. got. Schloßarchitektur (Ravensberger Spinnerei 1855–62, Bielefelder Weberei 1864–89). Über B. Burgruine Sparrenberg. Westfäl. Bauernhaus-Mus., Kulturhistor. Mus., Kunsthalle (Kunst des 20. Jh.).

**Bi|ennale** [ital. ›zweijährlich‹] *die,* alle 2 Jahre stattfindende internat. Kunstausstellung, v. a. die B. in den öffentl. Gärten von Venedig (erstmals 1895).

**Biermann,** Eduard, Maler, *Berlin 26. 7. 1803, †ebd. 16. 6. 1892, malte poetisch empfundene Landschaften, bes. aus Italien und den Alpen, daneben auch Aquarelle.

**Bierstadt,** Albert, amerikan. Maler dt. Herkunft, *Solingen 7. 1. 1830, †New York 19. 2. 1902; wuchs in den USA auf, studierte bei K. F. LESSING in Düsseldorf (1853). Nach Expeditionen in die Rocky Mountains (1859 und 1863) entstanden Gebirgsbilder (darunter ›Rocky Mountains‹, 1863; New York, Metropolitan Mus.). B. gehörte zu den Malern der →Hudson River School.

**Bierutowice** [bjɛrutɔv'itsɛ], →Brückenberg.

**Biforium** [lat.] *das,* Baukunst des MA.: durch eine Säule geteiltes Fenster, bes. in der got. Kathedrale.

**Bigarny, Biguerny** [biɣ'ɛrni], span. Bildhauer und Baumeister, →Vigarny.

**Bihari** [b'ihɔri], Sándor, ungar. Maler, *Rézbánya (Komitat Bihar) 19. 5. 1855, †Budapest 28. 3. 1906, ausgebildet in Wien und Paris, war Mitgl. der Künstlerkolonie Szolnok. Er malte in der Nachfolge von M. MUNKÁCSY Genreszenen aus dem ungar. Volksleben.

**Bihsad,** pers. Maler, →Behsad.

**Bijapur:** Gol Gumbaz; 1626–56

**Bijapur** [-dʒ-], islamisch geprägte Stadt im nördl. Karnataka, S-Indien, 103310 Ew.; gegen Ende des 15. Jh. von dem Herrscherhaus der Adil Shahis zur Festungsstadt ausgebaut, 1686 von den Moguln erobert. Die vielen, z. T. nur als Ruinen erhaltenen Mausoleen, Moscheen und Paläste bezeugen die immense Bautätigkeit der Adil Shahis, die mit dem Gol Gumbaz, dem Mausoleum MOHAMMED ADIL SHAHS (1626–56), eine der größten Kuppeln der Welt erbauten. Die Wandmalereien im Pavillon ›Kumatgi‹ zeigen, neben zahlreichen Miniaturen, die Malschule von B. in ihrer Blütezeit unter den Adil Shahis.

**Bijin-ga** [-dʒ-, ›Bilder schöner Frauen‹], Thema japan. Rollbilder und Farbholzschnitte im Ukiyo-e (bes. 17. Jh.).

# HINWEISE FÜR DEN BENUTZER

**Reihenfolge und Schreibung der Stichwörter**

Die Stichwörter folgen einander nach dem Abc. Für das Einordnen gelten alle in **fetter Schrift** gedruckten Buchstaben, auch wenn das Stichwort aus mehreren Wörtern besteht. Unterstichwörter sind in **halbfetter Schrift** gesetzt.

Die Umlaute ä, ö, ü werden behandelt wie die einfachen Buchstaben a, o, u; also folgen z. B. aufeinander: **Atum, Ätzgrund, Atzmann, Ätzung.** Ae, oe, ue, auch wenn sie wie ä, ö, ü oder sonst abweichend vom Schriftbild ausgesprochen werden, werden wie getrennte Buchstaben behandelt; z. B. folgen aufeinander: **Godronierung, Goepfert, Goeritz, Goes, Gogh.** Auch die Doppellaute ai, au, äu, ei, eu sowie sch, st, sp usw. werden getrennt alphabetisiert.

Getrennte Aussprache zusammenstehender Buchstaben wird in Zweifelsfällen durch einen senkrechten Strich | angezeigt, z. B. **alt|arabische Kunst.**

Wird ein Stichwort in zwei oder mehreren Formen oder Schreibungen aufgeführt, so ist die erste Form die geläufigere.

Wenn man ein zusammengesetztes Wort nicht im Abc findet, schlage man seine Wortglieder nach.

**Verweisungen · Weiterführende Stichwörter**

Der Verweisungspfeil → fordert auf, den dahinterstehenden Begriff nachzuschlagen, das Zeichen ⇒ verweist auf Artikel, die in einem weiteren Zusammenhang mit dem betreffenden Stichwort stehen. Hinweise auf Bilder an anderer Stelle stehen ohne Verweisungspfeil; das entsprechende Stichwort ist mit dem Hinweis BILD versehen.

**Geographische Namen,** die aus mehreren Wörtern bestehen, sind im Abc wie folgt zu finden:

a) mit ›Bad‹ beginnende Namen unter dem eigentlichen Ortsnamen (z. B. Bad Münstereifel unter Münstereifel, Bad);
b) mit ›Sankt‹ (und den fremdsprachigen Entsprechungen Saint, San, São usw.) beginnende Namen jeweils unter S...;
c) Zusammensetzungen mit fremdsprachigen Artikeln unter dem Anfangsbuchstaben des Artikels dann, wenn dieser als fester Bestandteil des Namens geläufig ist (z. B. Los Angeles, Le Havre, La Coruña), sonst unter dem Eigennamen (z. B. Mohammedia, La).

Von diesen Regelungen gibt es Ausnahmen; Grundsatz der redaktionellen Bearbeitung ist es, die Texte möglichst dort zu bringen, wo der Leser sie erfahrungsgemäß am ehesten sucht.

**Umschrift (Transkription und Transliteration)**

Wörter aus Sprachen mit nichtlateinischer Schrift erscheinen in einer der Aussprache angepaßten Umschrift (Transkription), sofern nicht ein eingedeutschter Name geläufig ist (z. B. *Kairo*).

**Umschrift (Transkription und Transliteration)**

Die Transkription aus slawischen Sprachen mit kyrillischer Schrift folgt einer volkstümlichen, der deutschen Aussprache angeglichenen Umschrift *(Tschernigow);* die wissenschaftl. Transliteration (buchstabengetreue Umsetzung: *Černigov)* ist, wo es angebracht erscheint, als Zweitstichwort angegeben.

Arabische Namen und Begriffe werden in einer gegenüber der wissenschaftl. Umschrift vereinfachten, in der Regel dem Lautwert entsprechenden Form wiedergegeben; dabei werden auch regional (z. B. in den Maghrebländern französisch) oder dialektal bedingte Formen berücksichtigt.

Die Transkription chines. Namen und Bezeichnungen richtet sich nach dem modifizierten Wade-Giles-System, unter Weglassung der diakritischen Zeichen außer der Aspiration. Chines. Ortsnamen, für die sich im dt. Sprachraum eine geläufige Umschrift eingebürgert hat (z. B. *Peking, Hongkong*), werden unter dieser aufgeführt. Sämtliche Ortsnamen werden außerdem in der heute offiziellen Pinyin-Umschrift unter Verweisung auf das Stichwort in Wade-Giles-Umschrift aufgeführt.

Für Namen aus dem japanischen und indischen Bereich werden weitgehend die international gebräuchlichen englischen Transkriptionsformen benutzt (Ausnahmen wiederum geläufige deutsche Formen wie *Kioto, Pandschab*).

**Betonung und Aussprache**

Wo beim Stichwort Zweifel über die Betonung auftreten können, ist diese durch einen Punkt unter dem betonten Laut angegeben, z. B. *Ọtranto, Bernau̯.*

Die Aussprache (mit Betonung) von fremdsprachlichen oder sonst schwierigen Wörtern und Namen steht in eckiger Klammer hinter dem Stichwort. Sie wird nach dem Internationalen Lautschriftsystem der Association Phonétique Internationale bezeichnet, z. B. *Atelier* [atəlj'e:]. Die verwendeten Zeichen bedeuten:

a = helles a, dt. Bl*a*tt
ɑ = dunkles a, dt. w*ar*, engl. B*a*th
ã = nasales a, frz. Ch*an*ce
ʌ = dumpfes a, engl. B*u*tler
β = halboffener Reibelaut b, span. Ála*v*a
ç = deutscher I*ch*-Laut
ð = stimmhaftes engl. th, engl. *th*e
æ = breites ä, engl. h*a*t
ɛ = offenes e, dt. f*e*tt, frz. Cal*ai*s
e = geschlossenes e, engl. *e*gg, dt. B*ee*t
ə = dumpfes e, dt. all*e*
ɛ̃ = nasales e, frz. f*in*
γ = geriebenes g, span. Tarra*g*ona
i = geschlossenes i, dt. W*ie*se
ɪ = offenes i, dt. b*i*n, engl. B*i*nham
ĩ = nasales i, portugies. *I*nfante
ɫ = dunkles l, poln. Wrocław
ʎ = lj, ital. Ca*gl*iari
ŋ = ng-Laut, dt. la*ng*e
ɲ = nj-Laut, ital. Bolo*gn*a
ɔ = offenes o, dt. K*o*pf
o = geschlossenes o, dt. T*o*r

**Betonung und Aussprache**

õ = nasales o, frz. *on*
ø = geschlossenes ö, dt. H*ö*hle
œ = offenes ö, dt. H*ö*lle
œ̃ = nasales ö, frz. *un*
s = stimmloses s, dt. wa*s*
z = stimmhaftes s, dt. *s*ingen
ʃ = stimmloses sch, dt. *Sch*uh
ʒ = stimmhaftes sch, frz. *j*our
θ = stimmloses th, engl. *Th*ornhill
u = geschlossenes u, dt. K*u*h
ʊ = offenes u, dt. b*u*nt
ũ = nasales u, portugies. *Fun*chal
v = deutsches stimmhaftes w, dt. *W*ald
w = halbvokalisches w, engl. *W*ebb
x = deutscher Ach-Laut, dt. Ba*ch*
y = geschlossenes oder offenes ü, *ü*ber, M*ü*tter
ɥ = konsonantisches y, frz. S*ui*sse
: bezeichnet Länge des vorhergehenden Vokals
ʹ bezeichnet Betonung und steht vor dem *Vokal* der betonten Silbe, z. B. bʹɔ:klɪ = Berkeley

b d f g h j k l m n p r t geben in den meisten Sprachen etwa den Lautwert wieder, den sie im Deutschen haben. Im Englischen wird ›r‹ weder wie ein deutsches Zäpfchen-R noch wie ein gerolltes Zungenspitzen-R gesprochen, sondern mit der Zungenspitze an den oberen Vorderzähnen oder am Gaumen gebildet.

**Herkunft der Wörter** (Etymologie)

Kurze Herkunftsangaben stehen in der eckigen Klammer hinter dem Stichwort. Im allgemeinen wird nur die Herkunftssprache genannt, z. B. **Abozzo** [ital.]; das Herkunftswort wird angegeben, wenn es zweckdienlich ist, z. B. **Akt** [lat. actus ›Bewegung‹, ›Tätigkeit‹]; ebenso die wörtliche deutsche Entsprechung des einer fremden Sprache entlehnten Begriffs, z. B. **Akropolis** [grch. ›Oberstadt‹].

**Nennung der Werke fremdsprachiger Autoren**

Erscheinungsorte werden immer genannt, wenn sie nicht im deutschsprachigen Raum liegen. Bei Titeln, denen nicht zu entnehmen ist, in welcher Sprache sie erschienen sind, kann auf diese Weise die Sprache erschlossen werden, z. B. (bei Velázquez) J. LÓPEZ-REY: V. (London 1968).

Schriften fremdsprachiger Künstler werden in der Originalsprache zitiert; liegt eine dt. Übersetzung vor, steht hinter dem Erscheinungsjahr des Originalwerks der Hinweis: ›dt.‹, z. B. bei **Albers:** Interaction of color (1963, dt.).

Bei der Nennung weiterführender Literatur wird dagegen nur die dt. Übersetzung angeführt und als solche gekennzeichnet.

**Anfragen, Anregungen und Verbesserungsvorschläge**

Seit vielen Jahrzehnten erreichen den Verlag aus dem Kreis der Lexikonbenutzer Fragen und Anregungen. Fragen der Leser werden ohne besondere Formalitäten und kostenlos von der Lexikonredaktion in Verbindung mit ihrem großen Mitarbeiterkreis beantwortet. Expertisen und rechtliche Beratungen sind davon ausgeschlossen.

Anregungen und Verbesserungsvorschläge sind stets willkommen. Da der Verlag nicht auf jeden Hinweis antworten kann, spricht er seinen Dank für jede Hilfe bereits hier aus.

Hinweise für den Benutzer sind auch im Band 10 zu finden.

**Abkürzungen**

Endungen oder Wortteile werden zur Raumersparnis weggelassen, wo sie ohne Schwierigkeit ergänzt werden können, z. B. abgek. für abgekürzt; Abt. für Abteilung; geistl. für geistliche(r); künstler. für künstlerische(r). An stärkeren, formelhaften Abkürzungen werden verwendet:

Abk. ................ Abkürzung
ags. ................ angelsächsisch
ahd. ................ althochdeutsch
Akad. ................ Akademie
allg. ................ allgemein
Am. ................ Amos (A. T.)
Anf. ................ Anfang
Apg. ................ Apostelgeschichte (N. T.)
Art. ................ Artikel
ASSR ................ Autonome Sozialistische Sowjetrepublik
a. St. ................ alten Stils
A. T. ................ Altes Testament
Aufl. ................ Auflage
Ausst.-Kat. ..... Ausstellungskatalog
Ausw. ................ Auswahl
Auton. Geb. ... Autonomes Gebiet
Bad.-Württ. .... Baden-Württemberg
Bar. ................ Baruch (A. T.)
Bd., Bde. ........ Band, Bände
bed. ................ bedeutend
beg. ................ begonnen
begr. ................ begründet
Beitr. ................ Beitrag, Beiträge
bes. ................ besonders
best. ................ bestimmt
Bev. ................ Bevölkerung
Bez. ................ Bezirk, Bezeichnung
Bibl. ................ Bibliothek, Bibliothèque, Biblioteca
Bundesrep. Dtl. ................ Bundesrepublik Deutschland
Chr. ................ Christus; Chronik (A. T.)
Cod. ................ Codex
Coll. ................ Collection
ČSSR ................ Tschechoslowakei
Cty. ................ County oder -ties
d. Ä. ................ der (die) Ältere
Dan. ................ Daniel (A. T.)
Dep. ................ Departamento
Dép. ................ Département
dgl. ................ dergleichen, desgleichen
d. Gr. ................ der Große
d. h. ................ das heißt
Distr. ................ Distrikt
d. J. ................ der (die) Jüngere
dt. ................ deutsch
Dt. Dem. Rep. ........... Deutsche Demokratische Republik
Dtl. ................ Deutschland
Dtn. ................ Deuteronomium (A. T.)
ebd. ................ ebenda
ed., Ed. .......... editio, Edition
ehem. ................ ehemalig, ehemals
eigtl. ................ eigentlich
Einl. ................ Einleitung
Enz. ................ Enzyklopädie
Eph. ................ Epheserbrief (N. T.)
Erg. ................ Ergänzung
erh. ................ erhalten
Esr. ................ Esra (A. T.)
Est. ................ Esther (A. T.)
e. V. ................ eingetragener Verein
evang. ................ evangelisch
Ew. ................ Einwohner
Ex. ................ Exodus (A. T.)
Ez. ................ Einzahl; Ezechiel (A. T.)
f., ff. ................ folgend, folgende (z. B. Seiten, Jahre)
Faks.-Ausg. .... Faksimileausgabe
Fam. ................ Familie
Frhr. ................ Freiherr
frz. ................ französisch
Fstt. ................ Fürstentum
Gal. ................ Galerie, Galérie, Galleria; Galaterbrief (N. T.)
gegr. ................ gegründet
Gem. ................ Gemeinde
gen. ................ genannt
Gen. ................ General; Genesis (A. T.)
Gen.-Gouv. .... Generalgouvernement, Generalgouverneur
Ges. ................ Gesetz; Gesellschaft
Gesch. ................ Geschichte
Ges. W. .......... Gesammelte Werke
gew. ................ geweiht
Gfsch. ................ Grafschaft
ggf. ................ gegebenenfalls
Ghzgt. ................ Großherzogtum
Gouv. ................ Gouverneur, Gouvernement
grch. ................ griechisch
H. ................ Hälfte
Hab. ................ Habakuk (A. T.)

| | |
|---|---|
| Hag. | Haggai (A. T.) |
| Hb., Hbb. | Handbuch, -bücher |
| hd. | hochdeutsch |
| hebr. | hebräisch |
| Hebr. | Hebräerbrief (N. T.) |
| Hg. | Herausgeber(in) |
| hg. v. | herausgegeben von |
| Hi. | Hiob (A. T.) |
| Hl., hl. | Heilige(r), heilig |
| Hld. | Hohelied (A. T.) |
| Hos. | Hosea (A. T.) |
| Hs., Hss. | Handschrift(en) |
| HW | Hauptwerk(e) |
| Hwb. | Handwörterbuch |
| Hzgt. | Herzogtum |
| i. a. | im allgemeinen |
| i. d. R. | in der Regel |
| i. e. S. | im engeren Sinn |
| i. Ggs. | im Gegensatz |
| i. J. | im Jahre |
| internat. | international |
| i. S. | im Sinn |
| ital. | italienisch |
| i. w. S. | im weiteren Sinn |
| Jahrtsd. | Jahrtausend |
| Jak. | Jakobusbrief (N. T.) |
| Jb. | Jahrbuch |
| Jdt. | Judith (A. T.) |
| Jer. | Jeremia (A. T.) |
| Jes. | Jesaja (A. T.) |
| Jh. | Jahrhundert |
| Jo. | Joel (A. T.) |
| Joh. | Johannesevangelium (N. T.), Johannesbrief (N. T.) |
| Jon. | Jona (A. T.) |
| Jos. | Josua (A. T.) |
| jr. | junior, der jüngere |
| Jud. | Judasbrief (N. T.) |
| Kap. | Kapitel |
| Kat. | Katalog |
| kath. | katholisch |
| Kgr. | Königreich |
| Klgl. | Klagelieder des Jeremia (A. T.) |
| Kol. | Kolosserbrief (N. T.) |
| Kön. | Könige (A. T.) |
| Kor. | Korintherbrief (N. T.) |
| Kr. | Kreis |
| Kt. | Kanton |
| lat. | lateinisch |
| Lb. | Lehrbuch |
| Lev. | Levitikus (A. T.) |
| Lex. | Lexikon |
| Lfg. | Lieferung(en) |
| Lit. | Literatur |
| Lk. | Lukasevangelium (N. T.) |
| Lw. | Lehnwort |
| MA., ma. | Mittelalter, mittelalterlich |
| magy. | magyarisch |
| Makk. | Makkabäer (A. T.) |
| Mal. | Maleachi (A. T.) |
| max. | maximal |
| md. | mitteldeutsch |
| Metrop. Area | Metropolitan Area |
| Metrop. Cty. | Metropolitan County |
| mhd. | mittelhochdeutsch |
| Mi. | Micha (A. T.) |
| Mio. | Million(en) |
| Mitgl. | Mitglied |
| Mk. | Markusevangelium (N. T.) |
| mlat. | mittellateinisch |
| mnd. | mittelniederdeutsch |
| Mos. | Mose (A. T.) |
| Mrd. | Milliarde(n) |
| Mt. | Matthäusevangelium (N. T.) |
| Mus. | Museum, Musée, Museo |
| Mz. | Mehrzahl |
| N | Nord(en) |
| n. | nach |
| Nachdr. | Nachdruck |
| Nah. | Nahum (A. T.) |
| Nat. | National |
| n. Ausg. | neue Ausgabe |
| n. Chr. | nach Christi Geburt |
| Ndsachs. | Niedersachsen |
| Neh. | Nehemia (A. T.) |
| Neuaufl. | Neuauflage |
| ngrch. | neugriechisch |
| nhd. | neuhochdeutsch |
| nhg. | neu herausgegeben |
| nlat. | neulateinisch |
| NO | Nordost(en) |
| NÖ | Niederösterreich |
| NRW | Nordrhein-Westfalen |
| n. St. | neuen Stils |
| N. T. | Neues Testament |
| Num. | Numeri (A. T.) |
| NW | Nordwest(en) |
| O | Ost(en) |
| Ob. | Obadja (A. T.) |
| Offb. | Offenbarung des Johannes (N. T.) |
| o. J. | ohne Jahr |
| OÖ | Oberösterreich |
| orth. | orthodox |
| österr. | österreichisch |
| Petr. | Petrusbrief (N. T.) |
| PH | Pädagogische Hochschule |
| Phil. | Philipperbrief (N. T.) |
| Phlm. | Philemonbrief (N. T.) |
| Präs. | Präsident |
| prot. | protestantisch |
| Prov. | Provinz |

## Abkürzungen

| | |
|---|---|
| Ps. | Psalmen (A. T.) |
| rd. | rund |
| ref. | reformiert |
| Reg.-Bez. | Regierungsbezirk |
| relig. | religiös |
| Rep. | Republik |
| Rheinl.-Pf. | Rheinland-Pfalz |
| Ri. | Richter (A. T.) |
| Röm. | Römerbrief (N. T.) |
| Russ. SFSR | Russische Sozialistische Föderative Sowjetrepublik |
| S | Süd(en) |
| S. | San, Santo, Santa, São |
| Sach. | Sacharja (A. T.) |
| Sam. | Samuel (A. T.) |
| Samml. | Sammlung |
| Schlesw.-Holst. | Schleswig-Holstein |
| Schriftst. | Schriftsteller |
| Sir. | Jesus Sirach (A. T.) |
| Skt. | Sanskrit |
| SO | Südost(en) |
| Spr. | Sprüche (A. T.) |
| SS. | Santi, Santissima, Santissimi |
| SSR | Sozialistische Sowjetrepublik |
| St. | Sankt, Saint |
| Ste. | Sainte |
| svw. | soviel wie |
| SW | Südwest(en) |
| Tb. | Taschenbuch |
| TH | Technische Hochschule |
| Thess. | Thessalonicherbrief (N. T.) |
| Tim. | Timotheusbrief (N. T.) |
| Tit. | Titusbrief (N. T.) |
| Tl., Tle. | Teil(e) |
| Tob. | Tobias (A. T.) |
| TU | Technische Universität |
| u. a. | unter anderem(n), und andere(s) |
| u. ä. | und ähnliche(s) |
| UdSSR | Sowjetunion |
| u. d. T. | unter dem Titel |
| ü. M. | über dem Meeresspiegel |
| u. M. | unter dem Meeresspiegel |
| Univ. | Universität, University, Université |
| urspr. | ursprünglich |
| USA | Vereinigte Staaten |
| usf. | und so fort |
| usw. | und so weiter |
| u. U. | unter Umständen |
| u. v. a. | und viele(s) andere |
| v. a. | vor allem |
| v. Chr. | vor Christi Geburt |
| Verf. | Verfasser |
| versch. | verschieden(e) |
| Verz. | Verzeichnis |
| vgl. | vergleiche |
| voll. | vollendet |
| Vors. | Vorsitzender |
| VR | Volksrepublik |
| W | Westen |
| Wb. | Wörterbuch |
| Weish. | Buch der Weisheit (A. T.) |
| Wiss. | Wissenschaft |
| WW | Weitere(s) Werk(e) |
| Wwschaft | Woiwodschaft |
| z. B. | zum Beispiel |
| Zeph. | Zephanja (A. T.) |
| z. T. | zum Teil |
| Ztschr. | Zeitschrift |
| zus. | zusammen |
| zw. | zwischen |
| z. Z. | zur Zeit |
| $^3$1977 | 3. Aufl. 1977 |
| 3(1977) | Band 3 (1977) |

Weitere Zeichen: * geboren, † gestorben, ⚭ verheiratet, Ø Durchmesser.